新編高麗史全文

세가2책

현종-순종

目　　次

『高麗史』 卷四 世家卷四

[輔國崇祿大夫·議政府左贊成·知集賢殿經筵春秋館成均事·世子賓客·臣金宗瑞奉敎撰]
正憲大夫·工曹判書·集賢殿大提學·知經筵春秋館事兼成均大司成·臣鄭麟趾奉敎修

顯宗 一

顯宗元文·□□~~大孝~~·□□~~德威~~·□□~~達思~~<u>大王</u>,[1] 諱詢, 字安世, 安宗□郁之子, 母曰孝肅王后皇甫氏, 成宗十一年壬辰七月壬辰□~~朔~~<u>生</u>,[2] 稍長, 封大良院君. 年十二, 千秋太后忌之, 逼令祝髮. 初, 寓崇敎寺, 有僧, 夢見大星隕寺庭, 變爲龍, 又變爲人, 卽王也. 由是, 衆多奇之.

穆宗九年, 移寓三角山神穴寺, 太后屢遣人謀害. 寺有老僧, 穴地於室而匿之, 上置臥榻, 以防不測. 一日, 王偶題溪水詩曰, "一條流出白雲峯, 萬里滄溟去路通, 莫道潺湲巖下在, 不多時日到龍宮". 詠小蛇曰, "小小蛇兒遶藥欄, 滿身紅錦自斑斕, 莫言長在花林下, 一旦成龍也不難". 又夢聞雞聲砧響, 問於術士, 以方言解之曰, "雞鳴高貴位, 砧響御近當, 是卽位之兆也".

十二年二月己丑3日, [驚蹔]. 奉迎, 卽位於延寵殿.

庚寅4日, [罷<u>銀臺</u>·<u>中樞南北院</u>~~中樞·銀臺南北院~~, 置中臺省, 以三官機務, 悉歸之:節要轉載],[3] 以中樞院使·右散騎常侍康兆爲中臺使, 吏部侍郞李鉉雲爲中臺副使, 中樞院副使蔡忠順爲直中臺, 尹餘爲尙書右丞兼直中臺.

[→罷<u>中樞院及銀臺南</u>·<u>北院</u>, 置中臺省, 以掌三官機務. 有使·副使·直中臺·兼直

---

1) 여기에서 顯宗은 廟號이고, 元文大王은 諡號인데, 이는 1031년(덕종 즉위년) 6월에 顯宗의 陵[宣陵]이 松嶽의 西麓에 마련될 때 붙여진 것이다. 그런데 현종은 1056년(문종10) 10월에 大孝가, 1140년(인종18) 4월에 德威가, 1253년(고종40) 10월 3일(戊申)에 達思가 각각 덧붙여졌으나, 이 記事에는 반영되어 있지 않다. 또 그는 1254년(고종41) 10월 19일(戊子)에 蒙古軍의 침입을 太廟에 고할 때 世宗大王으로 불려졌다.

2) 현종의 誕日은 7월 1일이다(→성종 11년 7월 1일).

3) ~~添字~~는 『고려사절요』 권2 ; 지30, 百官1, 密直司에 의거하였는데, 後者가 옳을 것이다. 이는 같은 해 1월 壬申(16일) 中樞院使와 中樞副使가 각기 1人인데 비해 知銀臺事는 2人임을 통해 유추할 수 있다.

中臺:百官1密直司轉載].

是月, 遣司農卿王日卿[王日敬]如契丹告哀, 稱嗣.[4)]

○罷敎坊, 放宮女一百餘人, 毁閬苑亭, 珍禽·奇獸·龜魚之類, 放之山澤.[5)]

三月[丙辰朔大盡,戊辰], [某日, 追尊祖母, 曰神聖王太后:節要轉載].

[某日] 以柳允孚爲門下侍中, [內史侍郞平章事]柳邦憲爲門下侍郞平章事, [中臺使]康兆爲吏部尙書·參知政事, 陳頔爲刑部尙書·參知政事, 劉瑨·王同穎爲尙書左·右僕射, [前中樞院使]崔沆·金審言爲左·右散騎常侍, [直中臺]蔡忠順爲吏部侍郞·左鍊議大夫[~~左諫議大夫~~6)], 金勵爲兵部尙書, [前天秋宮使]文仁渭爲工部尙書.

[某日, 造戈船七十五艘, 泊鎭溟口, 以禦東北海賊:節要·兵2鎭戍轉載].[7)]

是月, 議築開京羅城.

四月丙戌朔[小盡,己巳], 遣借工部侍郞李有恒, 如契丹, 賀太后生辰.[8)]

甲午[9日], 追謚[謚]考妣.

[→追尊皇考郁, 爲孝穆[孝懿]大王, 廟號安宗, 妣皇甫氏, 爲孝肅王太后:節要轉載].[9)]

戊戌[13日], 赦[境內:節要轉載], 養老病, 放逋懸, 輕徭役, 賞功臣, 褒賢士, 錄勳舊, 除女樂, 濟軍粮, 群望神祇, □[各]加勳號, 增文武官爵□[秩].[10)]

---

4) 王日卿은 『고려사절요』 권2에는 王日敬으로 되어 있다.

5) 이와 관련된 기사로 다음이 있으나 添字가 탈락되었을 것이다(同一資料를 바탕으로 정리된 同源記事이다).

· 『고려사절요』 권2, 목종 12년 2월, "罷敎坊, □[放]宮女一百餘人, 毁閬苑亭, 珍禽·奇獸·龜魚之類, 放之山澤".

6) 鍊은 諫의 誤字로 上段의 餘白에 追記로 諫으로 고쳐져 있는데, 『고려사절요』 권2와 열전6, 蔡忠順에는 옳게 되어 있다. 또 이때 柳邦憲의 父 潤謙은 佐丞에, 母 李氏는 承化郡大夫人에, 妻 白氏는 上黨郡大君에 책봉되었다(柳邦憲墓誌銘).

7) 鎭溟口(혹은 鎭溟浦)는 後日 安邊都護府의 外港으로서 기능하였던 것 같고, 南道에서 운송되어 온 각종 물자를 비축하던 鎭溟倉이 있었다. 또 이를 지키기 위해 鎭溟都部署가 설치되어 있었던 것 같다(韓正勳 2011년).

8) 承天皇太后 蕭氏의 誕日은 5월 5일인 것 같은데(傅樂煥 1984年 145面), 이때 契丹軍이 宋軍을 包圍하였다가 皇太后의 生辰이므로 풀어주었다고 한다.

· 『요사』 권11, 본기11, 聖宗2, 統和 4년 5월, "壬申[5日], 以皇太后生辰, 縱還".

9) 이 구절의 일부는 열전3, 太祖王子, 安宗郁에도 수록되어 있다.

10) ~~添字~~는 『고려사절요』 권2에 의거하였다.

五月[乙卯朔小盡,庚午], 戊辰[14日], 改英華館爲會同館.

乙亥[21日], 納延興宮主女金氏爲妃. [成宗女也:節要轉載].[11)]

戊寅[24日], 赦徒罪以下, 加文武官階一級, 考滿者增秩, 賜京軍布, 有差, 南道民戶, 實東北邊鎭者, 放歸田里.

是月, 賜安昌齡等及第.[12)]

六月[甲申朔大盡,辛未], [□□[~~是月~~]], 東北界蝗.[13)]

七月[甲寅朔小盡,壬申], 癸酉[20日], 敎文官常參以上, [→下敎求言, 令文官常參以上:節要轉載], 各上封事, 極言時政得失.

辛巳[28日], 御毬庭, 集民男女年八十以上及篤疾者六百三十五人, 賜酒食·布帛·茶藥, 有差.

[→[~~顯宗卽位年七月,~~] 御毬庭, 集民男女年八十以上及篤疾者六百三十五人, 賜酒食·布帛·茶藥, 有差:節要2轉載].

[→穆宗十年七月[~~顯宗卽位年七月,~~], 御毬庭, 集民男女八十以上及篤癈疾□[~~者~~]六百三十五人, 臨賜酒食·布帛·茶藥, 有差:禮10老人賜設儀轉載].[14)]

○以[左散騎常侍·]翰林學士□□[~~承旨~~]崔沆爲[政堂文學·]師傅. [敎曰, "王者, 父事三老, 兄事五更,[15)] 所以藉賢輔德也. 予少値閔凶, 未聞法訓, 仰遵古典, 思得其人, 翰林學士

---

11) 延興宮主女 金氏(善州人 金元崇의 外孫女)은 成宗의 長女이며, 顯宗의 第1妃가 되었다.

- 열전1, 后妃1, 顯宗, "元貞王后金氏, 成宗之女. 顯宗卽位, 納爲后, 稱玄德王后. 元年, 王避契丹兵, 南幸, 后從行. 九年四月薨, 諡元貞, 葬和陵. 十八年, 加懿惠".
- 열전4, 公主, 成宗 二女, "~~元貞王后~~, 文和王后金氏所生, 事見后妃傳. … ~~元和王后~~, 延昌宮夫人崔氏所生, 事見后妃傳".

12) 이와 관련된 기사로 다음이 있다.

- 지27, 선거1, 科目1, 選場, "顯宗初卽位, □□□□[~~五月某日~~], 禮部侍郞姜邯贊知貢擧, 取進士, 賜甲科安昌齡·乙科四人·同進士三人·明經二人及第".

13) 宋에서는 이해[是年]의 5월 雄州(現 河北省 保定市 雄縣)에서 螨蟲의 害가 있었다고 한다.

- 『송사』 권62, 지15, 五行1下, "大中祥符二年五月, 雄州螨蟲食苗".

14) 이 기사는 ~~添字~~와 같이 修訂, 追加되어야 옳게 될 것이다. 原文과 같이 1007년(목종10) 7월 帝王이 毬庭에 幸次하여 賜宴을 내렸다면 『고려사절요』 권2에도 수록되었을 것이다(金아네스 2019년).

15) 이 구절은 다음의 자료에 의거한 것 같다.

- 『한서』 권22, 禮樂志第2, "… 及王莽爲宰衡, 欲燿衆庶, 遂興闢雍, 因以篡位, 海內畔之. … 顯宗卽位[注, 李奇曰, 明帝曰顯宗], 躬行其禮, 宗祀光武皇帝于明堂, 養三老五更於闢雍[注, 李奇

□□承旨崔沆, 明識高才, 諒絶儕等, 可授政堂文學, 以爲寡人之師傅焉":節要轉載].[16]

八月癸未朔小盡,癸酉, 甲午12日, 門下侍郎平章事柳邦憲卒.[17] [年六十六, 輟朝三日. 丙申14日, 差使, 勑弔, 贈門下侍中, 諡貞簡:列傳6柳邦憲轉載].[18] [邦憲, 性仁恕, 雖在倉卒, 未嘗疾言遽色. 長於儒學, 不事生業. 穆宗朝, 爲諫官, 或責以不言, 邦憲徐對云, 訐以爲直, 非吾所取:節要轉載].

[九月壬子朔大盡,甲戌, 是月, 恒霧, 至冬:節要·五行3轉載].[19]

[冬]十月壬午□朔大盡,乙亥, 以韋壽餘爲門下侍郎平章事, 陳頔爲內史侍郎平章事.[20]

[十一月壬子朔小盡,丙子:追加].

十二月辛巳朔大盡,丁丑, 丙申16日, 敎曰, "朕忝承祖業, 恭紹丕基, 御玄菟之封彊, 奉皇天之眷命. 子育黎庶, 不敢遑寧, 慮一德之未孚, 或彝倫之攸斁, 每躬勤於聽斷, 冀馴致於大平. 昨者, 方及秋旻, 未收祆霧, 陰陽交錯, 氣候乖差. 是增若厲之誡, 乃切責躬之戒, 避正殿, 減常羞, 旰食宵衣, 心祈口禱, 果蒙感通, 便致淸和. 可謂能敬無災, 轉禍爲福, 固合益思祗畏, 仰副高明, 更勤恤於邦家, 愈勵精於政事. 然萬機之務, 獨理爲難, 允資臣下之功, 共恊協乾坤之道, 方因儆懼, 乃示箴言, 若乃衡軸之司, 實是民瞻之地, 固宜綳綸彌綸闕漏,[21] 獻納謨明, 斟酌化源, 佐佑王業. 暨掄材

曰, 王者父事三老, 兄事五更, … 鄭展曰, 漢直以一公爲三老, 用大夫爲五更, 行禮乃置. 師古曰, 鄭玄說云, 三老·五更謂老人更知三德五事者也], 威儀旣盛美矣".

16) 이와 같은 기사가 열전6, 崔沆에도 수록되어 있는데, 添字는 이에 의거하였다.

17) 이날은 율리우스曆으로 1009년 9월 3일(그레고리曆 9월 9일)에 해당한다.

18) 이의 일부는 다음의 자료에 의거하였다.
·「柳邦憲墓誌銘」, "十四日差使, 勑弔, 敎可侍中, 贈諡曰, 貞簡公".

19) 일본의 京都에서는 이해[是年] 겨울에 天氣가 溫和하고 따뜻[和暖]하였다고한다(日本史料2-6冊 509面). 또 9월에는 4일(乙卯), 5일(丙辰), 22일(癸酉), 29일(庚辰), 30일(辛巳에 비가 내렸다(『御堂關白記』, 寬弘 6년 9월).
·『日本紀略』後篇11, 一條, 寬弘 6년, "今年, 冬天和暖".

20) 여기에서 冬이 탈락되었고, 壬午에 朔이 탈락되었다.

21) 綳綸은 經緯, 總括, 貫通을 의미하는 彌綸으로 고쳐야 옳게 될 것이다(東亞大學 2008년 2冊 285面).

之職，選士九權，搜草澤而無使遺賢，勉公平而勿遵阿黨．或懸科設法，折獄審刑，合盡哀矜，不行苛刻，足召和氣，俾無沈寃．至於百執事，恪居官聯，謹守職務．儆之以揚淸激濁，省之以背公向私．逮夫牧守之官，各懷字民之心，無忘愛物之意．至於鎭邊將帥，訓齊師旅，育養驍雄，務備不虞，戒于無度．咨，汝中外卿士，當夙夜以匪懈，在終始以不渝．噫，天鑑非遙，旣垂敬戒，予心勿怠，已致感通．更增夕惕之誠，冀賴日新之慶，故求共理，以保將來”．

［某日，定文武官僚，路上相見禮：節要轉載］．

［→禮儀司奏，定文武官路上相見禮．一品官，正三品以上，馬上祗揖，從三品以下，下馬廻避．三品官，五品以上，馬上祗揖，六品以下，下馬廻避．四品官，六品以上，馬上祗揖，七品以下，下馬廻避．五品官，七品以上，馬上祗揖，八品以下，下馬廻避．六品官，八品以上，馬上祗揖，九品以下，下馬廻避．七品官，九品以上，馬上祗揖，流外雜吏，下馬廻避：刑法1避馬式轉載］．[22)]

［是年，契丹遣使來，傳承天皇太后崩：追加］．[23)]

［○改金海·安東大都護府爲金海都護府：追加］．[24)]

［○加前贈禮部尙書蔡仁範，爲尙書左僕射：追加］．[25)]

［○靈巖縣戶長朴文英，造成聖風寺五層石塔：追加］．[26)]

·『周易注疏』 권11，系辭上疏，“… 易與天地准，故能彌綸天地之道，…［音義，… 鄭云中也，平也．彌如字本，又作弥，綸音倫，京云，彌遍，綸知也］(四庫全書本11左末行)”．

·『周書』 권40，열전32，尉遲運，王軌 등 4人의 末尾 史評，“史臣曰，士有不因學藝而重，不待爵祿而貴者何？亦云忠孝而已．若乃竭力以奉其親者，仁者之行也，致身以事其君者，人臣之節也．斯固彌綸三極，囊括百代”．

·『朱子語類』 권98，張子書1，“… 心統性情者也，… 彌綸天地，該括古今”(四庫全書本14面左末行)．

22) 이 기사의 冒頭에 ‘顯宗卽位□年’으로 되어 있는데，이 경우는 여타의 기사에서 崩御한 皇帝의 年數에 따라 穆宗十二年과 같이 표기한 사례와는 차이가 있다．

23) 이는 다음의 자료에 의거하였다．

·『요사』 권14，聖宗5，統和 27년，12월，“辛卯11日，皇太后崩于行宮，壬辰12日，遣使報于宋·夏·高麗”．

·『요사』 권115，열전45，二國外記，高麗，“統和二十七年，承天皇太后崩，遣使報以國哀”．

24) 이는 다음의 자료에 의거하여 추가한 것이다．이는 金海에 위치하였던 安東大都護府를 다른 지역(慶州 또는 尙州)으로 옮기고 邑格을 都護府로 降等시킨 조치로 추측된다．

·『경상도지리지』，晋州道，金海都護府，“穆宗己酉，改爲小都護府”．

25) 이는「蔡仁範墓誌銘」에 의거하였는데，이때 蔡仁範의 追贈職이 昇格된 것은 그의 아들로 推定되는 吏部侍郞 蔡忠順의 顯宗 擁立에 대한 포상의 결과로 추측된다．

26) 이는 全羅南道 靈巖郡 龍興里 553-1번지 聖風寺趾 5층석탑 舍利孔의 塔誌石에 의거하였다(보

庚戌[顯宗]元年, 契丹統和二十八年, [宋大中祥符三年], [西曆1010年]

1010년 1월 18일(Gre1월 24일)에서 1011년 2월 5일(Gre2월 11일)까지,
13개월 384일

春正月辛亥朔大盡,建戊寅, 乙丑15日, 廢上元道場.

[二月辛巳朔大盡,己卯, 某日, 某等造成稷山縣聖居山天興寺鐘:追加].[27)]

閏二月辛亥朔小盡,己卯, 甲子14日, 復燃燈會, [國俗, 自王宮·國都, 以及鄕邑, 以正月望, 燃燈二夜, 自成宗以來, 廢而不擧, 至是復之:節要轉載].

[→復燃燈會. 國俗, 自王宮·國都, 以及鄕邑, 以正月望, 燃燈二夜, 成宗以煩擾不經, 罷之, 至是復之:禮11上元燃燈會儀轉載].

[○月食:天文1轉載].[28)]

[三月庚辰朔大盡,建庚辰:追加].

夏四月庚戌朔小盡,建辛巳, 癸丑4日, 親祀大廟太廟.

己未10日, 賜徐崧等及第.[29)]

물 第1118號, 鄭永鎬 1998년).

· 銘文, "菩薩戒弟子高麗國靈嵒縣戶長朴文英, 特爲邦家鼎盛, 朝野益安, 敬造立五層石塔, 安置聖風大寺, 永充供養也, 統和二十七年己酉六月日記".

27) 이는 「稷山天興寺鐘銘」에 의거하였다(국보 제280호, 國立中央博物館 所藏, "統和二十八年庚戌二月日", 金石總覽 233面). 또 天興寺址는 現在 忠淸南道 天安市 西北區 聖居邑 天興洞 190-2番地라고 한다.

28) 이날 일본에서도 월식이 있었다고 한다(高麗曆과 同一, 日本史料2-6册 610面). 이날은 율리우스력의 1010년 4월 1일이고, 月食의 現象이 심했던 때의 世界時는 16시 32분, 食分은 0.33이었다(渡邊敏夫 1979年 471面). 또 世界時[Universal Time, 略稱UT]는 그리니치 천문대에서 정한 標準時[太陽時]이다.

·『日本紀略』後篇11, 寬弘 7년 閏2월, "十四日甲子, 夜, 月蝕".

·『權記』, 寬弘 7년, 윤2월, "十四日甲子, … 仁緣師云, 此夜有月蝕在本命宿云々, 是可愼者".

·『御堂關白記』, 寬弘 7년, 윤2월, "十四日甲子, … 月蝕, 十五分之六, 虧初子三刻三分, 加時丑初刻二分, 復末丑四刻一分".

29) 이와 관련된 기사로 다음이 있다.

[□□是時, 國子司業孫夢周奏, 只試詩·賦, 不試時務策:選擧1科目轉載].

五月己卯朔小盡,建壬午, 甲申6日, 流尙書左司郞中河拱辰, 和州防禦□使·郞中柳宗于遠島[30]. 拱辰嘗擊東女眞見敗, 宗恨之.

[→先是, 拱辰嘗從事東西兩界, 擅發兵, 入東女眞部落, 見敗. 柳宗聞之, 深怨女眞:節要轉載]. 會女眞九十五人來朝, 至和州館, 宗盡殺之, 故並坐流. 女眞訴于契丹, 契丹主聖宗謂群臣曰, "高麗康兆弑君[誦, 而立詢:節要轉載], 大逆也, 宜發兵問罪".

[六月戊申朔大盡,建癸未:追加].

秋七月戊寅朔小盡,建甲申, 契丹遣給事中梁炳·大將軍那律允耶律允來, 問前王之故.[31]

[是月, 城德州:節要·兵2城堡轉載].

八月丁未朔小盡,建乙酉. 遣內史侍郞平章事陳頔, 直中臺·尙書右丞尹餘, 如契丹.

[是月, 禁僧尼釀酒:節要轉載].

[→□□先是, 禁僧人奴婢相爭, 又禁僧尼釀酒:刑法2禁令轉載].

九月丙子朔大盡,建丙戌, [某日], 遣左司員外郞金延保如契丹, 秋季問候, 左司郞中王佐暹·將作丞白日昇, 如契丹東京, 修好.

冬十月丙午朔大盡,建丁亥, 以吏部尙書·參知政事康兆爲行營都統使, [吏部侍郞李鉉雲·兵部侍郞張延祐, 副之:節要轉載], 檢校尙書右僕射·上將軍安紹光爲行營都兵馬使, [御史中丞盧頲, 副之:節要轉載]. 少府監崔賢敏爲左軍兵馬使, 刑部侍郞李昉爲右軍兵馬使, 禮賓卿朴忠淑爲中軍兵馬使, 刑部尙書崔士威爲統軍使, 率兵三十

· 지27, 선거1, 科目1, 選場, "顯宗元年四月, 國子司業孫夢周知貢擧, 取進士, 賜甲科徐崧·丙科六人·同進士一人·明經三人及第".

· 『고려사절요』 권3, 현종 1년 4월, "賜徐崧等八人·明經三人及第. 知貢擧孫夢周, 奏試詩·賦, 不試時務策".

30) 柳宗의 官職인 和州防禦·郞中은 和州防禦使(外職)·郞中(京職)에서 使字가 탈락된 것이다.

31) 여러 판본의 『고려사』에서 那律允으로 되어 있으나 耶律允의 오자일 것이다. 거란이 외국에 파견한 正使는 耶律氏 또는 蕭氏였고, 副使는 그 以外의 姓氏였다(陶玉坤 1999年 ; 西尾尙也 2000年).

萬, 軍于通州, 以備契丹.

[→以康兆爲行營都統使, 李鉉雲及兵部侍郎張延祐副之, 起居舍人郭元·侍御史尹徵古·都官員外郎盧戩爲判官, 右拾遺乘里仁·西京掌書記崔冲並爲修製官. 檢校尙書右僕射·上將軍安紹光爲行營都兵馬使, 御史中丞盧頲副之, 兵部郞中金爵賢及皇甫兪義爲判官. 少府監崔賢敏爲左軍兵馬使, 少府少監崔輔成副之, 興威衛錄事高幹·大樂丞金在鎔爲判官. 刑部侍郎李昉爲右軍兵馬使, 刑部郞中金丁夢副之, 內謁者柳莊爲判官. 禮賓卿朴忠淑爲中軍兵馬使, 禮賓少卿李良弼副之, 尙書都事高延慶·司宰注簿庾伯符爲判官. 刑部尙書崔士威爲統軍使, 戶部侍郎宋隣副之, 左司員外郎皇甫申·試兵部員外郎元穎爲判官. 率兵三十萬, 軍于通州, 以備之:列傳40康兆轉載].

癸丑8日, [小雪]. 契丹遣給事中高正·閤門引進使韓杞來, 告興師.[32)]

[某日], □遣參知政事李禮均·右僕射王同穎, 如契丹, 請和.[33)]

十一月丙子朔小盡,建戊子, 遣起居郞姜周載如契丹, 賀冬至.

○契丹主聖宗遣將軍蕭凝來, 告親征.

庚寅15日, 復八關會,[34)] 王御威鳳樓, 觀樂.

[→初, 成宗以□□□八關會雜技, 不經且煩擾, 悉罷之, 但於其日, 幸法王寺行香, 還御毬庭, 受文武朝賀而已, 廢之幾三十年. 至是, 政堂文學崔沆請復之:節要轉載].[35)]

辛卯16日, 契丹主聖宗, 自將步騎四十萬, ~~號義軍天兵,~~[36)] 渡鴨綠江, 圍興化鎭.[37)] ~~都巡檢使~~

---

32) 이들은 같은 해 9월 16일(辛卯)에 파견이 결정되었다. 또 이때 거란은 고려가 女眞과 연결하면서 宋과 交通하고 있는 事由를 물었던 것 같다.
 · 『요사』 권15, 聖宗6, 統和 28년 9월, "辛卯16日, 遣樞密院直學士高正·引進使韓杞, 宣問高麗王詢".
 · 世家8, 文宗 12년 8월 7일, "… 昔庚戌之歲顯宗1年, 契丹問罪書云, '東結構於女眞, 西往來於宋國, 是欲何謀?', …".

33) 이들은 같은 달 契丹에 도착하였던 것 같다. 또 李禮均은 『고려사절요』 권3에는 李禮鈞으로 달리 표기되어 있다.
 · 『요사』 권15, 聖宗6, 統和 28년, "十月丙午朔, … □□是月 王詢遣使奉表, 乞罷師". 여기에서 是月이 탈락되었을 것이다.

34) 이 구절은 지23, 禮11, 仲冬八關會儀에도 수록되어 있다.

35) 이와 같은 기사가 다음의 記事에도 수록되어 있는데, ~~添字~~는 이에 의거하였다.
 · 열전6, 崔沆, "初, 成宗以八關會六關會雜伎, 不經且煩擾, 悉罷之. 但幸法王寺行香, 還御毬庭, 受文武朝賀而已. 至是, 沆請復設會". ~~添字~~와 같이 고쳐야 옳게 될 것이다.

楊規·李守和等,[38] 固守不降.

[→都巡檢使·刑部郎中楊規, 與鎭使·戶部郎中鄭成, 副使·將作注簿李守和, 判官·廩犧令張顥, 嬰城固守:節要轉載].

[壬辰17日, 統軍使崔士威等, 分軍出龜州北, 恧頓·湯井·曙星三道, 與契丹戰, 敗績. ○契丹主獲通州城外收禾男女, 各賜錦衣, 授紙封一箭, 以兵三百餘人, 送興化鎭諭降. 其箭封有書曰, "朕以前王誦, 服事朝廷, 其來久矣, 今逆臣康兆, 弑君立幼, 故親率精兵, 已臨國境, 汝等擒康兆, 送駕前, 便卽回兵, 不然, 直入開京, 殺汝妻孥":節要轉載].[39]

[癸巳18日, 又以勑書繫矢, 插城門曰, "勑興化鎭城主幷軍人·百姓, 朕以前王誦, 紹其祖服, 爲我藩臣, 捍禦封陲, 忽被姦兇所害, 朕將精銳, 來討罪人, 其餘脅從, 皆與原免, 況汝等, 受前王撫綏之惠, 知歷代逆順之由, 當體朕懷, 無貽後悔":節要轉載].[40]

[是日, 興化鎭副使李守和等上表曰, "戴天履地者, 合去姦兇, 資父事君者, 須堅節操, 若違此理, 必受其殃, 伏乞俯循民情, 用回睿略, 大開天網, 何求鳥雀之先投, 載轄兵車, 可獲貔貅之率服":節要轉載].

[甲午19日, 契丹主以錦衣·銀器等物, 賜鎭將有差, 仍勑曰, "省所上表奏, 具悉, 朕纂承五聖,[41] 臨御萬邦, 忠良則必示旌褒, 兇逆則須行誅伐, 以康兆弑其故主, 挾彼幼君, 轉恣姦豪, 大示威福, 故親行誅伐, 特正刑名, 方擁全師, 以臨近境, 比特頒於綸旨, 蓋式示於招懷, 遽覽封章, 未聞歸款, 陳瀝, 靡由於誠實, 詞華, 徒見於

---

36) ~~添字~~는 열전40, 康兆에 의거하였다.

37) 興化鎭은 현재의 평안북도 피현군(枇峴郡, 新義州市 동쪽) 堂後里에 있었다고 한다(최희림 1982년).

38) ~~添字~~는 열전7, 楊規에 의거하였다.

39) 이 기사는 열전7, 楊規에도 수록되어 있다. 또 이날 일본 京都에서 비가 계속 내렸다고 한다.
· 『御堂關白記』, 寬弘 7년 11월, "十七日壬辰, 終日雨下, 節會如常, 上達部多不參, …".

40) 이 기사는 열전7, 楊規에도 수록되어 있다. 또 이날 일본 京都에서 새벽 1시부터 雷聲과 함께 스산한 비[陰雨]가 내렸다고 한다.
· 『御堂關白記』, 寬弘 7년 11월, "十八日癸巳, 丑時許有雷音, 又曉後數度, 雷電數度, 其音太大也, 爲恐々, 夜風甚烈, 雨猶不止, 終日陰雨".

41) 五聖에 대한 설명으로 다음이 있다.
· 『여유당전서』 권25, 小學紺珠, 五之類, "五聖者, 百世之師也. 孔子曰至聖[注, 字仲尼] 顔子曰復聖[回, 字淵] 曾子曰宗聖[參, 子輿], 子思曰述聖[伋], 孟子曰亞聖[軻], 此之謂五聖也. 五聖之名, 出~~大明會典~~".

敬恭, 況汝等, 早列簪裾, 必知逆順, 豈可助謀於逆黨? 不思雪憤於前王, 宜顧安危, 預分禍福":節要轉載].

[乙未[20日], [興化鎭副使]<u>李守和</u>又回表云, "臣等昨奉詔泥, 輒陳心石, 望賜泣辜之惠, 切祈解網之仁, 陵霜耐雪, 加安百姓之心, 灰骨粉身, 永奉千年之聖". 契丹主見表, 知其不降:節要轉載].

[<u>丁酉</u>[22日], 解圍, 更傳勑旨曰, "汝等慰安百姓而待之". 以二十萬兵, 屯于麟州南無老代, 以二十萬兵, 進至通州, 契丹主移軍<u>銅山下</u>:節要轉載].[42)]

[戊戌[23日], 日暈如虹, 旁有珥, 色青赤:天文1轉載].

<u>己亥</u>[24日], [小寒]. <u>康兆</u>與契丹, 戰于通州, 敗績就擒.[43)]

[→康兆引兵, 出通州城南, 分軍爲三, 隔水而陣. 一營于州西, 據三水之會, 兆居其中. 一營于近州之山. 一附城而營. 兆以劍車排陣, 契丹兵入, 則劍車合攻之, 無不摧靡. 丹兵屢退, 兆遂有輕敵之心, 與人<u>彈棊</u>.[44)]契丹先鋒耶律盆奴, 率<u>詳穩</u>~~耶律敵魯~~, 擊破三水砦.[45)] 鎭主告丹兵至, 兆不信曰, "如口中之食, 少則不可, 宜使多入", 再告急曰, "丹兵已多入". 兆驚起曰, "信乎?", 怳惚, 若見穆宗, 立于其後, 叱之曰, "汝奴休矣, 天伐詎可逃耶?". 兆即脫鍪, 長跪曰, "死罪, 死罪". 言未訖, 丹兵已至, 縛兆矣, [行營都統副使]<u>李鉉雲</u>, [行營都統判官·]都官員外郞盧戩, 監察御史盧顗·楊景·李成佐等, 皆被執, [行營都兵馬副使]<u>盧頲</u>·司宰丞<u>徐崧</u>·注簿<u>盧濟</u>, 皆死. 丹人以氈裹<u>兆</u>, 載

---

42) 이날 일본 京都에서 잠시 비가 내렸다고[小雨] 한다. 또 위의 契丹軍과 接觸은 열전7, 楊規에도 수록되어 있다.
· 『御堂關白記』, 寬弘 7년 11월, "廿二日丁酉, … 小雨降 …".

43) 이날은 율리우스력으로 1011년 1월 1일(그레고리력 1월 7일)이다.

44) 彈棊(彈棋)는 2人이 各各 바둑알 6点, 16点, 24点 등을 바둑판[碁盤] 위에 올려두고, 相對의 그것을 落下시키는 遊戲인데, 이에 대한 설명으로 다음이 있다.
· 『후한서』 권34, <u>梁統</u>列傳第24, [玄孫]<u>冀</u>, "<u>冀</u>, 字伯卓, … 少爲貴戚, 逸游自恣. 性嗜酒, 能挽滿·彈棊[注, 挽滿猶引强也. '禮經'曰, 彈棊, 兩人對局, 白黑棊各六枚, 先列棊相當, 更先彈之, 其局以石爲之]·格五·六博·蹴踘, 意錢之戲, 又好臂鷹走狗, 騁馬鬪鷄".
· 『아전각비』 권3, 彈棊, "彈棋者, 粧匳之雜戲也. 其勢如蹴踘, 今人詩句, 圍棋亦稱彈棋, 誤矣. 按'太平廣記'云'漢成帝好蹴踘, 群臣以勞體非尊者所宜', 帝曰, '可擇似而不勞者奏之', <u>劉向</u>奏彈棋以獻, 上悅, 賜青羔裘·紫絲履[注, 其法似蹴踘可知], … <u>杜甫</u>詩云'彈棋夜半燈花落', <u>岑參</u>詩云'縱酒兼彈棋', <u>王維</u>詩云'隱囊紗帽坐彈棊', 皆是此戲, 東人見二詩, 誤以爲圍棊, 沿襲如此". 여기에서 圍棊[圍碁]는 바둑을 가리킨다.

45) 詳穩은 相溫·詳溫·襄昆·桑昆·想昆으로도 표기되는 契丹의 관직이다. 이는 고위의 官員이나 將軍에 대한 凡稱으로 중앙의 핵심기관에는 詳穩이, 元帥府에는 大詳穩·詳穩이 설치되어 있었다. 이러한 詳穩은 女眞의 族長들에게 사용되었다.

之以去, 我軍大亂, 丹兵乘勝, 追奔數千里, 斬首三萬餘級, 所棄糧餉鎧仗, 不可勝計. ○契丹主解兆縛, 問曰, “汝爲我臣乎?”, 對曰, “我是高麗人, 何更爲汝臣乎?”. 再問, 對如初, 又剮而問, 對亦如初. 問鉉雲, 對曰, “兩眼已瞻新日月, 一心何憶舊山川?”. 兆怒蹴鉉雲曰, “汝是高麗人, 何有此言?”. [契丹遂誅兆:列傳40康兆轉載].

○於是, 丹兵長驅而前, 左右奇軍將軍金訓·金繼夫·李元·申寧漢, 伏兵于緩項嶺, 皆執短兵, 突出敗之, 丹兵小却.

○契丹詐爲康兆書, 送興化鎭諭降, 楊規曰, “我受王命而來, 非受兆命”, 不降. 又使盧戩及其閤門使馬壽, 持檄至通州, 諭降, 城中皆懼, 中郎將崔質·洪淑, 投袂而起, 執戩及壽, 乃與防禦使李元龜·副使崔卓·大將軍蔡溫謙·判官柴巨雲, 閉門固守, 衆心乃一:節要轉載].[46]

[十二月乙巳朔大盡,建己丑:追加],[47] 庚戌6日, 丹兵陷郭州.

[→丹兵入郭州, 防禦使·戶部員外郞趙成裕, 夜遁, 行營修製官·右拾遺乘里仁·大將軍大懷德·申寧漢·工部郞中李用之·禮部郞中簡英彦, 皆死, 城遂陷. 契丹留兵六千餘人, 守之:節要轉載].

壬子8日, 丹兵至淸水江, 安北都護府使·工部侍郞朴暹, 棄城遁, 州民皆潰.

[→初, 王聞丹兵至, 遣中郞將智蔡文, 將兵鎭和州, 以備東北, 及兆敗, 命蔡文, 移兵援西京, 蔡文, 卽與軍容使·侍御史崔昌, 進次剛德鎭:節要轉載].[48]

癸丑9日, 丹兵至西京, 焚中興寺~~重興寺~~塔.[49]

甲寅10日, [大寒]. 陷肅州.[50]

[→肅州潰. 是日, 盧顗爲鄕導, 與丹人劉經, 賫檄至西京諭降, 副留守元宗奭, 與

---

46) 이때 일본 京都에서 27일(壬寅) 비가 내렸는데, 야간 9시에서 11시(亥時) 사이에 잠시 멈추었다가 28일(癸卯)까지 계속 이어졌다고 한다.
· 『御堂關白記』, 寬弘 7년 11월, “廿七日壬寅, 雨降, 參大內, 被仰行幸間雜事, 卽退出, 今夜尙侍從東宮出, 時亥, 此間雨止, … 廿八日癸卯, 雨降, …”.

47) 庚戌의 앞에 十二月이 탈락되었는데, 『고려사절요』 권3에는 옳게 되어 있다(東亞大學 2008년 2책 287面).

48) 이와 같은 기사가 열전7, 智蔡文에도 수록되어 있다.

49) 中興寺는 重興寺의 오자일 것이고, 楊州 三角山에도 重興寺(朝鮮時代 北漢山城 內에 位置, 現 京畿道 高陽市 德陽區 北漢洞 259번지, 京畿道記念物 第136號)가 있었다.

50) 이날 일본 京都에서 비가 내렸고, 11일(乙卯)은 흐렸다고 한다.
· 『御堂關白記』, 寬弘 7년 12월, “十日甲寅, 雨下, … 十一日乙卯, 天陰, …”.

僚佐崔緯·咸質·楊澤·文晏等, 已修降表. [智]蔡文等聞之, 引兵至西京, 城門閉. [軍容使]崔昌呼分臺御史曹子奇曰, “吾等奉王命, 倍道而來, 不納何也?”. 子奇具告顗·經, 諭降事, 遂開門, [智]蔡文入屯故宮南廊, 昌諷宗奭, 拘留顗等固守, 宗奭不從, 昌密與蔡文謀, 遣兵城北, 候顗等還, 掩殺之, 取其表焚之. 時城中疑貳, 蔡文出屯城南, 從之者, 獨大將軍鄭忠節耳, 俄而東北界都巡檢使卓思政, 率兵而至, 遂與合軍, 復入城. 王以三軍敗衄, 州郡陷沒, 上表請朝, 契丹主許之, 遂禁俘掠, 以馬保佑爲開城留守, 王八副之, 遣乙凜[~~蘇乙凜~~], 將騎兵一千, 送保佑等:節要轉載].[51]

[乙卯[11日], 丹主又[~~遣其閤門引進~~]使韓杞, 以突騎二百, 至西京城北門, 呼曰, “皇帝昨遣劉經·盧顗等, 賫詔曉諭, 奈何至今了無消息[世]? 若不拒命, 留守官僚來, 聽我指諭”. 思政聞杞語, 謀諸蔡文, 使麾下鄭仁等, 將驍騎突出擊, 斬杞等百餘人, 餘悉擒之, 無一人還者. 思政以蔡文爲先鋒, 出與乙凜戰, 乙凜·保佑敗走. 於是, 城中人心稍安, 思政還入城, 蔡文與李元, 出屯慈惠寺. 丹主復遣乙凜擊之, 邏卒報, “敵兵來屯安定驛, 其勢甚盛”, 蔡文馳告思政:節要轉載].[52]

[丙辰[12日], 遂與思政·僧法言, 率兵九千, 迎擊于林原驛南, 斬首三千餘級, 法言死之:節要轉載].[53]

[翌日[丁巳13日], 蔡文復出戰, 丹兵敗走. 於是, 城中將士, 登城以望, 競出逐之, 至馬灘, 丹兵回軍擊敗之[~~契丹回兵擊之, 我軍敗~~][54], 遂圍城. 丹主次于城西佛寺, 思政懼, 紿將軍大道秀曰, “君自東門, 吾自西門出, 前後夾攻, 蔑不勝矣”. 遂以麾下兵夜遁, 道秀出大東門, 始知見紿, 又力不可敵, 遂率所部, 降于契丹, 諸將皆潰, 城中恟懼:節要轉載].[55]

[己未[15日], 統軍錄事趙元·隘守鎭將姜民瞻·郎將洪叶·方休□[等], 莫知所措, 乃共禱神祠, 筮得吉兆, 於是, 衆推趙元爲兵馬使, 收散卒, 閉城固守:節要轉載].[56]

庚申[16日], 大流星隕于郭州.

[○楊規自興化鎭, 率兵七百餘人, 至通州, 收兵一千人:節要轉載].

---

51) 이와 같은 기사가 열전7, 智蔡文에도 수록되어 있으나 字句에 출입이 있다.

52) 이와 같은 기사가 열전7, 智蔡文에도 수록되어 있는데, ~~添字~~는 이에 依據하였다.

53) 이와 같은 기사가 열전7, 智蔡文에도 수록되어 있다.

54) ~~添字~~는 열전7, 智蔡文에서 달리 표기된 것이다.

55) 將軍 大道秀와 그가 거느린 部族[率所部]은 고려 초에 投降해온[來投] 渤海의 遺民일 것이다.

56) ~~添字~~는 열전7, 智蔡文에 의거하였다.

辛酉[17日], 契丹主攻西京, 不拔, 解圍而東.

[○楊規, □夜入郭州, 擊契丹所留兵, 悉斬之, 徙城中男女七千餘人于通州:節要轉載].[57)]

癸亥[19日], 西京神祠旋風忽起, 契丹軍馬皆僨.[58)]

○召還河拱辰·柳宗, 復其爵.

[辛未[27日], 智蔡文奔還于京:節要轉載].

[壬申[28日], 蔡文奏西京敗軍狀. 群臣議降, 禮部侍郎·翰林學士姜邯贊獨曰, "今日之事, 罪在康兆, 非所恤也, 但衆寡不敵, 當避其鋒, 徐圖興復耳". 遂勸王南行. 蔡文請曰, "臣雖駑怯, 願在左右, 庶效犬馬之勞". 王曰, "昨李元·崔昌奔還, 自請扈從, 今不復見, 爲臣之義, 果如是乎? 今卿旣勞于外, 又欲捍衛, 深嘉乃忠予甚嘉之". 仍賜酒食及銀粧鞍轡銀鞍. 是夜, 王與后妃及吏部侍郎蔡忠順等, 率禁軍五十餘人, 出京城:節要轉載].[59)]

壬申[28日], 夜, 王與后妃, 避丹兵南幸.

[癸酉[29日], 至積城縣丹棗驛, 武卒堅英, 與驛人, 張弓矢, 將犯行宮. 蔡文馳射之, 賊徒奔潰, 復自西南山, 突出遮道, 蔡文又射却之. 晡時, 王至昌化縣, 有吏告曰, "王識吾名面乎?" 王陽不聞, 吏怒將構亂, 使人呼曰, "河拱辰將兵來矣". 蔡文曰, "何故來耶?". 吏曰, "欲擒蔡忠順·金應仁耳". 應仁及侍郎李正忠·郎將國近等, 皆遁:節要轉載].[60)] [獨蔡文·忠順·周佇等留侍:列傳7智蔡文轉載].

[○夜, 賊又至, 侍從臣僚·宦官·嬪御,[61)] 皆亡匿, 唯玄德·大明兩王后·侍女二人·□□殿前承旨良叶·忠弼等侍.[62)] 蔡文或出或入, 隨機應變, 賊不敢近. 及曉, 蔡文請

57) 添字는 열전7, 楊規에 의거하였다.

58) 癸亥는 지9, 五行3, 土行에는 癸巳로 되어 있으나 오자이다.

59) 姜邯贊의 發言은 열전7, 姜邯贊에도 수록되어 있다. 또 이 기사는 열전7, 智蔡文에도 수록되어 있으나 字句에 출입이 있다(添字).

60) 이와 같은 기사가 열전7, 智蔡文에도 수록되어 있다.

61) 嬪御는 帝王의 後宮[侍妾] 또는 宮女를 가리킨다.

· 『禮記』, 月令第6, "仲春之月, … 是月也, 玄鳥至. 至之日, 以太牢祠于高禖, 天子親往, 后妃帥九嬪御, 乃禮天子所御, 帶以宮韣, 授以弓矢, 于高禖之前".

· 『初學記』 권10, 中宮部, "妃嬪第二, '周禮'天子后立六宮·三夫人·九嬪·二十七世婦·八十一御妻, 以聽天下之內治, 以明章婦順, 故天下和而家理[鄭注云, 六宮者, 前一宮, 後五宮也. 五者, 后一宮, 三夫人一宮, 九嬪一宮, 二十七世婦一宮, 八十一御妻一宮, 凡百二十人. …]".

62) 大明王后 崔氏(崔行言의 外孫女)는 成宗의 次女로서 顯宗의 第2妃가 되었다.

· 열전1, 后妃, 현종, "元和王后崔氏, 亦成宗之女, 生孝靜公主·天壽殿主. 初稱恒春殿王妃, 後改常春殿. □□□□□□又稱大明王后, 亦從王南幸. 八年十二月, 贈后外祖崔行言尙書左僕射, 外祖母

二后，先自北門脫去，手鞚御馬，間行入道峯寺，賊不之知，忠順繼至，蔡文奏曰，“去夜賊，疑非拱辰，臣請往跡之”. 王恐其亡，不許，蔡文奏曰，“臣若背君，言與事違，天必誅之”. 王乃許，即往昌化縣，道逢郞將國近，國近曰，“吾之衣裝，盡被賊奪”. 蔡文曰，“汝爲臣不忠，獲保首領，足矣”. 適拱辰·柳宗，赴行在行在所，[63] 蔡文遇諸道，具言賊變，且詰之，果非拱辰所爲也. 拱辰道見中軍判官高英起，敗軍南走，與之俱來. 時拱辰所領卒二十餘人，智蔡文遂以其卒，圍昌化縣，搜得賊所盜馬十五匹·鞍十部，將還. 蔡文謂拱辰等曰，“吾與諸君偕進，王必驚動，請諸君少後”. 遂獨行，殿前承旨忠弼在寺門，望之，入奏智將軍來矣. 王喜，出門迎之. 蔡文奏曰，“臣尋得賊取贓，實非拱辰所爲，且偕拱辰來”. 王引見拱辰·柳宗，勞之：節要轉載].[64]

甲戌30日，次楊州，遣河拱辰及戶部員外郞高英起，奉表，往丹營請和.

[→王次楊州，河拱辰奏曰，“契丹本以討賊爲名，今已得康兆，若遣使請和，彼必班師”. 王筮得吉卦，遂遣拱辰及高英起，奉表狀，往丹營，行至昌化縣，以表狀，授郞將張旻·別將丁悅，先往軍前，告曰，“國王固願來覲，第懼兵威，又因內難，出避江南，差遣陪臣拱辰等，陳告事由，拱辰等亦惶懼，不敢前來，請速收兵”. 旻等未至，丹兵先鋒，已至昌化，拱辰等具陳前意. 丹兵問國王安在? 答曰，“今向江南，不知所在”，又問遠近. 答曰，“江南太遠，不知幾萬里”. 追兵乃還：節要·列傳7河拱辰轉載].

[是月頃，移安太祖梓宮于楊州三角山香林寺：追加].[65]

[是年，改稱淸道郡爲道州：追加].[66]

[○遣黃守愚等如契丹，祭皇太后喪，又遣使會葬：追加].[67]

金氏豊山郡大夫人，母崔氏樂浪郡大夫人. 薨，謚元和王后”. 여기에서 ~~添字~~(大明王后，혹은 大明宮主)가 추가되어야 理解하기가 쉽게 될 것이다.

· 열전4，公主，成宗 二女，“… 元和王后，延昌宮夫人崔氏所生，事見后妃傳”.

63) 行在는 帝王의 臨時居處인 行在所를 가리킨다.

· 『자치통감』 권19，漢紀10，武帝元朔 6년(BC123) 夏，“… 議郞周霸曰，自大將軍出，未嘗斬裨將，今右將軍蕭建棄軍，可斬，…，遂囚右將軍蕭建，詣行在所[注，蔡邕曰，天子以四海爲家，故爲所居爲行在所]”.

64) 이와 같은 기사가 열전7，智蔡文에도 수록되어 있으나 자구에 출입이 있다. 또 ~~添字~~를 추가하여야 옳게 될 것이다.

65) 이는 현종 1월 27일의 脚注에 의거하였다.

66) 이는 다음의 자료에 의거하였다.

· 『경상도지리지』，慶州道，淸道郡，“顯宗時，統和庚戌，改號道州”.

[○以姜邯贊爲翰林學士:追加].[68]

[○大德海麟, 將還歸法皐寺, 路中値都講眞肇, 受學曆算之法:追加].[69]

[增補].[70]

---

67) 이는 다음의 자료에 의거하였다.

· 『요사』 권15, 聖宗6, 統和 28년 2월, "己亥[19日], 高麗遣黃守愚等來祭, … [三月,] 是月, 宋·高麗遣使來會葬".

· 『요사』 권115, 열전45, 二國外記, 高麗, "[統和]二十八年, 誦遣黃守愚等來祭, … 三月, 使來會葬".

68) 이는 『보한집』 권상에 의거하였다.

69) 이는 「原州法泉寺智光國師玄妙塔碑」에 의거하였다(金石總覽 283面 ; 李智冠 2004년 2冊 358面).

70) 이해의 형편에 대해서 契丹 側의 자료에는 다음과 같이 기록하였다.

· 5월 28일(丙午), 高麗의 西京留守 康肇(康兆)가 國王 王誦(穆宗)을 弑害하고 마음대로 王誦의 從兄(實際는 從叔, 또는 姨從弟) 王詢(顯宗)을 擁立하였다. 諸道에 詔勅을 내려 甲兵을 갖추어 高麗征伐[東征]에 對備하게 하였다. 또 이때 蕭敵烈이 高麗를 征伐하기 어려운 與件을 열거한 후, 먼저 使臣을 파견하여 弑害件을 알아본 후 정벌하자고 건의하였으나 받아들여지지 않았다고 한다(『요사』 권15·권88蕭敵烈·권115高麗).

· 8월 21일(丁卯), 聖宗 隆緖(文殊奴)가 스스로 指揮官이 되어[自將] 고려를 정벌하는데, 使臣(耶律寧)을 宋에 보내어 通報하게 하였다. 皇弟 楚國王 隆祐로 하여금 京師에 머물러 지키게[留守] 하고 北府宰相·駙馬都尉 蕭排押을 都統으로, 北面林牙[學士] 僧奴를 都監으로 삼았다(『요사』 권15·권64皇子表隆祐·권115高麗).

· 9월 16일(辛卯), 樞密直學士 高正·引進使 韓杞를 派遣하여 高麗 王詢(顯宗)에게 (王位交替에 대해) 詳細하게 물었다[宣問](『요사』 권15·권115高麗).

· 10월 1일(丙午), 女直이 良馬 1萬匹을 바치고 高麗征伐에 참여할 것을 요청하니 허락하였다(『요사』 권15).

· 이달에 高麗 王詢(顯宗)이 사신을 보내와 表를 올려 征伐을 罷할 것을 요청하였으나 不許하였다(『요사』 권15·권115高麗).

· 11월 10일(乙酉), 契丹軍이 압록강을 건너자 康肇(康兆)가 저항하다가 패배하여 通州[銅州]로 철수하였다.

· 11일(丙戌), 康肇(康兆)가 다시 나와 싸우다가 右皮室詳穩 耶律敵魯에게 副將 李立(李鉉雲)과 함께 被虜되었다.

· 13일(戊子), 通[銅]·郭[霍]·龜[貴]·寧州 등이 항복하였고, 蕭遜寧[蕭排押]은 奴古達嶺에서 고려군을 격파하였다.

· 16일(辛卯), 王詢(顯宗)이 사신을 보내와 親朝를 요청하자 허락하고 政事舍人 馬保佑를 開京留守로, 安州團練使 王八을 副留守로 삼고, 太子太師 蕭乙凜[乙凜]으로 하여금 騎兵 1千을 거느리고 馬保佑 등을 개경으로 호송하게 하였다.

· 17일(壬辰), 고려의 守將 卓思正[卓思政]이 契丹의 使者 韓喜孫 등 10人을 죽이고 군사를 거느리고 방어하자 馬保佑 등이 귀환하였다. 乙凜을 보내 공격하자 卓思正이 西京으로 달아났고, 西京을 5일간 包圍하였으나 함락시키지 못하여 聖宗이 西京의 서쪽 佛寺에 駐蹕하였다. 이때 고려의 禮部郎中 渤海人 陀失[渤海陀失]이 항복해왔다.

· 25일(庚子), 蕭遜寧[蕭排押]·耶律盆奴 등이 개경을 공격하다가 고려군을 만나 격파하였다.

· 12월, 王詢(顯宗)이 城을 버리고 달아나자 聖宗이 개경을 불사르고 淸江에 이르렀다가 귀환하

辛亥[顯宗]二年, 契丹統和二十九年, [宋大中祥符四年], [西曆1011年]

1011년 2월 6일(Gre2월 12일)에서 1012년 1월 25일(Gre1월 31일)까지, 354일

春正月乙亥朔[大盡,庚寅], 契丹主入京城, 焚燒大廟[~~太廟~~]·宮闕·民屋皆盡.[71]

○是日, 王次廣州. [失兩王后所之, 令[智]蔡文往尋之, 至饒呑驛, 乃得奉還, 王喜爲留三日:節要轉載].

丁丑[3日], [河拱辰·高英起至丹營, 乞班師, 丹主許之, 遂留拱辰等:節要轉載]. 扈從諸臣, 聞拱辰等被執, 皆驚懼散走, 惟侍郞忠肅[~~朴忠淑~~]·張延祐·[吏部侍郞]蔡忠順·周佇·柳宗·金應仁, 不去.[72]

戊寅[4日], 王發廣州□□[~~險橫~~], 次鼻腦驛. [蔡文奏, "扈從將士, 皆托尋妻子四散, 昏夜恐有姦賊竊發, 請爲幟, 分插將士冠以辨", 從之:節要轉載].[73]

[己卯[5日], 柳宗奏曰, "陽城臣之籍鄕, 去此不遠, 請幸之". 王悅, 遂幸, 夜柳宗·應仁等矯旨, 毁御鞍, 以賜縣人, 遲明,[74] 縣吏皆遁. 柳宗·應仁等, 又請遣二王后, 各歸其鄕, 除[遣]扈從將卒, 令往東邊備急.[75] 王以問蔡文, 蔡文大哭曰, "今君臣失道, 橫罹殀禍, 播遷如此, 正當動由仁義, 以收人心, 棄王后以求生, 其可忍乎?". 王曰,

---

였다(以上『요사』 권15, 본기15, 聖宗6, 統和 28년과 권115, 열전45, 二國外記, 高麗에 의거하였다). 이때 聖宗이 군대를 파견하여 고려를 정벌하였으나 고려가 女眞과 연합하여 저항하자 契丹軍이 패배하였다고 한다(『契丹國志』 권7, 統和 28년 11월 某日).

· 이해에 고려를 정벌하기 위해 여진의 영역을 통과하자 여진이 고려와 合勢함에 의해 대패하여 군대를 상실하고 귀환하였다(『三朝北盟會編』 권3, 政宣上帙, 重和 2년 1월 10일 ; 『皇宋十朝綱要』 권3, 大中祥符 3年條 ; 『文獻通考』 권325, 四裔考2, 高句麗).

71) 이와 관련된 기사로 다음이 있다. 또 이날은 율리우스曆으로 1011년 2월 6일(그레고리曆 2월 12일)에 해당한다.

· 지15, 禮3, 吉禮大祀, "顯宗二年, 太廟災, 每値時祭, 各祭於本陵".

72) 侍郞 忠肅은 같은 해 8월 乙巳(4일) 西京副留守에 임명된 朴忠淑에서 朴이 탈락된 誤字일 가능성이 높다. 이와 같은 기사가 수록되어 있는 열전6, 蔡忠順에도 朴이 탈락되었다.

73) ~~添字~~는 열전7, 智蔡文에 의거하였다.

74) 遲明은 '동이 터기 직전 무렵[天未明]'을 指稱하는 것 같다.

· 『자치통감』 권8, 秦紀3, 二世皇帝 3년(BC207), "六月, [沛公~~劉邦~~]與南陽守齮戰犨東, 破之, 略南陽軍, 南陽守走保城, 守宛. … 於是沛公乃夜引軍從他道還, 偃旗幟, 遲明, 圍宛城三匝[胡三省注, 文穎曰, '遲, 未也, 天未明之頃已圍其城矣'. 師古曰, 文說得其大意耳. 此言圍城事畢, 然後天明. 明遲於事, 故曰遲明], …".

75) 除는 열전7, 智蔡文에는 遣으로 되어 있다. 이 구절은 "除扈從將卒, 令餘他將卒往東邊, 備急"로 해석하는 것이 좋을 것이다.

"將軍言是也". 遂行過蛇山縣, 蔡文見群鴈下田, 欲慰悅王心, 躍馬而前, 鴈驚飛, 翻身仰射, 應弦而墮. 王大悅, 蔡文下馬, 取鴈進, 前曰, "有臣如此, 何憂盜賊". 王大笑慰奬, 至天安府. 柳宗·應仁等奏云, "臣等請先往石坡驛, 供頓以迎". 遂逃:節要轉載].[76)]

[辛巳[7日], 次于公州, 節度使金殷傅備禮郊迎, 奏曰, "豈意聖上, 跋涉山川, 凌冒霜雪, 至於此極". 仍獻衣帶·土物. 王嘉納, 更衣, 分賜土物扈從官僚. 暮至巴山, 驛吏皆遁, 御廚闕膳, 殷傅所進膳羞適至, 分供朝夕. 王謂蔡文曰, "玄德王后有娠, 不宜遠行, 本貫善州, 距此不遠, 可以遣之". 蔡文固執前議. 王曰, "勢不獲已". 遂遣之. 次礪陽縣, 將卒有離心, 蔡文奏曰, "聖祖[太祖]統合之時, 有功者雖小必賞, 況今方涉險艱, 要得衆心, 宜先懋賞", 王從之, 授玄安之等十六人, 爲中尹:節要轉載].[77)]

壬午[8日], [至參禮驛, 全州節度使趙容謙, 以野服迎駕. [工部侍郞]朴暹奏曰, "全州卽古百濟, 聖祖[太祖]亦惡之, 請上勿幸", 王然之, 直至長谷驛: 節要轉載], 次長谷驛. [宿焉. 是夕, 容謙謀欲止王, 挾以號令, 與轉運使李載·巡檢使崔棫·殿中少監柳僧虔, 以白幟插冠, 鼓譟而進. 蔡文使人閉門堅守, 賊不敢入, 王與后乘馬, 在驛廳事, 蔡文登屋, 問曰, "汝等何得如是, 柳僧虔來否". 賊曰, "來矣". 又問, "汝爲誰?" 賊曰, "汝亦爲誰?" 蔡文答以他語, 賊曰, "智將軍也". 蔡文認其聲曰, "汝是親從馬韓兆也". 仍以王命, 召僧虔, 僧虔曰, "汝不出, 吾不敢入". 蔡文出門, 呼僧虔, 引至駕前, 僧虔泣奏曰, "今日之事, 容謙所爲, 臣不知也, 請奉旨, 召容謙來". 王許之, 僧虔出, [遂]逃,[78)] 王命[殿前承旨]良叶召容謙·李載, 旣至, 諸將欲殺之, 蔡文呵止之, 使二人牽大明宮主馬而行, 旣而, 遣還全州:節要轉載].

[某日, 以丹兵至長湍, 風雪暴作, 紺岳神祠[紺嶽神祠], 若有旌旗·士馬, 丹兵懼不敢前:禮5雜祀轉載].[79)]

乙酉[11日], 丹兵退.[80)]

---

76) 이와 같은 기사가 열전7, 智蔡文에도 수록되어 있으나 자구에 출입이 있다.

77) 金殷傅의 역할은 열전7, 金殷傅에도 수록되어 있다. 또 智蔡文의 言辭는 그의 열전에도 수록되어 있으나 자구에 출입이 있다.

78) 添字는 열전7, 智蔡文에 의거하였다.

79) 原文의 冒頭에는 "顯宗二年二月"이 있으나 "顯宗二年正月"로 고쳐야 옳게 될 것이다. 또 積城縣의 紺岳神社는 매우 험준한 곳에 있어 參拜하기가 몹시 어렵다고 한다(『靑泉集』 권4, 紺岳山記).

80) 이때 契丹軍의 형편은 다음과 같다.

· 1월 1일(乙亥), 契丹軍이 撤收하니[班師] 降服했던 여러 城이 다시 對抗하였다. 龜州[貴德州[貴

丙戌12日, 王過仁義縣, 次水多驛.

丁亥13日, 踰蘆嶺, 入羅州.

[庚寅16日, 夜, 候人誤報契丹兵至, 王大驚, 走出于外. 蔡文奏曰, "大駕夜行, 百姓驚擾, 願還御行宮[81], 臣詗知, 然後動, 猶可及也". 蔡文出候之, □□閤門通事舍人宋均彥·別將丁悅, 賫契丹前鋒元帥·駙馬書及河拱辰奏狀而來, 蔡文率詣行宮, 王見供辰狀, 知兵已退, 喜以均彥爲都兵馬錄事, 丁悅爲親從郎將. 駙馬書, 無解契丹字者, 莫曉其意:節要轉載].

[辛卯17日, 龜州別將金叔興與中郎將保良, 擊丹兵, 斬萬餘級:節要轉載].

[壬辰18日, 楊規掩擊丹兵於無老代, 斬二千餘級, 奪被擄男女三千餘人:節要轉載].

[癸巳19日, 規又戰於梨樹, 追至石嶺, 斬二千五百餘級, 奪被擄男女一千餘人:節要轉載].

乙未21日, 王回駕, 次伏龍驛.

[丙申22日, 楊規又戰於餘里站, 斬一千餘級, 奪被擄男女一千餘人, 是日, 三戰皆捷:節要轉載].

戊戌24日, 次古阜郡.[82]

己亥25日, 次金溝縣.

庚子26日, [鷩蟄]. 次全州, 留七日.

壬寅28日, 楊規·金叔興與契丹戰, 死.[83]

[→楊規復邀擊丹兵前鋒於艾田, 斬一千餘級, 俄而契丹主大軍掩至, 規與叔興, 終日力戰, 兵盡矢窮, 俱陷陣死之, 規以孤軍, 旬月之間, 凡七戰, 所殺丹兵甚衆,

---

州] 남쪽의 峻嶺의 溪谷에 이르니 큰비[大雨]가 連日 계속되어 馬·駝가 모두 疲勞하게 되어 甲仗을 많이 버리게 되었다. 비가 갬으로 峻嶺을 넘을 수 있었다(『요사』 권15·권115高麗).

· 15일(己丑), 聖宗이 鴨淥江(鴨綠江)에 도착하였다(『요사』 권15·권115高麗).
· 16일(庚寅), 齊天皇后(聖宗妃) 및 皇弟 楚國王 隆祐가 來遠城에서 맞이하였다(『요사』 권15).
· 18일(壬辰), 詔勅을 내려 諸軍을 解散시켰다(『요사』 권15).
· 25일(己亥), 聖宗 文殊奴가 東京[遼陽府]에 도착하였다(『요사』 권15).
· 2월 14일(戊午), 遼가 虜獲한 高麗人을 여러 陵廟에 分置하고 나머지는 宗室[內戚]·大臣에게 下賜하였다(『요사』 권15·권115高麗).

81) 添字는 열전7, 智蔡文에 의거하였다.

82) 이날 일본의 京都에서는 비가 내렸고, 25일(己亥), 27일(辛丑), 28일(壬寅)까지 계속 내렸다고 한다(『御堂關白記』, 寬弘 8년 1월).

83) 이날은 율리우스曆으로 1011년 3월 5일(그레고리曆 3월 11일)에 해당한다.

奪被擄人三萬餘口, 獲駝馬·器械不可勝數, 丹兵爲諸將鈔擊, 又因大雨, 馬駝疲乏, 甲仗皆失:節要轉載].

癸卯[29日], 契丹主渡鴨綠江引去. [鎭使鄭成追之, 及其半渡, 尾擊之, 丹兵溺死者甚衆, 諸降城, 皆復之:節要轉載].[84)]

[○罷中臺省, 復置中樞院:節要·百官志1轉載].

○以[吏部侍郎]蔡忠順爲秘書監, [前工部侍郎]朴暹爲司宰卿, 周佇爲禮部侍郎·中樞院直學士, 韓昌弼爲閤門通事舍人. 暹自安北, 遁還京都, 挈家往其鄕務安縣, 道逢車駕, 隨至羅州, 已而辭歸, 又聞兵退來謁, 乃有是命, 時議譏之.

二月[乙巳朔小盡,辛卯], 丁未[3日], 發全州, 次礪陽縣.

戊申[4日], 次公州, 留六日. 納金殷傅長女, 爲妃[節度使金殷傅, 使長女製進御衣, 因納之. 是爲元成王后.[85)]

○贈楊規工部尙書, 叔興將軍.

○賜中郎將智蔡文, 田三十結. 敎曰, "朕因避寇, 狼狽遠途, 所從臣僚, 罔不逃散, 唯蔡文, 蒙犯風霜, 跋涉山川, 不辭羈靮之勞, 終保松筠之節, 諒多殊效, 何惜異恩?":節要轉載].

庚戌[6日], 以金繼夫爲兵部侍郎, 李端爲吏部員外郎.

丁巳[13日], 次淸州.

[○監察御史安鴻漸上言, "丹兵至長湍, 風雪暴作, 紺岳[紺嶽]神祠, 若有旌旗·士馬, 丹兵懼不敢前, 昔, 苻秦伐晋, 望見八公山草木, 變爲晋兵, 畏而退去, 神明所贊, 古今何殊, 請令所司, 修報祠", 從之:節要轉載].[86)]

---

84) 이 무렵에 契丹의 蕭僅·蕭恭 등이 高麗遠征에 참여하였던 것 같다.
· 「蕭僅墓誌銘」, "… 今上[聖宗]親御六龍之駕, 專征三韓之邦, 公橫駈虎旅之師, 怒罰雞林之域, 弃生搆難, 獲顯惟忠, 特授[詹事府]率府率, 次遷勝州節度使"(劉鳳翥 2009年 77面).
· 「蕭義墓誌銘」(孟初 撰), "公諱義, 字子常, … 曾王父恭, 在聖宗朝, 高尙自晦, 丞相韓德讓因事奇, 而擧之. 起家授南面承旨, 歷林牙[翰林]·夷离畢等官, 拜平章事. 時東韓夷弗遜, 公討有功"(劉鳳翥 2009年 290面 ; 瀋陽市文物考古硏究所 2011年 447面). 여기에서 高麗를 東韓夷로 표기하여 이색적이지만, 蕭恭(蕭義의 曾祖)의 參戰時期는 분명히 밝혀지지 않았다.

85) 이와 유사한 기사가 열전1, 后妃1, 顯宗妃, 元成太后金氏 ; 열전7, 金殷傅에도 수록되어 있다.

86) 이와 같은 기사로 다음이 있다.
· 지10, 지리1, 開城府 積城縣, "顯宗二年, 以丹兵至長湍, □[紺]嶽神祠, 若有旌旍·士馬, 丹兵懼而不敢前. □□[後日], 命修報祀. 諺傳, 羅人祀唐將薛仁貴爲山神云".

己未[15日], 設燃燈會于行宮. 是後, 例以二月望, 行之.[87)]

庚申[16日], 發淸州.

丁卯[23日], 還京都, 入御壽昌宮.[88)]

己巳[25日], 刑部奏, "劉彦卿世受國恩, 不思報效, 率先降敵, 請流配妻子", 從之.

三月[甲戌朔大盡,壬辰], 戊子[15日], 以[前給事中]卓思政爲御史中丞.

辛丑[28日], 以劉瑨爲內史侍郎平章事, 趙之遴·崔士威△△[並爲]參知政事.[89)]

夏四月[甲辰朔大盡,癸巳], 丁未[4日], 以[御史中丞]卓思政爲右諫議大夫.

○以久旱, 禱雨于宗廟, 移市肆, 禁屠宰, 斷繖扇, 審寃獄, 恤窮匱.[90)]

己酉[6日], 以皇甫兪義·崔昌△[並]爲侍御史, 柳韶爲殿中侍御史, 金宗鉉·朴從儉△[並]爲監察御史.

[某日, 命有司, 給楊規妻殷栗郡君洪氏粟, 授子帶春, 校書郞. 王親製敎, 賜洪氏曰, "汝夫, 才全將略, 兼識治道, 效節輸誠, 忠貞罕比, 昨於北境, 追捕寇賊, 城鎭得全, 累多捷勝, 乃至隕亡, 常思厥功, 歲賜汝稻穀一百苫, 以終其身": 節要轉載].

[→賜洪氏曰, "汝夫, 才全將略, 兼識治道. 常效節於松筠, 竟輸誠於邦國, 忠貞罕比, 夙夜忘勞. 昨於北境有戎, 中軍鼓勇, 指揮士卒, 威騰矢石, 追捕仇讎, 力靜封疆. 抽一劒而萬夫爭走, 挽六鈞而百旅皆降, 自此, 城鎭得全, 情懷益壯, 累多捷

· 지17, 禮5, 雜祀, "顯宗二年二月, 以丹兵至長湍, 風雪暴作, 紺岳神祠, 若有旌旗·士馬, 丹兵懼不敢前. □□[至是], 令所司修報祀".

87) 이와 같은 기사로 다음이 있다.
· 지23, 예11, 上元燃燈會儀, "設燃燈會于淸州行宮. 是後, 例以二月望, 行之".

88) 壽昌宮의 위치는 분명치 않으나 開京의 중심, 곧 開城府의 中部지역으로 추측된다(→성종 14년 7월 某日, 開城府의 脚注). 이 宮趾는 현재 開城市 北安洞 南門에서 북쪽 200m 정도에 위치한 모락재 언덕 위에 있다고 한다(전룡철 1980년).
·『세종실록』 권148, 지리지, 舊都開城留後司, "壽昌宮舊基, 在都城中央".
·『신증동국여지승람』 권5, 開城府下, 古跡, 권5, 開城府下, 古跡, 景禧宮, 壽昌宮, "在西小門內, 自延慶宮焚爇後, 王皆御是宮, 我太祖亦卽位于是, 今頹廢爲開城府倉廩".

89) 原文에는 △△에 並爲가 생략되어서 추가하였는데, 이러한 사례는 中國의 史書에서도 찾아진다. 以下에서 說明없이 校正하였다.

90) 宋에서는 이해의 5월에 京兆(現 陝西省 西安市)에서 가뭄이 있었다고 한다(『송사』 권8, 본기8, 眞宗3, 大中祥符 4년 5월 辛卯). 이에 비해 일본의 京都에서는 3월 25일(戊戌), 28일(辛丑), 4월 2일(乙巳), 15일(戊午), 16일(己未)에 비가 내렸다(『御堂關白記』, 寬弘 8년 3월, 4월).

勝, 不幸隕亡. 常思出衆之功, 已加勳秩, 更切酬勞之念, 增及頒宣. 歲賜汝稻穀一百碩, 以終其身": 列傳7轉載].

[→又命給其母金叔興母李氏粟, 敎曰, "贈將軍叔興, 自守邊城, 勇於赴敵, 旣成功於破竹, 終致命於伏弢. 言念舊勞, 合加優賞. 可歲給其母粟五十碩, 以終其身": 列傳7楊規轉載].

壬子9日, 贈戰沒御史中丞盧頲△爲禮賓卿.

[癸丑10日, 月犯鎭星, 熒惑無光: 天文1轉載].91)

丙辰13日, [小滿]. 賜戰沒大將軍蔡溫謙·申寧漢·郞將元泰·別將崔元·拾遺乘里仁·太史丞柳仁澤家, 米布有差.

丁巳14日, 命有司, 收瘞中外戰死骸骨, 祭之.

○敎宰相曰, "語云, 危而不持, 顚而不扶, 將焉用彼相.92) 書曰, '惟木從繩則正, 后從諫則聖'.93) 君臣之義, 得不悉心以匡救乎? 朕自叨纘服, 備歷艱危, 夙夜競愧, 思免厥愆, 卿等勉輔不逮, 且無面從".

○以李靖·崔輔成爲尙書左·右丞.

辛酉18日, 禱雨于松嶽, 大雨.94)

乙丑22日, 遣工部郞中王瞻如契丹, 謝班師. 先是, 王欲遣使契丹, 命太史筮之, 得乹之蠱, 奏曰, "乹爲君爲父,95) 乾健則無所不通, 九五曰, '飛龍在天, 利見大人'.96) '蠱之爲卦, 尊者在上, 卑者在下'.97) 此亦以下事上之象, 吉".

---

91) 熒惑은 火星(Mars)을 가리킨다.
· 『呂氏春秋』 권6, 季夏記, 制樂, "宋景公之時, 熒惑在心. 公懼, 召子韋, 而問焉曰, 熒惑在心, 何也. 子韋曰, 熒惑者, 天罰也. 心者, 宋之分野也. 當禍於君. …. 高誘注, 熒惑, 五星之一, 火之精也".
· 『한서』 권87上, 揚雄傳第57上, "熒惑司命, 天弧發射. 張晏曰, 熒惑, 法使, 司不祥. 天弧, 盧·危上二星也".

92) 이 구절은 다음의 자료를 인용한 것이다.
· 『논어』 권8, 季氏第16, "危而不持, 顚而不扶, 則將焉用彼相矣".

93) 이 구절은 다음의 자료를 인용한 것이다.
· 『尙書』 권5, 說命上第12(僞古文), 商書, "傳說復于王曰, 惟木從繩則正, 后從諫則聖, …".

94) 이때 일본의 京都에서는 17일(庚申)은 晴明[天晴]하였다고 되어 있으나 18일(辛酉)은 氣象이 기록되어 있지 않다(『御堂關白記』, 寬弘 8년 4월).

95) 이 구절은 다음의 자료를 인용한 것이다.
· 『周易』 권9, 說卦第9, "乾爲天爲圜, 爲君爲父, 爲玉爲金, 爲寒爲冰, …".

96) 이 구절은 『周易』 上經, 建, "九五, 飛龍在天, 利見大人"에서 따온 것이다.

丁卯24日, 置迎賓·會仙二館, 以待諸國使.98)

[某日, 戶長·陪戎校尉林長富·崔祐等建開心寺石塔:追加].99)

[是月八日頃, 東京廻眞寺僧釋某與香徒三千餘人造成銅鍾一軀:追加].100)

五月甲戌朔小盡,甲午, 乙亥2日, 東北女眞酋長鉏乙豆, 率其屬七十人來, 獻方物, 各賜衣服·銀皿.

戊寅5日, 以庾方爲兵部尙書兼上將軍, 崔賢敏爲工部尙書, 金審言爲禮部尙書, 崔冲爲右拾遺.

[癸未10日, 西京人獻兎一首二身:五行2轉載].

丁亥14日, 加平壤木覓·橋淵·道知巖·東明王等神勳號.101)

丁酉24日, 以朴昇爲殿中侍御史.

[某日, 門下侍郞平章事韋壽餘請老, 不許, 賜几杖:節要轉載].102)

六月癸卯朔小盡,乙未, 以國子祭酒姜邯贊爲翰林學士承旨[·左散騎常侍:列傳7姜邯贊追加].

[丁巳15日, 大暑. 暴風, 飛瓦拔木:五行3轉載].

丁卯25日, 以李靖爲殿中監, 孫夢周爲尙書左丞.

---

97) 『주역』, 蠱에는 "尊者在上, 卑者在下"가 없고, 다음의 자료에 유사한 기록이 있다.
- 『周易象辭』 권18, 繫辭上, "卑者在下, 高者在上, 陳列于日前, 聖人因之爲序, 貴賤地位矣".
- 『周易尙義』 권14, 繫辭傳上, "卑者在下, 爲賤, 高者宰相, 爲貴也".

98) 迎賓館은 中原의 使臣을 迎送했던 開京의 서쪽에 위치한 驛館이었는데, 이 시기 以後에 迎恩館, 順天館으로 改稱하였다가 高麗末에 다시 初名[本名]으로 환원하였던 것 같다.
- 『신증동국여지승람』 권4, 개성부상, 宮室, "迎賓館, 在午正門外. 今爲迎詔及使華送迎之所. 舊有迎恩館·順天館, 疑卽此館而隨時異名耳".

99) 이는 慶尙北道 醴泉郡 醴泉邑 南本洞 200-3 開心寺의 5層石塔의 銘文에 의거하였다(보물 제53호, 李泰鎭 1972년a ; 許興植 1984년 433面).

100) 이는 「東京廻眞寺鍾銘」에 의거하였다(島根縣 松江市 國屋町 589 天倫寺 所藏, 坪井良平 1974年 82面 ; 許興植 1984년 1274面).

101) 東明王 朱蒙의 墓所는 西京平壤府의 동남쪽에 있었다고 한다.
- 지12, 지리3, 西京留守官平壤府, "東明王墓, 在府東南, 中和境龍山, 俗號珍珠墓. 又仁里坊有祠宇, 高麗, 以時降御押, 行祭, 朔望, 亦令其官, 行祭. 邑人至今有事輒禱. 世傳東明聖帝祠".

102) 고려시대의 几杖이 어떤 형태였는지는 알 수 없으나 1668년(顯宗10) 11월 27일(丙辰) 李景奭에게 하사되었다는 것이 現存하고 있다(京畿道博物館 2003년 12面).

秋七月[壬申朔大盡,丙申], 癸酉[2日], 以[參知政事]崔士威爲西北面行營都統使, 張延祐·蔡忠順並爲中樞使.

甲申[13日], 刑部奏, "郎中白行隣, 當南幸之際, 留在京城, 自稱御史中丞, 與李因禮·巨貞等, 召募徒奴爲軍, 見敵不戰而潰, 請除名", 從之.

[丙戌[15日], <u>月食</u>:天文1轉載].[103]

壬辰[21日], 教曰, "去年, 契丹圍西京, 沙門<u>法言</u>見義奮勇, 忘生徇國, 可贈首座".

八月[壬寅朔小盡,丁酉], 癸卯[2日], 刑部奏, "趙容謙·柳僧虔·李載·崔檝·崔成義·林卓, 當南幸之時, 驚動行宮, 請除名支配", 從之.

甲辰[3日], 以梁積爲御史中丞.

乙巳[4日], 以[工部尙書]文仁渭爲右僕射, [侍郎]<u>朴忠淑</u>爲西京副留守.

庚戌[9日], 以[中樞使]張延祐△[爲]判御史臺事.

丙辰[15日], 論康兆□[之]黨,[104] 流[右諫議大夫]卓思政·朴昇·崔昌□[曾]·<u>魏從政</u>[~~魏從正~~]·康隱于海島.[105]

丁巳[16日], [秋分]. 以皇甫兪義爲<u>吏部郎中</u>, 柳韶爲侍御史, 曹子奇·李擇成並爲殿中侍御史, 李仁澤爲監察御史.[106]

---

103) 이날 일본에서는 後代에 月食의 施行이 天文의 計算으로 推測되었으나(『日本史料』 2-7冊 274面) 실제로 이루어지지 않았던 것 같다(『御堂關白記』와 『小右記』의 寬弘 8년 7월 15일에 월식에 대한 기록이 없다). 이날은 율리우스력의 1011년 8월 16일인데, 월식에 관련된 각종의 정보가 없다(渡邊敏夫 1979年 471面).

또 다음의 『本朝統曆』 12권 12책은 會津藩(아이즈 한, 現 福島縣 會津若松市)의 曆算家 安藤有益(안도우 유우에끼, 1624~1708)이 日本古代로부터 1684년(貞享1)까지 2,340여 년간의 月朔·朔望·日月食 등을 宣明曆에 의거하여 推算한 것이다. 일본에서 宣明曆은 862년(貞觀4)에서 1685년(貞享2)까지 823년간 사용되었는데, 安藤有益이 宣明曆을 사용하기 이전의 시기에도 月朔 등을 이것을 통해 類推하였다는 비판도 있었다. 이 책은 1687년(貞享4)에 간행되었고, 原本은 內閣文庫에 소장되어 있다고 한다. 이를 통해 1300년(충렬왕26) 이전까지 宣明曆을 근간으로 하여 측정하였던 고려시대에 이루어졌던 日月食의 諸樣相을 대체적으로 이해할 수 있을 것이므로 後代에 편찬된 책이지만 특별히 轉載하였다.

· 『本朝統曆』 권7, 寬弘 8년, "七大, 朔壬申, 申初, 十五望, 戌四, 月蝕, 三分强, 戌二, 戌六".

104) 『고려사절요』 권3에는 之字가 들어 있다.

105) 崔昌은 崔昌曾에서 曾이 탈락되었고, 魏從政은 『고려사절요』 권2, 목종 12년 1월과 열전40, 康兆에 魏從正으로 기재되어 있는데, 후자가 옳을 것이다.

106) 열전7, 皇甫兪義에는 그의 經歷을 "顯宗卽位, 授殿中侍御史[正6品], 進吏部侍郎[正4品], 改內史舍人[從4品], 尋爲中樞院日直員"로 정리되어 있으나 吏部侍郎은 吏部郎中(正5品)의 오류일 것이다.

［某日，敎曰，“贈將軍金叔興，自守邊城，勇於赴敵，旣成功於破竹，終致命於伏弢，言念舊勞，合加優賞，其母李氏，歲給粟五十碩，以終其身”：節要轉載］.

乙丑[24日]，遣戶部侍郞崔元信如契丹.

丙寅[25日]，御寬仁殿門，饗耆老·孤獨·篤疾者，賜物有差.

己巳[28日]，以參知政事崔士威爲西京留守.

是月，增修松嶽城．築西京皇城.[107)]

○東女眞百餘艘寇慶州.

［○城淸河·興海·迎日·蔚州·長鬐：節要轉載］.[108)]

九月[辛未朔小盡,戊戌]，丙子[6日]，左僕射·參知政事趙之遴卒.[109)]［輟朝三日，謚恭華：列傳7轉載］.[110)]

○以[參知政事]崔士威爲吏部尙書，朴暹爲將作監，康義爲尙書右丞，朴從儉爲侍御史.[111)]

乙酉[15日]，耽羅乞依州郡例，賜朱記，許之.[112)]

壬辰[22日]，以李昉爲西京副留守.

冬十月庚子朔[大盡,己亥]，以兵部尙書庾方△[爲]參知政事·西京留守兼西北面行營都兵

---

107) 이 기사는 지36，兵2，城堡에도 수록되어 있다.

108) 이 기사는 지36，兵2，城堡에도 수록되어 있다.

109) 이날은 율리우스曆으로 1011년 10월 5일(그레고리曆 10월 11일)에 해당한다.

110) 趙之遴은 白州 銀川郡(現 黃海南道 배천군) 都台里에서 태어났다고 한다(『重峰集』 附錄권1，世德).

111) 이때 崔士威는 參知政事로서 吏部尙書를 兼職한 것으로 추측된다.

112) 朱記는 魏·晋代 以來 印章을 종이·비단 등에 찍을 때[捺印] 紅色의 顔料를 사용한 印文을 指稱한다. 唐代 以後에는 官印의 一種을 가리키는데，印章의 印文 끝에 ‘□□印’이 아니고 ‘□□朱記’ 또는 ‘□□記’로 刻印되어 있다. 例를 들면 五代의 ‘右策寧州留後朱記’·‘通遠軍遮生堡銅朱記’，宋의 ‘都亭新驛朱記’·‘馳防指揮使記’ 등이 있다(吳鴻淸 2002年). 또 官人의 印章은 漢代以來 印文을 5字로 정하였다고 한다.

· 『자치통감』 권21，漢紀13，武帝太初 1년(BC104) 春，“大中大夫公孫卿·壺遂·太史令司馬遷等言，‘曆紀壞廢，宜改正朔’. 上詔兒寬與博士賜等共議，以爲宜用夏正[胡三省注，漢初用秦正，以建亥之月爲歲首. 夏正以建寅之月爲歲首]. 夏，五月，詔卿·遂·遷等共造漢‘太初曆’，以正月爲歲首，色土黃，數用五[注，是議者爲漢土德旺，土色黃而數五，故上黃而用五. 張晏曰，用五，謂印文也. 若丞相曰‘丞相之印章’，諸卿及守，相印文不足五字者，以‘之’字足之]，定官名，協音律，定宗廟百官之儀，以爲典常，垂之後世云”.

馬使.

乙丑[26日], 遣都官郎中金崇義如契丹, 賀冬至.

○命尙書張延稼, 修營宮闕.

十一月[庚午朔大盡,庚午], [壬申[3日], 太白犯鎭星:天文1轉載].[113)]

壬午[13日], 遣刑部侍郎金殷傅如契丹, 賀生辰.

[是月, 全州黑石寺牧丹花, 開, 冒雪不落:五行1轉載].[114)]

十二月[庚子朔小盡,辛丑], 己酉[10日], 以[尙書右僕射]文仁渭△[爲]參知政事.

[壬戌[23日], 月入氐星:天文1轉載].

[某日, 敎曰, "古先哲王, 視民如子, 朕居司牧, 敢不盡心. 方當歉歲, 又屬祈寒, 惟恐鰥寡孤獨, 未免飢凍, 其令所在, 賑給衣糧, 勿使失所":節要·食貨3鰥寡孤獨賑貸之制轉載].

[是歲, [中樞院直學士·]禮部侍郎周起[周佇]奏, 定進士糊名試式:節要轉載].[115)]

---

113) 太白은 金星(Venus)의 다른 표기인데, 이것은 太陽系의 8大 行星 중의 하나로서 地球에 가장 가까운 별(天體, 샛별)로 새벽[淸晨]에는 동쪽 하늘에 출현하여 啓明으로, 저녁 무렵[俶晩]에는 서쪽하늘에 출현하여 長庚으로 각각 불렸다. 이는 금성의 궤도가 지구의 궤도 내측으로 겹치기에 아침, 저녁으로 肉眼을도 잘 볼 수가 있다고 한다. 또 지구의 空轉週期는 365.242189…日이고, 금성의 공전 주기는 224.70日이기에 금성이 지구를 앞서 가거나 뒤따라 올 때가 있고, 이 과정에서 태양, 금성, 지구가 일직선에 놓이게 되는데, 이때 우리가 가장 밝게 볼 수 있으며 낮에도 볼 수 있다고 한다. 이 시기에 태백에 낮에 나타난다고 하여 古代人들은 '太白晝見', '太白經天'의 天變으로 기록하면서 勤愼하였다고 한다.
이처럼 일직선 위에 놓이는 시간 간격은 583.92일(19~20개월)인데, 『고려사』에서 1014년(현종5) 5월 6일, 1016년(현종7) 2월 26일, 1017년(현종8) 11월 5일, 1019년(현종10) 5월 10일, 1024년(현종15) 1월 9일, 1032년(덕종1) 2월 6일 등에 '太白晝見'의 기록이 있지만, 그 사이에 이러한 현상이 있었을 시기, 곧 1020년(현종11) 12월, 1022년(현종13) 7월 무렵의 경우는 기록의 탈락, 또는 비 또는 흐림의 氣象으로 관측이 불가능했을 것으로 추측되고 있다(이용태 1980년). 이러한 天變에 관한 기록은 世家編을 편찬할 때, 編纂者가 帝王의 治績, 紙面의 형편에 따라 詳細 또는 疏略하게 정리하였던 결과일 것이다.

114) 이때 일본의 京都에서는 8일(丁丑) 첫 눈이 내렸고, 9일(戊寅)에도 내렸다고 한다.
·『御堂關白記』, 寬弘 8년 11월, "八日丁丑 初雪降, … 九日戊寅, 雪如昨日".

115) 이와 관련된 기사로 다음이 있다. 여기에서 周起는 周佇의 誤字인데, 그는 是年 1월 29일(癸卯) 禮部侍郎에 임명되어 4년 9월 27일(丙辰) 이후까지 在職하고 있었다(崔永好 2007년 ; 東亞大學 2011년 17책 297面). 또 糊名法은 唐代에 실시된 것으로 각종 考試의 答紙[試卷] 冒

是月是歲, 契丹殺河拱辰.116)

[→拱辰旣被留, 內圖還國, 外示忠勤, 契丹主甚加寵遇. 拱辰與英起密謀奏曰, 本國今已喪亡, 臣等願領兵, 點檢而來. 契丹主許之. 尋聞王返國, 使英起居中京,117) 拱辰居燕京,118) 皆妻以良家女. 拱辰多市駿馬, 列置東路, 以爲歸計, 人告其謀. 契丹主鞫之, 拱辰具以實對, 且曰, 臣於本國, 不敢有二心. 罪當萬死, 不願生事大朝. 契丹主義而原之, 諭令改節效忠, 拱辰辭益厲不遜, 遂殺之, 爭取心肝食之:列傳7河拱辰轉載].

[○罷尙書庫部:百官1兵曹轉載].

[○復改光軍都監, 爲光軍司:轉載].119)

[○以郭元爲中樞直學士:列傳7郭元轉載].

頭에 쓰인 應試者의 姓名, 鄕貫[籍貫, 本貫], 四祖 등과 같은 人的事項을 貼紙하거나 切除하여 採点官[考校官]이 알아 볼 수 없게 한 것이다. 이 規則을 宋代에는 彌封(혹은 封彌)이라고 하였다.

· 지27, 선거1, 科目, "顯宗二年, 禮部侍郞周起周佇奏, 定糊名試式".

·『續資治通鑑』권16, 宋紀16, 太宗淳化 2년 3월, "戊戌, 覆試合格進士, 帝納將作監丞莆田陳靖疏, 始令糊名考校, 得汝陽孫何以下凡三百二人, 並賜及第, 五十一人同出身".

·『태종실록』권27, 14년 4월 辛亥8日, "司憲府請敬承府尹金漸之罪, 原之. 初, 漸之子義孫赴文科會試初場, 漸潛送人于封彌官·司譯院判官任種義, 改書經義小講以上, 又欲知字標也".

116) 河拱辰이 殉國한 것은 是月이 아니라『고려사절요』권3과 같이 是歲일 것이다. 또 河拱辰(?~1011)은 慶尙南道 晋州市 金谷面 儉岩里 雲門 雲岡書院에 祭享되어 있다(具山祐 2008년 324面).

117) 契丹의 中京은 現在의 內蒙古自治區 赤峰市 寧城縣 天義鎭 大明鄕의 大明城인데, 城郭은 3중으로 되어 있었다고 한다.

118) 이때 燕京은 南京幽都府(後日의 析津府, 現 北京市)를 가리키는데, 南京이 燕京으로 改稱된 시기는『요사』에는 기록되어 있지 않고, 다른 자료에는 明年, 곧 1012년(開泰1, 顯宗3)으로 되어 있다(陳高華·史衛民 2010年 8面).

·『금사』권24, 지5, 地理上, "中都路, 遼會同元年爲南京, 開泰元年號燕京".

119) 이는 지31, 백관2, 諸司都監各色, 光軍司에서 전재하였다.

壬子[顯宗]三年, 契丹統和三十年→11月開泰元年,

[宋大中祥符五年], [西曆1012年]

1012년 1월 26일(Gre2월 1일)에서 1013년 2월 12일(Gre2월 18일)까지,

13개월 384일

[春正月[己巳朔大盡,壬寅], 甲申[16日], <u>月食</u>:天文1轉載].[120)]

[某日, 禁市賣綾絹扇. 教曰, "比見沙門衣服, 漸成奢僭, 與俗無異, 令有司, 定其<u>服式</u>":刑法2禁令轉載].[121)]

[○罷東京留守, 置<u>慶州防禦使</u>, 又廢十二州節度使, 置五都護□[~~府~~]·<u>七十五道</u>[~~七道~~]安撫使:節要轉載].[122)]

[→後, [參知政事崔士威]與[中樞院使]張延祐·[吏部郎中?]皇甫兪義, 獻議罷東京留守, 置慶州防禦使, 又廢十二州節度使, 置五都護·<u>七十五道</u>[~~七道~~]安撫使:列傳7崔士威轉載].[123)]

[是時, 廢尙州節度使, 復爲安東大都護府, 以龍宮郡爲屬縣. 廢楊州·廣州·忠州·淸州·晋州·黃州節度使爲楊州·廣州·忠州·淸州·公州·晋州·黃州按撫使. 改洪州爲知州事官, 降許州都團練使爲含陽郡[後改咸陽郡], 廢岱州都團練使爲京山府, 廢吉州刺史爲吉州按撫使:地理志轉載].

---

120) 이날 일본의 京都에서도 월식이 있었다(日本史料2-7冊 670面). 이날은 율리우스력의 1012년 2월 10일이고, 월식 현상이 심했던 때의 世界時는 14시 0분, 食分은 1.12이었다(渡邊敏夫 1979年 471面).
- 『御堂關白記』, 長和 1년 1월, "十六日甲申, … [月蝕, 十五分十四, 半弱, 虧初戌一刻三分, 加時亥二刻一分, 復末子二刻一分], 月蝕正現".
- 『本朝統曆』 권7, 長和 1년, "正大, 十六望, 亥三, 月蝕, 十四分强, 戌三, 子三".

121) 이 기사는 『고려사절요』 권3에 축약되어 있다.
- "教曰, 比見沙門衣服, 漸<u>成</u>奢僭, 與俗無異. 令有司, 定其服式".

122) 이때의 지방제도 개편에 관련된 자료로 다음이 있다.
- 지11, 地理2, 東京留守官慶州, "顯宗三年, 廢留守官, 降爲慶州防禦使".
- 『경상도지리지』, 尙州道, 星州牧官, "顯宗時, 開泰壬子, 復稱京山府". 이때 京山府는 岱州都團練使體制에서 京山府로 復活하였던 것 같다.
- 『경상도지리지』, 晋州道, 金海都護府, "<u>靈宗</u>[顯宗]壬子, 改爲金州防禦使". 이때 金海都護府는 金州防禦使體制로 개편되었던 것 같다.
- 지31, 백관2, 外職, 安撫使, "顯宗三年, 置<u>七十五道</u>[~~七道~~]安撫使".
- 지31, 백관2, 외직, 按廉使, "顯宗三年, 罷節度使".

123) 이때 安撫使가 설치된 곳은 下記(地理志轉載)의 일곱 거점도시(七安撫使)이었기에 ~~添字~~와 같이 고쳐야 옳게 될 것이다(邊太燮 1971년 128面 ; 朴鍾進 2015년).

[某日, 城弓兀山:節要轉載].[124)]

春二月[己亥朔[小盡,癸卯], 廢東京留守官, 降爲慶州防禦使:追加].[125)]

[某日, 敎曰, "西北州鎭, 自經兵亂, 民乏資糧, 今當東作之時, 無以墾植, 其令本道官吏, 給糧與種, 毋使失業":節要·食貨2農桑轉載].[126)]

甲辰[6日], 女眞酋長麻尸底率三十姓部落子弟來, 獻土馬. 三十姓, 曰阿干頓·曰尼忽·曰尼方固·曰門質老·曰弗遮利·曰居質阿·曰黏閒逸·曰尼質阿·曰耶邏多·曰邀揭囉·曰要悅逸·曰鬱咭·曰烏臨大·曰蒙骨拽·曰暈底憲·曰徒怠·曰耶兀逸·曰拏乙信·曰拏乙晏·曰冬骨逸·曰支闍逸·曰魚瑟殷·曰麽乙逸·曰塗沒尼·曰云突梨·曰押閒伊·曰惱一伊·曰排門異·曰佛徐逸·曰滿尹伊.[127)]

乙卯[17日], 敎曰, "語曰, '百姓不足, 君孰與足?'.[128)] 頃因戎事, 民失農業, 道殣相望, 念黎庶之若此, 豈君父之獨安? 其令尙食大官, 減省常膳".

[○松岳大石頹:五行3轉載].[129)]

---

124) 이 기사는 지36, 兵2, 城堡에도 수록되어 있다. 또 弓兀山은 현재의 黃海南道 殷栗郡 殷栗邑에 위치한 九月山이라고 한다(김경찬 1993년).

125) 이는 지11, 지리2, 東京留守官 ;『고려사절요』 권3, 현종 1년 1월 ;『경상도지리지』, 慶尙道, 慶州府 ;『동도역세제자기』 등에 의거하였다. 그 날짜는『고려사절요』 권3에는 1월로,『동도역세제자기』에는 2월 1일로 되어 있는데, 전자는 勅令이 내려진 날짜이고, 후자가 시행된 날짜로 추측된다.

126) 여기에서 東作之時는 지33, 食貨2, 農桑에는 農作之始로 되어 있다.

127) 이때 女眞酋長 麻尸底가 거느리고 온 30姓의 部落은 고려의 東北邊境에 인접해 있던 女眞의 거주 지역으로 고려의 政令이 어느 정도 執行될 수 있었던 것 같다[化內女眞]. 이에 비해 寶露國, 黑水國, 達姑狄 등과 같은 女眞은 羅末麗初 이래 獨立的 政治集團으로 機能하면서 고려에 연결되어 있었던 것 같다[化外女眞]. 또 이들 女眞集團(長白山三十部女眞)은 이해[是年]에 契丹帝國에도 貢物을 바치고 官爵을 요청했다고 한 점을 보아 集團體에서 어떠한 政治的 變化가 일어나고 있었던 것 같다. 그리고『고려사』에 기록된 女眞三十部(三十姓), 黑水(혹은 黑水·女眞) 등에 대한 새로운 見解가 제시되어 注目된다(孫昊 2014年 114面, 三十部女眞的族群變遷).

·『삼국사기』 권11, 신라본기11, 헌강왕 12년, "春, 北鎭奏, '狄國人入鎭, 以片木掛樹而歸'. 遂取以獻, 其木書十五字云, 寶露國與黑水國人, 共向新羅國和通".

·『삼국사기』 권12, 신라본기12, 경명왕 5년 2월(→태조 4년 2월 15日의 脚注).

·『요사』 권15, 본기15, 成宗6, 開泰 1년 1월, "癸未, 長白山三十部女眞酋長來貢, 乞授爵秩". 여기에서 長白山은 近代以前의 社會에서 현재까지 白頭山과 竝用되던 山名이다.

128) 이 구절은 다음의 자료를 인용한 것이다.

·『논어』, 顏淵第12, "對曰, 百姓足, 君孰與不足, 百姓不足, 君孰與足. [注, 孔安國曰, 孰誰也]".

戊午20日, 以韋壽餘爲侍中[·上柱國·江華縣開國子·食邑五百戶:列傳7韋壽餘轉載], 劉瑨爲門下侍郞□□□~~平章事~~, 參知政事崔士威爲內史侍郞平章事, 崔沆爲吏部尙書·參知政事, 前西京副留守朴忠淑爲尙書左僕射, 中樞院使蔡忠順爲禮部尙書.[130]

三月戊辰朔大盡,甲辰, 庚午3日, 慶州地震.

壬申5日, 宋人王福·錢華·楊太·葉淸·王弩·李太·林惜來投.

[□□~~某日~~, 太子詹事·上輕車都尉禎卒. □禎, 太祖庶孫也. 其父東陽君險戾, 交結群小, 潛懷異圖, 光宗賜死. 禎與其兄左僕射琳, 以幼獲免, 逃竄民間, 丐乞爲生, 康兆用事, 建議興復宗室, 奏授禎兄弟, 爵位, 給臧獲田莊, 始入屬籍. 卒謚諡溫潔. 東陽君, 卽孝隱太子也:節要轉載].[131]

---

129) 이때 일본의 京都에서는 14일(壬子), 16일(甲寅), 18일(丙辰)에 비가 내렸다고 한다. 또 돌의 異變[大石自行, 石異變]에 대한 기록은 조선시대에도 찾아진다(『西厓集』 권16, 記異).

· 『御堂關白記』, 長和 1년 2월, "十四日壬子, 終夜雨下, … 十五日癸丑, 天晴, … 十六日甲寅, 時々雨下, …十八日丙辰, 雨降".

130) 門下侍郞은 門下侍郞平章事의 약칭일 것이다.

131) 이와 유사한 기사로 다음이 있다. 여기에 기록된 上輕車都尉는 637년(貞觀11)에 정비된 唐代의 勳官 12等級 중의 하나인데, 이를 통해 볼 때 高麗前期에 唐制에 의거한 勳官制가 施行되었음을 알 수 있다. 곧 『고려사』에서는 勳官[勳階]이 上柱國과 柱國의 두 계급만이 있고, 文宗代에 각각 正2品, 從2品에 비정되었다고 하였지만, 이 훈관은 여타의 제도와는 달리 고려 건국 이후에 부분적으로 사용되었던 것 같다. 곧 建國初에 虎騎尉(王式廉, 庾自偶)·第五虎騎尉(庾黔弼) 등과 같은 훈관이 사용되고 있었는데, 虎騎尉는 驍騎尉(視正六品)가 定宗의 이름인 堯를 避諱한 것으로 추측된다(열전5, 王式廉 ; 庾自偶墓誌銘). 또 上護軍(金殷傅·盧戩 等), 輕車都尉(劉志誠墓誌銘) 등도 찾아진다.

이를 바탕으로 다음과 같은 여러 사례를 추가하면, 고려시대의 勳級은 泰封政權, 또는 고려건국 초기부터 부분적으로 使用되다가 958년(광종9) 과거제와 함께 실시된 文·武散官[散階]과 마찬가지로 唐制와 거의 同一하게 運用되었을 것이다(張東翼 2012년).

· 열전3, 太祖王子, 孝隱太子, "孝隱太子, 史逸其名, 或稱東陽君. 性險戾, 交結群小, 潛懷異圖, 光宗賜死. 子琳·禎, 孝隱之死, 琳·禎以幼, 獲免逃竄, 糊口民間. 康兆用事, 奏授琳·禎爵, 給臧獲·田莊, 屬宗籍. 琳, 尙書左僕射卒, 禎, 太子詹事·上輕車都尉, 顯宗三年卒, 謚諡溫潔, 贈工部尙書".

· 지31, 백관2, 勳~~勳官~~, "勳二階~~二級~~, 有上柱國·柱國, 文宗定上柱國, 正二品, 柱國, 從二品. 忠烈王以後, 廢之". 여기에서 ~~添字~~와 같이 고쳐야 옳게 될 것이고, 이 記事는 唐制와 비교하여 다음과 같이 補充되어야 될 것이다.

· 지31, 백관2, 勳官, "勳十二級, 有上柱國·柱國, 文宗定上柱國, □視正二品, 柱國, [□視從二品, 上護軍, 視正三品, 護軍, 視從三品, 上輕車都尉, 視正四品, 輕車都尉, 視從四品, 上騎都尉, 視正五品, 騎都尉, 視從五品, 驍騎尉, 視正六品, 飛騎尉, 視從六品, 雲騎尉, 視正七品, 武騎尉, 視從七品:追加]. 忠烈王以後, 廢之"[補充된 記事].

[□□[~~某日~~], 教曰, "洪範八政, 以食爲先,[132] 此誠富國强兵之道也, 比者, 人習浮糜, 棄本逐末, 不知稼穡, 其諸道錦綺·雜織·甲坊匠手,[133] 竝令抽減, 以就農業": 節要·食貨2農桑轉載].

[□□[~~是月~~], [刑部侍郎]金殷傅還至來遠城, 契丹惎女眞, 執之以歸: 節要·列傳7金殷傅轉載].

夏四月[戊戌朔大盡,乙巳], [某日, 禁市賣綾絹扇: 節要轉載].

癸亥[26日], 門下侍中韋壽餘卒.[134] [謚安恭, 贈內史令: 列傳7韋壽餘轉載]. [壽餘, 端慤守法, 自光宗朝, 在司膳□[署],[135] 久不調. 王卽位, 謂壽餘於朝臣中爲最老, 乃

· 『구당서』 권42, 지22, 직관1, 勳官, "武德初, 光祿大夫比今日上柱國, 左光祿大夫比柱國, 右光祿大夫及上·大將軍比上護軍, 金紫光祿大夫及將軍比護軍, 銀青光祿大夫及上開府比上輕車都尉, 正議大夫及開府□□□□[~~儀同三司~~]比輕車都尉, 通議大夫及上儀同三司比上騎都尉, 朝請大夫及儀同□□[~~三司~~]比騎都尉, 上大都督比驍騎尉, 大都督比飛騎尉, 帥都督比雲騎尉, 都督比武騎尉. 自是以後, 戰士授勳者動盈萬計. 여기에서 ~~添字~~를 추가하여야 옳게 될 것이다.

· 『신당서』 권46, 지36, 백관1, 吏部, "司勳郎中一人, 員外郎二人, 掌官吏勳級, 凡十有二轉爲上柱國, 視正二品, 十有一轉爲柱國, 視從二品, 十轉爲上護軍, 視正三品, 九轉爲護軍, 視從三品, 八轉爲上輕車都尉, 視正四品, 七轉爲輕車都尉, 視從四品, 六轉爲上騎都尉, 視正五品, 五轉爲騎都尉, 視從五品, 四轉爲驍騎尉, 視正六品, 三轉爲飛騎尉, 視從六品, 二轉爲雲騎尉, 視正七品, 一轉爲武騎尉, 視從七品".

· 『자치통감』 권190, 唐紀6, 高祖武德 7년(624), "三月, 初定令, 以太尉·司徒·司空爲三公, 次尙書·門下·中書·秘書·殿中·內侍爲六省, 次御史臺, … 自開府儀同三司至長仕郎二十八階, 爲文散官, 驃騎大將軍至陪戎副尉三十一階, 爲武散官, 上柱國至武騎尉十二等, 爲勳官[胡三省注, 勳級, 十有二轉爲上柱國, 視正二品, 十有一轉爲柱國, 視從二品, 十轉爲上護軍, 視正三品, 九轉爲護軍, 視從三品, 八轉爲上輕車都尉, 視正四品, 七轉爲輕車都尉, 視從四品, 六轉爲上騎都尉, 視正五品, 五轉爲騎都尉, 視從五品, 四轉爲驍騎尉, 視正六品, 三轉爲飛騎 尉, 視從六品, 二轉爲雲騎尉, 視正七品, 一轉爲武騎尉, 視從七品], …".

· 『자치통감』 권201, 唐紀17, 高宗龍朔 3년(663) 9월, "[熊津都督]劉仁願至京師, … 上悅, 加[劉]仁軌六階[胡三省注, 勳有級, 官有階], 正除帶方州刺史…".

132) 이는 다음의 字句를 생각하면서 기술한 것 같다(加藤常賢 1993年 153面).

· 『書經』, 洪範, "… 三. 八政, 一曰食[~~食糧~~], 二曰貨[~~貨幣~~], 三曰祀[~~祭祀~~], 四曰司空[~~營造~~], 五曰司徒[~~施政·敎育~~], 六曰司寇[~~司法~~], 七曰賓[~~外交~~], 八曰師[~~軍事~~]". 여기에서 ~~添字~~는 筆者가 추가한 것이다.

· 『한서』, 食貨志4上, "洪範八政, 一曰食, 二曰貨, 食謂農殖嘉穀可食之物, 貨謂布帛可衣, 及金刀龜貝, 所以分財布利通有無者也, …".

133) 甲坊은 갑옷[鎧甲]을 제조하던 관서로 추측된다.

· 『자치통감』 권165, 梁紀21, 世祖孝元皇帝[元帝], 承聖 3년(554) 3월 己酉, "… 帝怒, 於是裴[盧裴]·庶[李庶]及商書郎中王松年皆坐謗史, 鞭二百, 配甲坊[胡三省注, 甲坊, 造甲之所]".

· 『資治通鑑補』 권165, 梁紀21, 甲戌, 承聖 3년(554) 3월 己酉, "… 齊主怒, 於是, 裴[盧裴]·庶[李庶]及商書尙書郎中王松年皆坐謗史, 鞭二百, 配甲坊. 甲坊, 造甲之房. …".

134) 이날은 율리우스曆으로 1012년 5월 19일(그레고리曆 5월 25일)에 해당한다.

大用焉:節要轉載].

是月, 霜.[136]

○契丹[契丹主]詔王親朝.

五月[戊辰朔小盡,丙午], 己巳[2日], 東女眞寇淸河·迎日·長鬐縣. 遣[東南海]都部署文演·姜民瞻·李仁澤·曹子奇, 督州郡兵, 擊走之.

○撤慶州朝遊宮, 以其材, 修皇龍寺塔.[137]

乙酉[18日], 謁元陵. [孝肅太后陵也:節要轉載].[138]

丙戌[19日], 集僧于內殿, 講'仁王般若經'.[139]

[丁亥[20日], 赤氣如火, 見于南方:五行1轉載].

[某日, 敎曰, "去年西京, 水旱爲灾, 穀價騰踊, 民用困乏, 朕夙興夜寐, 念之惻然, 其令所司, 發倉賑之":節要·食貨3水旱疫癘賑貸之制轉載].

六月[丁酉朔大盡,丁未], [癸卯[7日], 龍津鎭三百四十餘戶火:節要·五行1火災轉載].

甲辰[8日], 以時御宮[壽昌宮]庭湫隘, 令常參官, 五日一見.[140]

---

135) 司膳署는 尙食局의 改稱으로 高麗前期에는 後者로 사용되었다.
· 『자치통감』 권193, 唐紀9, 太宗 貞觀 5년(631) 12월, "丁亥, 制, 決死囚者, 二日中五覆奏, 下諸州者三覆奏, 行刑之日, 尙食勿進酒肉[胡三省注, 唐尙食局, 屬殿中監, 有奉御·直長, 掌御膳], 內敎坊及太常不擧樂. …".

136) 이와 같은 기사가 지7, 五行1, 水, 霜에도 수록되어 있다. 또 일본의 京都에서는 이달 2일(己亥), 3일(庚子), 12일(己酉), 13일(庚戌)에 비가 내렸다고 한다(『御堂關白記』, 長和 1년 4월).

137) 이와 관련된 기사로 다음이 있지만, ~~添字~~가 追加되어야 바르게 될 것이다[讀].
· 열전6, 崔沆, "… 沆, 不樂仕宦, 年未七十, 表請致仕. 王累起不就. 性酷信浮屠, □□[~~先是~~], 請修黃龍寺塔, 身自監督, 頗傷農務. 又於私第, 造置經像如僧居, 竟捨爲寺".

138) 玄化寺碑에도 孝肅太后(景宗妃 獻貞王后 皇甫氏, 顯宗의 母)의 陵이 元陵이라고 되어 있다. 이 陵은 開城市 長豊郡 月古里에 있다(보존급유적 571호, 張慶姬 2013년 ; 洪榮義 2018년).

139) 『仁王般若經』(仁王護國般若波釋蜜経의 略稱)을 講說하는 仁王會의 設行은 『大覺國師文集』 권1, 新集圓宗文類序에 언급되어 있다(→靖宗 7년 4월 15일의 脚注). 또 仁王會의 設行할 때 다음과 같은 準備가 이루어졌을 가능성이 있다.
· 『仁王護國般若波羅蜜經』 卷下, 護國品第5, "… 一切國土欲亂, 時有諸災難, 賊來破壞, 汝等諸王, 應當受持, 讀誦此波羅蜜經, 嚴飾道場, 置百佛像·百師子座, 請百法師, 解說此經. 於諸座前, 燃種種燈, 燒種種香, 散諸雜花, 廣大供養衣服臥具, 飮食湯藥, 房舍床座一切供事, 每日二時, 講讀此經. …"(大正新脩大藏經本).

140) 이 기사는 지21, 禮9, 一月三朝儀에도 수록되어 있다. 이때 顯宗의 正殿은 壽昌宮이었을 것

乙巳[9日], 以李守和爲左拾遺.

庚戌[14日], 宋人葉居腆·林德·王皓來投.

癸丑[17日], 禮官請令中外陳賀生辰. 敎曰, "寡人早値閔凶, 永違供養, 每及劬勞之日, 益切追感之心, 豈忍悲懷, 反受慶會? 今後, 兩京·諸道進賀, 一切禁之, 止置祝壽道場, 永爲恒式".

○監察御史李仁澤與東北面行營兵馬使姜邯贊, 有隙, 論訴不已, 命罷仁澤職.

○以旱, 命有司, 治寃獄, 放輕繫, 禱祠山川.[141)]

甲子[28日], 遣刑部侍郞田拱之如契丹, 夏季問候, 且告王病, 不能親朝.[142)] 丹主[聖宗]怒, 詔取興化·通州·龍州·鐵州·郭州·龜州等六城.

[是月, 高州城西大石, 自行十餘步: 五行2轉載].

秋七月[丁卯朔小盡,戊申], 戊寅[12日], 敎曰, "朕頃在泗水, 彥孝·孝質二人, 扶持左右, 夙著勤勞, 可賜良田, 以賞其勞".

[庚辰[14日], 月食: 天文1轉載].[143)]

八月丙申朔[大盡,己酉], 日食.[144)]

이다(→현종 2년 2월 23일).

141) 이때 일본의 京都에서는 6월 9일(乙巳) 暴風과 大雨가 있었다고 한다.
· 『小右記』, 長和 1년 6월, "九日乙巳, 晩更雷電甚, 午上雨脚猶降, 雨間未剋許參內, 皇后宮大夫[隆家]參入, 蹔於仗座, 淸談之間, 暴風大雨, …".

142) 田拱之는 같은 해 8월 24일(己未) 契丹에 도착하여 表를 바쳤다.
· 『요사』 권15, 聖宗6, 開泰 1년 8월, "己未[24日], 高麗王詢遣田拱之奉表, 稱病不能朝, 詔復取六州地".
· 『요사』 권115, 열전45, 二國外記, 高麗, "[開泰元年]八月, 遣田拱之奉表, 稱病不能朝, 詔復取六州地".

143) 이날은 율리우스력의 1012년 8월 4일이고, 월식 현상이 심했던 때의 世界時는 17시 28분, 食分은 1.01이었다(渡邊敏夫 1979年 471面).

144) 이날은 율리우스력의 1012년 8월 20일이고, 宋에서 일식이 있었고, 일본의 京都에서도 일식이 관측되었다. 또 開京에서 日食의 現象이 심했던 時間은 15시 41분, 食分은 0.49였다(渡邊敏夫 1979年 304面). 그리고 고려시대에 日食이 일어났을 때 사람들이 어떻게 對處하였는지는 알 수 없으나 a지배층은 職事를 멈추고 謹身[齋戒]하였고, b農民들은 1596년(선조29) 윤8월 1일(乙丑)과 같이 크게 놀라 손을 모아 하늘에 빌었다고 한다.
· 『송사』 권8, 본기8, 진종3, 大中祥符 5년, "八月丙申朔, 日有食之".
· 『御堂關白記』, 長和 1년 8월, "一日丙申, 日蝕, 未剋正現".

戊戌3日, 日本國潘多等三十五人來投.

壬寅7日, 耽羅人來, 獻大船二艘.

[□□~~是月~~],145) 東北州鎭有年.146)

[○城慶州:節要轉載].147)

九月丙寅朔小盡,庚戌, 己巳4日, 遣西頭供奉官文儒領, 如契丹來遠城.

冬十月乙未朔大盡,辛亥, [己亥5日, 大雷雨:五行2轉載].148)

丙午12日, 南楚人~~宋楚人~~陸世寧等來, 獻方物.149)

[庚戌16日, 月食:天文1轉載].150)

[己未25日, 雷:五行1雷震轉載].

[辛酉27日, 亦如之雷:五行1雷震轉載].

閏[十]月乙丑朔小盡,辛亥, [某日], 女眞毛逸羅·鉏乙豆, 率部落三十姓, 詣和州乞盟, 許之.151)

·『小右記』, 長和 1년 8월, "一日丙申, 日蝕叶曆, 但一時相違了, 未剋虧初, 申剋復末, 仍一時相違".

· a『恕菴集』 권2, 省中, 連日文書如麻, 今日, 以日食齋戒, 寂無一事.

· b『謙菴集』 권4, 記日食, "萬曆二十四年丙申, 閏八月初一日乙丑巳時, 日食不盡如鉤, 晝晦星見, 下民驚惶, 攢手祝天, 久而始蘇".

145) 是月이 탈락되었을 것이다.

146) 有年은 五穀이 무르익는다는 의미로서 豊年을 가리킨다. 한편 일본에서는 봄부터 이달까지 비가 충분히 내리지 않아 寺社에 祈雨를 위한 使臣이 파견될 정도였으나 13일(戊申) 돌연히 비가 내렸다고 한다.

·『御堂關白記』, 長和 1년 8월 "八日癸卯, … 右大臣着八省院行奉幣事, 是祈雨也, 從春雨下乏, 就中從去月十許日不雨下, 天下愁甚盛, 御惱間旱不被立使, … 十三日戊申, 忽雨下, 雷鳴, 酉時許雨止".

147) 이 기사는 지36, 兵2, 城堡에도 수록되어 있다.

148) 이때 일본의 京都에서는 1일(乙未), 2일(丙申)에 비가 내렸다고 한다.

·『御堂關白記』, 長和 1년 10월, "一日乙未, 午後少雨時々降. 二日丙申, 雨下, 入夜有晴氣".

149) 여러 판본의 『고려사』에서 南楚人으로 되어 있으나 『고려사절요』 권3과 같이 宋楚人이 옳을 것이다. 楚州는 현재의 江蘇省 淮安市 楚州區 地域이다.

150) 이날은 율리우스력의 1012년 11월 2일인데, 월식에 관련된 각종의 정보가 없다(渡邊敏夫 1979年 471面).

151) 會盟할 때의 祭需[犧牲]는 地位의 高下[身分]에 따라 차이가 있었다고 한다.

庚午6日, 遣工部尙書·參知政事張瑩, 禮部侍郎劉徵弼如契丹.

[壬申8日, 獐入毬庭:五行2轉載].

[某日, 改葬懿宗于城東, 陵曰義, 改謚諡宣讓, 廟號穆宗. 初, 穆宗之遇弑也, 上謚諡·廟號, 皆康兆撰定也, 至是改之:節要轉載].

[某日, 刑部侍郎金殷傅還自契丹□來:節要轉載].152)

癸未19日, 契丹使大尉太尉韓杞來.

[十一月甲午朔大盡,壬子, 丁酉4日, 月犯太白:天文1轉載].

[是月甲午朔, 遼改統和三十年爲開泰元年:追加].

十二月甲子朔小盡,癸丑, 丁丑14日, 慶州地震.

○教曰, "昔在晋朝, 大室燒毀, 杜預·謝鯤等奏, 修嘉德門, 權安神主, 以行祭禮, 今以寡人不德, 致令淸廟挺災, 惻愴雖深, 興營未暇, 乃欲先造木主, 置于齋坊, 其令禮官, 擬議奏聞".

[己卯16日, 月食:天文1轉載].153)

庚寅27日, 工部尙書·參知政事張瑩與契丹□□閤門引進使李延弘來.

是月, 作西京木覓祠神像.154)

[□□是歲], 創重光寺.

[○城長州及金壤:節要·兵2城堡轉載].155)

· 『자치통감』 권5, 周紀5, 赧王 57년(BC258), "趙王使平原君求救於楚, … 平原君麾下毛遂曰, '從定乎?', 楚王曰, '定矣'. 毛遂謂楚王左右曰, '取雞·狗·馬之血來'[胡三省注, 索隱曰, 盟之所用牲, 貴賤不同, 天子用牛及馬, 諸侯用犬及豭, 大夫二下用雞. 今此總言盟之用血, 故云取雞·狗·馬之血來耳], 毛遂奉銅盤而跪進之楚王曰, …".

152) 添字가 脫落되었을 것이다.

153) 이날 일본의 교토[京都]에서도 월식이 있었다고 하지만(日本史料2-7册 671面), 12일(乙亥) 이래 16일(己卯)까지 계속 비가 내려서 관측이 쉽게 이루어지지 못했을 것이다(『御堂關白記』, 長和 1년 12월). 이날은 율리우스력의 1013년 1월 30일인데, 12월 14일(丁丑), 15일(戊寅), 16일(己卯)의 3일에 걸쳐 월식현상이 보였다. 그중에서 월식 현상이 심했던 14일(戊寅)의 世界時는 23시 35분, 食分은 1.27이었다(渡邊敏夫 1979年 471面).

· 『小記目錄』 19, 天變事, 長和 1년, "十二月十六日, 月蝕事".

· 『本朝統曆』 권7, 長和 1년, "十二小, 十六望, 卯六, 月蝕, 十四分强, 寅五, 辰七".

154) 이 기사는 지17, 禮5, 雜祀에도 수록되어 있다.

155) 原文에는 다음과 같이 되어 있으나 이해[是年]의 築城에 대한 『고려사절요』 권2의 기사를 함께

癸丑[顯宗]四年, 契丹開泰二年, [宋大中祥符六年], [西曆1013年]

1013년 2월 13일(Gre2월 19일)에서 1014년 2월 2일(Gre2월 8일)까지, 355일

春正月癸巳朔大盡,甲寅, 丁酉5日, 遣禮賓少卿張洎如契丹.

庚戌18日, [騖贄]. 宋閩人戴翼來投, 授儒林郎·守宮令, 賜衣物·田莊.

[庚申28日, 黃霧四塞:五行3轉載].[156)]

辛酉29日, 以金作賓爲御史中丞, 韓昌弼爲右補闕, 黃周亮爲侍御史.

[二月癸亥朔小盡,乙卯],[157)] [乙亥13日, 熒惑, 犯東井:天文1轉載].

壬午20日, 慶州地震.

癸未21日, 教曰, "朕以眇躬, 忝爲元首, 愆違所積, 變異相仍. 祅不妄作, 是用憂懼, 宜令有司, 講求弭災之道, 以聞".

庚寅28日, 遣中樞院使蔡忠順如契丹.[158)]

三月壬辰朔大盡,丙辰, [甲午3日, 雨雹:五行1雨雹轉載].

[某日, 禁伐松柏:節要轉載].

[→教曰, "禮云, '伐一樹, 不以□其時, 非孝也'.[159)] 史云, 松栢, 百木長也.[160)] 近

정리하면 b와 같이 校正되어야 할 것이다[校正事由].

· a 지36, 병2, 城堡, "顯宗三年, 城慶州·長州·金壤, 又城弓兀山".

· b 지36, 병2, 城堡, "顯宗三年正月城弓兀山, 八月城慶州, 又城長州·金壤"[校正].

156) 黃霧四塞에 대한 說明으로 다음이 있다.

· 『자치통감』 권30, 漢紀22, 成帝建始 1년(BC32), "夏四月, 黃霧四塞[注, 元命包曰, 陰陽亂爲霧. '爾雅'曰, 地氣發, 天不應, 曰霧. '釋名'曰, 霧, 冒也, 地氣冒地之物也. 師古曰塞, 滿也. 言四方皆滿]".

157) 壬午는 2월 20일이므로 이의 앞에 二月이 탈락되었을 것이다.

158) 『요사』에서는 前年(開泰1)의 4월 3일(庚子)에 蔡忠順이 以前과 같이 稱臣하기를 요청하였다고 되어 있으나 오류일 것이다.

· 『요사』 권15, 聖宗6, 開泰 1년, "四月庚子3日, 高麗遣蔡忠順來, 乞稱臣如舊, 詔王詢親朝".

· 『요사』 권115, 열전45, 二國外記, 高麗, "開泰元年, 詢遣蔡忠順來, 乞稱臣如舊, 詔詢親朝".

159) 이 구절은 다음의 자료를 인용한 것이다. 이에 의거해 볼 때, 위의 기사는 添字가 추가되어야 옳게 될 것이다.

· 『大戴禮記注』 권4, 曾子大孝, "曾子曰, … 草木以時伐焉, 禽獸以時殺焉, 夫子曰, 伐一木, 殺一獸, 不以其時, 非孝也".

聞百姓, 斫伐松栢, 多不以時. 自今, 除公家所用外, 違時伐松者, 一切禁斷":刑法2禁令轉載].

辛丑10日, [穀雨]. 金州地震.

[癸卯12日, 有大流星自東而西, 聲如雷:天文1轉載].

戊申17日, 契丹使·左監門衛大將軍耶律行平來, 責取興化等六城.[161]

夏四月壬戌朔小盡,丁巳, 乙丑4日, 右常侍右散騎常侍全輔仁上表, 乞致仕, 不允.[162]

[丁卯6日, 熒惑掩積尸:天文1轉載].

[壬申11日, 大風, 三日乃止:五行3轉載].

丙子15日, 隕霜殺草.[163]

癸未22日, 以工部尙書·參知政事張瑩爲西京留守.

五月辛卯朔大盡,戊午, 丁酉7日, [夏至]. 契丹□□遣使來, 告改統和爲開泰.

壬寅12日, 女眞引契丹兵, 將渡鴨綠江, 大將軍金承渭等擊, 却之.[164]

癸卯13日, 納敬章太子女, 爲妃. [敬章, 戴宗第三子□也:節要轉載].[165]

六月辛酉朔大盡,己未, 丁卯7日, [大暑]. 遣借尙書右丞金作賓如契丹, 賀改元.

癸酉13日, 松嶽崩.

---

160) 이 구절은 다음의 자료를 인용한 것이다.
· 『사기』 권129, 龜策列傳第68, "竹, 外有節理, 中直空虛, 松栢爲百木長, 而守門閭, …".

161) 耶律行平은 中國側의 자료에는 耶律資忠으로 표기되어 있다(→7월 18일).

162) 右常侍는 右散騎常侍의 약칭일 것이다. 이러한 현상은 현종세가에서 흔히 찾아지는데, 知中樞院事를 知中樞事로, 中樞院副使를 中樞副使로 각각 표기한 것도 같은 범주에 해당된다(→明宗11년 12월 28일).

163) 이와 같은 기사가 지7, 五行1, 水, 霜에도 수록되어 있다. 이때 일본의 교토에서도 비가 계속 내렸다고 한다.
· 『御堂關白記』, 長和 2년 4월, "十三日甲戌, 通夜深雨, 午時以前尙深雨, 其□後?雖雨脚止, 無晴事, … 十四日乙亥, … 天陰時々雨下, 十五日丙子, 終夜半許雨下, 午晴雨止, … 十六日丁丑, 時々少雨".

164) 이때 일본의 교토에서는 雨期에 해당하여(3일, 6~8일, 13일, 15일, 17일 降雨) 이날의 저녁에 비가 내렸다고 한다.
· 『御堂關白記』, 長和 2년 5월, "十二日壬寅, 天晴, 晩景雨".

165) 이와 같은 기사가 열전1, 顯宗妃, 元容王后柳氏에도 수록되어 있다.

[→松岳頹：五行3轉載].[166)]

秋七月[辛卯朔小盡,庚申], [癸卯[13日], 月犯歲星：天文1轉載].

戊申[18日], 契丹使耶律行平復來, 索六城.[167)]

[乙酉[~~己酉1~~9日], 又□[月]犯軒轅：天文1轉載].[168)]

八月[庚申朔大盡,辛酉], 乙亥[16日], 謁義陵[穆宗], 赦.

[某日, 左僕射金審言知貢擧, 取進士：選擧1選場轉載].[169)]

九月[庚寅朔小盡,壬戌], [癸巳[4日], 大流星入于張翼閒：天文1轉載].

[乙巳[16日], 月犯畢大星：天文1轉載].

丙午[17日], 御寬仁殿, 覆試, 賜林維幹等及第.[170)]

[□□[~~是時~~], 擧人崔弘正, 以赴擧年滿, 特賜釋褐：選擧2恩例轉載].

庚戌[21日], 敎曰, "輔國大將軍宋能·驃騎大將軍庾孫, 逮事太祖, 從軍有勞, 今尙無恙,[171)] 已及期頤, 其各加大匡".

---

166) 일본에서는 6월 14일 교토에서 雷電이 있었다고 한다(中央氣象臺 1941年 2冊 418面). 또 교토[京都]에서 6월 1~3일 暴雨가 있었고, 5일 終日 비가 내리다가 5일(乙丑) 소강상태를 보이고 있는 점을 보아 장마전선은 한반도로 북상하였던 것 같다(『御堂關白記』, 長和 2년 6월). 그러므로 松岳이 붕괴된 것은 장마에 의한 것으로 추측된다.

· 『小右記』, 長和 2년 6월, "十四日甲戌, … 其後, 氷雨交降, 雷電經剋"(『本朝世紀』 第18, 長和 2년 6월에도 같음).

· 『御堂關白記』, 長和 2년 6월, "十四日甲戌, … 有夕立雷聲".

167) 耶律行平(耶律資忠)은 같은 해 6월 1일(辛酉) 고려에 파견되었고, 8월 30일(己丑) 귀환하여 복명하였다.

· 『요사』 권15, 본기15, 聖宗6, 開泰 2년, "六月辛酉朔, 遣中丞耶律資忠使高麗, 取六州舊地. … [[八月]己丑], 耶律資忠使高麗還".

· 『요사』 권115, 열전45, 二國外記, 高麗, "[開泰]二年, 耶律資忠使高麗取地, 未幾還".

168) 7월에는 乙酉가 없으므로 癸卯(13일) 이후의 己酉(19일)의 오자로 추측된다. 宋에서는 癸卯는 확인되지만 己酉는 보이지 않는다(『송사』 권53, 지6, 천문6, 月犯五緯).

169) 이는 지27, 선거1, 科目1, 選場에서 전재하였다.

170) 이와 관련된 기사로 다음이 있는데, ~~添字~~가 추가되어야 옳게 될 것이다. 이때 [進士]林維幹·[擧人]崔弘正(恩賜) 등이 급제하였다(『登科錄』, 朴龍雲 1990년 ; 許興植 2005년).

· 지27, 선거1, 科目1, 選場, "[顯宗]四年八月, 左僕射金審言知貢擧. [~~九月丙午御寬仁殿~~], 覆試, 賜乙科林維幹等三人·丙科三人·同進士二人·明經一人及第".

丙辰[27日], 以吏部尙書·參知政事崔沆△[爲]監修國史, [左僕射·]禮部尙書金審言△[爲]修國史, [中樞院直學士·]禮部侍郞周佇·內史舍人尹徵古·侍御史黃周亮·右拾遺崔冲並爲修撰官. [是後, 黃周亮奉詔書, 撰'七代事跡'三十六卷:追加].[172)]

[秋某月, 下詔, 以大禪師智宗爲王師, 群臣罔有異辭, 僉云可矣. 乃遣參知政事庾方·中樞院使張延祐等, 傳詔書, 累伸三返之儀,[173)] 宗不得已應之. 上乃親詣拜爲王師, 仍獻金銀線織罽錦法衣·法具·茗藷等:追加].[174)]

冬十月[己未朔大盡,癸亥], [某日], 修功臣堂.

十一月[己丑朔小盡,甲子], 丁未[19日], 金州地震.[175)]

[某日, 判[制], "文武兩班·諸宮院田, 受三十結以上, 一結, 例收稅五升":食貨1租稅轉載].

十二月戊午朔[大盡,乙丑], 日食.[176)]

---

171) 無恙(無病)은 '아무 탈이 없다'는 뜻의 用語로서 相對方의 安否를 물을 때 사용한 語套인 것 같다.

· 『자치통감』 권5, 周紀5, 赧王 49년(BC266), "魏王使須賈聘於秦, 應侯敝衣間步而往見之'[胡三省注, 間步, 投間隙徒步而行也]. 須賈驚曰, '范叔固無恙乎?'[胡三省注, 范雎, 字叔. 恙, 憂也, 病也, 又噬蟲善食人心者也. 古人相問, 率曰無恙. 朱熹曰, 古者草居, 多被噬蟲之毒, 故相問曰, '無恙乎?', …], 留坐飮食, 取一綈袍贈之".

172) 이는 열전8, 黃周亮에 의거하였다.

173) 三返은 三反과 같은 單語로 사용되는데, 後者는 3回에 걸쳐 往復하는 것을 指稱하고, '三反之儀'는 세 번이나 辭讓한 후 承落, 受諾하는 의식을 가리키는 것 같다.

· 『史記』 권75, 孟嘗君列傳第15, "… 孟嘗君[田文]相齊, 其舍人魏子[魏某], 爲孟嘗君收邑入, 三反而不致一入, 孟嘗君問之, 對曰, '有賢者, 竊假與之, 以故不致入', 孟嘗君怒, 而退魏子. …". 여기에서 姓氏는 魏이로 이름[名]은 알 수 없다.

174) 이는 「原州居頓寺圓空國師勝妙塔碑」에 의거하였는데(金石總覽 253面 ; 李智冠 2004년 2冊 222面), 이 자료에서 王言[王命]을 敎라 하지 않고, 詔라고 기록한 점을 보아 顯宗世家編에서 敎라고 기록된 것은 『고려사』의 편찬 시기에 改書된 글자일 가능성이 높다.

175) 일본에서는 11월 9일 교토[京都]에서 지진이 있었다(高麗曆과 同一, 日本史料2-8冊 42面).

· 『小記目錄』 19, 地震事, 長和 2년, "十一月九日, 地震事".

176) 이날 일본의 교토에서도 일식이 있었다(高麗曆과 同一, 日本史料2-8冊 42面). 이날은 율리우스력의 1014년 1월 4일이고, 개경에서 일식 현상이 심했던 시간은 9시 45분, 食分은 0.30이었다

[辛未[14日], 雷震:五行1雷震轉載].[177]

丙戌[29日], 金·慶二州地震.

[是年, 遣使如宋, 告奏契丹事:追加].[178]

[○判[刪], "還賤奴婢, 更訴良者, 杖之鈒面, 還主":刑法2奴婢轉載].

[增補].[179]

甲寅[顯宗]五年, 契丹開泰三年, [宋大中祥符七年], [西曆1014年]

1014년 2월 3일(Gre2월 9일)에서 1015년 1월 22일(Gre1월 28일)까지, 354일

春正月[戊子朔小盡,丙寅], [癸巳[6日], 流星入翼:天文1轉載].

甲午[7日], 宮闕成.

(渡邊敏夫 1979年 304面).

· 『日本紀略』後篇12, 三條院, 長和 2년, "十二月一日戊午, 日食".

· 『御堂關白記』, 長和 2년 12월, "一日戊午, 此日々蝕不蝕, 曆家失歟, 雖有天雲, 日輪時々見, 其時剋尙圓滿".

· 『小記目錄』19, 天變事, 長和 2년, "十二月一日, 日蝕事".

· 『本朝統曆』권7, 長和 2년, "十二大, 朔戊午, 巳三, 日蝕, 十分弱, 辰五, 巳七".

177) 겨울에 이루어진 천둥과 번개(雷電, Thunder and lighting)는 先人에게는 天災地變의 兆朕으로 받아졌던 것 같다(『艮翁集』권2, 十月雷電極異).

178) 이는 다음의 자료에 의거하였다.

· 『송회요집고』196책, 蕃夷2, 遼, "[大中祥符六年]是冬, 契丹使與高麗告奏使, 相繼而至. 帝問宰臣王旦曰, '四方入會, 皆所以尊王室也, 彼自有隔, 朝廷無所憎愛, 起居宴會, 並合同處', 帝然之".

· 『속자치통감장편』권83, 大中祥符 7년 10월 丁巳[4日], "先是, 登州言, '高麗遣使入貢, 未敢迎迓以須朝旨'. 上謂宰相曰, '此事如何'. 王旦曰, '高麗久來進奉, 因契丹阻絶, 今須許其赴闕, 契丹必不敢言, 且使離高麗, 契丹必已知之, 若有所問, 卽當以誠對也'. 王欽若曰, '此使到闕, 正與契丹使同時'. 旦曰, '四裔入貢, 以尊中國, 蓋常事爾, 彼自有隙, 朝廷奚所愛憎'. 上曰, '卿言深得大體', 卽遣使館接焉. 戊午[5日], 詔高麗使所至縣市物, 委長吏管勾, 勿令虧損遠人, 仍蠲其算".

179) 이해의 10월에 거란의 聖宗이 친히 長官[詳穩] 張馬留가 帶同한 고려의 사정을 잘 알고 있는 女眞人에게 高麗의 地形를 親問하였다.

· 『요사』권15, 본기15, 聖宗, 開泰 2년 10월, "丙寅, 詳穩張馬留獻女眞人知高麗事者. 上問之, 曰, '臣三年前爲高麗所虜, 爲郎官, 故知之. 自開京東馬行, 有大砦, 廣如開京, 旁州所貢珍異, 皆積于此, 勝·羅州之南, 亦有二大砦, 所積如之. 若大軍行由前路, 取曷蘇館女眞 北. 直渡鴨淥江, 竝大河而上, 至郭州與大路會, 高麗可取而有也'. 上納之".

[○月掩畢星:天文1轉載].

壬子25日, 彗見于五車.180)

二月丁巳朔小盡,丁卯, 庚申4日, 彗入大陵.

甲子8日, 御新闕.

○鐵利國主那沙使女眞萬豆來, 獻馬及貂鼠·靑鼠皮.181)

丙子20日, 敎□曰, "民年七十以上無官者, 並加正位級".

甲申28日, 以光休·梁一·巨貞並爲郎將, 以賞戰功.

三月丙戌朔大盡,戊辰, 庚寅5日, 白虹貫日.182)

[○夜, 四方赤祲:五行1轉載].183)

辛丑16日 白氣貫日.

[壬寅17日, 日旁, 赤氣相盪:天文1轉載].184)

壬子27日, 敎曰, "追尊祖·考, 以明功烈, 人子之志也, 朕取來月, 饗于閟宮, 宜委

180) 宋에서는 22일(己酉)에 景星[大星, 瑞星]이 관측되었는데, 彗星의 꼬리와 비슷하지만 길지 않았다고 한다. 또 일본에서는 1월 27일 혜성이 관측되었다고 한다.
· 『송사』 권56, 지9, 천문9, 景星, "大中祥符七年正月己酉, 含譽星見, 其年九月丙戌, 又見, 似彗星有尾, 而不長".
· 『中右記』, 長承 1년 9월 6일, "延喜以後彗星見年々, … 長和三年正月廿七日, …".

181) 鐵利는 黑水靺鞨을 구성했던 하나의 部族이고, 黑水는 黑龍江에서 유래하였다. 渤海의 隸下에 있던 鐵利靺鞨이 거주했던 지역은 黑龍江 일대로 비정하는 견해가 많으나 松花江 以北, 러시아 伯力[Хабаровский протокол] 地域으로 보는 견해도 있는 것 같다(李美子 2003年).

182) 白虹은 日月의 주위에 흰색의 띠가 형성되어 있는 현상이다.
· 『후한서』 권30下, 郎顗列傳第20下, "六事, 臣竊見今月十四日乙卯巳時, 白虹貫日, 凡日傍氣色白而純者, 名爲虹. 日中者, 侵太陽也, 見於春者, 政變常也".

183) 赤祲은 하늘에 나타난 붉은 색의 氣運으로 赤氣와 유사하지만 妖氣로 받아 들여졌다.
· 『春秋左氏傳正義』 권47, 昭公 15년, 春, "… 吾見赤黑之祲, 非祭祥也, 喪氛也. 祲, 妖氛也. 蓋見於宗廟, 故以爲非祭祥也, 氛, 惡氣也".

184) 赤氣는 하늘에 나타난 붉은 색의 띠로서 형태는 赤祲과 유사하다. 또 여기에서 나타난 赤祲·白氣·赤氣 등의 現象을 白頭山의 火山噴火와 관련지어 화산재[火山灰]의 移動現象으로 파악하여 雨土를 강하화산재(降下火山灰)로 理解할 수 있으나(尹誠孝 2013년), 오로라[極光]와 같은 현상에 의해 일어나는 현상일 수도 있으므로(梁洪鎭 等 1998년) 보다 신중한 검토가 요청된다.
· 『周禮』 권26, 春官, 春官宗伯下, "… 保章氏, 掌天星, 以志星辰日月之變動, … 以五雲之物辨吉凶水旱, 降豊荒之祲象[注, 物色也, 視日旁雲氣之色降下也, 知水旱所下之國, 鄭司農云, 以二至二分, 觀雲色, 靑爲蟲, 白爲喪, 赤爲兵荒, 黑爲水, 黃爲豊], …"(四庫全書本30面左1行).

所司議定, 禮官奏加上先王·先后尊謚[~~尊謚~~]".

[是時, 加謚太祖曰光烈, 太祖妃神靜王太后皇甫氏曰懿敬. 惠宗曰宣顯, 惠宗妃義和王后林氏爲景信, 定宗曰貞肅, 定宗妃文恭王后朴氏爲孝愼, 光宗曰平世, 光宗妃大穆王后皇甫氏爲宣明, 景宗曰明惠, 景宗妃獻肅王后金氏爲孝恭, 戴宗曰恭愼, 戴宗妃宣義王后曰靜穆, 成宗曰章獻, 成宗妃文德王后劉氏爲順聖, 穆宗曰孝思, 穆宗妃宣正王后劉氏爲懿節:轉載].[185]

夏四月[丙辰朔大盡,己巳], [某日, 禁民佩匕首:節要·刑法2禁令轉載].[186]

[庚午[15日], 白氣界天, 如匹布:五行2轉載].

甲戌[19日], 致仕門下侍中柳允孚, 加內史令.

丙子[21日], 親禘于齋坊, [加上尊謚[~~尊謚~~]. 時大廟[~~太廟~~]未成, 每値時祭, 各於本陵, 遣官行事, 令修齋坊, 權安神主:節要轉載], 始以穆宗祔, 赦流罪以下.[187]

○以[門下侍郎平章事]劉瑨△[爲]檢校太師·守門下侍中, [內史侍郎平章事]崔士威爲門下侍郎平章事, 金審言爲內史侍郎平章事.

丁丑[22日], 賜禹玄符等及第.[188]

[□□[~~是時~~], 石邦寶等二人, 以赴擧度滿, 並賜釋褐:選擧2恩例轉載].

[丁亥[某日], 震德陵桐樹:五行1雷震轉載].[189]

五月[丙戌朔小盡,庚午], 辛卯[6日], 太白晝見, [鎭星犯鍵閉:天文1轉載].

[戊戌[13日], 無雲而雷:五行1雷震轉載].[190]

---

185) 이들 謚號는 世家編에 수록되어 있는 歷代帝王의 記事 ; 열전1, 皇后列傳 ; 열전3, 王子列傳에서 발췌한 것이다.

186) 지39, 刑法2, 禁令에는 冒頭에 五月이 생략되었다.

187) 이와 관련된 기사로 다음이 있는데, 齋坊은 齋房, 齋室을 가리키는 것 같다.
 · 지15, 禮3, 吉禮大祀, "[顯宗]五年四月, 始修齋坊, 權安神主, 親禘".

188) 이와 관련된 기사로 다음이 있고, 禹賢符는 『고려사절요』 권3에서 禹玄符로 되어 있다.
 · 지27, 선거1, 科目1, 選場, "[顯宗]五年四月, 秘書監周佇知貢擧, 取進士, 賜禹賢符等十一人及第".

189) 이달에는 丁亥가 없다.

190) 無雲而雷에 대한 설명으로 다음이 있다.
 · 『자치통감』 권32, 漢紀24, 成帝永始 4년(BC12), "四月精油, 無雲而雷[注, 劉向曰, 雷當於雲, 猶君之託於臣, 陰陽之合也. 人君不恤天下, 萬民有怨畔之心, 故無雲而雷], 有流星終日下東南行, 四面燿燿如雨, 自晡及昏而止. 赦天下".

丙午21日, 中樞院副使·吏部侍郞田拱之卒.[191] [贈左散騎常侍:列傳7轉載]. [□□~~拱之~~, 善辭命, 歷職二十餘年, 以勤恪稱:節要轉載].

六月[乙卯朔大盡,辛未, 寒風暴起:五行1恒寒轉載].[192]

庚申6日, 敎曰, "防戍軍道死者~~敎曰, 軍人在防戍, 若在道死者~~[193], 官給斂具~~斂具~~, 函其骨, 驛送于家. 其商旅, 死而不記姓名本貫者, 所在官司, 爲之權厝, 誌其老壯形貌, 勿使疑誤, 以爲永式".

[某日, 三司奏, "物價騰湧, 麤布一匹, 直米八斗, 雖因歲稔, 柰穀賤何, 請量其輕重, 增損其價", 從之:節要·食貨2市估轉載].

[丙子22日, 陜川靈巖寺大禪師英俊入寂, 年八十三, 法臘六十九.[194] 上聞之震悼, 差使軍器監朴殷梅, 使副軍器丞李昌遠等, 弔以宸翰, 賻泉布奇賓, 贈謚曰寂然國師, 塔曰慈光之塔:追加].[195]

是月, 加陳頔·李禮均△並爲門下侍郞平章事, 王同穎爲內史侍郞平章事, 尹餘爲司宰卿, 王佐暹爲將作少監, 以奉使契丹, 被留未還也.

秋七月乙酉朔小盡,壬申, 庚寅6日, 修社稷壇.

---

191) 이날은 율리우스曆으로 1014년 6월 21일(그레고리曆 6월 27일)에 해당한다.

192) 恒寒은 寒冷이 계속 이어지는 현상을 가리킨다. 일본에서는 6월 4일 전후에 교토[京都]에서 寒氣가 있었다고 한다(中央氣象臺 1941年 2册 729面). 또 고려에서는 이달에 비가 계속 내렸던 것 같다.

- 『한서』 권27中下, 五行志第7中下, "傳曰, … '聽之不聰, 是謂不謀', 言上偏聽不聰, 下情隔塞, 則不能謀慮利害, 失在嚴急, 故其咎急也. 盛冬日短, 寒以殺物, 政促迫, 故其罰傷寒也. 寒則不生百穀, 上下俱貧, 故其極貧也. … 劉歆以爲大雨雪, 及未當雨雪而雨雪, 及大雨雹, 隕霜殺叔草, 皆常寒之罰也"
- 『小右記』, 長和 3년 6월, "四日戊午, … 日來氣冷, 就中此兩三日, 溫風還爲凉風, 或着綿衣二三領, 夜漏彌凉, 不異晩秋, 時令相違, 依政可知, … 十一日乙丑, 四五日以後, 小暑叶曆".
- 『보한집』 권중, "甲寅顯宗5年季夏, 久雨不止, 公崔冲乃作詩曰, '溽暑久畝蒸, 陰雲雨不收. 市窮喧野叟, 江漲鬧漁舟. 蚊蚋棲窓机, 蝦蟆入竈廚. 何時卷炎熱, 斫額上層樓'. 公崔冲之寒亭宜暑, 高閣宜雨, 似不識民間窮苦, 今言暑雨甚悉, 以至斫額上樓, 其燮理經濟之心, 可見於此".

193) ~~添字~~는 『고려사절요』 권3과 지35, 兵1, 五軍에 의거하였다.

194) 이날은 율리우스曆으로 1014년 7월 21일(그레고리曆 7월 27일)에 해당한다.

195) 이는 「陜川靈巖寺寂然國師慈光塔碑」에 의거하였는데, 이날의 日辰은 '開泰三年龍集□□~~閼逢~~攝提格甲寅六月□□~~二十~~二日'로 되어 있어 탈락의 글자를 '二十'으로 추정하였다(李智冠 2000년 2책 207面).

[→中樞使[中院樞使]姜邯贊, 請修社稷壇, 令禮司, 議定儀注, 從之:節要轉載].[196)]

[辛亥[27日], 鎭星犯鍵閉:天文1轉載].

八月[甲寅朔大盡, 癸酉], 甲子[11日], 遣內史舍人尹徵古如宋, 獻金線織成龍鳳鞍幞·繡龍鳳鞍幞各二·良馬二十二匹, 仍請歸附如舊.[197)]

○宋帝[眞宗]詔登州, 置館于海次, 以待之.

己巳[16日], 移御明福宮.

丙子[23日], 慶州地震.

己卯[26日], 以內史侍郞平章事金審言爲西京留守, 盧戩爲御史中丞.

[庚辰[27日], 鎭星犯鍵閉:天文1轉載].

癸未[30日], 以梁積爲吏部侍郞·中樞副使.

---

196) 이와 같은 기사로 다음이 있다.

· 지13, 禮1, 吉禮大祀, "顯宗五年七月, 中樞使姜邯贊, 請修社稷壇, 令禮司, 撰定儀注, 從之, 然儀文, 史無傳焉".

197) 다음의 자료를 통해 볼 때 尹徵古는 이해[是年]의 後半에 송에 도착하였던 같다. 이때 자료의 御事工部侍郞은 尙書工部侍郞의 개칭이었을 것이다. 당시 尹徵古의 官職은 後者였을 것인데, 宋에 파견되어 諸侯의 臣下인 陪臣(혹은 重臣)이 皇帝國의 官職을 띠고 있다는 非難을 避하기 위해 995년(성종14) 5월 이전의 職制인 前者를 稱하였던 것 같다.

· 『속자치통감장편』 권83, 大中祥符 7년 12월, "丁卯, 權知高麗國事王詢, 遣奏告使尹證古及女眞將軍太千機已下凡七十八人, 以方物來貢, 詢表言, '契丹阻其道路, 故久不得通, 請降皇帝尊號·正朔'. 詔從其請. 又言太千機, 自稱父兄曾入覲, 其兄留弗歸, 玆行遂往尋訪, 又河北居民竇文顯等十七人, 先爲契丹所掠, 投奔高麗, 詢亦遣還, 令歸本貫, 上深嘉其意, 待證古甚厚".

· 『송사』 권487, 열전246, 外國3, 高麗, "[大中祥符]七年, 方遣告奏使·御事工部侍郞尹證古, 以金線織成龍鳳鞍并綉龍鳳鞍幞各二幅·細馬二疋·散馬二十疋來貢. 證古還, 賜詢詔書七通幷衣帶·銀綵·鞍勒馬等".

· 『송회요집고』 199책, 蕃夷7, 歷代朝貢, "[大中祥符七年]十二月十五日, 權知高麗國王詢, 遣奏告使·御事工部侍郞尹證古與女眞將軍等來, 貢金銀線織龍鳳鞍馬".

· 『송회요집고』 196책, 蕃夷3, 女眞, "[大中祥符]七年 遣將軍大千機隨高麗使入貢, 事具高麗". 이 기사의 '事具高麗'라는 표현을 통해 볼 때, 淸代의 徐松(1781~1848)이 편집한 『宋會要輯稿』, 蕃夷部에는 高麗項目이 포함되어 있었던 것 같지만 현존하는 『송회요집고』에는 고려 항목이 수록되어 있지 않다(北平圖書館, 1936 ; 臺北, 世界書局, 1964 ; 新文豊出版公司, 1976 ; 『宋會要輯稿補編』, 新華書店, 1988).

이들 자료와 유사한 기록이 『고려도경』 권40, 正朔 ; 『元豊類藁』 권31, 高麗世次 ; 『群書考索』 後集권64, 財賦門, 貢獻, 四夷方貢 ; 『옥해』 권154, 朝貢, 獻方物, 建隆高麗來貢·권160, 宮室殿下, 崇德殿 ; 『寶慶四明志』 권6, 敍賦下, 市舶 ; 『文獻通考』 권325, 四裔考2, 高句麗에도 수록되어 있다.

九月甲申朔小盡,甲戌, 乙酉2日, 以孫夢周爲翰林學士承旨, 李龔爲翰林學士.

丙申13日, 契丹遣將軍李松茂, 又索六城.

[○將作監火 : 五行1火災轉載].

冬十月甲寅朔小盡,乙亥, [乙卯2日, 雷 : 五行1雷震轉載].

己未6日, [立冬]. 契丹遣國舅·詳穩蕭敵烈來, 侵通州. 興化鎭將軍鄭神勇·別將周演, 擊敗之, 斬七百餘級, 溺江死者, 甚衆.[198]

[丁丑24日, 大霧竟日 : 五行3轉載].

[是月, 磁州城~~慈州城~~火 : 五行1火災轉載].[199]

十一月癸未朔大盡,丙子, 上將軍金訓·崔質等率諸衛軍, 作亂, 流中樞院使張延祐·日直皇甫兪義. [自庚戌顯宗1年用兵以來, 增置軍額, 由是, 百官祿俸不足, 兪義等建議, 奪京軍永業田, 以充祿俸, 武官頗懷不平. 質又以邊功, 累拜武官, 而不得文官, □~~居~~常怏怏. 至是, 訓·質及朴成·李協·李翃·李暹·石邦賢·崔可貞·恭文·林猛等, 以奪田, 激衆怒, 誘諸衛軍士, 鼓譟闌入禁中, 縛延祐·兪義, 棰撻垂死. 詣閤中面訴云, 兪義等占奪我田, 實謀自利, 殊非公家之利, 若截趾適屨, 奈四體何, 諸軍洶洶, 不勝憤怨, 請除國蠹, 用快群情. 王重違衆志, 姑從其請, 遂除名, 流配 : 節要轉載].[200]

乙酉3日, 金訓等, 請武官常參以上, 皆兼文官, 從之.

[○又請罷御史臺, 置金吾臺, 又罷三司, 置都正署, 從之 : 節要轉載].[201]

庚寅8日, 訛言, 北山諸寺僧擧兵來, 京城大駭, 戒嚴.

---

198) 이 무렵에 契丹의 頒給大使 李知順이 高麗遠征에 참여하였던 것 같다.
 ·「李知順墓誌」, "… 開泰初, 授頒給大使. 公藏器於身, 待時而動, 九苞丹鳳 非惟閣上之禎, 五色神蛟, 不是池中之物. 時有高麗一路, 方萌小醜, 大撓洪慈. 命公以直抵雞林, 遠臨鴨水, 斷舡橋而眞同拉朽, 破車陣而不異摧枯, 符陰陽不測之神, 助覆載無私之化. 尋時納款, 依舊輸誠, 特加頒給庫使"(李逸友 1988年 ; 陳述 1982年 139面).

199) 磁州城은 慈州城의 오자일 것이다(東亞大學 2011년 15책 91面).

200) ~~添字~~는 열전7, 皇甫兪義에 의거하였다.

201) 이와 관련된 기사로 다음이 있는데, 여기에서 太祖 때에 三司가 설치되었다는 것은 사실이 아닐 것이고, 都正署가 都正司로 달리 표기되어 있다.
 · 지30, 百官1, 三司, "太祖, 改泰封調位府, 爲三司. 顯宗五年, 因武臣之請, 罷三司, 置都正司".
 · 지30, 百官1, 司憲府, "顯宗五年, 武臣金訓等請, 罷御史臺, 置金吾臺, 使·副使·錄事, 並無常員".

［甲午12日，太白入氐：天文1轉載］.

［戊戌16日，大霧三日：五行3轉載］.

［乙巳23日，雷雨：五行2轉載］.[202)]

［辛亥29日，流星入氐：天文1轉載］.

十二月癸丑朔小盡,丁丑，丁巳5日，赦流罪以下，減諸死罪杖流，除皇甫兪義·張延祐及常赦不免外，諸流配人，並與量移.

□一. 海瀆·山川神祇，各加勳號.

□一. 京中人戶，賜穀有差，孝子·順孫·義夫·節婦，量賜分物.

□一. 文官七品以上，入仕二十年者，改服章，道官，加次第職.

［□一. 兩班職事五品以上，子孫若弟姪，許一人入仕：選擧3蔭敍轉載］.

［□一. 文武兩班·雜色員吏，加給田柴：食貨1田柴科轉載］.

［□一. 歷代功臣，封贈官爵：選擧3封贈轉載］.

［□一. 減今年租稅之半，錄太祖功臣後，推恩中外有差：節要轉載］.[203)]

［→減今年租稅之半，蠲壬子年顯宗3年以前逋欠：食貨3恩免之制轉載］.

［是年，改慶州防禦使官爲安東大都護府使官，安東大都護府使官爲尙州按撫使官，陽城縣爲水州屬縣：地理志轉載］.[204)]

［○城龍州一千五百七十三間，門十，水口一，城頭十二，遮城四：兵2城堡轉載］.[205)]

［○契丹置鴨綠江浮橋，城保州宣義·定遠等軍，通道路：追加］.[206)]

---

202) 일본에서는 11월 24일(丙午) 교토에서 雷鳴·大風이 있었다(高麗曆과 同一, 日本史料2-8册 365面).
 ·『日本紀略』後篇12, 三條院, 長和 3년 11월, "廿四日丙午, 雷鳴·大雨".

203) 이와 관련된 기사로 다음이 있다.
 · 지29, 選擧3, 功臣子孫, "顯宗五年十二月, 錄太祖功臣子孫無官者".

204) 이는 지11, 지리2, 東京留守官 ;『경상도지리지』, 慶尙道, 慶州府 ;『세종실록』권150, 地理志, 慶州府 ;『동도역세제자기』등에 의거하였다.

205) 龍州城은 현재의 평안북도 피현군[枇峴郡] 城東里에 있다고 한다(梁時恩 2021년).

206) 이는 다음의 자료에 의거하였다.
 ·『요사』권15, 本紀15, 聖宗6, 開泰 3년, "是夏, 詔國舅·詳穩蕭敵烈, 東京留守耶律團石等, 討高麗, 造浮梁于鴨渌江, 城保□州宣義·定遠等州".
 ·『요사』권115, 열전45, 二國外記, 高麗, "開泰三年五月, 詔國舅·詳穩蕭敵烈, 東京留守耶律團石等,

[增補][207)]

乙卯[顯宗]六年, 契丹開泰四年, [宋大中祥符八年], [西曆1015年]

1015년 1월 23일(Gre1월 29일)에서 1016년 2월 10일(Gre2월 16일)까지,
13개월 384일

春正月[壬午朔大盡,戊寅], [某日], 契丹作橋於鴨綠江夾橋, 築東·西城. 遣將攻破, 不克.[208)]
[丙申[15日], 日旁, 有青赤氣:天文1轉載].
[戊戌[17日], 無雲而雷:五行1雷震轉載].
癸卯[22日], 契丹兵圍興化鎭, 將軍高積餘·趙弋等擊, 却之.
甲辰[23日], 又侵通州.
[是月, 雉巢于[壽昌宮]含福門:五行1轉載].

[二月壬子朔[小盡,己卯], 群烏成隊西飛, 五日乃止:五行1轉載].

三月[辛巳朔小盡,庚辰], 癸未[3日], 幸西京.

造浮梁于鴨淥江, 城保△[州]宣義·定遠等州".

· 『요사』 권38, 지8, 지리2, 東京道, "保州, 宣義軍 … 開泰三年取保·定二州, 於此置榷場, 隸東京統軍司, … 宣州, 定遠郡, 開泰三年, 徙漢戶置, 隸保州". 여기에서 宣義와 定遠은 州가 아니라 保州((혹은 抱州·把州, 現 平安北道 義州郡) 隸下에 駐屯한 宣義軍과 定遠軍인데, 이들 내용은 『東人之文四六』 권3 : 『東文選』 권48, 入遼乞罷榷場狀에서도 확인된다.
그런데 『요사』 권60, 지29, 食貨志下에는, "[統和]二十三年, 振武軍及保州, 並置榷場"이라고 하여 1005년(통화23, 목종8)에 保州에 榷場이 설치되었다고 되어 있으나 사실이 아닐 것이다. 1005년(統和23) 2월 8일(丙戌) 西京道 管內의 振武軍節度使(現 內蒙古自治區 呼和浩特市 和林格爾縣)에 榷場이 다시 設置되었다는 기록이 있지만, 保州는 해당되지 않았다(→목종 8년 是歲, 增補의 脚注).

· 『신증동국여지승람』 권53, 義州牧, 建置沿革, "… 本高麗龍灣縣, 又名和義. 初, 契丹置城于鴨綠江東岸, 稱保州. 文宗朝, 契丹又設弓口門. 稱抱州[注, 一云把州]. …".

207) 일본에서는 이해(長和3)의 3월 12일(戊戌) 高麗[新羅]가 日本과 戰鬪를 行하였다고 하는데, 어떠한 내용인지 알 수 없다(『神皇正統錄』 권中).

208) 東亞大學本에는 夾橋이 來橋로 되어 있으나 誤字일 것이고(東亞大學 2008년 2책 297面), 夾橋는 '峽谷에 설치된 좁은 浮橋[浮梁]'를 指稱할 것이다(→前年 末尾의 追加 記事, 각주 206).

甲午[14日], 王宴群臣於長樂宮, 誅金訓·崔質[·李恊·崔可貞·石邦賢·李暹·金貞悅·孝嵓·林猛·崔龜:節要轉載]等十九人.

[是時, 武臣用事, 並帶文官, 政出多門, 朝綱紊亂. 前和州防禦使李子琳, 密謂中樞院日直金猛曰, "王何不效漢高雲夢之遊乎?", 猛諭其意, 密奏, 王納之. 以子琳, 嘗爲西京掌書記, 頗得人心, 卽權授西京留守判官, 促令先往設備. 至是, 乘訓等醉, 以兵襲殺之. 龜儒士, 以兵部郞中扈從, 性麤鄙, 與質等交, 故及:節要轉載].[209)]

[→顯宗五年, 上將軍金訓·崔質等作亂. 由是, 武臣用事, 悍夫兇豎, 並帶文官. 羊頭狗尾, 布列臺閣, 政出多門, 朝綱紊亂. 可道以和州防禦使, 秩滿還京, 在私第. 心懷憤激, 密謂中樞院日直金猛曰, "王何不效漢高雲夢之遊乎?". 猛喩其意, 密奏, 王納之. 以可道嘗爲書記, 頗得人心, 卽權授西京留守判官, 趣令先往設備. 明年[6年], 王幸西京, 宴群臣於長樂宮. 乘訓等醉, 以兵襲之, 遂誅訓·質及李協·崔可貞·石邦賢·李暹·金貞悅·孝嵒·林猛·崔龜等十九人. 龜儒士, 以兵部郞中扈從, 性麤鄙, 與質等交故及. 尋以訓等子若同產兄弟, 歸之本貫, 常赦不原, 其父母·妻·姊妹·祖孫·叔伯緣坐者, 皆放之:列傳7王可道轉載].

己亥[19日], 契丹侵龍州.

○女眞以船二十艘, 寇狗頭浦, 鎭溟道都部署擊, 敗之.

[是月, 狐登右倉囤上, 向人而嗥, 又虎入歸仁門:五行2轉載].

夏四月[庚戌朔大盡,辛巳], [甲寅[5日], 大風折木:五行3轉載].

庚申[11日], 契丹使·□[大]將軍耶律行平來, 又索六城, 拘留不遣.

是月, 王至自西京.

五月[庚辰朔小盡,壬午], [甲申[5日], 通州有大石, 自行:五行2轉載].

辛丑[22日], 大流星隕于西南.[210)]

---

209) 여기에서 儒士 崔龜의 性品이 麤鄙하다고 되어 있는데, 이는 '거칠고 말이 통하지 않아'라고 읽는 것[讀]이 좋을 것이다.
· 『자치통감』 권11, 漢紀3, 高帝 6년(BC201) 9월, "於是叔孫通使, 徵魯諸生三十餘人[胡三省注, 師古曰, 通爲使者而徵魯生], … 叔孫通笑曰, '若眞鄙儒也, 不知時變[師古曰, 若, 汝也. 鄙, 言不通]', …".

210) 이날 일본의 京都에서는 大風이 있었다고 한다.
· 『御堂關白記』, 長和 4년 5월, "廿二日辛丑, 朝間大風, 所破壞, 大木顚倒, 午後風止".

癸卯[24日], 以金殷傅△[爲]知中樞事□□~~院事~~.

[某日, 靑州管內懷仁縣戶長·陪戎校尉李英位寫成‘金字佛說彌勒成佛經’:追加].[211]

六月己酉朔[大盡,癸未], 日食,[212] [上有白氣如虹, 良久乃滅:天文1轉載].

[丙辰[8日], 月入氐星:天文1轉載].

[甲子[16日], 楊州負兒山頹:五行3轉載].[213]

閏[六]月[己卯朔小盡,癸未], 甲辰[26日], 以李周憲爲刑郞尙書~~刑部尙書~~, 張延祐爲戶部尙書.[214]

[是月, 陞泗水縣, 爲泗州:節要轉載].]

○宋泉州人歐陽徵來投. [尋授右拾遺:節要轉載].

秋七月[戊申朔大盡,甲申], 庚申[13日], 罷武官所請建官號.

[→罷金吾臺, 置司憲臺, 武官所請建者, 皆罷之:節要轉載].[215]

○都兵馬使奏, “將軍鄭神勇·林英含及軍士一萬二千五百餘人, 皆有邊功, 請增

·『小右記』, 長和 4년 5월, “廿二日辛丑, … 南山大木二本, 位大風被吹倒, …”.

211) 이는 福岡縣 福岡市 博多區 祇園町 東長寺에 소장된『紺紙金字佛說彌勒成佛經』의 題記에 의거하였다. 이의 제작시기를 1135년(인종13)으로 보는 견해도 있다(權熹耕 1986년 372面 ; 李基白 1987년 43面 ; 千惠鳳 2000년 404面 ; 張東翼 2004년 694面).

· 題記, “弟子高麗國靑州官內懷仁縣戶長·陪戎校尉李英位,」奉爲」聖壽天長,福祚无窮,兵戈不起於三」變, 佛法長興於万世, 天下大平, 法輪常」轉, 五穀豊登, 人民常樂, 謹成三卷 ‘金字弥勒」經’, 普勸受持, 永充供養,」時乙卯五月 日謹記」”.

212) 이날 宋에서도 일식이 있었고(『송사』 권8, 본기8, 眞宗3, 大中祥符 8년 6월 1일). 日本의 京都에서도 일식이 있었다(高麗曆과 同一, 日本史料2-9冊 1面). 이날은 율리우스력의 1015년 6월 19일이고, 開京에서 일식 현상이 심했던 시간은 13시 44분, 食分은 0.58이었다(渡邊敏夫 1979年 304面).

·『御堂關白記』, 長和 4년 6월, “一日己酉, 日蝕, 時剋如曆”.

·『小右記』, 長和 4년 6월, “一日己酉, … 日蝕, 虧復時曆, 見古勘文, 康保四年六月一日々蝕, 相似而已”.

·『日本紀略』後篇12, 三條院, 長和 4년, “六月一日己酉, 日蝕”.

213) 負兒山은 현재의 北漢山으로 신라시대에는 負兒岳(負兒嶽)으로 불렸고, 三角山·華山으로도 불렸다(지10, 지리1, 楊州, 三角山 ;『신증동국여지승람』 권3, 漢城府, 山川, 三角山).

214) 여러 판본의『고려사』에서 郞으로 되어 있으나, 部의 오자이다(東亞大學 2008년 2책 297面).

215) 이와 관련된 기사로 다음이 있다.

· 지30, 百官1, 司憲府, “[顯宗]六年, 罷金吾臺, 復以御史臺爲司憲臺, 置大夫·中丞·雜端·侍御司憲·殿中侍御司憲·監察司憲”.

級以賞", 從之.

八月戊寅朔大盡,乙酉, [癸未6日, 月犯鎭星:天文1轉載].

乙未18日, 內史令柳允孚卒, 輟朝三日, 謚諡敬安.[216]

[壬寅25日, 流星入氐:天文1轉載].

九月戊申朔大盡,丙戌, 甲寅7日, 契丹使·監門□衛將軍李松茂來, 索六城.

己未12日, 契丹來, 攻通州.[217]

癸亥16日, 興化鎭大將軍鄭神勇·別將周演·散員任憶·校尉楊春·大醫丞~~太醫丞~~孫簡·太史丞康承穎等引兵, 出契丹軍後, 擊殺七百餘級, 神勇及六人死之.

丁卯20日, 契丹攻寧州城, 不克而退.[218]

庚午23日, 大將軍高積餘·將軍蘇忠玄·高延迪·散員金克·別將光參等追擊, 死之. 丹兵虜兵馬判官王佐·錄事盧玄佐而去.

[十月戊寅朔小盡,丁亥, 辛卯14日, 月食:天文1轉載].[219]

[癸巳16日, 雷雨:五行2轉載].[220]

[甲午17日, [大雪]. 日旁, 有氣相背:天文1轉載].

---

216) 이날은 율리우스曆으로 1015년 10월 3일(그레고리曆 10월 9일)에 해당한다.

217) 이날 일본의 京都에서 오전 11시부터 비가 내렸던 것 같고, 14일까지 이어진 것 같다.
- 『御堂關白記』, 長和 4년 9월, "十二日己未, 午時許從內出, 此間雨初, 終日降, …子時許雨止. 十三日庚申, 終日雨降, … 十四日辛酉, 從夜雨下".

218) 이날 교토[京都]에서 晴明하였던 것 같다.
- 『御堂關白記』, 長和 4년 9월, "廿日丁卯, 天晴".

219) 이날 일본의 京都에서도 월식이 있었다(高麗曆과 同一, 日本史料2-9冊 167面). 이날은 율리우스력의 1015년 11월 28일이고, 월식 현상이 심했던 때의 世界時는 14시 43분, 食分은 0.83이었다(渡邊敏夫 1979年 471面).
- 『小右記』, 長和 4년 10월, "十四日辛卯, … 月蝕不正見歟, 至亥終剋出見, 天陰不見月輪, 但亥終許天昏, 蝕歟, 然而雲覆不見, 彼剋以後, 不能伺見而已. 十五日壬辰, 黃昏藤原資平來云, 左相府藤原道長云, 去夜, 月蝕正見者, 若臨子剋正見歟".
- 『御堂關白記』, 長和 4년 10월, "十四日辛卯, 從夜深雨下".
- 『本朝統曆』, 長和 4년, "十小, 朔戊寅, 十五望, 亥四, 月蝕, 十二分, 戌五, 子四".

220) 일본의 京都에서 10월 5일 大雨[深雨]와 大風이 있었다고 한다(中央氣象臺 1941年 3冊 1面).
- 『御堂關白記』, 長和 4년 10월, "五日壬午, 午後, 深雨·大風".

十一月丁未朔大盡,戊子, [乙丑19日, 小寒. 月入大微太微:天文1轉載].

己巳23日, 戶部尙書張延祐卒.221) [贈尙書右僕射:列傳7張延祐轉載]. [新羅末, 父儒, 避亂吳越, 習華語而還, 光宗累授客省, 每中國使至, 使儒, 儐接之. 延祐, 長於吏事, 踐歷華顯, 以幹能稱:節要轉載].

甲戌28日, 慶州地震.222)

[十二月丁丑朔大盡,己丑:追加].

是歲, 契丹取宣化·定遠二鎭, 城之.

○遣民官侍郞戶部侍郞郭元如宋,223) 獻方物, 仍告契丹連歲來侵. 表曰, "借以聖威, 示其睿略, 或至傾危之際, 預垂救急之恩".

---

221) 이날은 율리우스曆으로 1016년 1월 5일(그레고리曆 1월 11일)에 해당한다.

222) 지9, 五行3, 土行, 地震에는 甲申으로 되어 있으나 오자일 것이다. 또 日本의 교토[京都]에서는 11월 6일(壬子) 地震이 있었다고 한다(高麗曆과 同一, 日本史料2-9册 265面).
· 『日本紀略』 後篇12, 長和 4년 11월, "六日壬子, 地大震".

223) 여기에서 民官侍郞[御事民官侍郞] 郭元은 戶部侍郞 郭元인데, 宋의 戶部를 피하기 위해 國初의 名稱인 民官으로 바꾸어서 파견하였던 것 같다(→현종 21년 8월 是月頃의 脚注). 郭元은 이해의 11월 17일(癸亥) 송에 도착하여 朝貢을 바쳤으므로 9월 또는 10월에 출발하였을 것이다(『송사』 권8, 본기8, 眞宗3, 大中祥符 8년 11월 癸亥17日 ; 『속자치통감장편』 권85, 大中祥符 8년 11월 癸酉27日). 이후 郭元의 송에서의 행적은 다음과 같다.
· 1015년(현종6, 大中祥符8) 11월 17일(癸亥), 高麗進奉告奏使·御事民官侍郞 郭元이 東女眞首領 何盧太와 함께 와서 공물을 바쳤다. 高麗王(顯宗)이 曆日·尊號를 요청하면서 契丹이 鴨綠江에 浮橋를 설치하고 공격해 오려고 한다고 告하였다(『송사』 권8·권487, 高麗 ; 『속자치통감장편』 권85 ; 『송회요집고』 권196, 蕃夷3, 女眞·권199, 蕃夷7, 歷代朝貢 ; 『群書考索後集』 권64, 財賦門, 貢獻, 四夷方貢 ; 『옥해』 권154, 朝貢, 錫予外夷 ; 『문헌통고』 권325, 四裔考2, 高句麗).
· 1016년(현종7, 大中祥符9) 1월 某日, 高麗使臣 郭元이 귀국하려고 하직인사를 드리자 國王에게 詔書 7函·衣帶·器幣·鞍馬·經史[九經·史記·兩漢書·三國志·晋書·諸子]·聖惠方·曆日 等을 下賜하였다(『송사』 권8·권487, 高麗 ; 『속자치통감장편』 권85 ; 『군서고색후집』 권64, 財賦門, 貢獻, 四夷方貢 ; 『옥해』 권154, 朝貢, 錫予外夷 ; 『문헌통고』 권325, 四裔考2, 高句麗). 또 곽원이 고려의 여러 사정을 보고하면서 國朝登科記·賜御詩를 요청하자 허락하였다(『송사』 권8·권487, 高麗 ; 『속자치통감장편』 권85 ; 『송회요집고』 196책, 蕃夷3, 女眞·권199, 蕃夷7, 歷代朝貢 ; 『군서고색후집』 권64, 財賦門, 貢獻四夷方貢 ; 『옥해』 권154, 朝貢, 錫予外夷 ; 『문헌통고』 권325, 四裔考2, 高句麗). 이때 송은 거란과 盟約을 맺었기에 學士 錢惟演으로 하여금 兩國이 和睦하라는 答書를 쓰게 하고, 이 뜻을 館伴·員外郞 張師德을 통해 郭元에게 전하게 하였다(『고려사』 권94, 열전7, 郭元).

[○城文州雲林鎭:兵2城堡轉載].224)

[○加贈門下侍中柳邦憲爲贈內史令, 其子冲玄爲尙書都事:追加].225)

[○契丹復遣上京副留守耶律資忠來, 如前索地:追加].226)

[增補].227)

丙辰[顯宗]七年, 契丹開泰五年→1月高麗行?宋大中祥符九年, [西曆1016年]

1016년 2월 11일(Gre2월 17일)에서 1017년 1월 30일(Gre2월 5일)까지, 355일

春正月丙午朔大盡,庚寅, 庚戌5日, 契丹耶律世良·蕭屈烈侵郭州, 我軍與戰, 死者數萬人, 獲輜重而歸.

甲寅9日, 契丹使十人到鴨綠江, 不納.

乙卯10日, 移御壽昌宮.

○贈鄭神勇△爲尙書右僕射·上柱國, 周演△爲將軍, 任憶△爲中郞將, 楊春△爲郞

---

224) 雲林鎭에 관한 자료로 다음이 있다.

· 『신증동국여지승람』 권49, 文川郡[文州], 古跡, "雲林鎭古城, 在郡西三十里. 石築, 周一千二百十三尺, 高十二尺. 高麗顯宗時築, 以爲防禦所, 今仍稱鎭司".

225) 이는 「柳邦憲墓誌銘」에 의거하였다.

226) 이는 다음의 자료에 의거하였고, 上京 臨潢府는 현재의 內蒙古自治區 巴林左旗 林東鎭에 있었다.

· 『弘簡錄』 권211, 載記, 遼文學, 耶律資忠, "開泰中, 授御史中丞, 眷遇日隆, 權貴多短之, 出爲上京副留守. 初, 高麗內屬, 取女眞六部地以賜, 至是, 貢獻不時, 詔資忠往問. 高麗無歸地意. 四年再使, 遂留弗遣. 在高麗六年, 每懷君親, 輒有著述, 號西亭集. 帝與群臣宴時一卄, 記憶曰, '資忠亦有此樂乎?'. 九年, 高麗上表謝罪, 始送資忠還, 帝郊迎同載, 以歸". 添字로 고쳐야 옳게 될 것이다.

· 『요사』 권105, 열전45, 二國外記, 高麗, "開泰三年四年, 資忠復使, 如前索地". 여기에서 三年은 四年의 오자일 가능성이 있다.

227) 이해의 형편에 대해서 契丹側의 자료에는 다음과 같이 기록하였다.

· 4월 5일(甲寅), 蕭敵烈 등이 高麗를 토벌하고 돌아왔다(『요사』 권15).

· 5월 2일(辛巳), 北府宰相 劉晟(혹은 劉愼行)을 都統으로, 樞密使 耶律世良을 副都統으로, 殿前都點檢(親衛軍의 長) 蕭屈烈(혹은 蕭善寧, 蕭虛列, 蕭虛烈)을 都監으로 삼아 高麗를 토벌하게 하였다. 이때 劉晟이 期日內에 이르지 못하여 耶律世良과 蕭屈烈로 하여금 兵을 이끌고 토벌하게 하였다(『요사』 권15·권94耶律世良·권115, 高麗).

· 11월 14일(庚申), 上京·中京을 爲始하여 諸宮(宮衛, 斡魯朶)에 이르기까지 精兵 55,000人을 선발하여 高麗遠征[東征]을 대비하라고 명하였다(『요사』 권15).

將, 孫簡△[爲]尙藥奉御, 康承穎△[爲]太史令, 授神勇子均伯△[爲]郎將兼尙乘奉御.

戊午[13日], 以姜民瞻爲內史舍人.

壬戌[17日], 兵部奏, "郎將秦明·柳高價·康孝等七十四人, 請增爵一級, 以賞邊功", 從之.

[某日, 敎曰, "江南郡縣, 以去歲不登, 民多飢饉, 所在官給糧種, 以勸農耕": 節要·食貨2農桑轉載].

丙寅[21日], [驚蟄]. 以故將軍高延迪死事, 賻其家米五十碩·麥三十碩·布一百匹.

[○蠲抱州等十九縣, 今年租調: 節要·食貨3恩免之制轉載].

丁卯[22日], 以[知中樞院事]金殷傅爲戶部尙書, 李守和·崔冲爲左·右補闕, 李作忠·歐陽徵爲左·右拾遺.

戊辰[23日], 以尹徵古爲中樞院副使.

己巳[24日], 以[參知政事]張瑩爲左散騎常侍, [中樞院使]蔡忠順復爲禮部尙書.

壬申[27日], 奉太祖梓宮, 復葬顯陵, 庚戌[顯宗1年]之亂, 移安梓宮于負兒山[楊州三角山]香林寺, 至是還葬.[228]

○郭元還自宋, 帝詔曰, "朕位居司牧, 志存安民, 雖分域以有殊, 惟推誠而無閒, 念卿本道, 固深軫於懷思, 睠彼隣封, 亦久從於盟好, 所期輯睦, 用泰黎蒸".

[→郭元, 還自宋. 元之入宋, 會女眞亦訴爲契丹騷動, 累年不得朝, 帝[眞宗]以契丹既受盟, 難於答辭. 學士錢惟演, 草詔曰, "朕位居司牧, 志在安民. 雖分域以有殊, 惟推誠而無間. 念卿本道, 固深軫於懷思, 睠乃隣封, 亦久從於盟好, 所期輯睦, 用泰黎蒸". 帝覽之, 喜曰, "如此, 則雖契丹見之無妨". 勑元, 遊開寶寺, 密使館伴·員外郎張師德開諭. 師德與元, 登塔, 從容謂曰, "今京都高屋大廈, 摠是軍營. 今陛下一統寰海, 猶且養卒, 日令習戰, 以備北方. 天子猶且如此, 况貴國與之連境, 結好息民, 是遠圖也": 節要轉載].[229]

---

228) 이와 관련된 자료로 다음이 있다.

· 『신증동국여지승람』 권3, 漢城府, 佛宇, "香林寺, 在[楊州]三角山. 高麗顯宗庚戌1之亂, 移安太祖梓宮于是寺, 七年丙辰, 還葬顯陵".

229) 이 기사는 열전7, 郭元에도 수록되어 있으나 字句에 出入이 있다. 또 錢惟演(962~1034)은 錢塘(現 浙江省 杭州市) 출신으로 吳越 忠懿王 錢俶의 아들이며, 吳越이 宋에 통합되자 入仕하여 右屯衛將軍·右神武將軍·太僕少卿 등을 역임하였고, 博學能文하여 直秘閣으로 『册府元龜』의 편찬에 참여하였다. 이후 知制誥·給事中·翰林學士·工部商書·樞密使 등을 역임하였다(『송사』 권317, 열전76, 錢惟演). 또 開寶寺는 開封府城 東北方(現 河南大學의 북쪽)에 위치한 宋

二月丙子朔小盡,辛卯, [戊寅3日, 太白犯昴星, 又流星出軒轅, 入三台:天文1轉載].

己卯4日, 以金老玄爲尙書右僕射.

庚辰5日, 兵部奏, "中郞將蔡宏·李康等一百五十九人, 並有戰功, 請增爵一級", 從之.

壬午7日, 契丹王美·延相等七人來奔.

甲申9日, 金訓等父母·妻妹·祖孫·叔伯緣坐者, 皆放之, 其子若同產兄弟, 歸之本貫, 常赦不原.

[丙戌11日, 雉集于壽昌宮含福門:五行1轉載].

己丑14日, 王以壽昌宮怪異數見, 移御明福宮.

辛丑26日, 太白經天.

○兵部奏, "將軍黃虎猛等三十九人, 皆有戰功, 請加職一級", 從之.

[壬寅27日, 月犯歲星:天文1轉載].

甲辰29日, 契丹曹恩·高忽等六人來投.

[三月乙巳朔小盡,壬辰, 某日, 博州興化鎭災:五行1火災轉載].

夏四月甲戌朔大盡,癸巳, 甲申11日, 以異膺甫△爲攝司憲大夫, 徐訥爲中丞, 侍御史柳韶爲雜端, 曹子奇爲侍御司憲, 金祐甫·李成功爲殿中侍御司憲, 安宰均·李元秀·劉玄佐·李懷·郭紳·李周佐△並爲監察.

[己丑16日, 月食旣. ○大流星自東抵西:天文1轉載].[230]

皇室의 願刹로서 鐵塔으로 불리는 琉璃瓦의 八角十三層(높이 55.88m)이 현존하고 있다. 그리고 張師德(生沒年不詳)은 進士 1等으로 급제하여 將作監丞·秘書省著作郞·集賢校理 등을 역임하고 左諫議大夫에 이르렀으나 병약하였다고 한다. 眞宗이 契丹과 고려의 사신이 오면 그로 하여금 接伴하게 하였다고 한다.

· 『송사』 권306, 열전65, 張去華, 師德, "其後每遣使, 帝眞宗輒曰, 張師德可用. 契丹·高麗使來, 多以師德主之".

230) 이날 일본 京都에서는 월식이 비로 인해 관측되지 못했던 것 같다(日本史料2-11冊 79面). 이날은 율리우스력의 1016년 5월 24일이고, 월식 현상이 심했던 때의 世界時는 14시 5분, 食分은 1.81이었다(渡邊敏夫 1979年 471面).

· 『御堂關白記』, 長和 5년 4월, "十六日己丑, 時々少雨. … 十七日庚寅, 天晴, 通夜雨, 虧無正見, 子時天晴, 若是蝕歟".

· 『本朝統曆』 권7, 長和 5년, "四大, 十六望, 亥二, 月蝕, 皆旣, 酉八, 子四".

[□□是月],[231] 司憲臺庭栢樹, 枯死有年, 至是復生.

五月甲辰朔小盡,甲午, 乙巳2日, 宮人金氏生王子, 賜名欽, 仍賜延慶院·金銀器·匹叚匹段·田莊·奴婢·鹽盆·魚梁.

[某日, 刑部奏, "官吏, 監臨自盜者, 勿計贓物多少, 並除名, 流本貫", 從之:節要·刑法1職制轉載].

辛亥8日, 契丹馬兒·保良·王保·可新等十三戶來投.

乙丑22日, 尙書省奏, "龜州軍橘仙·永夢謀叛, 斬之".[232]

○契丹要豆等三人來投.[233]

六月癸酉朔大盡,乙未, 丙子4日, 以金殷傅爲中樞使·上護軍,[234] 郭元爲刑部侍郞·右諫議大夫, 皇甫兪義爲給事中, 金猛爲中樞直學士.

戊寅6日, 契丹志甫等三人來投.

庚辰8日, 王子生於恒春殿, 賜名秀.

乙酉13日, 契丹張烈·公現·申豆·猷兒·王忠等三十戶來投.

秋七月癸卯朔小盡,丙申, 甲辰2日, 都兵馬使奏, "將軍高積餘·中郞將徐肯·郞將守嵒等三千一百八人, 曾於通州之役, 殺獲甚多, 請不拘存沒, 增職一級", 從之.

庚戌8日, 以李周憲爲尙書右僕射.[235]

辛亥9日, 御明福殿覆試, 賜金顯等及第.[236]

丁巳15日, 契丹由道·高宗等九人來投.

---

231) 是月이 탈락되었을 것이다.

232) 橘仙은 『고려사절요』 권3에 橘僊으로 되어 있지만 같은 의미의 글자[同字]이다(仙鳳寺, 僊鳳寺).

233) 『고려사절요』 권3에는 "契丹要豆·志甫等六人來投"로 되어 있는데, 이는 下記 7월 6일(戊寅)의 記事와 合成한 결과일 것이다(盧明鎬 2000년 90面).

234) 이때 金殷傅가 임명된 中樞使·上護軍에서 上護軍은 武官職인 上將軍(正三品)이 아니라 勳階 또는 勳級으로 불리는 勳官의 視正三品이다(→현종 3년 3월 某日).

235) 辛亥(9일)와 庚戌(8일)의 順序가 바뀌어 있었는데, 바로 잡았다. 이는 組版할 때 생긴 오류로 추측되는데, 『고려사절요』 권3에는 옳게 되어 있다.

236) 이와 관련된 기사로 다음이 있다.

· 지27, 선거1, 科目1, 選場, "顯宗七年七月, 禮賓卿李龔知貢擧, 取進士, 覆試, 賜金顯等九人·明經五人及第".

庚申[18日], 教曰, "比聞, 秋稼將成, 飛蝗爲害,[237] 豈刑政之或戾, 將災沴之使然, 其內外囚, 徒流以下, 取保出獄, 疏理速決".

[壬戌[20日], 虎入城:五行2轉載].

八月[壬申朔大盡,丁酉], [某日], 契丹朱簡·從道等八人來投.

[乙酉[14日], 太白犯軒轅大星:天文1轉載].

[辛丑[30日], 流星如雷, 其光照地, 見者驚譟:天文1轉載].

九月[壬寅朔大盡,戊戌], 己酉[8日], 敎曰, "南界州縣, 蝗旱重仍, 言念飢民, 能無責己, 宜避正殿, 減常膳, 禁諸宮院飮酒·作樂".[238]

○契丹羅壂等五人來投.

[壬子[11日], 流星, 大如月, 出張星, 入明堂靈臺:天文1轉載].

甲寅[13日], [霜降]. 以[尙書右僕射]李周憲爲西京留守.

[某日, 三司奏, "江南飢饉, 請轉關內倉穀, 賑之", 從之:節要·食貨3水旱疫癘賑貸之制轉載].

[→江南饑:五行3轉載].

丙寅[25日], 以孫夢周爲禮部尙書.

辛未[30日], 契丹奉大·高星等十九人來投.

[秋某月, 起工天安府奉先弘慶寺諸佛殿:追加].[239]

[冬十月壬申朔[小盡,己亥], 太白犯上將:天文1轉載].

---

237) 宋에서도 이해[是年]의 6월 이래 京畿·京東西·河北路 등에서 蝗蝻이 계속 이어지다가 7월에 江·淮南을 거쳐 河東으로 옮겼다가 10월에 霜寒으로 消滅되었다고 한다(『송사』 권8, 본기8, 眞宗3, 大中祥符 9년·권62, 지15, 五行1下).

238) 宋에서도 이해의 8월, 9월에 蝗蝻과 가뭄[旱魃]으로 인해 각종 宴會가 중지되고 農事에 힘쓰고 營造를 中止하라는 詔書가 내려졌다(『송사』 권8, 본기8, 眞宗3, 大中祥符 9년 8월 戊子, 9월 庚戌, 丁巳).

239) 이는 다음의 자료에 의거하였다(金石總覽 260面).
· 「天安奉先弘慶寺碣記」(國寶 第7號), "… 自丙辰秋迄辛酉歲,」 凡造得堂殿門廊等共二百餘間, 所置塑畵第功德像及鐘磬幡盖具, 如見在其數, …".

[某日, 教□[旨], "南界, 强盜頗多, 令諸州縣, 嚴加追捕":節要轉載].

[庚子[29日晦], 大雪, 月犯太白:天文1轉載].

冬十一月辛丑朔[大盡,庚子], 賜鄭神勇家良田二十結.

癸丑[13日], 以[參知政事]崔沆爲內史侍郎平章事, 庾方爲刑部尙書·參知政事.

丙辰[16日], 祈雪于群望.[240]

○契丹匡乂兒等十人來投.

十二月[辛未朔大盡,辛丑], 辛巳[11日], 以[上將軍]元祐爲工部尙書, [上將軍]智蔡文爲右常侍~~[右散騎常侍]~~; 皆以武職兼之.[241]

[丁亥[17日], 月犯熒惑:天文1轉載].

[某日, [中樞院使·]吏部尙書姜邯贊奏, "臣於開寧縣, 有良田十二結, 請給軍戶", 從之:節要轉載].

乙未[25日], 契丹瑟弗達等六人來投.

[丁酉[27日], 四方赤祲:五行1轉載].

[己亥[29日], 熒惑犯軒轅大星:天文1轉載].

是歲, 復行宋大中祥符年號.

[○城宜州六百五十二間, 門五. ○鐵州城~~[城鐵州]~~七百八十九間, 門七, 水口一, 城頭十八, 遮城四:兵2城堡轉載].[242]

[增補].[243]

---

240) 이와 같은 기사가 지7, 五行1, 火, 無雪에도 수록되어 있다.

241) 右常侍는 明年 1월 7일(丁未) 기사에 左散騎常侍가 있음을 볼 때, 右散騎常侍의 略稱일 것이다(→明宗 11년 12월 28일).

242) 鐵州城은 城鐵州로 고쳐야 옳게 될 것이다. 또 1566년(명종21) 柳成龍이 鐵山郡의 管內에서 高麗時代에 축조된 古城[東林古城]을 보았다고 한다.

·『西厓集』 권1, 過東林古城, "城在鐵山, 高麗時築之, 以防北虜".

243) 이해(開泰5) 1월 10일(乙卯) 고려를 공격했던 契丹軍이 海州 南海軍(遼陽의 서남쪽에 위치한 海城地域)에 이르렀고, 司令官 耶律世良이 逝去하였다(『요사』 권15, 본기15, 성종6, 開泰 5년 1월 乙卯 ; 권94, 열전24, 耶律世良).

丁巳[顯宗]八年, 宋大中祥符十年[天禧元年],[244] [契丹開泰六年], [西曆1017年]

1017년 1월 31일(Gre2월 6일)에서 1018년 1월 19일(Gre1월 25일)까지, 354일

春正月[辛丑朔小盡,壬寅], 丁未[7日], 檢校大尉[~~太尉~~]·左散騎常侍·參知政事張瑩上表, 乞退. [從之:節要轉載].

[某日, 令中外官吏, 捕故燒人家, 竊取財物者:節要·刑法2禁令轉載].

[某日, 復禁人捨家爲寺, 婦女爲尼:節要·刑法2禁令轉載].

[是月辛丑朔, 宋改元天禧:追加].

[二月[庚午朔大盡,癸卯], 癸酉[4日], 赤祲如火, 彌天:五行1轉載].

三月[庚子朔小盡,甲辰], 甲辰[5日], 賜鄭倍傑等及第.[245]

丙午[7日], 白氣貫日.

丁巳[18日], 以李端爲司憲中丞.

夏四月[己巳朔小盡,乙巳], [某日], 遣門下平章事[~~內史侍郞同內史門下平章事~~]崔沆, 中樞副使[~~守吏部侍郞~~]尹徵古于泗州,[246] 奉遷安宗梓宮.

[某日], 王備法駕, 迎于東郊, [權殯於歸法寺:追加].[247]

[某日, 葬乾陵, 後改稱武陵:節要·列傳2太祖安宗郁轉載].[248]

[是月, 尙乘局雌雞, 長鳴:五行2轉載].

---

244) 宋에서 1월 1일(辛丑) 天禧로 改元이 이루어졌으나 卽時 高麗에 通報되지 않았던 것 같다.

245) 이와 관련된 기사로 다음이 있으나 及第者의 數値에 차이가 있다.
- 지27, 선거1, 科目1, 選場, "[顯宗]八年三月, 禮部侍郞[·翰林學士]郭元知貢擧, 取進士, 賜乙科鄭倍傑·丙科五人·同進士五人及第".
- 『고려사절요』 권3, 현종 8년, "三月, 賜鄭倍傑等八人及第".

246) 崔沆과 尹徵古의 官職은 「玄化寺碑」에 의거하여 ~~添字~~와 같이 修正, 補完하였다. 『고려사』에서 勳爵·官階·官職·館職 등과 같은 官爵의 표기는 편찬자의 선택에 의해 전체 중의 일부만이 記載되었기에 이를 통해 官爵을 정리함에 있어서는 면밀한 자료의 검정이 요청된다.

247) 이는 「玄化寺碑」에 의거하여 추가하였는데(金石總覽 241面), 현화사비는 북한의 국보유적 제151호이다.

248) 乾陵은 開城市 長豊郡 月古里에 있다(보존급유적 572호 ; 張慶姬 2013년 ; 洪榮義 2018년).

五月[戊戌朔大盡,丙午], 戊申[11日], 以李龔△[爲]知中樞□[~~院~~]事.[249]

壬子[15日], <u>中樞使</u>[~~中樞院使~~]·戶部尙書<u>金殷傳</u>卒.[250] [贈推忠守節昌國功臣·開府儀同三司·守司空·上柱國·安山郡開國侯·食邑一千戶, 諡<u>安平</u>:列傳8金殷傳轉載].[251] [殷傳, 性勤儉, 元成·元惠·元平三后, 皆其女也. 後贈檢校太師·侍中, 子, 中樞院使·兵部尙書<u>忠贊</u>, 景德國師<u>爛圓</u>:追加].[252]

[庚申[23日], 飛星, 出河鼓南行, 聲如雷:天文1轉載].

乙丑[28日], 加上考妣尊<u>諡</u>[謚]. [考安宗曰憲景, 妣孝肅王太后曰惠順:列傳2太祖安宗郁·2景宗妃獻貞王后皇甫氏轉載]

六月[戊辰朔[小盡,丁未], 建中原府淨土寺弘法國師實相塔碑:追加].[253]

[□□[~~是月~~]], <u>螟</u>.[254]

秋七月[丁酉朔小盡,戊申], 戊戌[2日], 契丹光正等七戶來投.

庚子[4日], 兵部奏, "<u>正輔</u>[正甫]李龍奉·正朝任述光等三十人, 皆有邊功, 請加<u>鄕職</u>一級", 從之.[255]

---

249) ~~添字~~가 省略되었다.

250) 이날은 율리우스曆으로 1017년 6월 11일(그레고리曆 6월 17일)에 해당한다.

251) 諡號는 그의 次子인 景德國師 金爛圓의 墓誌銘에 의거하였다.

252) 이는 다음의 기사와 자료에 의거하였다.

- 지18, 禮6, 諸臣喪, "五月, 戶部尙書<u>金殷傳</u>卒, 輟朝一日. 後贈侍中".
- 열전7, 金殷傳, "[顯宗]八年卒. □□□□□[顯宗十三年], 以王后故, 贈推忠守節昌國功臣·開府儀同三司·守司空·上柱國·安山郡開國侯·食邑一千戶, 妻封安山郡大夫人".
- 「開城福興寺景德國師墓誌銘」, "國師諱<u>爛圓</u>, 俗姓金氏, … 故檢校太師·上柱國·諡安平公, 諱<u>殷傳</u>父也, 故安孝國大夫人李氏, 妣也. 故中樞使·兵部尙書<u>忠贊</u>, 兄也, …"(국립중앙박물관 소장, 許興植 1984년 499面 ; 李智冠 2004년 2冊 338面).

253) 이는 「忠州淨土寺弘法國師實相碑」에 의거하였다(보물 제359호, 金石總覽 234面 ; 李智冠 2004년 2冊 168面).

254) 螟은 螟虫이라고도 하며, 명충나방[螟蛾]의 幼虫으로 여러 종류가 있다고 한다. 綠色의 작은 벌레[小虫]인데, 『詩経』, 小雅, 節南山之什, 小宛에 "螟蛉의 幼虫이 있으면 나나니벌[蜾蠃]이 와서 새끼에게 먹이기 위해 이것을 등에 업고 간다. 螟蛉有子, 蜾蠃負之"라는 句節이 있다(石川忠久 1998年 338面). 宋에서는 이해[是年]의 2월에 전국 각지에서 나락메뚜기[蝗蝻], 5월과 9월에는 메뚜기[蝗], 契丹에서는 6월에 南京(幽都府, 現 北京市)의 여러 縣에서 蝗이 있었다(『송사』 권62, 지15, 오행1하·권8, 본기8, 진종3, 天禧 1년 5월 己未, 9월 戊申 ; 『요사』 권15, 본기15, 성종6, 開泰 6년 6월).

[○月入大微[太微], 犯上相:天文1轉載].

辛丑[5日], 宋泉州人林仁福等四十人來, 獻方物.

[某日, 賑京城貧民:節要·食貨3水旱疫癘賑貸之制轉載].

己酉[13日], 女眞靺鞨木史, 率部落來朝, 賜爵及衣物.

○契丹買瑟·多乙·鄭新等十四人來投.

○遣刑部侍郞徐訥如宋, 獻方物.[256)]

戊午[22日], [處暑]. 上將軍·尙書右僕射安紹光卒.[257)] [紹光, 將種也, 體貌魁偉, 且使氣, 酷好鷹馬. 穆宗卽位, 以翊戴功, 令掌宿衛, 寵待絶等:節要轉載].

[→世爲將. 體貌魁偉, 使氣好鷹馬. 穆宗卽位, 以有翼戴功, 令掌宿衛, 寵待無比. 顯宗朝, 累拜尙書右僕射卒, 輟朝三日, 謚敬剛:列傳7安紹光轉載].

八月[丙寅朔大盡,己酉], 癸酉[8日], 契丹果許伊等三戶來投.

乙亥[10日], 謁乾陵[安宗].[258)]

---

255) 正輔(5品下)는 『고려사절요』 권3에는 正甫로 되어 있는데, 이는 처음 이들 연대기를 銅活字[乙亥字]로 조판할 때 採字를 잘못하였기 때문일 것이다. 또 鄕職은 고려 초기 지배층의 位階를 나타내는 독자적인 官階制度에서 유래하였는데, 그 구체적 모습이 年代記에 반영되어 있지 않아 實相을 분명히 설명하기 어렵다. 단지 前王朝인 泰封國의 그것을 계승하여 時宜適切하게 변모시켜 사용하다가 40년이 경과한 958년(광종9) 무렵 唐制의 의한 文散階와 37년간에 걸쳐 병용되었음을 알 수 있을 뿐이다. 또 이는 景宗·成宗代에도 그대로 사용되다가 995년(성종14) 5월의 관제개혁 때에 극히 일부의 명칭만을 수정한 문산계의 전면적인 시행으로 여러 신분층에게 주어지는 勳職인 鄕職으로 개편되었던 것 같다.

· 지29, 選擧3, 鄕職, "一品曰三重大匡·重大匡, 二品曰大匡·正匡, 三品曰大丞·佐丞, 四品曰大相·元甫, 五品曰正甫, 六品曰元尹·佐尹, 七品曰正朝·正位, 八品曰甫尹, 九品曰軍尹·中尹".

· 이 기사는 筆者의 管見으로 "一品曰三重大匡·重大匡, 二品曰大匡·正匡, 三品曰大丞·佐丞, 四品曰大相·佐相, 五品曰元甫·正甫, 六品曰元尹·佐尹, 七品曰正朝·正位, 八品曰甫尹·□□[不明], 九品曰軍尹·中尹"일 가능성이 높다(張東翼 2012년a).

256) 徐訥은 같은 해 11월 28일(壬戌) 女眞首領 梅詢을 이끌고 崇政殿에서 入對하여 金犀帶 등의 方物을 바치고 壽春郡王(眞宗의 子 趙禎, 後日의 仁宗)을 책봉한 것을 하례하였다(『송사』 권8, 본기8, 眞宗3, 天禧 1년 11년 壬戌). 이어서 12월 15일(己卯) 고려사신 徐訥에게 瑞聖園에서 射를 下賜[賜射]하였다(『송사』 권8 ; 『속자치통감장편』 권90).

·『속자치통감장편』 권89, 天禧 1년 11월, "癸亥[29日], 高麗王詢, 遣御史刑部侍郞徐訥, 率女眞首領梅詢, 奉表來獻方物, 又賀封建壽春郡王. 初, 郭元之還, 詢卽遣使入謝, 道海風漂舟回, 及是乃至, 有詔訥五日一赴起居".

257) 이날은 율리우스曆으로 1017년 8월 16일(그레고리曆 8월 22일)에 해당한다.

258) 이때 일본 京都에서는 8일과 10일에 비가 많이 내렸던 것 같다.

·『御堂關白記』, 寬仁 1년 8월, "八日癸酉, 深雨降, … 十日乙亥, 深雨下".

乙酉[20日], 東女眞盖多弗等四人來投, 請效邊功, 許之, 優禮賜物.

壬辰[27日], 西女眞揩信, 擒契丹東京崇聖寺僧道遵, 以來.

癸巳[28日], 契丹蕭合卓圍興化鎭, 攻之九日, 不克, 將軍堅一·洪光·高義出戰, 大敗之, 斬獲甚多.[259)]

甲午[29日], 黑水靺鞨阿離弗等六人來投, 分處江南州縣.

九月[丙申朔大盡,庚戌], 甲辰[9日], [寒露]. 契丹群其·昆伎·女眞孤這等十戶來投.

己酉[14日], 兵部尙書金徵祐上表, □[乞]致仕.[260)]

壬子[17日], 契丹烏豆等八人來投.

戊午[23日], 御宣政殿, 閱兵.

是月, 旱, 蝗, 王避正殿, 減常膳.[261)]

冬十月[丙寅朔小盡,辛亥], 壬申[7日] 修顯陵.

[○太白入南斗:天文1轉載].

[是月, 判[制], "東堂監試給暇, 兩大業, 試前三朔, 醫·卜·律·書業二朔, 筭業一朔":選擧1科目轉載].

十一月[乙未朔大盡,壬子], 丙申[2日], 以李元爲龍虎軍上將軍兼戶部尙書.

---

259) 이날 일본 京都에서는 비가 조금 내리다가 밤에 크게 내렸던 것 같고, 이후 거란군이 흥화진을 계속 공격하던 9월 6일(辛丑)까지 간헐적으로 이어진 것 같다.

·『御堂關白記』, 寬仁 1년 8월, "卄八日癸巳, … 行宇治家, 從路間小雨降, 入夜大雨, … [九月]四日己亥, 今夜雨下, … 六日辛丑, 終夜雨降".

260) ~~添字~~가 추가되어야 옳게 될 것이다.

261) 이해에 中原에서 蝗虫이 있었고(→是年 6월), 일본에서도 7~8월에 山城(야마시로, 現 京都府의 南部地域)·丹波(탄바, 現 京都府의 中部, 兵庫縣의 東部, 大阪府 高槻市의 一部) 지역에서는 蝗虫의 災害가 있다가 여타 지역으로 파급되었던 것 같다

·『小右記』, 寬仁 1년 7월, "卄八日甲子, … 近日, 山城·丹波蝗虫成灾, 萬人愁苦". 8월, "二日丁卯, … 事未始之前, 依攝政召參入, 丹波國蝗虫事, 被勘蝗虫時被行之例, 天曆四年言上丹波·播磨蝗虫事, 有軒廊御卜, 其後奉幣諸社之由勘申, 左兵衛尉[宮道]式光云, 蝗虫遍滿, 到攝津國者, 是只所聞及, 諸國一同, 天灾歟, 時務非理, 灾殃得所歟, 悲哉, 此虫在京中草, 又在余家草, 食草葉, 虫體似蠶. 三日戊辰, … 今日左衛門督[藤原]賴宗定申蝗虫御祈諸社奉幣使, 發遣來七日, 又可奉轉讀最勝·仁王經之官符, 給五畿七道云々, 蝗虫遍滿國々攝津·伊勢·近江·越前·播磨云々, 又是所聞之國々, 灾禍旁起, 貴賤仰天, 今日不可聞食內論議之由, 去夕大外記文義朝臣所申也".

己亥[5日], 太白經天.

[己未[25日] 夜, 白氣, 如練竟天, 俄變爲赤祲:五行2轉載].

十二月[乙丑朔大盡,癸丑], 丙寅[2日], 以蔡忠順爲左散騎常侍·中樞使[~~中樞院使~~].

乙亥[11日], [小寒]. 謁顯陵, 赦.

[某日, 贈王妃崔氏外祖父崔行言爲尙書左僕射, 外祖母金氏爲豊山郡大夫人, 母崔氏爲樂浪郡大夫人:列傳1顯宗妃元和王后崔氏轉載].[262)]

是月, 敎□[~~曰~~], “高勾麗·新羅·百濟王陵廟[~~陵墓~~], 並令所在州縣修治, 禁樵採, 過者下馬”.[263)]

[是年, 城安義鎭八百三十四間, 門五, 水口一, 城頭二, 遮城三:兵2城堡轉載].

[○某等造成天安府奉先弘慶寺佛殿門廊等二年次:追加].[264)]

[○賜法號大師海麟曰, 明了頓悟:追加].[265)]

[增補].[266)]

---

262) 崔行言의 관직인 尙書左僕射는 열전1, 成宗妃, 延昌宮夫人崔氏에는 右僕射로 달리 표기되어 있다.

263) 陵廟는 『고려사절요』 권3에는 陵墓로 되어 있는데, 후자가 옳을 것이다.

264) 이는 충청남도 天安市 成歡邑 大興里 弘慶寺 舊址에서 출토된 瓦銘, '□[大]中祥符十年丁巳」', '□年丁巳奉先弘慶□[~~寺~~?]」'에 의거하였다(世宗文化財硏究院 編 2015년 365~371面). 또 이곳에서 수습된 無銘의 瓦片 2点이 學習院大學 史料館에 보관되어 있는데(1916년 9월 14일 기증됨), 각각의 裏面에 '成歡弘慶院', '稷山成歡弘慶院'이 墨書되어 있다(學習院大學 東洋文化硏究所 2010年 82面).

265) 이는 「原州法泉寺智光國師玄妙塔碑」, “大中祥符十□[~~年~~], □□[~~受法~~]號爲明了頓悟”에 의거하였다.

266) 이해(開泰6)에 契丹이 고려를 정벌하려고 행한 일들은 다음과 같다.

· 2월 8일(丁丑), 國舅帳詳穩[長官] 蕭隗洼에게 詔勅을 내려 本部兵을 이끌고 高麗를 정벌하게 하고, 그 國舅司의 事務는 都監으로 하여금 臨時로 처리하게 하였다(『요사』 권15).

· 5월 1일(戊戌), 樞密使 蕭合卓을 都統으로, 漢人行宮 都部署 王繼忠을 副都統으로, 殿前都點檢(親衛軍의 長) 蕭屈烈을 都監으로 삼아 고려를 토벌하게 하였다(『요사』 권15).

· 5월 2일(己亥), 蕭合卓에게 劍을 下賜하여 將卒을 任意대로 處斷할 수 있도록 하여 軍律을 엄하게 하였다[專殺](『요사』 권15·권81, 王繼忠·蕭合卓·권115, 高麗).

· 9월 20(乙卯), 蕭合卓 등이 高麗 興化鎭[興化軍]을 공격하였으나 이기지 못하고 군대를 돌이켰다(『요사』 권15·권81, 王繼忠·권115, 高麗).

戊午[顯宗]九年, 宋大中祥符十一年→
10月天禧二年, [契丹開泰七年], [西曆1018年]

1018년 1월 20일(Gre1월 26일)에서 1019년 2월 7일(Gre2월 13일)까지, 13개월 384일

春正月乙未朔大盡,甲寅, 遣使西京, 祭太祖于聖容殿, 以重新肖像也.

丙申2日, 西女眞未閼達等七人來, 獻甲䥐及馬.

○定安國人骨須來犇.

庚子6日, 宰臣率百官上表, 請還御正殿, 復常膳. 不允.

壬子18日, 東女眞鋤栗弗·西女眞阿主等四十餘人來, 獻馬及甲䥐·旗幟·貂鼠·青鼠皮.

[某日, 以興化鎭, 比因兵荒, 民多寒餓, 給緜布·塩醬:節要·食貨3水旱疫癘賑貸之制轉載].

戊午24日, 群臣累請復常膳, 許之.

[癸亥29日, 白氣, 如帶亘天:五行2轉載].

[是月, 定大小各官守令衙從. 大都護府牧官使六, 副使五, 判官四, 司錄·法曹各三, 醫·文師各二. 中都護府使·副使·判官·法曹·醫·文師衙從[並同大都護府].[267] 防禦鎭使·知州府郡事·官使五, 副使四, 判官·法曹各三, 縣令·鎭將三, 副將·尉二:輿服1外官衙從轉載].

二月乙丑朔小盡,乙卯, 戊辰4日, 賜海·弩二軍校尉·船頭以下, 茶·布有差.[268]

[→御宣化門, 閱射, 賜海·弩二軍校尉, 船頭以下茶布, 有差:兵1五軍轉載].[269]

---

267) 고려시대에 中都護府가 설치된 곳은 찾아지지 않지만, 仁宗年間의 祿俸規定에서 찾아지는 安邊, 安南 小都護府의 다른 표기일 가능성이 있다(지34, 食貨3, 祿俸 外官祿, 朴宗基 1997년). 또 帝室의 姻戚, 功臣의 鄕里, 戰勝地 등과 같이 특정한 郡縣이 도호부로 승격했던 곳이 小都護府일 가능성이 있다(13世紀 中葉까지의 事例, 金海, 豊州, 海州, 安陽春州, 安東福州, 淮陽, 德原禮州, 慶興漢州, 龜州, 靖原原州, 水原의 都護府). 그리고 安東, 安南, 安西, 安北의 四都護府는 대체로 대도호부였으나 일시 中, 小都護府일 때도 있었던 것 같다.

· 『경상도지리지』, 晋州道, 金海都護府, "穆宗己酉, 改爲小都護府".

268) 船頭는 『고려사절요』 권3에는 船軍으로 되어 있다.

269) 이 기사의 冒頭인 "御宣化門, 閱射"는 『고려사절요』 권3에는 5일(己巳)와 11일(乙亥) 사이에 位置해 있다. 또 閱射는 활쏘기[射箭, 射柳]를 點檢하는 것인데, 軍士들이 平常時에 擊毬와 함

[○罷諸道安撫使, 置四都護□[府]·八牧·五十六知州郡事·二十八鎭將·二十縣令:節要轉載].[270)]

[是時, 罷開城府置開城縣令,[271)] 以貞州·德水·江陰三縣爲開城縣屬縣, 以開城縣屬縣牛峯郡爲平州屬縣. 又以湍州爲長湍縣令, 以松林·臨津·兎山·臨江·積城·坡平·麻田七縣爲長湍縣屬縣, 俱直隷尙書都省, 謂之京畿.

○鎬京, 仍爲副都, 以唐岳縣等地爲京畿.

○以慶州, 仍爲安東大都護府, 以興海郡·章山郡·壽城郡·永州·安康縣·新寧縣·慈仁縣·河陽縣·淸河縣·延日縣·解顔縣·神光縣·杞溪縣·長鬐縣爲屬縣.

○以全州爲安南大都護府, 以金馬郡·朗山縣·沃野縣·鎭安縣·紆州縣·高山縣·雲梯縣·馬靈縣·礪陽縣·利城縣·移城縣·咸悅縣·金堤縣·平皐縣·金溝縣·巨野縣爲屬縣.

○以寧州, 仍爲安北大都護府.

○改海州爲海州安西都護府.

○罷廣州按撫使爲廣州牧, 以川寧郡郡·利川郡·竹州·果州·砥平縣·龍駒縣·陽根縣爲屬縣.

○罷忠州按撫使爲忠州牧, 以槐州·長延縣·長豊縣·陰竹縣·陰城縣·淸風縣爲屬縣.

○罷淸州按撫使爲淸州牧, 以燕山郡·木州·鎭州·全義縣·淸川縣·道安縣·靑塘縣·燕岐縣·懷仁縣爲屬縣.

○罷晋州按撫使爲晋州牧,[272)] 以江城郡·河東郡·泗州·岳陽縣·永善縣·鎭海縣·昆明縣·班城縣·宜寧縣爲屬縣.

께 武術을 練磨하던 일종의 運動으로서 馬術과 결합되어 軍士들의 전투 능력을 向上시키는 方便이 되었다(擊毬→공민왕 5년 5월 5일).

270) 이와 관련된 자료로 다음이 있다. 이때 慶州에 설치된 安東大都護府가 慶州大都護府로 改稱되었다고 한다(『경상도지리지』, 慶州道, 慶州府). 또 『경상도지리지』에 의하면 이때 冶爐縣은 高靈郡의 領縣에서 江陽郡[陜川郡]屬縣으로, 開寧郡·加恩縣 등은 尙州屬縣으로, 聞慶縣은 聞喜郡으로 改名되어 尙州屬縣으로 바뀌게 되었다고 한다.
· 지31, 百官2, 外職, 按撫使, "[顯宗]九年, 罷".

271) 이와 관련된 기사로 다음이 있다.
· 지30, 百官1, 開城府, "顯宗罷府, 置縣令".

272) 이때 晋州牧으로의 陞格이 姜民瞻의 戰功에 대한 褒賞으로 기록한 자료가 있으나 誤謬일 것이다.
· 『신증동국여지승람』 권30, 晋州牧, 祠廟, "姜民瞻祠, 在州司中. 天禧二年, 民瞻與丹兵戰有功, 陞本州爲牧, 邑人至今祠焉".
· 『세종실록』 권150, 지리지, 晋州牧, "… 顯宗三年壬子, 廢節度使, 改爲按撫使, 戊午[9年], 定爲晋州牧, 爲八牧之一".

○罷尙州按撫使爲尙州牧, 以聞慶郡·龍宮郡·開寧郡·保令郡·咸寧郡[後改咸昌郡]·海平郡·青山縣·山陽縣·化寧縣·功城縣·丹密縣·比屋縣·安貞縣·中牟縣·虎溪縣·禦侮縣·多仁縣·青理縣·加恩縣·一善縣·軍威縣·孝靈縣·缶溪縣.[273)]

○改羅州郡爲羅州牧, 以務安郡·潭陽郡·谷城郡·樂安郡·南平郡·鐵冶縣·會津縣·潘南縣·安老縣·伏龍縣·原栗縣·餘艎縣·昌平縣·長山縣·珍原縣·和順縣·珍島縣·嘉興縣·臨淮縣·綾城縣爲屬縣.

○改黃州爲黃州牧, 以鳳州·信州·土山縣爲屬縣.

○以海州爲安西都護府, 以鹽州·安州·安岳郡·儒州·殷栗縣·青松縣·嘉禾縣·永寧縣·長淵縣·永康縣爲屬縣.

○以登州爲安邊都護府, 以瑞谷縣·汶山縣·衛山縣·翼谷縣·波川縣·鶴浦縣·霜陰縣爲屬縣.

○改天安府爲知府事官, 以溫水郡·牙州·新昌縣·豊歲縣·平澤縣·禮山縣·稷山縣·青陽縣爲屬縣.

○改京山府爲知府事官, 以高靈郡·若木縣·仁同縣·知禮縣·加利縣·八莒縣·金山縣·黃澗縣·管城縣·安邑縣·陽山縣·利山縣·大丘縣·花園縣·河濱縣.

○南原, 仍爲爲知府事官, 以任實郡·淳昌郡·長溪縣·赤城縣·居寧縣·九皐縣·長水縣·雲峯縣·求禮縣.

○以春州爲知府事官, 以嘉平郡·狼川郡·基麟縣·朝宗縣·麟蹄縣·橫川縣·洪川縣·文登縣·方山縣·瑞和縣·楊溝縣爲屬縣.[274)]

○罷楊州按撫使官爲知州事官, 以交河郡·見州·抱州·幸州·峯城縣·高峯縣·深嶽縣·豊壤縣·沙川縣爲楊州屬縣.

○改吉州按撫使官爲知吉州使官.

○改樹州爲知州事官, 以衿州·唐城郡·童城縣·通津縣·孔巖縣·金浦縣·守安縣·邵

---

273) 지11, 地理2, 尙州牧, 青山縣은 다음의 a와 같이 되어 있으나 밑줄 이하는 考證이 요청된다. 곧 安東府 管內 安德縣의 경우는 b와 같이 되어 있다. b를 통해 볼 때, a는 c와 같이 수정되어야 할 것이다[校正事由].

· a "恭讓王二年, 置監務, 析尙州酒城部曲, 以隸之, 十一年, 還屬".
· b "恭讓王二年, 置監務[恭愍王十八年, 陞知道保部曲, 爲宜仁縣, 屬安東, 恭讓王二年, 移屬禮安]".
· c "恭讓王二年, 置監務[恭愍王某年, 析尙州酒城部曲, 以隸之, 十一年, 還屬]"[校正].

274) 春州는 다음과 같이 기록되어 있으나 이때 安邊府가 되었을 것으로 추측된다.

· 지121, 지리3, 春州, "太祖二十三年, 爲春州, 成宗十四年, 稱團練使, 屬安邊府".

城縣·載陽縣爲樹州屬縣.[275)]

○改水州爲知州事官, 以安山縣·永新縣·雙阜縣·龍城縣·貞松縣·振威縣·陽城縣爲水州屬縣.

○改原州爲知州事官, 以寧越郡·堤州·平昌縣·丹山縣·永春縣·酒泉縣·黃驪縣爲屬縣.

○改公州爲知州事官, 以德恩郡·懷德郡·扶餘郡·連山郡·市津縣·德津縣·鎭岑縣·儒城縣·石城縣·定山縣·尼山縣·新豊縣爲屬縣.

○洪州, 仍爲知州事官, 以槥城郡·大興郡·結城郡·高丘縣·保寧縣·興陽縣·新平縣·德豊縣·伊山縣·唐津縣·餘美縣·黎陽縣·貞海縣·蘇泰縣爲屬縣.

○改金州爲知州事官, 以義安郡·咸安郡·漆原縣·熊神縣·合浦縣爲屬縣.

○改密城爲知郡事官, 以昌寧郡·淸道郡·玄風縣·桂城縣·靈山縣·豊角縣爲屬縣.

○改狹州爲知州事官, 以嘉樹縣·三岐縣·山陰縣·丹溪縣·加祚縣·感陰縣·利安縣·新繁縣·冶爐縣·草溪縣·居昌縣·咸陽縣爲屬縣.[276)]

○改吉州爲知州事官, 以臨河郡·禮安郡·義興郡·一直縣·殷豊縣·甘泉縣·奉化縣·安德縣·豊山縣·基州縣·興州·順安縣·義城縣·基陽縣爲屬縣.

○改東州爲知州事官, 以金化郡·朔寧縣·平康縣·漳州縣·僧嶺縣·利川縣·安峽縣·洞陰縣爲屬縣

○改平州爲知州事官, 以白州·洞州爲屬縣.

---

275) 童城·通津·守安의 3縣은 屬縣으로의 來屬時期가 기록되어 있지 않으나 是年으로 추측된다.

276) 陝州가 知州事官으로 승격한 事由에 관한 기사로 다음이 있다. a의 皇妃는 皇妣의 誤字이지만, 그 조차 b에 의하면 ~~忝字~~와 같이 고쳐야 옳게 될 것이다(李齊賢史論→태조 18년 12월, 文景鉉 2000년 ; 金甲童 2006년, 校正事由).

· a 지11, 지리2, 陝州, "顯宗, 由大良院君卽位, □□□□[缺落], 又以皇妃孝肅王后[~~皇祖妣神聖皇后李氏~~]之鄕, 陞知陝州事, 屬縣十二". 여기에서 記事의 一部가 脫落된 것 같다.

· b『삼국유사』권2, 紀異2, 金傅大王, "… 初, 王納土來降, 太祖喜甚待之厚禮, 使告曰. '今王以國與寡人其爲賜大矣. 願結婚於宗室以永甥舅之好'. 王答曰, '我伯父億廉[注, 王之考孝宗角干追封神興大王之弟也]. 有女子, 德容雙美. 非是無以備內政'. 太祖娶之, 是爲神成王后金氏[注, 本朝登仕郎金寬毅所撰'王代宗錄'云, '神成王后李氏本慶州大尉李正言爲俠州守[陜州守]時, 太祖幸此州納爲妃, 故或云俠州君[陜州君]. 願堂玄化寺, 三月二十五日立忌, 葬貞陵, 生一子安宗也." 此外二十五妃主中不載金氏之事, 未詳. 然而史臣之論亦以安宗爲新羅外孫, 當以史傳爲是".

· c『경상도지리지』, 尙州道, 陜川郡, "在新羅時, 稱江陽郡. 在高麗靈宗[顯宗]時, 天禧己未, 以顯宗母英惠[仁惠]大妃鄕, 改號升爲陝州". 여기에서 靈宗은 顯宗의, 英惠는 仁惠의 誤字이지만, 陞格事由는 적절하지 않을 것이다(열전1, 后妃1, 景宗 獻貞王后 皇甫氏).

○改古阜郡爲知郡事官，以保安縣·扶寧縣·井邑縣·大山郡·仁義縣·尙質縣·高敞縣爲屬縣.277)

○改靈光郡爲知郡事官，以壓海郡·長城郡·森溪縣·陸昌縣·海際縣·牟平縣·咸豊縣·臨淄縣·長沙縣·茂松縣爲屬縣.

○改朗州安南都護府爲知靈巖郡事官，以黃原郡·道康郡·昆湄縣·海南縣·竹山縣·定安縣爲·遂寧縣屬縣.

○改寶城郡爲知郡事官，以同福縣·福城縣·兆陽縣·南陽縣·玉果縣·泰江縣·荳原縣·會寧縣·長澤縣爲屬縣.

○改金城郡爲知郡事官.278)

○改谷州爲知郡事官，以新恩縣·俠溪縣·遂安縣爲屬縣.

○改禮州爲防禦使官，以甫城府·英陽郡·平海郡·盈德郡·青鳧縣·松生縣爲屬縣.

○改蔚州爲防禦使官，以東萊縣·巘陽縣·機張縣爲屬縣.

○改梁州爲防禦使官，以東平縣爲屬縣.

○改交州爲防禦使官，以長楊郡·嵐谷縣·通溝縣·岐城縣·和川縣爲屬縣.

○溟州，仍爲防禦使官，以羽溪縣·旌善縣·連谷縣爲屬縣.

○改豊州都護府爲防禦使官.

○改和州安邊都護府爲防禦使官.

○改朝陽鎭爲連州防禦使官.

○改龜州·麟州·朔州·成州爲防禦使官.

○高州·湧州·長州·龍州·延州·博州·嘉州·郭州·鐵州·德州·撫州·順州·渭州·泰

---

277) 이는 다음의 기사를 전재하였는데, ~~添字~~와 같이 고쳐야 옳게 될 것이다(尹京鎭 2003년).

· 지11, 지리2, 古阜郡, "古阜郡本百濟古沙夫里郡, 新羅景德王, 改今名. 太祖十九年, 稱瀛州觀察使~~瀛州~~. 光宗二年, 爲安南都護府, 顯宗十年~~九年~~, 復今名". 여기에서 936년(태조19) 後百濟를 정복한 후 지역을 개편할 때 古阜郡은 영주(瀛州)로 改稱되었지만 관찰사가 임명된 것은 아니었다. 또 卽位年 稱元法을 사용했던 고려시대의 '顯宗十年'은 踰年稱元法으로 편찬된 『고려사』에서는 '顯宗九年'으로 改書되어야 하였지만, 그러하지 못했던 것 같다.

278) 이때 金城郡(현재의 北韓 江原道 昌道郡, 옛 金化郡)에 관한 기사는 다음과 같이 두 종류의 내용이 판가름하기 어렵다(尹京鎭 2008년).

· 지12, 지리3, 交州道 交州 金城郡, "金城郡本高句麗母城郡[一云也次忽], 新羅景德王, 改爲益城郡, 後更今名. 顯宗九年, 陞爲郡. 後降爲縣, 來屬".

· 『세종실록』 권153, 지리지, 江原道 淮陽都護府 金城縣, "… 本高句麗母城郡, 新羅改益城郡. 高麗 顯宗戊午9年, 改金城縣, 爲交州任內".

州·殷州·肅州·慈州·文州, 仍爲防禦使官.

○以白翎鎭·耀德鎭·長平鎭·龍津鎭·雲林鎭·永豊鎭·隘守鎭爲鎭將官.

○改江華郡爲縣令官, 以鎭江縣·河陰縣·喬桐縣爲屬縣.

○改嘉林郡爲縣令官, 以西林郡·庇仁縣·鴻山縣·藍浦縣·韓山縣爲屬縣.

○改南海郡爲縣令官, 以蘭浦縣·平山縣爲屬縣.

○改居濟郡爲縣令官, 以鵝洲縣·松邊縣·溟珍縣爲屬縣.

○改臨陂郡爲縣令官, 以澮美縣·富潤縣·沃溝縣爲屬縣.

○改進禮郡爲縣令官, 以富利縣·淸渠縣·朱溪縣·茂豊縣·珍同縣爲屬縣.

○改金壤縣爲縣令官, 以臨道縣·雲巖縣·碧山縣·歙谷縣爲屬縣.

○改高城縣爲縣令官, 以豢猳縣·安昌縣爲屬縣.

○改杆城縣爲縣令官, 以烈山縣爲屬縣.

○改翼嶺縣爲縣令官, 以洞山縣爲屬縣.

○改三陟縣·蔚珍縣·瓮津縣·鎭溟縣爲縣令官:地理志1·2·3轉載].

己巳[5日], 西女眞淩擧·渠伊等來, 獻皮·鐵甲及馬.

乙亥[11日], 敎曰, "禮記, 季春[仲春]之月, 省囹圄, 去桎梏,[279] 內外法司, 宜遵月令, 以導陽和, 用爲恒式".

○以盧戩爲中樞副使·上護軍.[280]

己卯[15日], 東女眞猱於率部落來, 獻馬及貂皮, 賜衣帶·貨物.

[某日, 都兵馬使奏, "興化鎭, 自經寇亂, 民戶並無牛畜, 乞借官牛, 以助農耕", 從之:節要·食貨2農桑轉載].

[癸未[19日], 雨土:五行3轉載].[281]

---

279) 이 구절은 다음의 자료에서 따온 것이기에, 季春(3月)은 仲春(2月)으로 고쳐야 옳게 될 것이다 (→是年 閏4月 某日의 脚注).

· 『禮記』, 月令第6, 仲春之月, "是月也, … 命有司, 省囹圄, 去桎梏, 毋肆掠, 止獄訟".

280) 이때의 上護軍은 勳官의 視正三品일 것이다(→현종 7년 6월 4일).

281) 雨土는 大氣層에 黃沙가 沈降하는 現象이다. 현재 中原에서는 2월에서 5월까지 걸쳐 발생하는데 4월이 가장 빈번하다고 하며, 그 범위는 華北地域에서 揚子江[長江]의 中下流까지 미친다고 한다. 또 일본 京都에서는 明日(20일) 아침부터 비가 내리다가 雷電을 동반한 큰 비가 내렸다고 한다.

· 『御堂關白記』, 寬仁 2년 2월, "廿日甲申, 從早朝雨降, 雷電一兩, 聲甚大也, 辰時鳴, 其後深雨, 未時許天晴".

甲申[20日], 門下省奏, "龍川[龍州]校尉朴鳴金, 願以所授邊功階職, 代授其父", 從之.[282)]

乙酉[21日], 加國內山川神祇勳號.

○西女眞厤捫·厤閼達等來, 獻土馬, 賜貨物.

丙戌[22日], 契丹張正等四人來投.

[己丑[25日], 京牧監羊, 生子, 一首兩身:五行1轉載].

[是月, 新定諸州府員奉行六條. 一. 察民庶疾苦, 二. 察黑綬長吏能否, 三. 察盜賊姦猾, 四. 察民犯禁, 五. 察民孝弟廉潔, 六. 察吏錢穀散失:選擧3選用守令轉載].

三月甲午朔[大盡,丙辰], 契丹宋匡襲·伊蓋等十餘人來投.

癸卯[10日], 收瘞郊坼[郊圻]餓死人骸骨.[283)]

甲辰[11日], 以鄭忠節·金承渭並爲兵部尙書.

○東女眞阿梨古·西女眞淩渠等百餘人來, 獻方物, 並賜爵. 又賜匹叚[匹段].

庚申[27日], 白氣貫日.

[是月, 某等造成天安府奉先弘慶寺三年次:追加].[284)]

夏四月[甲子朔小盡,丁巳], [丙寅[3日], 雨土:五行3轉載].

戊辰[5日], 王后金氏[成宗之女]薨于玄德宮. [謚[諡]元貞, 葬和陵:節要轉載].[285)]

庚午[7日], 黃霧四塞, 凡四日.

○京城多患·瘴疫, 王分遣醫, 療之.

[丙子[13日], 竹州民家, 猪生子, 一首二身, 四耳八足:五行1豕禍轉載].

[庚辰[17日], 王師智宗入寂於原州居頓寺, 年八十九, 法臘七十二. 贈國師, 謚曰圓空, 塔曰勝妙之塔:追加].[286)]

---

282) 龍川은 『고려사절요』 권3에는 龍州로 되어 있는데, 후자가 옳을 것이다.

283) 여러 판본의 『고려사』에서 坼으로 되어 있으나 『고려사절요』 권3에는 圻로 되어 있는데, 後者가 옳을 것이다(東亞大學 2008년 2책 304面).

284) 이는 天安市 成歡邑 大興里 弘慶寺 舊址에서 출토된 瓦銘, '戊午三月日奉先弘慶寺左徒造'에 의거하였다(趙源昌 2017년).

285) 이와 유사한 기사가 열전1, 顯宗妃, 元貞王后金氏에도 수록되어 있다. 이날은 율리우스曆으로 1018년 4월 23일(그레고리曆 4월 29일)에 해당한다. 또 和陵은 失傳되어 현재 어디에 있는지를 알 수 없다.

286) 이는 「原州居頓寺圓空國師勝妙塔碑」에 의거하였다. 이날은 율리우스曆으로 5월 5일(그레고리曆

辛巳18日, 東女眞仇陁囉·西女眞渠逸等二十餘人來, 獻土馬·器仗, 賜衣帶·貨物.
○西女眞木史·木開等二百戶來投.

閏[四]月癸巳朔小盡,丁巳, [某日, 門下侍中劉瑨等奏, “民庶疫癘, 陰陽愆伏, 皆刑政不時所致也. 謹按月令, 三月節~~二月節~~, 省囹圄, 去桎梏, 無肆掠, 止獄訴~~獄訟~~. 四月中氣, 挺重囚~~斷薄刑,, 決小罪~~, 出輕繫. 七月中氣, 繕囹圄, 具桎梏, 斷薄刑~~禁止姦~~, 決小罪~~愼罪邢~~.[287] 又按獄官令, 從立春至秋分, 不得奏決死刑, 若犯惡逆, 不拘此令,[288] 然恐法吏, 未盡審詳, 請今後, 內外所司, 皆依□丹令施行”, 從之:節要轉載].[289]
戊戌6日, 東女眞酋長阿廬大等來, 獻土馬·貂鼠皮, 賜衣物.
癸卯11日, 宋江南人王肅子等二十四人來, 獻方物.
是月, 修開國寺塔, 安舍利, 設戒壇, 度僧三千二百餘人.

五月壬戌朔大盡,戊午, 乙丑4日, 契丹史夫來投.
戊寅17日, [小暑]. 飯僧十萬.
○東女眞~~東女眞~~牛那特·烏伊弗等三十餘人來, 獻土馬·兵器, 並賜爵及衣物.

5월 11일)에 해당한다.

287) 이 구절을 『禮記』 月令第6의 내용과 비교해 보면, ~~添字~~와 같은 차이가 있는데, 이는 唐代에 改書된 『月令』의 내용과 같다(『續修四庫全書』 권885, 唐月令註). 이러한 唐의 『月令』은 宋 仁宗代에 『禮記』 月令으로 환원되었다고 한다(蔡雄錫 2009년 537面).

288) 이 구절은 다음의 자료에서 따온 것이다.
- 『唐律疏議』 권30, 斷獄, “諸立春以後, 秋分以前, 決死刑者, 徒一年, … 疏議曰, 依獄官令, 從立春至秋分, 不得奏決死刑, 違者徒一年, 若犯惡逆以上及奴婢·部曲, 殺主者, 不拘此令”.
- 『자치통감』 권19, 漢紀11, 武帝元狩 4년(BC119) 是歲, “… 會春, 河內太守王溫舒頓足歎曰, 嗟乎, 令冬月益展一月, 足吾事矣[師古曰, 立春之後不復行刑, 故云然. 展, 伸也]”.

289) 이와 관련된 기사로 다음이 있는데, 字句에 차이가 있다.
- 지39, 刑法2, 恤刑, “門下侍中劉瑨等奏, ‘民庶疫厲癘, 陰陽愆伏, 皆刑政不時, 所致也. 謹按月令, 三月節, 省囹圄, 去桎梏, 無肆掠, 止獄訴. 四月中氣, 挺重囚, 出輕繫. 七月中氣, 繕囹圄, 具桎梏, 斷薄刑, 決小罪. 又按獄官令, 從立春, 至秋分, 不得奏決死刑, 若犯惡逆, 不拘此令. 然恐法吏, 未盡審詳, 伏請今後, 內外所司, 皆依月令施行', 從之”.
- 열전7, 劉瑨, “拜檢校太師·守門下侍中. 與同列奏, ‘民庶疫癘, 陰陽愆伏, 皆由刑政不時也, 謹按月令, 三月節, 省囹圄, 去桎梏, 無肆掠, 止獄訴. 四月中氣, 挺重囚, 出輕繫. 七月中氣, 繕囹圄, 具桎梏, 斷薄刑, 決小罪. 又按獄官令, 從立春至秋分, 不得奏決死刑, 若犯惡逆者, 不拘此令. 然恐法吏, 未盡詳審, 伏請今後, 內外所司, 皆依□丹令施行', 從之”. 여기에서 添字가 탈락되었고, 詳審은 審詳과 뜻이 같다.

己卯[18日], 以姜邯贊爲西京留守·內史侍郎□□□□□[~~同內史門下~~]平章事,[290] 梁積爲禮部尙書兼中樞使, [知中樞院事]李龔爲翰林學士承旨, 徐訥爲[□□□□□[~~吏部侍郞兼~~]]左諫議大夫.[291] [□□[~~是時~~], 王手書□□□[~~姜邯贊~~]告身後曰,[292] "庚戌年[顯宗1年]中有虜塵, 干戈深入漢江濱, 當時不用姜公策, 擧國皆爲左衽人". 世多榮之:節要·列傳7姜邯贊轉載].

庚辰[19日], 佐尹康閏奉等十九人, 以戰功, 增職一級.

○西北界螟.[293]

壬午[21日], 敎△[曰], "乙卯年[顯宗6年], 契丹入寇之時, 諸州鎭將卒有功績者, 增級, 死者, 優加賻贈".

癸未[22日], 賜黃靖等及第.[294]

甲申[23日], 西女眞陁億·實弗等十人來, 獻馬及甲鍪, 並增職賜物.

[是月, 制, "文武官遭喪, 第十三月, 初忌日, 小祥齋, 給暇三日, 其月晦日小祥祭, 給暇三日. 第二十五月, 二忌日大祥齋, 給暇七日, 其月晦日大祥祭, 給暇七日. 自翼日計六十日, 至二十七月晦日禫祭, 給暇五日, 二十八月一日, 以吉服正角, 出官, 行公":禮6五服制度轉載].

六月[壬辰朔小盡,己未], 乙未[4日], 以蔡忠順爲吏部尙書·參知政事.

[丁酉[6日], 流星出天市, 入北斗:天文1轉載].

戊戌[7日], 西北女眞加乙弗等三十人來, 獻馬及兵仗.

己亥[8日], 以[知中樞院事]李龔·周佇爲左·右常侍[~~左·右散騎常侍~~][295].

---

290) ~~添字~~는 열전7, 姜邯贊에 의거하였다.

291) ~~添字~~는 열전7, 徐熙, 訥에 의거하였다.

292) 唐帝國의 告身과 蔭敍[恩蔭·門蔭·蔭補·任子]에 대한 설명으로 다음이 있다.
· 『자치통감』 권200, 唐紀16, 高宗永徽 6년(655) 10월, "己酉, … [禮部尙書]許敬宗奏, '故特進·贈司空王仁祐告身尙存, 使逆亂餘孽猶得爲蔭[胡三省注, 唐制, 凡受官者皆給以符, 謂之告身. 司空, 正一品. 凡三品以上, 蔭及曾孫], 並請除削', 從之".

293) 이해에 宋에서는 江陰軍(現 江蘇省 江陽市)에 蝗虫의 幼虫인 蝻(蝗子, immature locusts)이 있었다고 한다.
· 『송사』 권8, 본기8, 眞宗3, 天禧 2년, "是歲, 江陰軍蝻, 不爲災".
· 『자치통감』 권6, 秦紀1, 始皇帝 3년(BC244), "七月, 蝗, 疫[胡三省注, 蝗子始生曰蝝, 翅成而飛曰蝗, 以食苗爲災. 疫, 札瘥瘟也]".

294) 이와 관련된 기사로 다음이 있다.
· 지27, 선거1, 科目1, 選場, "[顯宗]九年五月, [中樞院直學士·]給事中金猛知貢擧, 取進士, 賜乙科黃靖·丙科四人·同進士四人·明經十人及第".

戊申17日, [立秋]. 始創大慈恩玄化寺, 以資考妣冥福.

庚戌19日, 彗見, 長四丈餘.

[→彗出北斗第二星, 光射文昌·天牢, 長四丈餘:天文1轉載].296)

癸丑22日, 東女眞尼骨伊·西女眞諸毛等來朝.

庚申29日晦, 兵部奏, "將軍楊渥·中郎將咸進等四百四十九人, 皆有邊切邊功, 增職一級", 從之.

秋七月辛酉朔小盡,庚申, [丁卯7日, 月犯心後星:天文1轉載].

[辛未11日, 飛星出王良過壁壁,297) 聲如雷, 群犬驚吠:天文1轉載].

[癸酉13日, 以安東大都護府, 改慶州大都護府:追加].298)

乙亥15日, 大醮于毬庭.

[→大醮于毬庭. 國家故事, 往往遍祭天地及境內山川于闕庭, 謂之醮:禮5雜祀轉載].299)

丁丑戊寅18日, 王子生於延慶院, 賜名曰亨, 改院爲宮, 仍賜禮物.300)

---

295) 左·右常侍는 左·右散騎常侍의 약칭일 것이다. 이는 前年 12월 2일(丙寅)에 左散騎常侍가, 明年 12월 16일(戊戌)에 右散騎常侍가 존재하고 있음을 통해 알 수 있다(→明宗 11년 12월 28일).

296) 宋에서는 20일(辛亥) 彗星이 나타나 37일간 관측되다가 소멸하였다고 한다(『송사』 권8, 본기8, 眞宗3, 天禧 2년 6월 辛亥·권56, 지9, 천문9, 彗星). 또 이날(庚戌) 일본의 京都에서도 彗星이 관측되었다(高麗曆과 同一, 日本史料2-13冊 329面).

· 『小右記』, 寬仁 2년 6월, "十九日庚戌, 今夜, 亥方有長星, 彗星云々, 司天臺勘文. 廿日庚戌, 長星如去夜. … 廿九日庚申, … 彗星彌長, 此變異前跡, 不吉云々".

· 『左卿記』, 寬仁 2년 6월, "廿三日甲寅, … 自去十八日, 戌·亥刻, 彗星出. 七星乃從上, 第四星乃下當二坐, 長一丈許, …".

· 『中右記』, 長承 1년 9월 6일, "延喜以後彗星見年々, … 寬仁二年六月十九日, …".

· 『一代要記』, 後一條, 寬仁 2년 6월, "十九日彗星見, 長二丈餘, 經數日".

297) 璧은 壁[壁星]의 오자일 것이다.

298) 이는 『동도역세제자기』 ; 지11, 지리2, 東京留守官 ; 『경상도지리지』, 慶尙道, 慶州府 ; 『世宗實錄』 권150, 地理志, 慶州府 등에 의거하였다.

299) 이 기사의 冒頭에 七月이 있으나 九年七月로 고쳐야 옳게 될 것이다.

300) 세가6, 靖宗, 總論에 의하면 靖宗 亨은 1018년(현종9) 7월 戊寅(18일)에 出生하였다고 되어 있고, 이 기사의 丁丑은 前日인 17일이다. 靖宗의 誕日은 18일(戊寅)이 분명할 것인데, 이 기사에서 丁丑으로 된 것은 『고려사』를 편찬할 때 靖宗實錄의 내용을 편찬자가 자신의 주관에 따라 축약시키면서 날짜[日辰]를 제대로 정리하지 못하였던 결과일 것이다. 이는 각종 墓誌銘에 수록되어 있는 忌日(忌辰)과 『고려사』의 그것이 차이를 보이는 사례를 통해 확인할 수 있다. 또 이와 유사한 기사가 열전1, 顯宗妃, 元城太后元成太后金氏에도 수록되어 있는데, 元城은 元成의

是月，修濟危院.

○東女眞烏頭朱等三十餘人來，獻土馬·兵仗，並賜衣物.

八月庚寅朔大盡,辛酉，壬辰3日，以晋含祚爲戶部尙書.

[某日，敎□曰，“自乙卯年顯宗6年以來，北鄙戰亡將卒父母妻子，賜茶·薑·布物，有差”:兵1五軍轉載].[301]

[某日，判制，“凡官吏，自正月初一日，至十二月晦日，實仕及諸暇日數，具錄呈考功，謂之年終都歷”:選擧3考課轉載].[302]

九月庚申朔大盡,壬戌，戊寅19日，以朱德明爲工部尙書.

[某日，御宣化門，集三衛·鷹揚軍·功臣子孫及文班六品以下，有武藝者，試定科等:節要·兵1五軍轉載].

丁亥28日，內史侍郞平章事金審言卒.[303] [輟朝三日，謚文安:列傳6金審言轉載].

[審言，初，從常侍~~散騎常侍~~崔暹學，暹坐寐夢，審言，頂上出火氣，屬于天，心異之，妻以女．□□□~~成宗朝~~登第，歷遷臺省，出牧外州，務農愛民，甚獲時譽:節要轉載].[304)]

오자일 것이다.

301) 이 기사는 『고려사절요』 권3에 다음과 같이 축약되어 있다.

· “敎，自乙卯年顯宗6年以來，北鄙戰亡將卒父母妻子，賜物有差”.

302) 여기에서 年終都歷은 官人의 所屬官署가 年末에 考課評定을 행하여 銓注機關[考功司，吏·兵部，政房]에 제출한 年末都歷狀[歲抄都歷狀]을 가리키는 것 같다.

· 『정종실록』 권2，1년 12월 丁酉朔，“門下府上疏，請復都目之政，從之．疏曰，竊謂歲末循資之政尙矣．百官員吏則考功主之，成衆愛馬則吏兵曹主之，每當歲杪，將都歷狀，覈其勤慢，勤者陞之，慢者罷之，使新授者，得受翼年之祿，以供其年之事，名之曰歲末都目政．苟或不然，待頒祿而除授，則瘝官廢職者，僥倖受祿，都目受職者，不得其祿，豈任官頒祿之義乎？且勸課農桑，不可失時，守令交代，適在農時，迎送之弊，亦且不小．今殿下於十一月二十日，令攸司受都目狀，以備歲抄除授，中外罔不見聞，而乃淹留式至于今，其於令出惟行之義何如？伏望殿下，一依成憲，行除授之法”.

· 『禮記』 권4，王制第5，“冢宰制國用，必於歲之杪，五穀皆入，然後制國用[鄭玄注，制國用，如今度之經用，杪，末也]”.

· 『목은문고』 권9，周官六翼序，“比年多苦以來，糧斛甲兵則別置局，選能者以主之．典理之黜陟百司，軍簿之約束諸衛，版圖之出納財賦，典法之平決刑獄，禮儀之朝會祭祀，典工之工匠造作，考工之都曆~~都歷~~，都官之私人，視爲故事而已．至於百司庶府，能探說官之故，而力行者蓋寡”．여기에서 ~~添字~~와 같이 고쳐야 옳게 될 것이다(朴龍雲 1995년b).

303) 이날은 율리우스曆으로 1018년 11월 8일(그레고리曆 11월 14일)에 해당한다.

304) 이와 같은 기사가 열전6，金審言에도 수록되어 있는데，~~添字~~는 이에 의거하였다.

○東女眞尼亏弗來朝, 增授鄕職.
○以尹徵古爲中樞使[中樞院使].
○赦□[~~曰~~], "犯死罪者免死, 杖流遠地, 赦流□[~~罪~~]以下".

冬十月[庚寅朔[小盡,癸亥], 熒惑入大微[~~太微~~], 犯上將:天文1轉載].
[戊戌[9日], 雨雹·虹見:五行1雨雹轉載].
丙午[17日], 右僕射金老玄卒.[305)] [老玄:節要轉載], 以勤幹稱, 每有營造, 必令監督.
丁未[18日], 賜龜州女眞木史等三十四人, 絹·紬·布五百餘匹, 以賞捕賊功.
戊申[19日], 以內史侍郞平章事姜邯贊爲西北面行營都統使.
辛亥[22日], 移御壽昌宮.
○東西女眞酋長鹽之渠·伊那·徐乙那等五十人來, 獻馬及甲胄·兵仗, 並賜衣物.
是月, 遣禮賓少卿元永如契丹, 請和.
○行宋天禧年號.

十一月[己未朔大盡,甲子], 癸亥[5日], 輔臣, 以彗星已滅, 表請御正殿, 復常膳, 從之.
丙寅[8日], 以~~全仁輔~~[~~全輔仁~~]爲尙書左僕射, 韓彬卿爲□□[~~翰林~~]侍講學士.[306)]
○以于山國被東北女眞所寇, 廢農業, 遣李元龜, 賜農器.[307)]
[丁丑[19日], 月犯軒轅:天文1轉載].

十二月[己丑朔大盡,乙丑], 辛卯[3日], 東北女眞阿次·烏乙弗等十四人來, 獻馬及兵器.
壬辰[4日], 契丹人王遂來投.
戊戌[10日], 契丹[駙馬:節要轉載]蕭遜寧[~~蕭排押~~][308)], 以兵十萬來侵, 王以[內史侍郞]平章事

---

305) 이날은 율리우스曆으로 1018년 11월 27일(그레고리曆 12월 3일)에 해당한다.
306) ~~添字~~와 같이 고치고, 追加하여야 옳게 될 것이다.
307) 이 기사는 지33, 食貨2, 農桑에도 수록되어 있다. 이때 李元龜의 관직은 알 수 없으나 그는 1010년(현종1) 11월 24일(己亥) 무렵 通州에서 契丹軍을 막았던 防禦使였다.
308) 이 기사의 蕭遜寧(蕭恒德의 小名)은 그의 兄인 蕭排押(혹은 蕭排亞, 字는 韓寧, 韓隱, 景宗 耶律賢의 第2壻)의 오류이다.
·『요사』 권16, 본기16, 聖宗7, 開泰 10년 10월, "丙辰[27日], 詔以東平郡王蕭排押爲都統, 殿前都點檢蕭虛列爲副統, 東京留守耶律八哥爲都監伐高麗".
·『요사』 권80, 열전10, 耶律八哥, "[開泰]七年, 上命東平王蕭排押帥師伐高麗, 八哥爲都監, 至開京,

姜邯贊爲上元帥, 大將軍姜民瞻副之, [內史舍人朴從儉·兵部郎中柳參爲判官:列傳7轉載]. 帥兵[二十萬八千三百, 屯寧州:節要轉載], 至興化鎭, [選騎兵一萬二千, 伏山谷中, 又以大繩貫牛皮, 塞城東大川, 以待之, 賊至, 決塞發伏:節要轉載], 大敗之. 遜寧[~~排押~~]引兵, 直趨京城, 民瞻追及於慈州[來口山:節要轉載], 又大敗之. [侍郎趙元又擊於馬灘, 斬獲萬餘級:節要·列傳7姜邯贊轉載].

辛亥[23日], [立春]. 奉太祖梓宮, 移安于負兒山[三角山]香林寺.[309]

甲寅[26日], 京城戒嚴.

丙辰[28日], 赦流罪以下, [蠲州郡二年以前逋欠租:節要·食貨3恩免之制轉載].

丁巳[29日], 彗見.

[→彗見于天市垣·宗正·宗人·市樓閒, 指西:天文1轉載].

[是年, 定凡州府郡縣, ◑千丁以上, 戶長八人, 副戶長四人, 兵正·副兵正各二人, 倉正·副倉正各二人, 史二十人, 兵倉史各十人, 公須·食祿史各六人, 客舍·藥店·司獄史各四人. ◑五百丁以上, 戶長七人, 副戶長二人, 兵正·副兵正·倉正·副倉正各二人, 史十四人, 兵倉史各八人, 公須·食祿史各四人, 客倉·藥店·司獄史各二人. ◑三百丁以上, 戶長五人, 副戶長·兵倉正·副兵倉正各二人, 史十人, 兵倉史各六人, 公須·食祿史各四人, 客舍·藥店·司獄史各二人. ◑百丁以下, 戶長四人, 副戶長·兵倉正·副兵倉正各一人, 史六人, 兵倉史各四人, 公須·食祿史各三人, 客舍·藥店史各一人. ○東西諸防禦使·鎭將·縣令官, ◑千丁以上, 戶長六人, 副戶長·兵倉正·副兵倉正各二人, 史十人, 兵倉史各六人, 公須·□□[~~食祿~~]史各四人,[310] 客舍·藥店·司獄史各二人. ◑百丁以上, 戶長四人, 副戶長以下, 並同千丁以上州縣, ◑百丁以下, 戶長二人, 副戶長·兵倉正·副兵倉正各一人, 史六人, 兵倉史各四人, 公須·客舍·藥店·司獄史各二人:選擧3鄕職轉載].

[○定長吏公服. 州府郡縣戶長, 紫衫, 副戶長以下, 兵倉正以上, 緋衫, 戶正以

大掠而還".

· 『요사』 권115, 열전45, 二國外記, 高麗, "[開泰]七年, "詔東平郡王蕭排押爲都統, 蕭虛烈爲副統, 東京留守耶律八哥爲都監, 復伐高麗".

309) 이와 관련된 자료로 다음이 있는데, ~~添字~~와 같이 고쳐야 옳게 될 것이다.

· 『신증동국여지승람』 권3, 漢城府, 佛宇, "香林寺, … [顯宗]九年, 契丹蕭遜寧[~~蕭排押~~]來侵, 又移安于是□[~~寺~~], 十年復葬顯陵".

310) 여기에서 ~~添字~~가 탈락되었다(具山祐 2018년b).

下, 司獄副正以上, 綠衫, 幷靴笏. 州府郡縣史, 深靑衫, 兵倉史諸壇史, 天碧衫, 無靴笏:輿服1長吏公服轉載].

[○判[制], "諸道外官, 戶長擧望時, 考其差年久近, 壇典行公年數, 具錄申省, 方許給貼":選擧3鄕職轉載].[311)]

[○降京山府爲知京山府事官:追加].[312)]

[○築安義鎭城:轉載].[313)]

[增補].[314)]

己未[顯宗]十年, 宋天禧三年, [契丹開泰八年], [西曆1019年]

1019년 2월 8일(Gre2월 14일)에서 1020년 1월 27일(Gre2월 2일)까지, 354일

春正月[己未朔大盡,丙寅], [庚申[2日], [上元帥]姜邯贊以丹兵逼京, 遣兵馬判官金宗鉉, 領兵

---

311) 여기에서 差年久近은 官人의 陞級[陞轉]에서 적용되는 循資格에 따른 考課評定의 期間을 가리키는데, 이에는 1년 단위로 계산하는 差年法, 箇月數로 계산하는 箇月法, 日數로 계산하는 到宿法의 3種이 있었던 것 같다(朴龍雲 1995년b).
· 『태종실록』 권24, 12년 11월 辛丑[20日], "議政府上都目敍用之法, 啓曰, '前朝盛時, 專用差年, 至恭愍朝, 雜用到宿, 及恭讓朝, 又用箇月, 岐而爲三. 國朝因之, 各殿行首·牽龍·政府錄事·知印, 用差年, 內侍·茶房·侍衛各司, 用到宿, 各司吏典, 用箇月. 以故用差年·到宿者, 每歲只一二人去官, 用箇月者, 一歲去官, 多至四五人. 是則吏典反重, 乞以吏典, 依錄事·知印例, 用差年.' 從之".

312) 이는 다음의 자료에 의거하였는데, 京山府와 知京山府事의 差異는 前者는 府使(4品以上)가, 後者는 知京山府事(5品以上)가 파견되어 邑格에서 차이가 있다.
· 『경상도지리지』, 尙州道, 星州牧官, "天禧戊午, 降爲知京山府".

313) 이는 다음의 자료를 전재하였다.
· 지12, 지리3, 安義鎭, "顯宗九年, 築城".

314) 이해의 형편에 대해서 契丹 側의 자료에는 다음과 같이 기록하였다.
· 10월 27일(丙辰), 詔勅을 내려 東平郡王 蕭排押을 都統으로, 殿前都點檢(親衛軍의 長) 蕭虛列을 副都統으로, 東京[遼陽府]留守 耶律八哥를 都監으로 삼아 高麗를 征伐하게 하였다. 이어서 高麗의 將帥와 官吏[守吏]를 타일러 무리를 이끌고 歸附하는 者는 후한 賞을 주고, 굳게 지키며 對抗하는 者[堅壁相拒者]는 후일 후회해도 소용이 없을 것[追悔無及]이라고 하였다(『요사』 권16·권80耶律八哥·권115, 高麗).
· 12월 某日, 蕭排押 등이 高麗와 茶·陀의 2河에서 싸웠는데, 遼軍이 失利하여 天雲·右皮室 2軍이 물에 빠져 죽은 者가 심히 많았고, 遙輦帳詳穩[長官] 阿果達·客省使 酌古·渤海詳穩[長官] 高淸明·天雲軍詳穩[長官] 海里 等이 죽었다고 하였다(『요사』 권16·권80, 耶律八哥·歐里思·권115, 高麗).

一萬, 倍道入衛京城. 東北面兵馬使亦遣兵三千三百, 入援:節要轉載].[315]

辛酉3日, 蕭遜寧~~蕭排押~~至黃州新恩縣,[316] 去京城百里, 王命收城外民戶入內, 淸野以待. 遜寧~~排押~~遣耶律好德賫書, 至通德門, 告以回軍, 潛遣候騎三百餘, 至金郊驛. 我遣兵一百, 乘夜掩殺之.

丙子18日, 東女眞酋長于那等來朝.

[○月犯心星:天文1轉載].

[辛巳23日, 契丹回兵, 至漣·渭州, 姜邯贊等掩擊, 斬五百餘級:節要·列傳7姜邯贊轉載].[317]

[乙酉27日, 赤氣竟天:五行1轉載].

[是月, 定新及第榮親之法, 無兩親者, 代以待養父母·妻父母, 皆無, 則代以伯叔父母:選擧2崇奬轉載].

二月己丑朔小盡,丁卯, 丹兵過龜州, □姜邯贊等邀戰, 大敗之, 生還者僅數千人.

[→己丑朔, 丹兵過龜州, □姜邯贊等, 邀戰於東郊, 兩軍相持, 勝敗未決. 兵馬判官金宗鉉引兵赴之, 忽風雨南來, 旌旗北指, 我軍乘勢奮擊, 勇氣自倍. 丹兵奔北, 我軍追擊之, 涉石川, 至于盤嶺, 僵尸蔽野, 俘獲人口·馬駝·甲冑·兵仗, 不可勝數, 生還者, 僅數千人. 丹兵之敗, 未有如此時之甚. 丹主聞之, 大怒, 遣使責遜寧~~排押~~曰, "汝輕敵深入, 以至於此, 何面目見我乎? 朕當皮面, 然後戮之":節要·列傳7姜邯贊轉載].

壬辰4日, 右僕射全輔仁卒. □□~~輔仁~~, 以明經出身, 累授學官, 時稱宿儒, 然性輕躁.[318]

甲午6日, 上元帥姜邯贊凱還, 王親迎于迎波驛.

---

315) 이때 일본 京都에서는 前日(正旦)에 잠시 비가 내렸던 것 같다.

·『小右記』, 寬仁 3년 1월, "一日己未, 四方拜云々 … 諸卿云, 已雨脚降, 强被用晴儀如何, 今間雨脚頗止, 仍諸卿更降自壇, 列立左兵衛陣, 侍從一人不見, 此間小雨, 太失儀式, 謝座·謝酒禮, 旣無作法耳, 如奔走, …".

316) 新恩縣은 後日 俠溪縣과 合倂하여 新溪縣(現 黃海北道 新溪郡 新溪邑 地域)이 되었던 것 같다.

317) 이때 일본 京都에서는 7일(乙丑), 10일(戊辰), 16일(甲戌), 19일(丁丑), 23일(辛巳)에 비와 눈이 내렸다고 한다.

·『御堂關白記』, 寬仁 3년 1월, "七日乙丑, … 入夜降雨, … 十日戊辰 … 從晩方深雨, … 十六日甲戌, 小雪降, 天晴, 有踏歌, … 廿三日辛巳, 午後雨降".

318) 이날은 율리우스曆으로 1019년 3월 13일(그레고리曆 3월 19일)에 해당한다.

[→三軍凱還, 獻俘獲. 王親迎于迎波驛. 結綵棚, 備音樂, 宴賜將士, 以金花八枝, 親插邯贊頭, 右執金觴, 左執邯贊手, 慰嘆不已, 邯贊拜謝不敢當. 遂改迎波爲興義, 賜驛吏冠帶, 與州縣吏同:節要轉載].

壬子[24日], [清明]. 宴將帥于明福殿, 幷勞三軍.

三月戊午朔[大盡,戊辰,319)], 日食.[320)]

辛酉[4日], 尙書左僕射文仁渭卒.[321)] [仁渭, 悃愊無華, 穆宗朝, 爲千秋宮使, 及誅金致陽, 宮僚多連坐誅竄, 仁渭獨以康兆之庇, 獲免:節要轉載].

癸亥[6日], 以通州都府署[都部署]庾伯符等一百七十三人, 力戰死敵, 命贈官, 賜其家米麥, 有差.[322)]

甲子[7日], 以異膺甫爲右僕射, 姜民瞻爲鷹揚□[軍]上將軍·柱國, 柳參爲禮賓卿, 金宗鉉爲禮部員外郞.

戊辰[11日], 鐵利國主那沙使阿盧太來, 獻土馬.

[某日, 禮司奏, "請禁衛士, 春月擐鐵甲", 從之:節要·兵2宿衛轉載].

甲申[27日], 慮囚, 疏決輕繫.[323)]

---

319) 지1, 天文1에는 壬午로 되어 있으나 戊午의 오자일 것이다.

320) 이날 宋에서도 일식이 있었고(『송사』 권8, 본기8, 眞宗3, 天禧 3년 3월 1일), 일본의 京都에서는 비가 내렸다고 한다(高麗曆과 同一, 日本史料2-15册 200面). 이날은 율리우스력의 1019년 4월 8일이고, 개경에서 일식 현상이 심했던 시간은 10시 12분, 食分은 0.39이었다(渡邊敏夫 1979年 304面).
- 『御堂關白記』, 寬仁 3년 3월, "一日戊午, 終日天陰雨, 日蝕不正現".
- 『小右記』, 寬仁 3년, "三月一日戊午, … 日蝕不正現".
- 『日本紀略』 後篇13, 後一條院, 寬仁 3년, "三月一日戊午, 日蝕".

321) 이날은 율리우스曆으로 1019년 4월 11일(그레고리曆 4월 17일)에 해당한다.

322) 都府署는 都部署[都部署司]의 오자인데, 『고려사절요』 권3에는 옳게 되어 있다. 都部署司는 해당지역의 軍兵[軍馬]을 총괄하는 官署로 추측된다.

323) 慮囚는 '罪囚의 犯罪事實을 기록한 罪狀을 자세히 살펴보면서 訊問한다'는 의미를 지니고 있고, 慮가 錄과 通用되기에 錄囚와 병용되었다고 한다. 『고려사』에서는 慮囚[慮內外囚]가 주로 사용되었고, 간혹 錄囚[錄內外囚]도 찾아지고, 『조선왕조실록』에는 並用되었다.
- 『후한서』 권71, 雋不疑傳第41, "… 京師吏民敬其威信. 每行縣錄囚徒還[注, 師古曰, 省錄之, 知其情狀有寃滯與不也. 今云慮囚, 本錄聲之去者耳. …], 其母輒問不疑, '有所平反, 活幾何人?' …".
- 『구당서』 권13, 본기13, 德宗下, 貞元 11년, "五月丁卯朔, 庚午[4日], 命有司慮囚, 旱故也".
- 『學林』 권3, 慮囚, "… 觀國案, 前漢·後漢皆稱錄囚, '唐史'·'五代史'改稱慮囚, 二字皆是也. 錄者省錄之也, 慮者謀議之也(四庫全書本20面右7行)".

夏四月戊子朔小盡,己巳, 癸卯16日, 禱雨于神祠.

[某日, 以遂安·象山·峽溪俠溪·新恩等縣民, 困於丹兵, 官給粮種:節要轉載].[324)]

[→以洞州管內遂安, 谷州管內象山·峽溪俠溪, 岑州管內新恩等諸縣, 民困於丹兵, 官給糧種:食貨2農桑轉載].[325)]

[某日, 內史侍郞平章事姜邯贊上表, 請老, 不允, 賜几杖:節要轉載], [令三日一朝:列傳7姜邯贊轉載].

丙辰29日晦, 鎭溟船兵都部署□使張渭男等獲海賊八艘, 賊所掠日本生口男女二百五十九人. 遣供驛令鄭子良, 押送其國.[326)]

· 『南齊書』 권6, 본기6, 明帝, 建武 2년, "夏四月己亥朔, 詔, 三百里內獄訟, 同集京師, 克日聽覽. 此以外委州縣訊察. 三署徒隷, 原遣有差".

324) 峽溪는 『고려사』에서는 俠溪와 함께 竝用되었으나 『고려사절요』에서는 前者로 쓰였다(지12, 지리3, 谷州 俠溪縣). 조선시대에는 俠溪(現 黃海北道 新溪郡 新溪邑 地域, 1945년 8월 解放前 多美面)로 사용되었다.

325) 이 記事에서 郡縣의 所屬關係는 무엇을 근거로 작성되었는지는 알 수 없으나 前年(현종9, 1018) 2월에 이루어진 지방제도 개편과는 어울리지 않는다. 곧 洞州는 平州에 소속되어 谷州에 예속된 遂安을 관할할 수 없었고, 知谷州事 管內에 있었다는 象山은 谷州의 別號이고, 俠溪는 谷州에 예속되어 있어 사실과 같다. 岑州는 牛峯縣의 別稱인 岑城을 가리키는 것 같지만, 谷州에 속한 新恩縣을 관할 수 없었다(지12, 지리3, 西海道 ; 『신증동국여지승람』 권41, 42, 黃海道).

326) 鎭溟都部署는 鎭溟都部署使에서 使가 탈락되었을 것이다. 또 鄭子良은 이 시기 이후에 일본에 파견되었을 것이다. 그는 같은 해 8월 무렵 對馬島에 도착하였던 것 같고, 이때 일본에서 일어난 일들은 간단히 정리하면 다음과 같다. 이때의 구체적인 사항을 정리한 성과를 참조하고, 고려의 戰艦을 묘사한 8월 3일의 내용을 注目하여 주기를 바란다(張東翼 2004년a·2009년a ; 石井正敏 2006年).

· 6월 15일(庚子, 高麗曆과 同一), 이보다 먼저 對馬判官代 長岑諸近이 母·妻子 등과 함께 刀伊에게 被擄되어 對馬島에 이르러서 혼자 탈출하였는데, 이날 가족을 찾기 위해 高麗로 向하였다고 한다(『小右記』 8월 3일條).
· 6월 29일(甲寅), 이보다 먼저 大宰府가 刀伊의 侵入으로 입은 피해, 軍功을 세운 인물, 各地에서의 戰鬪樣相, 3人의 포로에 대한 심문 등을 보고하였다(『小右記 ; 『小記目錄』, 異朝事).
· 7월 7일(壬戌), 對馬判官代 長岑諸近이 고려군에 의해 석방된 피로인 중 女子 10인을 데리고 돌아왔다(『小右記』 8월 3일條).
· 8월 3일(丁亥), 7월 13일(戊辰)에 발급된 大宰府의 보고서[解狀] 및 內藏石女의 情況報告書[申文]가 朝廷에 도착하여 이에 대한 심의가 이루어졌다. 內藏石女의 情況報告書[申文]에는 刀伊에 被擄된 이래 長岑諸近과 함께 歸還하기까지의 經過가 기록되어 있는데, 여기에는 高麗軍에 의한 刀伊의 邀擊·高麗 戰艦의 모습, 金海府에의 安置와 歡待 등이 언급되어 있다(『小右記』).
· 9월 4일(丁巳), 이보다 먼저 對馬島가 高麗使臣 鄭子良이 被擄人 約 270餘人 및 使臣團 一行 100餘人을 이끌고 도착했다는 것, 對馬島에 보내는 安東都護府의 牒을 가지고 왔다는 것 등을 다자이후[大宰府]에 보고하였다(『小右記』 9월 19일條·22일條·23일條).

五月[丁巳朔小盡,庚午], 丙寅[10日], 太白晝見.

[○自正月以來, 月行陽道. 至是, 犯左服次將星:天文1轉載].

[某日, 蠲獐山[~~章山~~]·解顔等縣, 今年租稅:節要轉載].

[→蠲道州[淸道]管內獐山[~~章山~~], 永州管內解顔等縣, 今年租稅:食貨3恩免之制轉載].[327)]

戊辰[12日], [夏至]. 契丹東京文籍院少監烏長公來見.

辛巳[25日], 以旱慮囚.[328)]

壬午[26日], 遣使如鐵利國, 報聘.

[是月, 京畿, 多虎:五行2轉載].

· 9월 19일(壬申), 僧侶 惟圓이 9월 4일 發給된 權大宰府帥[權帥] 藤原隆家의 書信을 藤原實資에게 가져왔다. 이 서신의 내용은 被擄人을 이끈 고려의 사신이 對馬島에 도착하였다는 것이다(『小右記』).

· 9월 22일(乙亥), 政務의 評議가 행해져[陣定] 大宰府가 보고한 고려 사신단이 對馬島에 도착한 것을 의논하였다. 議論에 앞서 藤原道長이 新羅 使臣團의 例에 의거하여 고려 사신단에게 絹·米 등을 지급하여 귀환시킬 것을 지시하였다(『小右記』 同日條·23일條·24일條 ; 『小記目錄』, 異朝事 ; 『左經記』 ; 『日本紀略後篇』 13 ; 『異國牒狀記』).

· 9월 23일(丙子), 權大納言 源俊賢이 藤原實資에게 書信을 보내어 22일의 결정에 대해 불만을 표시하고 고려 사신을 가급적 빨리 對馬島에서 귀국시킬 것을 주장하였다(『小右記』 ; 『小記目錄』, 異朝事).

· 9월 24일(丁丑) 源俊賢이, 藤原實資에게 書信을 보내어 가을 철 이후의 험난한 風波에 의한 漂沒을 걱정하며 對馬島에서 고려 사신에게 答申[返牒]·物品을 지급하여 귀국시킬 것을 거듭 주장하였다(『小右記』).

· 12월 30일(壬子), 大宰府가 고려 사신을 불러 질물한 일기[問高麗使日記]를 바치며, 對馬島로부터 筑前國으로 향하던 고려 사신단의 船舶 3艘 중 30人이 탑승한 1艘가 沈沒했던 것을 보고하고, 피로인의 송환은 安東都護府의 명령에 의한 것임을 말하였다(『小右記』 ; 『小記目錄』 異朝事).

327) 여기에서도 郡縣의 管轄에 문제가 있는 것 같은데, 道州는 淸道郡의 別號인데, 淸道가 그 보다 우세한 지역이었던 章山縣(1308년 12월 慶山縣으로 改稱됨)을 관할했던 흔적을 찾을 수 없고, 永州(現 慶尙北道 永川市)가 解顔縣을 管轄하였다면 章山縣을 뛰어넘은 越境地[飛地]를 가지고 있었던 셈이다. 이 역시 무엇인가 誤謬가 있었을 것이다(지11, 지리2, 慶尙道).

328) 일본 京都에서도 이달에 祈雨를 위한 奉幣使가 神社와 寺刹[社寺]에 파견되었다(日本史料 2-14册 257面).

· 『小右記』, 寬仁 3년 5월, "十六日壬申, 祈年穀使立. 中納言[藤原]行成卿行之. … 廿日丙子, …其後問案內云, 有可仰之命, 問其趣云, 有旱魃事而已者, 示可有異國凶賊事之由, … 廿四日庚辰, … 又云, 今年受領營非時事多, 倍例年, 又云, 午時被發遣丹生·貴布彌使".

· 『日本紀略』 後篇13, 後一條院, 寬仁 3년 5월, "十六日壬申, 奉幣廿一社, 依祈年穀并祈雨也. 丹生·貴布彌二社, 獻黑毛御馬".

六月丙戌朔[大盡,辛未], 東女眞酋長那沙弗等率衆, 來朝.

戊子[3日], 以羅敏爲尙書禮部侍郞兼右諫議大夫.

[某日, 翰林學士郭元奏, 請除進士對策, 試以論, 必用禮記中義爲題, 從之:節要轉載].[329]

[某日, 城永平鎭:節要·兵2城堡轉載].

秋七月[丙辰朔小盡,壬申], 辛酉[6日], 以異膺甫·李元爲左·右僕射.

己巳[14日], [處暑]. 宋泉州陳文軌等一百人來, 獻土物.

庚午[15日], 西女眞酋長阿羅弗率衆來, 獻馬.

壬申[17日], 宋福州虞瑄等百餘人來, 獻香藥.

[某日, 都兵馬使奏, "今禦契丹, 戰陣有功者九千四百七十二人, □[乞]各增階職", 從之:節要·兵1五軍轉載].[330]

己卯[24日], 于山國民戶, 曾被女眞虜掠, 來奔者, 悉令歸之.

[某日, 定新及第榮親式:節要轉載].

八月[乙酉朔小盡,癸酉], 己丑[5日], 遣禮賓卿崔元信·李守和如宋, 賀正.[331]

辛卯[7日], 契丹東京使·工部少卿高應壽來.

---

329) 이와 같은 기사가 지27, 選擧1, 科目에도 수록되어 있다.

330) ~~添字~~는 지35, 兵1, 五軍에 의거하였다.

331) 崔元信은 9월 무렵 登州(現 山東省 蓬萊市) 秦王水口에 이르러 바람을 만나 선박이 顚覆되고 貢物을 漂失하고 많은 사람이 익사하였다고 하며, 11월 27일(己卯) 東西女眞首領을 이끌고 入見하고 罽錦·漆甲을 바쳤다. 또 中布 2千을 특별히 바치고[別貢] 佛經 1藏을 요청하여 허락을 받았다고 한다.

- 『속자치통감장편』 권94, 天禧 3년 9월, "辛巳[28日], 登州言, 高麗遣禮賓卿崔元信來貢, 元信至秦王水口, 遭風覆舟, 漂失貢物, 人多溺死. 詔遣中使存撫之, 又令登州, 凡使人物色, 官給脚乘, 津遣赴京. … [十一月]己卯[27日] 崔元信率東西女眞首領入見, 別貢中布二千, 乞佛經一藏, 詔賜之, 還其布. 以元信覆溺匱乏, 別賜衣服繒綵焉. 女眞首領又言, 各以本土馬來進貢, 中途皆失, 詔特給其直".
- 『송사』 권8, 본기8, 眞宗3, 天禧 3년 9월, "辛巳[28日], 遣中官存問高麗貢使之被溺者".
- 『송사』 권487, 열전246, 外國3, 高麗, "(天禧)三年九月, 登州言, 高麗進奉使·禮賓卿崔元信, 至秦王水口, 遭風覆舟, 漂失貢物. 詔遣內臣撫之. 十一月, 元信等入見, 貢罽錦衣褥·烏漆甲·金飾長刀匕首·罽錦鞍馬·紵布·藥物等. 又進中布二千端, 求佛經一藏, 詔賜經, 還布. 以元信覆溺匱乏, 別賜衣服·繒綵焉".

乙未[11日], 遣考功員外郞李仁澤, 如契丹東京.

乙巳[21日], 門下侍中劉瑨卒.[332] [輟朝三日, 贈內史令:列傳7劉瑨轉載]. [瑨, 忠州大原縣人, 后妃之姓劉者, 皆出其宗, 故世爲戚里. 爲人廉介, 美風儀, 自光宗以來, 恒居近職, 未嘗補外, 雖無獻替, 頗得公輔之望:節要轉載].

壬子[28日], 東女眞毛逸羅率衆, 來朝, 增階職.

[是月, 廣明寺牧丹花, 再開:五行1轉載].

九月甲寅朔[大盡,甲戌], 太史奏, 日食, 陰雲不見.[333]

乙卯[2日], [寒露]. 移御壽昌宮.

壬戌[9日], 以重陽節, 賜宴宋及耽羅·黑水諸國人于邸館.

[某日, 賜楊規·金叔興, 功臣錄劵:節要轉載].[334]

[己卯[26日], 月犯歲星:天文1轉載].

[某日, 御咸和門, 閱六衛將校射御:兵1五軍轉載].

[是月, 歲星入大微[~~太微~~], 犯右執法:天文1轉載].

冬十月甲申朔[小盡,乙亥], 以[司憲雜端]柳韶爲司憲中丞.

甲午[11日], 兩浙忘難等六十人來.[335]

十一月癸丑朔[大盡,丙子], 以姜邯贊爲[~~檢校太尉~~]·門下侍郞同內史門下平章事[~~天水縣開國男 食邑三百戶~~][336]·

庚申[8日], 徙江南州縣丁戶, 以實象山·伊川·遂安·新恩·峽溪[~~俠溪~~]·半峯等縣.

---

332) 이날은 율리우스曆으로 1019년 9월 22일(그레고리曆 9월 28일)에 해당한다.

333) 이날 宋에서는 일식에 대한 언급이 없다. 또 이날의 일식은 북동아시아 3국에서 관측되지 않는 것이라고 한다(渡邊敏夫 1979年 304面).

334) 열전7, 楊規에도 이해[是年]에 이루어졌다고 되어 있다.

335) 兩浙은 兩淛로도 表記되며 浙東과 浙西의 合稱이다. 唐代에는 江南東道를 浙江東路과 浙江西路로 나누었는데, 錢塘江의 以南을 浙東으로, 그 以北을 浙西라고 하였다. 宋代의 兩浙路는 현재의 江蘇省 長江以南 및 浙江省의 全地域을 指稱하였고, 浙江省의 富春江을 境界로 浙東과 浙西로 나누었다. 현재의 地名으로 말하면 杭州·蘇州 등을 포함한 北西部地域을 浙西라고 하고, 寧波·紹興 등을 포함한 南東部地域을 浙東이라고 하는데, 이들 지역은 江蘇省의 南東部에서 浙江省의 北東部에 이르는 지역이다.

336) ~~添字~~는『고려사절요』권3에 의거하였다.

[壬戌10日, 太白入氐:天文1轉載].

[丙寅14日, 歲星犯左執法:天文1轉載].

[丙子24日, 鸜溪坊鷰溪坊民崔老妻, 一產三男:五行1人痾轉載].[337]

辛巳29日, 奉太祖梓宮, 復葬顯陵.

十二月癸未朔大盡,丁丑, 王子生於安福宮, 賜名緖文宗, 改宮號曰延德, 仍賜禮物.

庚寅8日, 東黑水國酋長仇突羅來, 獻土馬·兵仗.

壬辰10日, 以大寒, 疏決獄囚.

丁酉15日, 以門下侍郎同內史門下平章事崔士威爲~~推忠佐理同德功臣~~·淸河縣開國男·~~食邑二百戶~~, 門下侍郎平章事~~姜邯贊爲推忠協謀安國功臣~~.

戊戌16日, 以姜民瞻爲右散騎常侍·~~推誠致理翊戴功臣~~.

甲辰22日, 以參知政事庾方爲~~推誠佐理輔國功臣~~·千乘縣開國男·~~食邑二百戶~~, 蔡忠順爲~~推忠盡節衛社功臣~~濟陽縣開國男·~~食邑二百戶~~.[338]

丙午24日, 謁顯陵太祖.

辛亥29日, 彗見.

[→彗見宗正·宗人·市樓閒:天文1轉載].[339]

[某日, 興麗府興禮府僧彥脩·名保, 戶長·陪戎校尉金瑤含等造成臨江寺鍾一口, 入重五百斤:追加].[340]

[是年, 以舊鐵瓮縣, 改稱爲猛州孟州防禦使:轉載].[341]

[○判冊, "凡差事審官, 從其人·百姓擧望, 其擧望雖小, 如朝廷顯達, 累代門閥

---

337) 이 기사에서 鸜溪坊은 中部管內의 鷰溪坊의 오자일 것이다. 또 人痾는 婦人의 多產 또는 畸形兒의 出產을 가리키는 것 같다.

338) 이상에서 ~~添字~~는『고려사절요』권3에 의거하였다. 또 이들 관료들이 공신에 책봉된 날짜는 姜邯贊이 門下侍郎平章事에 임명된 11월 1일(癸丑)일 것이고, 12월의 날짜는 책봉의식[宣麻]이 이루어진 날짜일 것이다.

339) 宗正·宗人·市樓 등은 88개의 星座 중에서 赤道帶의 蛇夫座(Ophiuchus)에 속하는 星座이다.

340) 이는「臨江寺鍾銘」에 의거하였는데(大阪部 大阪市 天王寺區 上本町 7-4-18 正祐寺 所藏, 坪井良平 1974年a 85面 ; 許興植 1984년 440面), 興麗府는 興禮府로도 표기되었다(→성종 10년 是年의 脚注). 이 銅鍾은 1945년 소실되었다(張東翼 2004년 760面).

341) 이는 다음의 기사를 전재하였다.

· 지12, 지리3, 孟州, "本高麗鐵瓮縣. 顯宗十年, 稱猛州孟州防禦使".

者, 並奏差, 曾坐詔曲奸邪之罪者, 勿差". □□[先是], 顯宗初年, 判[刪], "父及親兄弟, 爲戶長者, 勿差事審官":選擧3事審官轉載].[342]

[增補].[343]

庚申[顯宗]十一年, 宋天禧四年, [契丹開泰九年], [西曆1020年]

1020년 1월 28일(Gre2월 3일)에서 1021년 2월 14일(Gre2월 20일)까지, 354일

春正月[癸丑朔大盡,戊寅], 癸亥[11日], 以晉含祚爲右僕射兼都正使, 崔元爲戶部尙書, 李可道爲尙書右丞, 李守和爲起居郞, 崔沖爲起居舍人, 李作忠爲右補闕.

丙寅[14日], 黑水靺鞨閼尸頃·高之間等二十四人來, 獻土物.[344]

---

342) 이는 다음의 기사를 전재한 것이다. 또 丁若鏞(1763~1836)의 其人에 대한 설명도 찾아진다.
- 지29, 選擧3, 事審官, "顯宗初年, 判[刪], 父及親兄弟, 爲戶長者, 勿差事審官. 十年, 判[刪], 凡差事審官, 從其人·百姓擧望, 其擧望雖小, 如朝廷顯達, 累代門閥者, 並奏差, 曾坐詔曲奸邪之罪者, 勿差".
- 『아언각비』 권2, 其人, "其人者, 鄕吏之應役於京邸者也. 今人謂國初宗室貴人, 防納貢物, 不敢斥言, 謂之其人, 非矣. 東史云'新羅高麗之時, 送鄕吏子弟, 爲質於京, 備其鄕顧問諸事, 謂之其人'. 至我朝, 役殊而名存, 任之者利厚, 所供者荊柴炬炭之類, 今其人之額三百二十六人, 人給米百十石, 歲輸米三萬五千石".

343) 이해의 형편에 대해서 契丹側의 자료에는 다음과 같이 기록하였다.
- 3월 18일(乙亥), 東平王 蕭韓寧·東京[遼陽府]留守 耶律八哥·國舅平章事 蕭排押·林牙[學士] 要只 등이 高麗를 討伐하고 歸還하였으나 軍律을 잃어 그 罪를 묻고 釋放하였다. 이때 고려에서 대패한 蕭排押을 크게 질책하였다(『요사』 권16·권88, 蕭排押·권115, 高麗 ; 『고려사』 권94, 姜邯贊).
- 3월 22일(己卯), 詔勅을 내려 高麗征伐에 功이 있는 渤海將校에게 官職을 더해 주었다(『요사』 권16·권115, 高麗).
- 6월 3일(戊子), 高麗征伐에서 戰歿한 將校의 子弟를 錄用하게 하였다(『요사』 권16·권115, 高麗).
- 6월 20일(乙巳), 南皮室 軍校 등으로 高麗討伐에 功이 있는 者에게 金帛을 그 공에 따라 下賜하였다(『요사』 권16·권115, 高麗).
- 7월 4(일己未), 고려 정벌에서 전몰한 諸將의 妻에게 封爵을 더해주었다(『요사』 권16).
- 7월 6일(辛酉), 肴里·涅哥의 奚軍 중에서 고려 정伐에 功이 있는 者에게 金帛을 하사하였다(『요사』 권16·권115, 高麗).
- 8월 1일(庚寅) 郎君 曷不呂 등을 보내어 諸部兵을 이끌고 大軍에 참여하여 고려를 토벌하게 하였다(『요사』 권16·권115, 高麗).
- 12월 29일(辛亥) 高麗 王詢(顯宗)이 사신을 보내어 方物을 바칠 것을 빌자 받아들이게 하였다(『요사』 권16·권115, 高麗).

[某日, 賜內史侍郞同內史門下平章事崔沆推忠盡節衛社功臣號:節要·列傳6崔沆轉載].

[庚午18日, 月犯左角:天文1轉載].

辛未19日, 以朴有仁·金胥爲左·右拾遺.

○西女眞酋長高豆花來, 獻方物.[345]

二月癸未朔小盡,己卯, 戊子6日, 以遂安縣隊正赫然及軍李曾·龜州軍柴音達, 戰死, 優賜妻子貨物.

己丑7日, 前庫部令史庾翰與其男沒蕃, 逃歸, 王念其勞苦, 特加官, 賜衣糧.

壬寅20日, [春分]. 東女眞黔佛羅等七人來, 獻契丹官印一顆及土馬.

甲辰22日, 以門下侍郞□□□~~平章事~~陳頔·李禮均·內史侍郞□□□~~平章事~~王同穎·司宰卿尹餘·將作少監王佐暹·少府丞金德華·將作注薄~~將作主簿~~金徵祐·大醫監~~太醫監~~金得宏, 被留契丹,[346] 各賜其妻米穀有差, 封佐暹妻爲開城郡君, 子夷甫授禮部主事.

己酉27日, 宋泉州人懷贇等來, 獻方物.

是月, 遣李作仁奉表如契丹, 請稱藩納貢如故, 且歸所拘人只刺里,[347] 被留凡六年.

[增補].[348]

---

344) 高之間은 『고려사절요』 권3에는 高之門으로 되어 있다.

345) 高豆花는 『고려사절요』 권3에는 高豆化로 되어 있다.

346) 1014년(현종5) 6월 契丹에 사신으로 파견되었다가 억류되어 귀환하지 못한 陳頔·李禮均을 門下侍郞平章事에, 王同穎을 內史侍郞平章事에 昇進시켰다(→현종 5년 6월). 그러므로 『고려사』에서 門下侍郞은 門下侍郞平章事의, 內史侍郞은 內史侍郞平章事의 略稱임을 알 수 있다. 또 注薄[주박]은 主簿[주부]의 오자이다(東亞大學 2008년 2책 309面).

347) 只剌里는 亞細亞文化社本에는 只剌里로 되어 있으나 誤字일 것이다(東亞大學 2008년 2책 309面). 또 只剌里는 『고려사절요』 권3에는 耶律行平으로 되어 있는 것으로 보아 同一人으로 추측되며, 『요사』 16·권88, 耶律資忠·권115, 高麗에는 耶律資忠으로 되어 있다. 耶律資忠은 어릴 때의 字[小字]가 札剌인데, 『고려사』에서는 같은 이름을 只剌里로 표기한 것으로 추측된다.

348) 前年 6월 被擄人을 쇄환하기 위해 일본에 도착했던 鄭子良의 형편은 다음과 같다.

- 1020년(현종11, 寬仁4) 2월 16일(戊戌), 고려의 사신 鄭子良에 대해 의논하였다. 大宰府의 名義로 고려에 보내는 答書[返牒]을 작성할 것, 鄭子良 및 捕虜·未斤達 등을 歸還시킬 것, 鄭子良 등에게 祿을 지급할 것 등을 결정하였다(『日本紀略後篇』 권13 ; 『百練抄』 권4 ; 『左經記』 4월 11일條, 8월 25일條).
- 4월 11일(壬辰), 이보다 먼저 大宰府가 고려 사신 鄭子良이 歸國을 희망한다는 것을 보고하였다. 이날 鄭子良 등에게 祿物을 지급하고 答書[返牒]을 작성하라는 취지의 大宰府에 보내는 명령서[官符]에 捺印하여 줄 것을 요청하였다(『左經記』 ; 『日本紀略後篇』 권13 ; 『異國牒狀記』).
- 8월 25일(甲辰), 이보다 먼저 大宰府가 鄭子良에게 祿物을 지급하는 것에 대한 보고서[解狀]을 바쳤다(『左經記』).

三月壬子朔大盡,庚辰, 癸丑2日, 歸契丹使耶律行平.[349)]

己未8日, 契丹使·檢校司徒韓紹雍來.

辛酉10日, 以姜民瞻爲~~知中樞院事兼~~兵部尙書.[350)]

甲子13日, 女眞歸德將軍弗那率衆來朝.

[乙丑14日, 月貫右角:天文1轉載].

丁卯16日, 以將軍彭洪覇等十人有邊功, 並增一級.

[○參知政事蔡忠順請, "軍士, 有父母年八十以上者, 免軍就養, 諸文武員僚, 父母年七十以上, 無他兄弟者, 不許補外, 其父母有疾, 給告二百日護視", 從之:節要·列傳5蔡忠順轉載].[351)]

○特賜故將軍鄭神勇家, 穀三百碩.

夏四月壬午朔小盡,辛巳, 庚子19日, 王臨軒, 遣門下侍郎~~門下侍郎同內史門下平章事~~崔士威·知中樞事姜民瞻, 册子欽爲開府儀同三司·檢校太師·守司徒兼內史令·上柱國·崇仁廣孝輔運功臣, 封延慶君.

癸卯22日, 宴文武常參以上官於明福殿, 賜物有差.

丁未26日, 遣中樞院使·禮部尙書梁積·刑部侍郎韓去華, 如契丹, 告封王子, 宰臣參知政事庾方等諫止之, 不納.

己酉28日, 東女眞酋長達魯率衆來, 獻蕃米三百石.

---

349) 耶律行平은 5월 20일(庚午) 契丹에 귀환하여 復命하였다(『요사』 권16, 본기16, 聖宗7, 開泰 9년 5월 庚午).

350) 이때 姜民瞻은 金紫興祿大夫·兵部尙書·知中樞院事兼太子太傅·上柱國에 임명되었던 것 같고(奉先弘慶寺碣記 ;『동문선』 권64, 奉先弘慶寺記), 그의 열전에도 '知中樞□院事·兵部尙書'에 임명되었다고 되어 있다(열전7). 그런데 그의 後孫의 묘지명에 다음과 같은 기록이 있다.

· 『浮査集』 권4, 長鬐縣監姜公墓誌, "公諱德龍, 字汝中, 姜其姓, 晋其鄕. 有諱民瞻, 於公爲始祖. 銀靑興祿大夫·賜紫金魚袋·太僕卿·上柱國, 謚殷烈. 麗顯宗朝, 副姜邯贊伐契丹還. 御製一詩, 分賜兩將曰, '庚戌年間有虜塵, 干戈深入漢江濱, 當時不用姜公策, 擧國皆爲左衽人', 畫像祀于州司". 여기의 官爵은 最終의 것을 반영하지 않았던 것 같다.

351) 이와 관련된 기사로 다음이 있다.

· 지38, 刑法1, 官吏給暇, "顯宗十一年, 判刪, 外官父母病者, 除往返程, 給暇二十日. 諸文武員僚, 父母年七十以上, 無他兄弟者, 不許補外, 其父母有疾, 給告二百日護視".

· 지35, 兵1, 五軍, "蔡忠順請, '軍士有父母年八十以上者, 免軍就養', 從之".

· 열전6, 蔡忠順, "忠順奏, '軍士有父母年八十已上者, 免軍就養, 諸文武員僚, 父母年七十已上無他兄弟者, 不許補外, 其父母有疾, 給告二百日護視', 王從之".

[是月，入朝使崔元信還，獻宋帝[眞宗]下賜'天禧四年具註曆'一卷：追加].[352)]

五月辛亥朔[大盡,壬午]，設師子座一百於內庭，講仁王經三日.

[乙卯[5日]，有司奏，"前制，凡人年八十以上，及篤疾者，給侍丁一名，九十以上，二名，百歲者，五名，唯征防人，不與焉．謹按，丁酉年[成宗16年]間，淸州人成允，罪當移鄕，以其父年滿七十，除流侍養．況父子俱無罪責，而父母年七八十者，豈謂禮文所無，而不許侍丁．古今孝心，無貴賤一也，請依舊制，征防人，亦免役養親"：兵1五軍轉載].[353)]

丁巳[7日]，以[中樞院使]尹徵古爲右散騎常侍.

[戊辰[18日]，智異山頽：五行3轉載].

乙亥[25日]，御明福殿覆試，賜李元顯等及第.[354)]

○黑水靺鞨烏頭那等七十餘人來，獻方物.

[某日，改[後宮金氏]安福□[宮]爲延德□[宮]：列傳1顯宗妃元惠太后金氏轉載].

庚辰[30日]，以[戶部尙書]崔元信·[起居郞]李守和，奉使汚辱，並流之.[355)]

○以安鴻漸爲司憲雜端.

六月[辛巳朔小盡,癸未]，□□[~~是月~~]，西北界蝗.[356)]

癸巳[13日]，遣持書使·借司宰少卿盧執中，如契丹東京.

352) 이는 다음의 자료에 의거하였다.

· 『동문선』 권33, 上大宋皇帝謝賜曆日表(郭元 撰)，"具官臣某言，去天禧四年四月日，入朝使崔元信回 奉傳詔書一道，伏蒙聖恩，賜臣'天禧四年乾元具註曆'一卷者．文思之化，丕冒海隅，曆象爰頒，別爲時訓．伏惟皇帝陛下，與乾坤同載，使品物流亨，念辰卞之小邦，本依正朔，擧羲和之舊職，克授寅賓，豈料孱微叨玆注矚．臣敢不示農桑之早晩，用彰天子之所知稼穡之艱難，永慰小人之勞力．況自發函之後，開卷已來，窺御曆之無窮，率群臣而共抃".

353) 이 기사는 『고려사절요』 권3에 축약되어 있다.

· "有司奏，前制，凡人年八十以上及篤疾者，給侍丁一名，九十以上二名，百歲者五名，唯征防人不與焉，請今征防軍人，亦令免役養親".

354) 이와 관련된 기사로 다음이 있다.

· 지27, 선거1, 科目1, 選場，"[顯宗]十一年五月，國子祭酒劉徵弼知貢擧，取進士，覆試，賜乙科李元顯·丙科三人·同進士六人·明經三人及第".

355) 이와 같은 기사가 열전6, 崔亮, 元信에도 수록되어 있는데, 이때 使行에서 汚辱이 있었다는 것은 海路에 風波로 인해 貢物을 忘失한 것을 가리킨다.

356) 이해에 宋에서는 蝗害가 보이지 않는다.

[乙未15日, 豊州海邊平地, 大石自行, 百步而止:五行2轉載].

己亥19日, 弗奈國酋長沙訶門, 遣女眞奴鬱達來, 獻土物.357)

[某日, 門下侍郞同內史門下平章事姜邯贊表請致仕, 從之, 仍加特進·檢校太傅·天水縣開國子·食邑五百戶:節要轉載].

[某日, 制, "無親子祖父母忌日, 除庶人外, 文武入仕人, 並給暇一日兩宵":禮6百官忌暇轉載].358)

秋七月庚戌朔大盡,甲申, 乙丑16日 以久旱, 慮囚.359)

癸酉24日, 大雨.360)

八月庚辰朔小盡,乙酉, 丙戌7日, 王以安西道屯田一千二百四十結,361) 施納于玄化寺, 兩省再三論駁, 不納.362)

丁亥8日, 追贈新羅執事省侍郞崔致遠內史令, 從祀先聖廟庭.363)

庚子21日, 以重修大內, 移御壽昌宮.

---

357) 沙訶門은 『고려사절요』 권3에는 沙訶問으로 되어 있다.

358) 이 기사의 冒頭에 "顯宗十一年閏六月"이 있으나, 이해의 閏月은 12월이어서 이 기사는 時期整理[繫年]에 실패한 자료이다. 『고려사』 世家編에 의하면 顯宗年間에는 閏6月이 1015년(현종6), 1028년(현종19)에 있었던 것 같으나 후자는 오류이다. 그렇다면 이 기사는 年度를 信憑한다면 현종 11년 6월에, 月次를 신빙한다면 현종 6년에 옮겨야 할 것인데, 잠정적으로 이해[是年]의 6월에 편입하였다.

359) 이때 일본 京都에서도 비가 내리지 않아 6월 19일(戊辰) 奉幣使를 社寺에 파견하였다고 한다(高麗曆과 同一, 日本史料2-15冊 421面).

360) 일본의 교토[京都]에서는 이틀 전인 7월 22일 大風이 있었다고 한다(中央氣象臺 1941年 1冊 20面).

- 『日本紀略』 後篇13, 寛仁 4년 7월, "廿二日辛未, 夜, 大風吹, 壞內裏所々, 左近陣軒廊·朱器殿·左衛門陣北舍一宇·春華門陣舍東一宇·修明門陣舍東一宇…, 其外不可勝計".
- 『百練抄』 第4, 寛仁 4년 7월, "廿二日, 大風, 宮城所々悉以破損".

361) 여기에서 安西道는 安西都護府地域을 指稱하는 것 같고, 西北界[北界]管內 軍事道의 하나로 추측된다(尹京鎭 2006년b).

362) 이 기사에서의 兩省은 內史省과 門下省을 指稱하는 것으로 추측된다.

363) 이때 崔致遠(857~908以後 推定)에 관련된 자료로 다음이 있으나 添字와 같이 고쳐야 좋을 것이다.

- 『삼국사기』 권46, 열전6, 崔致遠, "… 顯宗在位~~十一年八月~~, 爲致遠密贊祖業, 功不可忘, 下敎贈內史令".

九月己酉朔小盡,丙戌, 丁巳9日, 宴群臣於寬仁殿.

己未11日, 王如玄化寺,[364] 親擊新鑄鍾, 又令群僚擊之, 各捨衣物·匹叚匹段.

[壬申24日, 虎入城. 咬人:五行2轉載].

[某日, 御咸和門, 閱諸將射御:兵1五軍轉載].

冬十月戊寅朔大盡,丁亥, [壬午5日, 月貫南斗魁:天文1轉載].

己丑12日, 以玄化寺僧法鏡爲王師.

[甲辰27日, 大霧, 咫尺不辨人物:五行3轉載].

[十一月戊申朔小盡,戊子, 大風:五行3轉載].

[壬戌15日, 卿雲見:五行2轉載].[365]

[壬申25日, 雷電:五行1雷震轉載].

[十二月丁丑朔大盡,己丑, 戊戌22日, 熒惑犯歲星:天文1轉載].

閏十二月丁未朔大盡,己丑, [戊申2日, 日重暈:天文1轉載].

庚戌4日, 以李玄載爲殿中侍御司憲.

癸亥17日, 漣州地震.[366]

[己巳23日, 月犯房左服:天文1轉載].

是年, 遣崔齊顔如契丹, 賀千齡節.

○□遣金猛如宋.[367]

[○契丹使來, 免罪:追加].[368]

364) 이 시기에는 帝王의 擧動을 如라 하지 않고 幸으로 表記하였는데, '王如奉恩寺'로 표기한 것이 주목된다(→宣宗 3년 6월 1일의 脚注).

365) 卿雲은 慶雲으로도 표기하는 일종의 彩雲으로서, 祥瑞로운 구름으로 여겼다.

366) 이와 관련된 기사로 다음이 있으나 '閏十二月癸亥'의 오류일 것이다.
· 지9, 오행3, 地震, "顯宗十一年閏十一月癸巳, 漣州地震".

367) 金猛은 4월에 宋의 靑州(山東半島의 中部地域, 現 山東省 靑州市) 境內를 通過하였던 것 같다(『속자치통감장편』 권95, 天禧 4년 4월 丙申15日).

368) 이는 다음의 자료에 의거하였다.
·『요사』 권16, 본기16, 聖宗7, 開泰 9년 5월, "辛未21日, 遣使釋王詢罪, 並允其請".

辛酉[顯宗]十二年, 宋天禧五年, [契丹開泰十年→11月, 太平元年], [西曆1021年]

1021년 2월 15일(Gre2월 21일)에서 1022년 2월 3일(Gre2월 9일)까지, 354일

春正月丁丑朔小盡,庚寅, 庚辰4日, 白氣貫日.

己丑13日, 契丹東京使·左常侍左散騎常侍王道冲來, 告其主聖宗將受册禮.369)

乙巳29日, 改紫宸殿爲景德殿, 上陽宮爲正陽宮, 左右朝天門爲朝宗, 柔遠門爲崇福.370)

是月, 黑水靺鞨酋長阿頭·陁弗等來, 獻馬·弓矢.

二月丙午朔大盡,辛卯, 丁未2日, [春分]. 契丹遣檢校司空·御史大夫姚居信來聘.371)

辛亥6日, 五冠山崩.

[○雉入壽昌宮:五行1轉載].

[某日, 復安州民戶二年,372) 蠲庚戌年顯宗1年以來逋租之半:節要·食貨3恩免之制轉載].

[癸亥18日, 仁壽門外二千戶災:五行1火災·節要轉載].

癸酉28日, 東女眞懷化將軍摩底介率衆, 來朝.

甲戌29日, 賜京城男女年九十以上者, 酒食·茶藥·布帛, 有差.

三月丙子朔大盡,壬子, [辛巳6日, 雉集壽昌宮:五行1轉載].

壬午7日, 以庾方爲內史侍郎平章事, 朱德明爲尙書左僕射, 金玄涉爲刑部尙書, 朴訥嵒爲工部尙書, 徐訥爲國子祭酒·知吏部事.

---

369) 이해의 3월 20일(乙卯)의 契丹使臣이 檢校散騎常侍를 띠고 있음을 보아 左常侍는 左散騎常侍의 略稱임을 알 수 있다(→현종 14년 4월 7일 ; 明宗 11년 12월 28일).

370) 亞細亞文化社本에는 上陽宮으로, 延世大學本과 東亞大學本에는 土陽宮으로 되어 있으나 上陽宮이 옳을 것이다(東亞大學 2008년 2책 311面). 또 지25, 樂 2, 唐樂, 獻仙桃에도 上陽宮으로 되어 있다. 唐代의 上陽宮은 洛陽 紫微城의 西便에 건립되었기에 西宮이라고 불렸다.
- 『자치통감』 권208, 唐紀24, 中宗, 神龍 1년(707) 2월 甲子, [胡三省注, 上陽宮, 在洛陽宮城之西, 故曰西宮].

371) 『고려사절요』 권3에는 檢校司空이 省略되었다.

372) 여기에서 復은 壯丁에게 할당된 負役을 免除해준 措置일 것이다.
- 『자치통감』 권15, 漢紀7, 文帝前 11년(BC169) 6월, "時匈奴數爲邊患, 太子家令鼂錯上言兵事, … 要害之處, 通川之道, 調立城邑, 毋下千家. 先爲室屋, 具田器, 乃募民, 免罪, 拜爵, 復其家[胡三省注, 爲民之欲往者, 復除其家征役]. …".

[甲申9日, 月犯軒轅大星:天文1轉載].

乙酉10日, 西女眞毛逸羅·那忽邏等來, 獻土馬·貂鼠皮.

癸巳18日, [立夏]. 鐵利國遣使, 表請歸附如舊.

乙未20日, 契丹東京使·檢校散騎常侍張澄岳來聘.[373]

丙申21日, 玄化寺北山崩, 出玉璞.

○改文功殿爲文德殿.

夏四月丙午朔小盡,癸巳, [壬戌17日, 妖星見於大微太微:天文1轉載].

己巳24日, 講仁王經於毬庭三日.[374]

庚午25日, 禱雨.[375]

五月乙亥朔大盡,甲午, 庚辰6日, 造土龍於南省庭中, 集巫覡禱雨.

丙戌12日, 慮囚.

戊子14日, 命尙書左丞~~中樞副使·尙書右丞~~李可道,[376] 往取慶州高僊寺金羅袈裟·佛頂骨·昌林寺佛牙,[377] 並置內殿.

庚寅16日, 雨.

[是月, 門下侍郎平章事致仕姜邯贊造成興國寺石塔:追加].[378]

---

373) 이 기사는『고려사절요』권3에는 "契丹東京使·散騎常侍張澄岳來聘"으로 되어 있다.

374) 亞細亞文化社本에는 '夏四月己巳講仁王經於毬庚三日. 庭午祈雨'로 되어 있으나 組版過程에서 活字의 配列이 흐트러진 것이다(東亞大學 2008년 2책 311面).

375) 이해의 여름에 京都와 인근지역에서 旱魃이 심해 饑饉이 발생하였다고 한다(力武常次 2010年).

376) 이때 李可道는 中樞院副使·尙書右丞이었다(開豊玄化寺碑).

377) 昌林寺(현재 慶州市 배동 산 6-1에 寺趾가 있다)는 에 관한 기록으로 다음이 있다.

· 『신증동국여지승람』권21, 慶州府, 古跡, "昌林寺, 金鼇山麓有新羅時宮殿遺基, 後人卽其地建此寺, 今廢, 有古碑無字. 元學士趙子昂趙孟頫'昌林寺碑跋'云, '右唐新羅僧金生所書其國昌林寺碑. 字畫深有典刑, 雖唐人名刻, 無以遠過之也'. 古語云, '何地不生才?'. 信然".

378) 이는 다음의 자료에 의거하였다. 이탑은 현재 開城市 子男洞 開城歷史博物館(옛 開城鄕校)의 境內로 移轉되어 있는데, 1922년 4월에는 興國寺의 遺址로 추정되는 民家의 뜰에 基壇部만이 온전하게 보존되어 있었다고 한다(大屋德城 1930年 24面 ; 中吉 功 1973年b 390面). 또 이와 관련된 자료로 다음이 있고, 이 興國寺塔은 북한의 국보유적 제132호이다.

· 「興國寺石塔銘」(1021년, 天禧5), "菩薩戒弟子平章事姜 邯瓚,」奉爲」邦家永泰,遐邇常安,敬造」此塔, 永充」供養,」時天禧五年五月 日也』".

· 『正祖實錄』권45, 20년 7월 甲子21日, "禮曹判書閔鍾顯啓言, … 又啓言, 松京興國寺舊址有一

六月乙巳朔小盡,乙未, [某日, 司憲臺奏, 禁諸寺僧, 飮酒作樂:節要·刑法2禁令轉載].

丁卯23日, 以張瑩爲尙書左僕射·□□□□內史侍郞同內史門下平章事[·上柱國:節要轉載], 仍令致仕,[379] 周佇爲翰林學士承旨·[崇文輔國功臣·左散騎常侍·上柱國:節要轉載].

○遣□□□□禮部侍郞韓祚如宋, 謝恩.[380]

[某日, 改考妣尊號, 孝穆爲孝懿, 惠順爲仁惠:列傳2太祖王子安宗郁·1景宗妃獻貞王后皇甫氏轉載].[381]

秋七月甲戌朔大盡,丙申, 日食.[382]

塔, 塔面有陰記, 即姜邯贊所書, 而其名以瓚字書之, 與公私書籍所載者不同. 蓋石刻之可信, 比諸登梓之本, 不啻懸隔. 自今以後姜邯贊名字, 皆以瓚字書之恐好矣, 從之".

·『研經齋全集』續集16冊, 書畫雜識, 題高麗古碑後, "松都人, 得此塔文於榛莽中, 文云, '菩薩戒弟子平章事姜邯瓚, 奉爲邦家永泰, 遐邇常安, 敬造此塔, 永充供養, 時天禧五年五月日也', 三十八字. 姜公摧破契丹, 傑氣鬱鬱, 豈佞佛者哉, 乃爲此者, 可見佛法之盛, 俗以之成, 雖英雄豪傑, 不得超脫是習, 又可慨也. 史云姜公名邯贊, 此作邯瓚, 豈史誤耶, 抑後人添畫而亂之也". 여기에서 成海應(1760~1839)의 名字에 대한 판단은 적절하지 못한 것 같다.

379) 張瑩은 현종 8년 1월 7일(丁未) 參知政事로서 致仕를 요청하였던 점을 보아, 이때 內史侍郞同內史門下平章事로 치사하였을 것이다.

380) 韓祚는 9월 22일(甲午) 眞宗을 謁見하여 方物을 바치고 '陰陽地理書'·'聖惠方'을 요청하여 허락받았으며, 다음 해 2월에 下直人事를 드렸다.

·『속자치통감장편』 권97, 天禧 5년 9월, "甲午, 權知高麗國王事王詢, 遣告奏使·御事禮部侍郞韓祚等百七十人來謝恩, 且言與契丹修好, 又表求陰陽地理書聖惠方, 竝賜之".

·『송사』 권487, 열전246, 外國3, 高麗, "天禧五年, 詢遣告奏使·御事禮部侍郞韓祚等百七十九人來謝恩, 且言與契丹修好, 又表求陰陽地理書聖惠方, 竝賜之 … 乾興元年二月, 祚等辭歸國, 賜詢如故事".

·『송회요집고』 199책, 蕃夷7, 歷代朝貢, "天禧五年九月二十二日, 權知高麗國事王詢, 遣使韓祚等來貢".

이와 관련된 자료가 『元豊類藁』 권31, 高麗世次 ; 『群書考索』 後集권64, 財賦門, 貢獻, 四夷方貢 ; 『옥해』 권154, 朝貢, 獻方物, 建隆高麗來貢·錫予外夷 ; 『문헌통고』 권325, 四裔考2, 高句麗 등에도 수록되어 있다.

381) 安宗 郁의 諡號인 孝穆을 孝懿로 改稱한 것은 太祖 王建의 아들 중에 孝穆太子 義가 있기 때문일 것이다.

382) 이날 宋에서도 일식이 있었다(『송사』 권8, 본기8, 眞宗3, 天禧 5년 7월 1일). 또 일본의 京都에서도 일식이 관측되었다(高麗曆과 同一, 日本史料2-17册 81面). 이날은 율리우스력의 1021년 8월 11일이고, 개경에서 일식 현상이 심했던 시간은 13시 10분, 食分은 0.90이었다(渡邊敏夫 1979年 304面).

·『左卿記』, 治安 1년 7월, "一日甲戌, 天氣, 晴陰不定, 日蝕如勘申, 召曆博士賀茂守道於藏人所

丙子[3日], 耽羅獻方物.

癸巳[20日], 東女眞黑水酋長居蔚摩頭蓋來.

[甲午[21日], 建玄化寺碑. 先是, 命金紫興祿大夫·左散騎常侍·翰林學士承旨·知制誥·修史館事·上柱國周佇, 撰碑銘, 興祿大夫兼吏部尙書·參知政事·上柱國蔡忠順, 書碑文:追加].[383]

癸卯[30日], 改明慶殿爲宣政, 靈恩殿爲明慶, 景德殿爲延英.

[○復禁寺院釀酒:節要轉載].[384]

八月[甲辰朔小盡,丁酉], 辛亥[8日], 以金因渭爲尙書右僕射, 仍令致仕.

己未[16日], 王如玄化寺, 親篆碑額.[385] 嘗命翰林學士周佇, 製碑文, [行吏部尙書·]參知政事蔡忠順,[386] 製碑陰幷書.

戊辰[25日], 王子生於延德宮, 賜名基.[387]

辛未[28日], 加賜王子欽, 護國功臣號, 以[門下侍郞同內史門下平章事]崔士威△[爲]檢校太師·守門下侍中, 崔沆△[爲]檢校太傅·守門下侍郞同內史門下平章事[·淸河縣開國子·食邑五百戶:列傳6轉載], [內史侍郞平章事]庾方△[爲]檢校太保, [參知政事]蔡忠順·尹徵古△△[並爲]檢校太尉.

給祿云々. 又召仁緣於御堂[藤原道長]同給祿云々, 依是二人相合. 件勘文等云, 日蝕, 十五分十三, 虧初巳四刻一分, 加時午二刻二分, 復未四刻三分".

· 『小記目錄』 19, 天變事, "治安元年七月一日, 日蝕事".

· 『日本紀略』 後篇13, 後一條, 治安 1년, "七月一日甲戌, 日蝕符合, [賀茂]守道給祿".

· 『本朝統曆』 권7, 治安 1년, "七大, 朔甲戌, 午三, 日蝕, 十三分弱, 巳三, 未二".

383) 이는 「開豊玄化寺碑」에 의해 추가하였고, 이 碑는 현재 7層石塔과 함께 開城市 子男洞 成均館 博物館의 境內에 옮겨져 있다(齋藤 忠 2006年).

384) 이와 관련된 기사로 다음이 있으나 七年은 七月의 오자일 것이다(蔡雄錫 2009년 419面 ; 東亞大學 2012년 19책 645面).

· 지39, 刑法2, 禁令에는 "七年[七月], 禁寺院釀酒".

385) 玄化寺碑는 이미 7월 24일에 건립되었는데, 이날 顯宗이 題額을 草하였다는 것은 사실의 先後가 맞지 않다는 견해도 있을 수 있다. 그렇지만 御筆題額의 刻字가 立碑 以後에 이루어지는 경우가 찾아지고(→인종 19년 7월 是月條, 20년 11월 是月條의 脚注), 碑陰이 후세에 이루어지는 경우도 많이 찾아진다.

386) 이때 蔡忠順은 行吏部尙書·參知政事였다(開城玄化寺碑).

387) 이와 같은 기사로 다음이 있다.

· 열전3, 顯宗王子, 平壤公基, "平壤公基, 顯宗十二年, 命名賜禮物".

壬申[29日晦], 御寬仁殿, 覆試, 賜趙覇等及第.[388)]
是月, 東女眞實彬·阿梨古來朝.

九月癸酉朔[大盡,戊戌], 以李龔爲中樞使·檢校司空.
[庚辰[8日], 霜降, 月貫哭泣:天文1轉載].
乙未[23日], 黑水靺鞨蘇勿蓋·高之門[~~高之間~~]來, 獻方物.[389)]
○遣中樞使李龔·兵部侍郞柳琮[~~柳宗~~], 如契丹, 賀受册.[390)]
[己未[乙未23日], 月犯軒轅大星:天文1轉載].[391)]
[某日, 禁黃州世長池及龍林麓漁樵:刑法2禁令轉載].

冬十月[癸卯朔小盡,己亥], 己酉[7日], 以李周憲爲尙書左僕射·參知政事[·柱國:節要轉載].
乙卯[13日], 東西女眞酋長阿盧大·阿盖等來朝.
[是月, 判[~~制~~], "功蔭田, 直子犯罪, 移給其孫":食貨1功蔭田柴轉載].

十一月[壬申朔大盡,庚子], 癸未[12日], 知中樞□[院]事·兵部尙書姜民瞻卒.[392)] [輟朝三日, 贈太子太傅:列傳7姜民瞻轉載]. [民瞻, 晋州晋康縣人, 起自書生, 射御非其所長, 然志氣剛果, 屢著戰功:節要轉載].
[辛卯[20日], 大霧:五行3轉載].

---

388) 이와 관련된 기사로 다음이 있다.
· 지27, 선거1, 科目1, 選場, "[顯宗]十二年八月, [知中樞院事·]□[左?]散騎常侍李龔知貢擧, 取進士, 覆試, 賜甲科趙覇·丙科一人·同進士五人·明經四人及第".

389) 高之門은 1020년(현종11) 1월 14일에는 高之間으로 표기되었다.

390) 柳琮은『고려사절요』권3에는 柳宗으로 되어 있는데, 後者가 옳을 것이다. 또 이들 고려사신은 11월 12일(癸未) 聖宗 文殊奴가 尊號를 받고 年號를 太平으로 바꿀 때, 宋·夏의 사신과 함께 朝貢을 바쳤던 것 같다(『요사』권16, 본기16, 성종7, 太平 1년 11월 癸未).

391) 지1, 天文1에 己未로 되어 있으나 乙未의 오자이다. 이달에는 己未가 없고 宋에서도 乙未(23일)에 같은 현상이 있었다(『송사』권53, 지6, 천문6, 月犯列舍).

392) 이날은 율리우스曆으로 1021년 12월 18일(그레고리曆 12월 24일)에 해당한다. 또 1788년(정조12) 10월에 模寫된 姜民瞻의 肖像畵는 高麗前期 冠服을 보여주는 중요한 자료의 하나인데(國立中央博物館 所藏, 寶物 588號), 그 形相은 朝鮮後期의 民畵에 그려진 恭愍王의 모습과 비슷하다(國立博物館 2009년 39面, 191面).
·『선조실록』권111, 32년 4월 甲戌[25日], "弘文館啓曰, … 高麗大將軍姜民瞻祠, 在晋州州司中. 天禧中與丹兵戰有功, 邑人祀之".

[戊戌[27日], 月貫心後星:天文1轉載].
[是月癸未[12日], 遼改開泰十年爲太平元年:追加].

十二月[壬寅朔小盡,辛丑], [甲辰[3日], 靜戎郡民元效妻, 一産三男:五行1人痾轉載].
乙巳[4日], [推忠佐理功臣·檢校太尉·]中樞使·右散騎常侍尹徵古卒.[393)] [徵古, 樹州守安縣人, 性沈重嚴毅, 美風儀, 善楷書. 登第, 累爲臺官, 裁決平允, 口不言人短, 而人畏愛之. 訃聞, 王曰, 世豈復有斯人, 朕將疇依, 嘆惜再三, 贈尙書右僕射, 謚[諡]莊景:節要轉載].
戊午[17日], 以[門下侍中]崔士威△[爲]判尙書吏部事, 金猛爲[中樞院副使·]吏部侍郞.[394)]
[某日, 侍中崔士威上疏, 論時政得失, 令有司, 商議施行:節要轉載].[395)]

[是年, 第四次重成黃龍寺九層塔:追加].[396)]
[○修東萊郡城:兵2城堡轉載].
[○天安府奉先弘慶寺諸佛殿·門廊等工畢:追加].[397)]

壬戌[顯宗]十三年, 宋乾興元年→4月高麗行契丹太平二年,[398)] [西曆1022年]

1022년 2월 4일(Gre2월 10일)에서 1023년 1월 24일(Gre1월 30일)까지, 355일

春正月[辛未朔大盡,壬寅], 丁丑[7日], 以郭元爲右散騎常侍, 李作仁△[爲]同知中樞□[院]事, 金

---

393) 이날은 율리우스曆으로 1022년 1월 9일(그레고리曆 1월 15일)에 해당한다.
394) 이때 金猛은 中散大夫·中樞院副使·尙書吏部侍郞兼太子右庶子·柱國에 임명되었던 것 같다(陜川靈巖寺寂然國師慈光塔碑).
395) 『고려사』에서 上疏는 上䟽, 上踈 등과 混用되었는데, 中原의 史書에서도 同一하였다.
396) 이는 다음의 자료에 의거하였는데, 『고려사』의 편년방식에 의하면 十三年은 十二年이 된다.
· 『삼국유사』 권3, 탑상4, 黃龍寺九層塔, "… 現宗[顯宗]十三年辛酉, 第四重成".
397) 이는 다음의 자료에 의거하였다.
· 「奉先弘慶寺碣記」, "… 自丙辰秋迄辛酉歲, 凡造得堂殿門廊等共二百餘間, …"(全文은 顯宗 7년 秋某月의 脚注).
398) 이해에 太平을 사용한 사례로 全羅北道 高敞郡 龍溪里에 위치한 靑磁窯址의 附屬建物에서 출토된 기와[瓦]의 刻字인 太平壬戌이 찾아진다.

猛△[爲]權知中樞□[院]事.

丁亥[17日], 黑水酋長沙逸羅·曼投弗等來朝.

[癸巳[23日], 月犯心後星:天文1轉載].

甲午[24日], 贈新羅翰林薛聰弘儒侯, 從祀先聖廟庭.[399)]

丁酉[27日], [驚蟄]. 以劉徵弼爲翰林學士·秘書監.

[是月辛未朔, 宋改元乾興:追加].

二月辛丑朔[小盡,癸卯],[400)] 西女眞這羅來, 獻人口·方物.

壬寅[2日], 以[中樞院使]李龔爲刑部尙書.

[某日, 戶部奏, "泗州, 是豊沛之地, 前□[世]抽減民田, 屬之宮莊, 民不堪征稅, 乞於州境內, 審量公田, 如數償之", 從之:節要轉載].[401)]

己酉[9日], 耽羅獻方物.

○遣軍器少監金仁裕如契丹, 春季問候.

壬子[12日], [春分]. 契丹孟流·演擧等四人來奔.[402)]

丙辰[16日], 宮城東北廊一百五十餘間火.

丁卯[27日], 遣參知政事朴忠淑·國子司業李瓊, 如契丹.

[是月戊午[19日], 宋眞宗崩, 趙禎卽位, 是爲仁宗:追加].[403)]

三月[庚午朔大盡,甲辰], 癸酉[4日], 以李可道△[爲]同知中樞事[同知中樞院事].

乙亥[6日], 尙書右僕射李周憲卒.[404)] [周憲, 以小吏起, 頗稱勤幹, 成宗嘗謂鐵中錚

---

399) 이와 관련된 자료로 다음이 있으나 ~~添字~~와 같이 고쳐야 옳게 될 것이다. 또 이해[是年] 4월부터 公式的으로 契丹의 年號를 사용하였기에 『현종실록』에서는 太平二年壬戌로 표기하였을 것이다.

・『삼국사기』 권46, 열전6, 薛聰, "薛聰, 字聰智, … 至我顯宗在位十三歲, 天禧五年辛酉[~~乾興元年壬戌~~], 追贈爲弘儒侯".

400) 宋曆에서는 2월(大盡)은 庚子朔인데 비해, 高麗曆과 日本曆의 2월은 辛丑朔으로 小盡이었다.

401) ~~添字~~는 지32, 食貨1, 經理에 의거하였다.

402) 이와 같은 기사가 지7, 五行1, 火, 火災에도 수록되어 있다.

403) 이는 다음의 자료에 의거하였다.

・『송사』 권9, 본기9, 인종1, "乾興元年二月戊午, 眞宗崩, 遺詔太子卽皇帝位, 尊皇后爲皇太后, 權處分軍國事".

404) 이날은 율리우스曆으로 1022년 4월 9일(그레고리曆 4월 15일)에 해당한다.

錚:節要轉載].

[戊子19日, 歲星犯房右驂:天文1轉載].

夏四月庚子朔小盡,乙巳, [某日], 契丹遣御史大夫·上將軍蕭懷禮等來, 冊王, 開府儀同三司·守尙書令·上柱國·高麗國王[405], 食邑一萬戶, 食實封一千戶, 仍賜車服儀物.

○自是, 復行契丹年號太平二年.

[丙辰17日, 月犯庶子:天文1轉載].

[某日, ~~門下侍中~~崔士威奏, "諸州縣長吏, 稱號混雜, 自今, 郡縣以上□~~吏~~稱戶長, 鄕·部曲·津口亭~~津亭~~·驛吏, 只稱長", 從之:節要轉載].[406]

[→崔士威奏, "鄕吏稱號混雜, 自今, 諸州府郡縣吏, 仍稱戶長, 鄕·部曲·津~~津亭~~·驛吏, 只稱長", 從之:選擧3鄕職轉載].

丁卯28日, 以蔡忠順爲□守內史侍郎平章事兼西京留守.

[是月, 獅子頻迅寺棟樑某等造成九層石塔一坐於中州忠州月岳山:追加].[407]

五月己巳朔大盡,丙午, 庚午2日, 禱雨于群望[408].

乙亥7日, 溟州上言, 銀鑛出旌善縣.

丙子8日, 韓祚還自宋, 帝眞宗?賜'聖惠方'·陰陽二宅書·'乾興曆'·釋典一藏.[409]

癸巳25日, 冊子延慶君欽爲王太子.

[是時, 置師·保及官屬, 司議郞一人, 司直一人, 通事舍人二人, 丞·注簿·錄事各一人. 吏屬, 書令史二人, 掌固二人:百官2東宮官轉載].

○黑水靺鞨踈意等三十餘人來朝.

---

405) 東亞大學本에는 三字가 一字로 보이지만, 誤字가 아니라 印刷過程에서 발생한 缺字[破損된 글자]이다(東亞大學 2008년 2책 313面).

406) ~~添字~~는 열전7, 崔士威에 의거하였다.

407) 이는 「堤川獅子頻迅寺址石塔記」에 의거하였다(許興植 1984년 255面 ; 鄭永鎬 等編 2013년 81面).

408) 延世大學本과 東亞大學本에는 群望 다음에 一字가 더 들어 있으나, 잘못 들어간 글자[衍字]일 것이다(東亞大學 2008년 2책 313面).

409) 韓祚는 宋에 파견될 때 王命을 받아 玄化寺에 비치할 大藏經의 印出을 위한 紙墨의 代金을 가지고 갔으나 眞宗(혹은 仁宗)이 받지 아니하고, 大藏經을 봉안할 玄化寺에 彩色 2000餘兩을 하사하였다고 한다(開豊玄化寺碑).

六月己亥朔大盡,丁未, 庚子2日, 冊子亨爲平壤君.

癸卯5日, 冊子緖爲樂浪君.

乙巳7日, 以庾方爲門下侍郞平章事.

[庚戌12日, 月犯心後星:天文1轉載].

壬子14日, 置東宮官屬.[410]

戊辰30日, 後宮延德宮主金氏卒. [諡謚元惠, 葬懷陵:節要轉載].[411]

[是月頃, 以前玄化寺造成別監·守門下侍郞同內史門下平章事崔士威爲門下侍中, 造成都監使·禮賓卿皇甫兪義, 副使·前殿中少監柳僧虔, 將作少監李英禮, 禮賓少卿龍運, 判官·中樞日直·刑部郞中兼御史雜端安鴻漸, 錄事四人內, 神虎衛長史李徵佐·內史主書白思孝, 少府丞崔延嘏, 尙書都事李成子等, 各加恩澤有差. 又命門下侍郞平章事姜邯贊, 製金殿記, 內史侍郞平章事~~守門下侍郞同內史門下平章事~~崔沆,[412] 撰鐘銘, 中樞使李龔, 綴眞殿記, 翰林學士郭元, 述崇慶殿記, 中樞直學士金孟, 編慶讚玄化寺詩, 都序, 翰林學士承旨周佇, 錄眞殿讚詩, 都序, 起居舍人崔冲, 作蓬萊殿記, 致仕翰林學士承旨孫夢周, 紀之:追加].[413]

秋七月己巳朔小盡,戊申, 丙子8日, 都兵馬使奏, "于山國民, 被女眞虜掠逃來者, 處之禮州, 官給資糧, 永爲編戶", 從之.

○東西女眞阿羅大等來, 獻土物.

[○月犯心後星:天文1轉載].

[是月, 興祿大夫·守內史侍郞同內史門下平章事蔡忠順, 奉宣撰玄化寺碑陰幷書:追加].[414]

八月戊戌朔大盡,己酉, 庚子3日, [白露]. 契丹東京持禮使李克方來言, "自今, 春夏季問

---

410) 延世大學本과 東亞大學本에는 官囑으로 되어 있으나 오자이다(東亞大學 2008년 2책 313面).

411) 이와 같은 기사가 열전1, 顯宗妃, 元惠太后金氏에도 수록되어 있다. 또 懷陵은 失傳되어 현재 어디에 있는지를 알 수 없다. 또 이날은 율리우스曆으로 1022년 7월 31일(그레고리曆 8월 6일)에 해당한다.

412) 이 時期보다 後日 작성된 原文[玄化寺碑]에서 崔沆의 官職을 적절하게 반영하지 못했을 것이다.

413) 이는「開豊玄化寺碑」에 의거하였다.

414) 위와 같다.

候使, 幷差一次, 與賀千齡節·正旦使同行, 秋冬季問候使, 幷差一次, 與賀太后生辰使同行"

甲寅[17日], 宋福州人陳象中等來, 獻土物.

○鐵利國首領那沙遣黑水阿夫閒來, 獻方物.

[戊午[21日], 歲星鉤己於房:天文1轉載].

辛酉[24日], □[宋]廣南人[江南人]陳文遂等來, 獻香藥.[415]

甲子[27日], 納國子祭酒徐訥女, 爲淑妃. [稱爲興盛宮主:列傳1顯宗妃元穆王后徐氏].

九月[戊辰朔小盡,庚戌], 己巳[2日], 賜京城男女年八十以上及篤·癈疾者, 酒食·茶布, 有差.

丙子[9日], 契丹東京使王守榮來.

癸未[16日], 遣都官郎中尹宗元如契丹, 賀太后生辰.

丁亥[20日], 遣左散騎常侍郭元·尙書右丞王謂, 如契丹.

戊子[21日], 契丹首于味·烏於乙等十九人來投.

[庚寅[23日], 熒惑犯左執法:天文1轉載].

[某日, 追贈王妃金氏父金殷傅爲推忠守節昌國功臣·開府儀同三司·守司空·上柱國·安山郡開國侯·食邑一千戶, 妣爲安山郡大夫人. 尋冊后爲王妃:列傳1顯宗妃元成太后金氏轉載].

冬十月[丁酉朔大盡,辛亥], 庚戌[14日], 慮囚.

[○大雨, 暴風折木:五行2轉載].[416]

乙卯[19日], 冊延慶宮主金氏爲王妃.

○以霖雨不止, 祈晴于群望.[417]

---

415) 廣南人은 江南人의 誤字로 추측된다(→현종 17년 8월 9일). 廣南縣은 현재의 雲南省 東南部에 있고, 廣西 壯族自治區에 인접해 있는데(越南에 接境) 비해, 江南은 일반적으로 長江[揚子江中] 下流以南, 곧 현재의 湖南·湖北省의 南部, 江西省의 일부 지역을 指稱한다. 그렇다면 당시 고려에 來往하던 宋의 商人은 후자와 관련이 있을 것이다.

416) 原文에는 "十三年十月庚戌[14日], 大雨, 暴風折木, 是日, 以霖雨不止, 祈晴于群望"으로 되어 있다. 그렇지만 세가편의 기록을 볼 때, 乙卯(19일)에 祈晴祭를 지냈기에 이 기사의 是日은 乙卯의 잘못일 것이다.

417) 霖雨는 비가 3일 이상 계속 내리는 것을 指稱하는 것 같고, 이에 대처하여 祈晴儀式도 있었던 것 같다. 또 일본의 京都에서 7, 8월에 걸쳐 霖雨가 있었다고 한다(中央氣象臺 1941年 2冊

己未23日, 以徐訥爲中樞使·右散騎常侍, 李可道爲中樞□院使·國子祭酒, 韓祚·司憲中丞柳韶爲左·右諫議大夫.

辛酉25, 以周佇爲禮部尙書, 同知中樞院事李作仁爲司憲大夫, 金猛爲中樞副使中樞院副使 418).

十一月丁卯朔小盡,壬子, [某日, 司憲臺劾侍中崔士威·參知政事·左僕射朴忠淑, 於毬庭禮會, 醉舞失禮不敬, 請論之, 不允:節要轉載].

乙酉19日, 契丹東京使高張亂來.

十二月丙申朔大盡,癸丑, [己亥4日, 夜, 白氣漫天:五行2轉載].

辛丑6日, 契丹弗大等十一人來投.

癸丑18日, 西女眞魚尼底來告, "親姑, 曾隨投化人昧那來, 住大國京都, 已經數年, 思戀本蕃, 乞以土馬贖之". 卽命放歸, 還其馬.

[甲寅19日, 歲星犯房左驂上相:天文1轉載].

己未24日, 東女眞首領史彬來, 獻馬及弓矢.

[是年, 以安南大都護府爲全州牧:地理2全州牧轉載].

[是年七月, 契丹, 以高麗國參知政事王同顯王同穎爲靜海軍節度使:追加].419)

[仁同人 張東翼 校注, 增補].

561面).

· 『자치통감』 권16, 漢紀8, 景帝前 6년(BC151), "冬十二月, 雷, 霖雨[胡三省注, 雨三日以往爲霖]".

· 『대당육전』 권4, 尙書禮部, 祠部郎中·員外郎, "若霖雨, 則京城禜諸門, 門別三日, 每日一禜. 不止, 祈山川岳鎭海瀆. 三日不止, 祈社稷·宗廟. 若州縣, 則禜城門及界內山川而已".

· 『구당서』 권24, 지4, 禮儀4, "武德貞觀之制, 神祇大享之外, … 若霖雨不已, 禜京城諸門, 門別三日, 每日一禜. 不止, 乃祈山川岳鎭海瀆. 三日不止, 祈社稷·宗廟. 其州縣, 禜城門, 祈界內山川及社稷. 三禜一祈, 皆準京式, 並用酒脯醢. 國城門, 報用小牢, 州縣城門, 用一特牲".

· 『立川寺年代記』, 治安 2년, "… 此年七月·八月, 霖雨長降, 後大風頻吹, 人民多餓死, 天下一同之饑饉也".

418) 이때 金猛은 中大夫·中樞院副使·秘書監兼太子賓客·柱國에 임명되었던 것 같다(弘慶寺碣).

419) 이는 다음의 자료에 의거하였다. 王同顯은 王同穎의 오자, 또는 改名일 것이다. 그는 1010년(현종1) 11월 右僕射로서 參知政事 李禮均과 함께 和議를 요청하기 위해 契丹에 파견되어 같은 달에 도착하였으나 拘留되었다. 1014년(현종5) 6월 李禮均은 門下侍郎平章事에, 王同顯은 內史侍郎平章事에 각각 加職되었다.

· 『요사』 권16, 본기16, 聖宗7, 太平 2년, "秋七月己卯, … 高麗國參知政事王同顯爲靜海軍節度使".

『高麗史』 卷五 世家卷五

[輔國崇祿大夫·議政府左贊成·知集賢殿經筵春秋館成均事·世子賓客·臣金宗瑞奉教撰]
正憲大夫·工曹判書·集賢殿大提學·知經筵春秋館事兼成均大司成·臣鄭麟趾奉教修

顯宗 二

癸亥[顯宗]十四年, 契丹太平三年, [宋天聖元年], [西曆1023年]

1023년 1월 25일(Gre1월 31일)에서 1024년 2월 12일(Gre2월 18일)까지, 13개월 384일

春正月丙寅朔小盡,甲寅, [丁卯2日, 熒惑犯房右驂上相:天文1轉載].
壬申7日, [立春]. 宴宰樞于內殿.
乙亥10日, 以內史侍郞平章事蔡忠順爲太子少師, 徐訥△爲參知政事, 郭元爲中樞使.
丁丑12日, 以門下侍郞平章事庾方爲西北面行營都統使.
戊寅13日, 契丹焦福等十一戶來投.
壬午17日, 以晋含祚·朱德明爲尙書左·右僕射.
[戊子23日, 月貫心星:天文1轉載].
是月, 黑水靺鞨烏沙弗等八十人來, 獻馬及方物, 各賜布帛.
[是月丙寅朔, 宋改元天聖:追加].[1]

二月乙未朔小盡,乙卯, 戊戌4日, 以中樞院使李龔爲西京留守.
丙午12日, 追封崔致遠爲文昌侯.[2]
○東女眞酋長阿盧弗·西女眞那閼盖來朝.

1) 이는 다음의 자료에 의거하였다.
· 『송사』 권9, 본기9, 仁宗1, "天聖元年春正月丙寅朔, 改元".

2) 이때 이루어진 崔致遠(857~908以後 推定)의 추증 시기는 『삼국사기』 권46, 열전6, 崔致遠 ; 『경상도지리지』, 慶州道, 慶州府 등에 前年인 1022년(壬戌, 현종13) 5월로 되어 있다. 그런데 1022년 5월에는 丙午의 日辰이 없다.

三月[甲子朔大盡,丙辰], 丁卯[4日], 遣秘書監劉徵弼如契丹.

夏四月[甲午朔小盡,丁巳], 庚子[7日], 契丹遣左散騎常侍武白·耶律克恭等來, 冊太子欽爲輔國大將軍·檢校太師·守太保兼侍中·高麗國公.[3)]

是月, 女眞靺鞨群豆等七十餘人來, 獻土馬.

[是月辛丑[8日], 僧智眼等樹靈巖寺寂然國師英俊塔碑:追加].[4)]

五月[癸亥朔大盡,戊午], 丙寅[4日], 契丹東京持書使盧知祥來.

[戊辰[6日], 熒惑退舍南斗魁中:天文1轉載].

乙亥[13日], 金州地震. 始令震處, 行解怪祭.

丁丑[15日], 契丹麻許底等十三戶來投.

[某日, 司憲臺奏, "百官於朝會, 跪膝私語, 或單拜起居, 攙挾班行, 殊失朝儀, 請加嚴禁", 從之:節要·刑法2禁令轉載].

戊子[26日], 宴文武參內群僚於天福殿, 賜馬人一匹.

壬辰[30日], 契丹大世奴·齊化那等八人來投.

○女眞酋長尼于弗來朝.

六月[癸巳朔大盡,己未], 戊戌[6日], 以旱慮囚.[5)]

[甲辰[12日], 小暑. 月犯心後星:天文1轉載].

乙巳[13日], 御天德殿覆試, 賜張喬等及第.[6)]

[是月, 弘仁坊民勤孝妻, 一産三男:五行1人痾轉載].

[○式目都監奏定, 詹事府丞, 給從三人, 司直以下, 錄事以上, 各給從二人:輿服1百官儀從轉載].

[□[癸]定, 詹事府公廨田, 給十五結, 供紙一戶:食貨1公廨田柴轉載].[7)]

---

3) 武白은 귀환 후에 權中京留守에 임명되었다고 한다(『요사』 권82, 열전12, 武白).

4) 이는 「陜川靈巖寺寂然國師慈光塔碑」에 의거하였다.

5) 일본의 京都에서는 5월에 비가 내리지 않아 旱魃의 憂慮가 있었다고 한다.

· 『小右記』, 治安 3년 5월, "十二日甲戌, … 雨澤不降, 耕作憂旱云々, 若猶經日, 可及巨害".

6) 이와 관련된 기사로 다음이 있다.

· 지27, 선거1, 科目1, 選場, "[顯宗]十四年六月, 黃周亮知貢擧, 取進士, 覆試, 賜丙科張喬等二人·同進士二人·明經二人及第".

秋七月癸亥朔[小盡,庚申], 契丹遣太保黃信來, 賀生辰.

己卯[17日], 吏部奏, "前大常齋郞[太常齋郞]全彥, 追服母喪, 以孝聞, 請加次第職, 用勸將來", 從之.

八月[壬辰朔大盡,辛酉], 壬子[21日], 還御闕.

九月[壬戌朔大盡,壬戌], 己巳[8日], 靺鞨首領阿令朱來朝.

癸酉[12日], 大醮毬庭.

丙子[15日], [寒露]. 以崔輔成爲兵部尙書.

[丁丑[16日], 熒惑犯哭星:天文1轉載].

己丑[28日], 以盧戩爲三司使.

[○流星, 大如月, 入王良·天策間:天文1轉載].

閏[九]月[壬辰朔小盡,壬戌], 庚子[9日], 契丹□[遣]使栗守常來聘.

壬寅[11日], 契丹東京使高仁壽來.

[某日, 敎, "諸州縣義倉, 本以救急, 毋得濫費":節要轉載].

[→判[制], "凡諸州縣義倉之法, 用都田丁數, 收斂, 一科公田一結, 租三斗, 二科及宮寺院兩班田, 租二斗, 三科及軍·其人戶丁, 租一斗, 已有成規. 脫遇歲歉, 百姓阻飢, 以此救急, 至秋還納, 毋得濫費":食貨3常平·義倉轉載].[8)]

冬十月[辛酉朔大盡,癸亥], 辛未[11日], 以李周佐爲侍御史, 皇甫穎爲殿中侍御史, 許元爲左拾遺.

[癸卯[某日], 流星入天倉:天文1轉載].[9)]

---

7) 이는 다음의 기사를 전재하여 적절히 變改하였다.

· 지32, 食貨1, 公廨田柴, "顯宗十四年六月, 式目都監議定, 詹事府公廨田, 給十五結, 供紙一戶".

8) 이 기사는 原來 『현종실록』에서 冒頭에 敎曰, 또는 制曰로 시작한 것을 『고려사』의 편찬자가 敎, 判(1275년 이래 制를 批判, 判으로 바꾼 용어)로 改書한 것임을 보여 주는 좋은 사례가 될 수 있다. 그러므로 『고려사』에서 13세기 후반 이전의 判曰, 判은 下級官署의 判案인 判이 아니라 制命을 指稱한다. 또 下級官署의 判案은 『고려사』에 수록될 정도의 資料가 될 수 없다.

9) 10월에는 癸卯가 없고, 宋에서도 이달에 流星이 확인되지 않는다(『송사』 권57, 지10, 천문10, 流隕1, 天聖 1년).

十一月辛卯朔小盡,甲子, 丙申6日, 黑水酋長耶盻羅等來朝.

○宋泉州人陳億來投.

[己亥9日, 流星入攝提閒:天文1轉載].

[甲辰14日, 月食:天文1轉載].[10)]

十二月[庚申朔大盡,乙丑, 雷震:五行1雷震轉載].

丁丑18日, 以立春節, 宴宰樞及上將軍於乹德殿.[11)]

己卯20日, 以門下侍郞平章事庾方爲太子太保, 李龔爲內史侍郞平章事·監修國史, 李元△爲檢校太子太保.

[癸未24日, 月犯心前星:天文1轉載].

[是年, 復置三司, 改稱司憲臺爲御史臺:百官1三司·司憲府轉載].[12)]

[○□□復改中樞院日直員, 爲左·右承宣, 各有副, 仍以副樞以下兼之:百官1密直司轉載].

[○改太卜監爲司天臺:百官1書雲觀轉載].

[○城耀德鎭六百三十四閒, 門六:兵2城堡轉載].

---

10) 이날 일본 京都에서도 월식이 있었다(高麗曆과 同一, 日本史料2-19冊 321~325面). 이날은 율리우스력의 1023년 12월 29일이고, 월식 현상이 심했던 때의 世界時는 20시 2분, 食分은 1.49이었다(渡邊敏夫 1979年 471面).

·『小右記』, 治安 3년 11월, "十四日甲辰, 月蝕, 皆旣, 虧初丑一剋一分, 加時寅二剋二分, 復末卯三剋三分, 時雨, 臨夜天晴月明, 月蝕合曆".

·『日本紀略』後篇13, 後一條, 治安 3년 11월, "十四日甲辰, 節會, 今夜月蝕, 皆旣".

·『扶桑略記』권28, 後一條, 治安 3년 11월, "十四日, 月蝕, 皆旣".

·『本朝統曆』권7, 治安 3년, "十一小 朔辛卯, 子一, 二冬至, 寅五, 十四夜望, 寅四, 月蝕, 皆旣, 丑二, 卯七".

11) 이날은 율리우스력의 1024년 1월 31일(그레고리력 2월 6일)이므로 時節에 合當하다.

12) 이 시기는 5월 15일(丁丑)에서 9월 28일(己丑) 사이이다. 그런데 三司의 경우 1014년(현종5) 11월 3일(乙酉) 武臣의 亂으로 인해 都正署(혹은 都正司)로 改稱되었다가 이때 復舊되었다고 한다. 그렇지만 1016년(현종7) 9월 某日 三司가, 1017년(현종8, 天禧1) 4월 守門下侍郞同內史門下平章事·判三司事 崔士威가 찾아지고 있고(開豊玄化寺碑), 1020년(현종11) 1월 11일(癸亥) 晋含祚가 尙書右僕射兼都正使에 임명된 것이 찾아지고 있어 復舊된 시기가 분명하지 않다(朴龍雲 2009년 124面). 또 御史臺에 관련된 기사로 다음이 있다.

· 지30, 百官1, 司憲府, "顯宗十四年, 復改御史臺".

甲子[顯宗]十五年, 契丹太平四年, [宋天聖二年], [西曆1024年]

1024년 2월 13일(Gre1월 19일)에서 1025년 1월 31일(Gre2월 6일)까지, 354일

春正月<u>甲寅朔</u>[~~庚寅朔~~小盡,丙寅], 以[中樞院使]郭元爲刑部尙書, 劉徵弼爲禮部尙書.[13)]

○契丹馬史刀等三人來投.

戊戌[9日], 太白晝見.

[辛丑[12日], 大雷電以震 : 五行1雷震轉載].

[某日, 都兵馬使奏, "發西京畿內河陰部曲民百餘戶, 徙嘉州南屯田所, 以充<u>佃作</u>" : 節要轉載].[14)]

丁巳[28日], 冊景興院主金氏[尙書右僕射致仕金因渭女], 爲<u>德妃</u>.[15)]

[二月[己未朔小盡,丁卯], 壬戌[4日], 月犯太白 : 天文1轉載].

三月[戊子朔大盡,戊辰], 辛卯[4日], 賜<u>李子淵</u>等及第.[16)]

甲午[7日], 西女眞高豆老·東女眞瑟弗達等九十人來投.

辛丑[14日], 以王希傑爲西京副留守.

夏四月[戊午朔小盡,己巳], [癸亥[6日], 月犯心前星 : 天文1轉載].

己卯[22日], [芒種]. <u>禱雨</u>于群廟.[17)]

---

13) 甲寅朔은 庚寅朔의 오자이다. 前年 12월이 庚申朔이고 大盡이기에 是月[正月]은 甲寅朔이 될 수 없고, 宋曆·契丹曆·日本曆이 모두 庚寅朔이다.

14) 이와 같은 기사로 다음이 있다.
 · 지36, 兵2, 屯田, "都兵馬使奏, 發西京畿內河陰部曲民百餘戶, 徙嘉州南, 屯田".

15) 이와 같은 기사가 열전1, 顯宗妃, 元順淑妃金氏에도 수록되어 있다.

16) 이와 관련된 기사로 다음이 있다.
 · 지27, 선거1, 科目1, 選場, "[顯宗]十五年三月, 禮部尙書<u>劉徵弼</u>知貢擧, 取進士, 賜丙科<u>李子淵</u>等二人·同進士七人·明經十人及第".

17) 일본의 교토[京都]에서도 이달 11일(戊辰), 27일(甲申) 祈雨를 위한 社寺에의 奉幣가 있었다(高麗曆과 同一, 日本史料2-20册 204面).
 · 『小右記』, 萬壽 1년 4월, "十一日戊辰, … 左頭中將[藤原公成]云, 雨御祈事, 以社司被祈申石淸水·之[上?]賀茂·貴布禰·春日御社等, 從今朝頗有雨氣, 雲指乾方行".
 · 『日本紀略』後篇13, 後一條, 萬壽 1년 4월, "廿七日甲申, 祈雨奉弊丹[丹生]·貴[貴布禰]二社".
 · 『小記目錄』19, 祈雨事, 治安 4년 4월, "廿七日, 祈雨, 奉弊使藏人發遣二社事".

壬午25日, 黑水靺鞨古刀買等來, 獻土物.

[某日, 賜楊規·金叔興, 三韓後壁上功臣號:節要轉載].[18]

五月丁亥□~~朔~~大盡,庚午, 太史局奏, 日當食, 不食.[19]

癸巳7日, 雨. 自春旱甚, 民有團聚, 籲天祈禱.

是日, 王晨起, 聞其聲, 因輟膳, 齋沐焚香, 立于殿庭, 仰天祝曰, "寡人有過, 請卽降罰, 萬民有過, 寡人亦當之, 乞垂膏澤, 以救元元". □~~遂~~大雨.[20]

庚子14日, 東女眞懷化將軍阿閼那來朝.[21]

[壬寅16日, 月食:天文1轉載].[22]

---

18) 이는 열전7, 楊規에도 수록되어 있다.

19) 丁亥에 朔이 탈락되었지만, 지1, 天文1에는 朔이 있다. 또 宋에서도 같은 현상이 있었고(『송사』 권52, 지5, 천문5, 日食), 일본의 京都에서도 일식이 있었다고 한다(高麗曆과 同一, 日本史料 2-21冊 55面). 그렇지만 이날의 일식은 북동아시아 3국에서 관측되지 않는 것이라고 한다(渡邊敏夫 1979年 304面).

· 『日本紀略』後篇13, 後一條, 萬壽 1년, "五月一日丁亥, 日蝕, 未刻正現".

· 『小記目錄』19, 天變事, 萬壽 1년, "五月一日, 々蝕事".

· 『本朝統曆』권7, 萬壽 1년, "五大, 朔丁亥, 午一, 日蝕, 三分弱, 巳八, 午三".

20) ~~添字는~~ 『고려사절요』 권3 ; 지8, 오행2, 木行, 大雨에 의거하였는데, 後者에서 旱甚은 暵甚(한심)으로 되어 있으나 오자일 것이다.

21) 고려시대에 朝貢·來朝해 온 女眞人[化內女眞·化內蕃人, 고려에 順應하지 않던 化外女眞의 對稱概念]에게 武散階와 별도로 수여한 柔遠~~綏遠~~大將軍·懷化大將軍·奉國大將軍·歸德大將軍·平遠大將軍·柔遠~~綏遠~~將軍·懷化將軍·奉國將軍·歸德將軍·寧塞將軍·懷遠將軍·寧遠將軍 등의 歸化武散階가 있었다. 이들 관계는 그들의 功勞에 따라 부여되었고, 時日의 經過·功勞 등에 따라 陞級되었다(세가6, 靖宗 4년 1월 辛酉·9년 9월 庚辰·권7, 세가7, 문종 1년 3월 丙戌·권9, 세가9, 문종 27년 2월 乙未·권11, 세가11, 숙종 5년 2월 乙巳).

이는 唐이 이민족의 지배층을 招諭하면서 이들을 위해 설정한 武散階인 懷化大將軍(正3品上)·懷化將軍(正3品下)·歸德大將軍(從3品上)·歸德將軍(從3品下)·懷化中郎將(正4品下)·歸德中郎將(從4品下)·懷化郎將(正5品下)·歸德郎將(從5品下)·懷化司階(正6品下)·歸德司階(從6品下)·懷化中侯(正7品下)·歸德中侯(從7品下)·懷化司戈(正8品下)·歸德司戈(從8品下)·懷化執戟長上(正9品下)·歸德執戟長上(從9品下) 등을 적절히 變改하여 사용하였던 것으로 추측된다(『신당서』 권46, 지36, 백관1, 兵部, 武散階). 그렇지만 『고려사』 백관지에서는 歸化武散階의 沿革에 대한 언급이 전혀 없기에 女眞人들이 附與받은 武散階 序列의 순서를 정리하기에 어려움이 있다(江原正昭 1963年 ; 林敬熙 2003년).

22) 이날 일본 京都에서도 월식이 있었으나 날씨가 흐려서 관측할 수 없었다고 한다(高麗曆과 同一, 日本史料2-21冊 55面). 이날은 율리우스력의 1024년 6월 24일이고, 월식 현상이 심했던 때의 世界時는 14시 46분, 食分은 0.97이었다(渡邊敏夫 1979年 471面).

· 『日本紀略』後篇13, 後一條, 萬壽 1년 5월, "十六日壬寅, 月蝕, 天陰不現". 國史大系(吉川弘文館刊行)의 『日本紀略』에는 壬寅이 癸酉로 되어 있는데, 오자일 것이다.

庚戌[24日], 禮部尙書周佇卒.[23)] [佇, 性謙恭, 工詞翰. 初佇之來, 學士蔡忠順知其才, 密奏留之, 不數月, 遂掌制誥. 及王南幸, 扈從有功, 賜功臣號. 由是, 大顯, 兩朝交聘辭命, 多出其手, 恩遇無比:節要轉載].

[是月, 判[⺀], "凡無子身歿軍人妻, 給口分田":食貨1田柴科轉載].

六月[丁巳朔小盡,辛未], 辛酉[5日], 門下侍郎平章事~~門下侍郎同內史門下平章事~~崔沆卒. [年五十三:列傳6轉載].[24)] [沆, 彥撝之孫, 性聰悟沈訥, 寡言善斷, 少登第, 再掌禮闈, 所擧, 多知名士. 世業儒, 以淸儉持家, 久秉鈞, 一介不取於, 人計月請俸, 家無甔石之儲. 不樂仕宦, 年未七十, 表請致仕, 累起不就. 但酷信浮屠, 請修皇龍寺塔, 身往監督, 頗傷農務, 又於私第, 造置經像, 竟捨爲寺. 及疾, 王親臨問疾, 授其子有孚, 秘書省校書郞, 女壻李作忠, 賜章服, 以慰意. 訃聞, 王悼甚, 賻絹三百匹·布五百段·米麥各一千碩. 有孚以父遺命, 固辭不受. 謚[諡]節義, 後配享王廟:節要轉載].[25)]

秋七月丙戌朔[大盡,壬申], 契丹遣檢校司徒高壽來, 賀生辰.

壬辰[7日], 西女眞酋長闍羅·東女眞奴乙堅等來, 獻馬.

乙巳[20日], 以[參知政事]徐訥爲西北面行營都統, [中樞院使]郭元副之.

壬子[27日], 以耽羅酋長周物·子高沒, 並爲雲麾大將軍·上護軍.[26)]

[是月, 僧智光·成彥等造成楊州三角山僧伽寺僧伽大師像:追加].[27)]

· 『小記目錄』 19, 天變事, 萬壽 1년 5월, "十五日, 月蝕事".

· 『本朝統曆』, 萬壽 1년, "五大, 朔丁亥, 午一, 十六望, 月蝕, 十一分强, 戌六, 子四".

23) 이날은 율리우스曆으로 1024년 7월 2일(그레고리曆 7월 8일)에 해당한다.

24) 이날은 율리우스曆으로 7월 13일(그레고리曆 7월 19일)에 해당한다.

25) 이와 관련된 기사로 다음이 있다.

· 지18, 禮6, 諸臣喪, "六月, 平章事崔沆卒, 王悼甚, 賻絹三百匹, 布五百段, 米·麥各千石, 諡節義".

· 열전6, 崔沆, "及卒, 王悼甚, 贈諡節義, 賻絹三百匹, 布五百匹, 米·麥各一千石, 有孚以父遺命, 固辭不受. …".

26) 이때의 上護軍은 勳官의 視正三品이다(→현종 7년 6월 4일).

27) 이는 다음의 자료에 의거하였는데, 이 僧伽大師像은 서울시 鐘路區 舊基洞 北漢山 비봉 동쪽 산록에 위치한 僧伽寺의 僧伽窟에 奉安되어 있고(보물 제1000호), 이의 光背 裏面에 刻石銘이 있다(中吉 功 1973年b 425面 ; 許興植 1984년 460面).

· 刻石銘, "太平四年甲子歲首秋月寘開□□□,」 棟梁釋智光·副棟梁釋成彥,」 磨琢者釋光儒·釋慧□□□」 鐵□[匠?]□□丘".

[八月丙辰朔[大盡,癸酉]:追加].

九月[丙戌朔小盡,甲戌], 乙未[10日], 以[後宮德妃金氏父]金因渭爲尙書左僕射·參知政事[·柱國·京兆縣開國男·食邑三百戶:列傳1顯宗妃元順淑妃金氏轉載], 仍令致仕.[28]

甲寅[29日], 黑水靺鞨阿里古來.

是月, 大食國悅羅慈等一百人來, 獻方物[注, 大食國在西域].

冬十月[乙卯朔大盡,乙亥], 丙辰[2日], 契丹遣檢校□□[尙書]左僕射李正倫來.

十一月乙酉朔[小盡,丙子], 太史局奏, "日當食, 不食".[29]

庚寅[6日], 以李龔爲尙書左僕射·□□□□[內史侍郎]同內史門下平章事.[30]

丙午[22日], 以[中樞院使]李可道爲戶部尙書.

己酉[25日], 尙州地震.

[是月, 天門開:天文1轉載].

[丁丑[某日], 月犯心前星:天文1轉載].[31]

---

28) 金因渭는 1021년(현종12) 8월 8일 右僕射로 致仕하였기에, 이때의 치사는 是年 1월 28일 그의 딸이 德妃로 책봉된 것에 따른 致仕職의 加職[陞秩]일 것이다. 또 金因渭(李子淵의 丈人)는 그의 後裔들의 墓誌銘에는 金因謂로 달리 表記되어 있다.

· 「李子淵墓誌銘」, "… 公娶樂浪君京兆氏, 陰儀婦德, 眞一代之秀, 以王妃副君之故, 累加雞林國大夫人. 有子八人, 長曰顥, 檢校衛尉卿·行尙書右丞·知閤門事, … ".

· 「李頲墓誌銘」, "… 考諱子淵, 守太師兼中書令, 贈諡章和, 妣金氏, 雞林國大夫人, 內史侍郎平章事諱因謂之女也".

· 「金之祐墓誌銘」, "… 君諱之祐, 字福基. 其先新羅國元聖大王之後, 大王生大臣金禮, 禮生三韓功臣·三重大臣仁允, 允生太子太保·左僕射信雄, 雄生司徒·內史侍郎平章事因謂, …".

29) 이날 일본의 京都에서는 일식을 관측할 수가 없었다고 한다(高麗曆과 同一, 日本史料2-21册 55面). 또 이날의 일식은 북동아시아 3국에서 관측되지 않는 것이라고 한다(渡邊敏夫 1979年 304面).

· 『本朝統曆』 권7, 萬壽 1년, "十一大, 朔乙酉, 辰三, 日蝕, 十四分强, 卯二, 巳二".

30) 李龔은 前年(현종14) 12월 20일(己卯) 內史侍郎平章事·監修國史에 임명되었고, 1027년(현종18) 1월 10일(辛亥) 門下侍郎平章事에 임명되었기에 이 기사에서 內史侍郎이 탈락되었음을 알 수 있다.

31) 이의 다음과 같은데, 11월에는 丁丑이 없고, 宋에서도 月變이 확인되지 않는다(『송사』 권53, 지6, 천문6, 月犯列舍, 天聖 2년). 그러므로 丁丑이 오자가 아니면 12월 24일에 해당할 것이다.

· 지1, 천문1, "十一月, 天門開, 丁丑[某日], 月犯心前星, 十六年正月戊申[25日], 月犯熒惑".

十二月[甲寅朔大盡,丁丑], 壬申[19日], 以黃周亮爲御史中丞, [起居舍人]崔沖爲中樞直學士, 李仁澤爲侍御史, 崔象輿爲殿中侍御史.

[是月, 判[~~刪~~], "諸州縣, 千丁以上, 歲貢三人, 五百丁以上二人, □□□[~~五百丁~~]以下一人, 令界首官試選. 製述業則試以五言六韻詩一首, 明經則試五經各一机. 依例送京, 國子監更試, 入格者, 許赴擧, 餘並任還本處學習. 如界首官貢非其人, 國子監考覈, 科罪":選擧1科目轉載].

[是歲, 定京城五部坊里:節要轉載].32)

[○重建東京佛國寺:佛國寺古今創記].

[○贈王妃金氏[金殷傳女]祖肯弼爲尙書右僕射·上柱國·安山縣開國侯·食邑一千五百戶, 祖妣△[爲]安山郡大夫人, 外祖父李許謙△[爲]尙書左僕射·上柱國·邵城縣開國侯·食邑一千五百戶:列傳1顯宗妃元成太后金氏·列傳7金殷傳轉載].

---

32) 이와 관련된 자료로 다음이 있는데, ~~添字~~와 같이 고쳐야 옳게 될 것이다.

- 지10, 지리1, 王京開城府, "[顯宗]十五年, 又定京城五部坊里[東部, 坊七, 里七十, 曰安定坊·奉香坊·令昌坊·松令坊·楊堤坊·令倉坊[~~倉令坊~~]·弘仁坊. 南部, 坊五, 里七十一, 曰德水坊·德豊坊·安興坊·德山坊·安申坊. 西部, 坊五, 里八十一, 曰森松坊·五正坊[~~午正坊~~]·乾福坊·鎭安坊·香川坊. 北部, 坊十, 里四十七, 曰正元坊·法王坊·興國坊·五冠坊·慈雲坊·王輪坊·堤上坊·舍乃坊·師子岩坊[~~獅子巖坊~~]·內天王坊. 中部, 坊八, 里七十五, 曰南溪坊·興元坊·弘道坊·鸎溪坊·由岩坊[~~乳巖坊~~]·變羊坊·廣德坊·星化坊".
- 『성종실록』 권196, 17년 10월 庚寅[19日], "傳于承政院曰, '萬戶·水軍雖令長在水上, 然軍器不可置水上也. 今欲築城, 而前日大司憲言其不可, 築城爲藏軍器也, 其召議領敦寧以上·議政府·大司憲·曾經其道宰相'. … 李瓊仝議, 前朝之季, 倭亂極矣, 非唯下三道受害, 至於開城黃橋, 漫爲賊藪. 古老相傳, 崔瑩坐甲, 於午正門而禦之, 其岌岌可知. 其所以然者, 沿海無防戍之固, 而賊倭出沒無常, 朝廷莫得以隄備之也".
- 『신증동국여지승람』 권4, 개성부상, 部坊, "…, 高麗太祖二年, 立市廛, 辨坊里. 成宗·顯宗又改定五部三十五坊. 東部七坊, 曰安定, 曰奉香, 曰令昌, 曰哲令, 曰楊堤, 曰弘仁, 曰倉令. 南部五坊, 曰德水, 曰德豊, 曰安興, 曰德山, 曰安申. 西部五坊, 曰森松, 曰五正[~~午正~~], 曰乾福, 曰鎭安, 曰香川. 北部十坊, 曰正元, 曰法王, 曰興國, 曰五冠, 曰慈雲, 曰王輪, 曰堤上, 曰舍乃, 曰獅子巖, 曰內天王. 中部八坊, 曰南溪, 曰興元, 曰弘道, 曰鸎溪, 曰由巖[~~乳巖~~], 曰變羊, 曰廣德, 曰星化. 我世祖十二年, 以開城爲外官, 不可仍舊制, 遂省爲四部四坊".

乙丑[顯宗]十六年, 契丹太平五年, [宋天聖三年], [西曆1025年]

1025년 2월 1일(Gre2월 7일)에서 1026년 1월 21일(Gre1월 27일)까지, 355일

春正月[甲申朔大盡,戊寅], 庚寅[7日], 女眞懷化將軍耶古伽·歸德將軍阿骨·陁老等來朝, 各賜爵及衣物.

乙未[12日], 以[門下侍郞平章事]庾方△[爲]判尙書兵部事, [內史侍郞平章事]蔡忠順△[爲]判尙書禮部事.

丁酉[14日], 赦皮渭宗等六人, 復其爵. 初, 渭宗, 以兵部郞中, 巡行徼外, 見契丹將軍耶律撒割游獵, 與禮賓注簿鄭民義等五人, 馳出斬之而歸, 以邀功賞, 所司, 以擅兵出塞, 流遠方. 至是, 放還.

[戊申[25日], 月犯熒惑:天文1轉載].

辛亥[28日], 女眞酋長毛逸羅來朝, 以有功邊圉, 加授大匡, 優賜衣物.

二月[甲寅朔小盡,己卯], 戊辰[15日], [春分]. 以[中樞院使]郭元爲推誠文理功臣·上柱國, 李可道爲致盛功臣, 金猛爲宜春縣開國男[·食邑三百戶:列傳7金猛轉載], 羅敏爲致君文德功臣, 柳韶△[爲]同知中樞□[院]事.

壬午[29日晦], 以寒食, 宴文武常參以上官於內殿.

[是月, 判[刪], "諸州縣長吏, 病滿百日, 依京官例, 罷職收田":選擧3鄕職轉載].

三月[癸未朔小盡,庚辰], 己丑[7日], 白氣貫日.

庚寅[8日], 停諸營作, 放農民.

甲辰[22日], 延慶宮主金氏卒.

[庚戌[28日], 熒惑犯哭星:天文1轉載].

[某日, 判[刪], "外人來京訴訟者, 自三月初一日, 並令歸農":食貨2農桑轉載].

夏四月[壬子朔大盡,辛巳], 甲子[13日], 敎曰, "農事方殷, 亢陽爲沴, 恐乏蒸民之食, 軫予宵旰之懷. 是宜避正殿, 減常膳, 禁屠宰, 輟樂懸, 審寃獄, 禱群望. 匪惟寡德, 深合責躬, 凡百官僚, 亦當自勗".

[某日, 禮部言, "今御史臺新格, 兩班員吏, 於朝門街衢公處, 以私禮, 拜伏者, 隨即糾罰. 謹按禮記, '君子行禮, 不求變俗'. 若如臺格, 何以辨上下長幼之序, 請於

朝廟·禮會·班行外, 其餘私禮, 任便爲宜", 從之:節要轉載].

[→禮部奏, "准御史臺格, 兩班員吏, 於朝門街衢公處, 以私禮, 拜伏者, 隨卽糾罪. 謹按禮記, '君子行禮', 不求變俗. 又云, '修其敎, 不易其俗, 齊其政, 不易其宜'. 況非禮, 無以辨上下長幼之序. 如御史臺新格, 卑幼之於尊長, 何以致敬, 何以辨位. 請於朝廟禮會班行, 切禁私禮拜伏外, 任便爲宜", 從之:刑法2禁令轉載].[33)]

辛未[20日], 嶺南道廣平·河濱等十縣地震.[34)]

壬申[21日], □□[又震].

乙亥[24日], 又震.

[某日, 追增延德宮主金氏[顯宗後宮]爲王妃:列傳1顯宗妃元惠太后金氏轉載].

[五月[壬午朔小盡,壬午], 某日, 敎曰, "海陽道定安縣, 再進珊瑚樹, 其南海龍神, 宜陞祀典, 以奬玄功":節要轉載].[35)]

六月[辛亥朔大盡,癸未], 甲寅[4日], 以宮人庾氏爲貴妃.[36)]

己未[9日], 敎曰, "法天順時, 然後可以禦災沴, 而致和平, 今內史門下省及諸官司, 凡所奏行, 多違時政, 欲望陰陽調洽, 豈不謬哉? 宜各悉心, 勉遵月令, 以副予意".

[某日, 敎曰, "姜民瞻·河拱辰, 功勞俱著, 旌賞未優, 各加官其子":節要轉載].

[→後下敎錄功, 加其子旦祿資:列傳7姜民瞻轉載].

[→後王下敎錄功, 加其子則忠祿資:列傳7河拱辰轉載].

[甲辰[某日], 大流星出角西行:天文1轉載].[37)]

---

33) 여기에서 인용된 구절은 다음의 자료에서 나온 것이다.

· 『禮記注疏』, 附釋音禮記注疏권4, 曲禮下第2, "君子行禮, 不求變俗, 祭祀之禮, 居喪之服, 哭泣之位, 皆如其國之故, 謹脩其法, 而審行之".

· 『예기주소』, 附釋音禮記注疏권12, 王制, "凡居民材, 必因天地寒煖燥濕, 廣谷大川異制, 民生其間者異俗, 剛柔輕重遲速異齊, 五味異和器械異制, 衣服異宜, 脩其敎, 不易其俗, 齊其政, 不易其宜, 中國戎夷五方之民, 皆有性也, 不可推移. …".

34) 廣平郡은 京山府(現 慶尙北道 星州郡)가 981년(경종6)에 改稱된 것이다. 1018년(현종9) 다시 명칭이 京山府로 환원되고 知事官으로 승격되었는데, 이때 廣平郡으로 稱한 이유는 알 수 없다(지11, 지리2, 慶尙道 京山府).

35) 이와 관련된 기사로 다음이 있다.

· 지17, 禮5, 雜祀, "[顯宗]十六年五月, 以海陽道定安縣, 再進珊瑚樹, 陞南海神祀典".

36) 이와 같은 기사가 열전1, 顯宗妃, 貴妃庾氏에도 수록되어 있다.

37) 6월에는 甲辰이 없고, 宋에서도 이해[是年]에는 流星이 확인되지 않는다.

秋七月辛巳朔[小盡,甲申][38], 契丹遣□[左]監門衛大將軍韓橁來, 賀生辰.[39]

乙酉[5日], [立秋]. 以韓遂良爲侍御史, 金忠贇·柳伯仁並爲殿中侍御史, 金錫之·韓延祚·崔延嘏·金令器並爲監察御史.

丁亥[7日], 慶·尙·淸州·安東·密城地震.

丁未[27日], 以[同知中樞院事]柳韶爲太子賓客.

[是日, 僧貞元·契想等立原州居頓寺圓空國師勝妙之塔:追加].[40]

[八月庚戌朔[大盡,乙酉]:追加].

九月[庚辰朔小盡,丙戌], 辛巳[2日], 大食蠻~~大食國~~夏詵·羅慈等百人來, 獻方物.[41]

[某日, 禁中外民庶, 衣服·器物, 龍·鳳紋樣:節要轉載].

[→御史臺請, "禁中外民庶, 衣服·器物, 龍·鳳紋樣", 從之:刑法2禁令轉載].

[冬十月[己酉朔大盡,丁亥], 甲寅[6日], 太白犯南斗魁第三星:天文1轉載].

冬十一月己卯朔[大盡,戊子], 太史奏, "日當食, 不食". 群臣表賀.[42]

[甲申[6日], 寶城郡獻珊瑚樹二株:五行2·節要轉載].

十二月[己酉朔大盡,己丑], 戊午[10日], 以[起居舍人·中樞直學士]崔冲爲翰林學士·內史舍人·知制誥.[43]

---

38) 宋曆에서 7월은 庚辰朔으로 大盡이지만, 高麗曆·契丹曆·日本曆에서는 辛巳朔으로 小盡이다.

39) 韓橁이 고려에 온 것은 그의 묘지명에서도 확인된다(陳述 1982年 122面 ; 劉鳳翥 2009年 64面).
· 『滿洲金石誌』 권2, 宣徽南院使韓橁墓誌銘, "… 再任章愍宮都部署. 依前左監門衛大將軍. 太平五年, 雞種貢材, 鴨流通棧. 師停下瀨, 兵罷渡遼. 皇穹鞠育於大弓, 列土贊陳於楛矢. 乃命使高麗國, 賀王詢之誕辰也. 是年冬, 授州觀察使·知易州軍州事兼沿邊按撫屯田使, 充兵馬鈴轄. …".

40) 이는 「原州居頓寺圓空國師勝妙塔碑」에 의거하였다.

41) ~~添字~~는 『고려사절요』 권3에서 달리 표기된 것이다.

42) 이날의 일식은 북동아시아 3국에서 관측되지 않는 것이라고 한다(渡邊敏夫 1979年 304面).

43) 이때 崔冲은 宣議郞·內史舍人·翰林學士·知制誥兼史館修撰官에 임명되었던 것 같다(稷山弘慶寺碣).
· 『碩齋稿』 권1, 弘慶寺碑, 寺創於高麗, 翰林崔冲製其碑, 字畫尙今可讀, 碑趺四方刻龍鱗, 向西出龍首, 鬐角眼鼻颯爽活動, 凜然有不可犯之勢, 人若侮弄, 雷雨輒大作, 湖西觀察使赴藩, 若從此路, 輒遭罷, 故輒避之云, 詩以記之.

○教□[曰], “凡犯罪收職田者, 蒙赦, 除眞盜及僞造公私文書, 受財枉法, 監臨自盜, 詔曲奸邪所犯外, 並聽還給”.

[是歲, 城霜陰縣:節要·兵2城堡轉載].

[○判[冊], “牧監養馬, 青草節, 大馬四匹, 養奴一名, 黃草節, 一日一匹, 法末三升, 實豆三升, 青草節, 豆末三升[青草節, 五六七八九月, 黃草節, 正二三四十十一十二月]”: 兵2馬政轉載].[44)]

丙寅[顯宗]十七年, 契丹太平六年, [宋天聖四年], [西曆1026年]

1026년 1월 22일(Gre1월 28일)에서 1027년 2월 8일(Gre2월 14일)까지, 13개월 383일

春正月[己卯朔小盡,庚寅], 丁亥[9日], 以李端爲御史大夫.

壬辰[14日], 東女眞歸德將軍居閭鬱等來朝.

[壬寅[24日], 流星出大微[太微], 入紫微:天文1轉載].

二月[戊申朔大盡,辛卯], 癸亥[16日], 契丹遣□□[檢校]太傅李知順來, 聘.[45)]

乙丑[18日], 白氣貫日.

[□□[是月], 城順德:節要·兵2城堡轉載].[46)]

三月[戊寅朔小盡,壬辰], 庚寅[13日], 賜崔旼等及第.[47)]

[某日, 追增後宮興盛宮主徐氏母崔氏爲利川郡大夫人, 繼母鄭氏△[爲]利川郡大君:

---

44) 고려시대에 존재했던 牧場의 위치에 대한 자료로 다음이 있다.

· 지36, 兵2, 馬政, 諸牧場, “龍驤[黃州], 隴西[洞州], 銀川[白州], 羊欄[開城], 左牧[貞州], 懷仁[淸州], 常慈院[見州], 葉戶峴[廣州], 江陰, 東州”.

45) 李知順(975~1028)의 墓誌에는 고려에 使臣으로 파견된 사실이 수록되어 있지 않지만, 그의 官職은 檢校太傅·中京內省使·知宮苑司事였던 것 같다(陳述 1982年 139面).

46) 이 기사에서 是月이 탈락되었을 것이다.

47) 이와 관련된 기사로 다음이 있다.

· 지27, 선거1, 科目1, 選場, “[顯宗]十七年三月, 內史舍人崔冲知貢擧, 取進士, 賜甲科崔旼等二人·丙科二人·同進士七人·明經一人及第”.

列傳1顯宗妃元穆王后徐氏轉載].

[丙午[29日晦], 飛星大如缶, 色白, 出攝提, 入尾, 聲如雷:天文1轉載].

夏四月[丁未朔小盡,癸巳], [辛酉[15日], 月食. 太史不告, 命御史台, 鞫之:天文1轉載].[48)]

庚午[24日], 以[上將軍]智蔡文爲右僕射.

[是月, 宣議郞·內書舍人·翰林學士·知制誥兼史館修撰官崔冲撰'稷山弘慶寺碣':追加].[49)]

[五月丙子朔[大盡,甲午]:追加].

閏五月[丙午朔小盡,甲午], 壬子[7日], 東·西女眞酋長, 各率部落子弟來, 獻土馬·弓弩.

甲子[19日], 契丹遣御院判官耶律骨打來, 請假途, 將如東北女眞, 不許.[50)]

六月[乙亥朔小盡,乙未], 戊寅[4日], 以李端爲右常侍[~~右散騎常侍~~]·知中樞事[~~知中樞院事~~], 皇甫俞義爲御史大夫.

[癸未[9日], 大飛星, 入心尾間:天文1轉載].

秋七月甲辰朔[大盡,丙申], 契丹遣監門衛大將軍王文簡來, 賀生辰.

---

48) 이날 일본 京都에서도 월식이 있었는데, 薄蝕은 日月에 光彩가 없는 것을 가리킨다(楠山春樹 1996年 168面). 이날은 율리우스력의 1026년 5월 4일이고, 월식 현상이 심했던 때의 世界時는 11시 2분, 食分은 0.48이었다(渡邊敏夫 1979年 471面).

· 『日本紀略』後篇13, 後一條, 萬壽 3년 4월, "十六日, 解陣, 今日夕, 月薄蝕".

· 『扶桑略記』권28, 後一條, 萬壽 3년 4월, "十六日, 薄蝕".

· 『呂氏春秋』권6, 季夏紀, 明理, "其月有薄蝕, 有暈珥, 有偏盲, … 高誘注, 薄, 迫也, 日月激會相掩, 名爲薄蝕".

· 『한서』권26, 天文志第6, "孟康曰, 日月無光曰薄, 京房'易傳'曰, 日月赤黃爲薄, 或曰不交而食曰薄".

49) 이는 「[稷山]弘慶寺碣」에 의거하였다(金石總覽 260面).

50) 이때 거란이 고려에 假道를 요청한 것은 開泰年間(1012~1021, 顯宗3~11)에 있었던 고려의 북동지역(현재의 咸鏡北道)에 거주하던 蒲盧毛朶部의 渤海人을 探索하려던 사실과 관련이 있던 것으로 추측된다(李丙燾 1961년 189面).

· 『요사』권88, 열전18, 大康乂, "大康乂, 渤海人, … 開泰間, 累官南府宰相, 善綏撫, 東部懷服. … 且言, '蒲盧毛朶界, 多渤海人, 乞取之', 詔從其言. 康乂領兵, 至大石河駝準城, 掠數百戶以歸, 未幾卒".

丁未[4日], 大雨凡四日, 京城民家, 漂毁者甚多.[51]

八月[甲戌朔小盡,丁酉], 壬午[9日], 宋廣南人~~江南人~~李文通等三人來, 獻方物.[52]

九月[癸卯朔大盡,戊戌], [己酉[7日], 西京大水, 漂毁民家八十餘戶:節要·五行1轉載].[53]
[戊午[16日], 月食:天文1轉載].[54]
甲子[22日], 幸海州神光寺.
[是月某日, 淸河郡畝北寺僧淡白造成鍮鍾壹軀入重百二十壹斤:追加].[55]

冬十月癸酉朔[大盡,己亥], 日食.[56]

---

51) 이와 같은 기사가 지7, 五行1, 水, 水潦에도 수록되어 있다.

52) 廣南人은 江南人의 오자로 추측된다. 이 기사의 李文通은 明年(현종18) 8월 20일(丁亥)에는 江南人으로 되어 있다(→현종 13년 8월 24일의 脚注).

53) 일본의 교토[京都]에서는 8월 23일 大風雨가 있었다고 한다(中央氣象臺 1941年 1册 20面).
·『左卿記』, 萬壽 3년 8월, "十七日庚寅, 天陰雨降, … 次入內, 頃之風雨殊甚, 所々多以破損, …".
·『日本紀略』後篇13, 萬壽 3년 8월, "十七日庚寅, 大風, 左衛門陣大梨樹幷諸司等, 同以顚倒".

54) 이날은 율리우스력의 1026년 10월 28일이고, 월식 현상이 심했던 때의 世界時는 19시 15분, 食分은 0.87이었다(渡邊敏夫 1979年 471面).

55) 이는 淸河郡 畝北寺에 懸架되어 있다가 고려 말에 왜적에 의해 일본으로 반출되었던 것으로 추측되는 銅鍾의 명문에 의거하였다(現 佐賀縣 唐津市 鏡大字 鏡字山添 惠日寺 所藏). 이 동종은 1374년(우왕 즉위년, 應安7) 11월 僧侶 妙賢에 의해 勝樂寺에 施納되었다고 하는데, 이의 流傳에 대해서는 未審한 점이 더 있다(張東翼 2004년 761面).
· 銘文, "太平六年丙寅九月日」河淸郡~~淸河郡~~畝北寺」鍮鍾壹軀入重百二十壹斤」棟梁僧淡白".
· 追記,『唐津拾風土記』, "奉施入勝樂寺追鐘一口, 右意趣者, 爲天長地久, 望止四海淸謐, 殊僧應信, 檀那沙彌妙賢, 心中所願皆合, 法界平等, 利益而已, 應安七年甲酉~~甲寅~~十一月日, 願主沙彌妙賢敬白"(佐賀縣敎育廳 1961年 201面 ; 竹內理三 編,『平安遺文』14, 金石文編, 1976, 97面).

56) 이때 宋에서는 1일 후인 甲戌朔에 일식이 있었다고 되어 있으나(『송사』 권9, 본기9, 인종 1년 10월), 甲戌朔은 癸酉朔의 오자일 가능성이 있다. 그렇지 않다면 달[月]의 軌道는 太陽이 움직이는 黃道에 대해 평균 5度 9分[5° 9′]정도 기울어져 있기에 초하루[朔日]에 日食이, 15일[望]에 月食이 반드시 이루어지는 것은 아닐 것이다. 이날(癸酉) 일본 京都에서도 일식이 있었다(高麗曆과 同一, 日本史料2-23册 177面). 이날은 율리우스력의 1026년 11월 12일이고, 개경에서 일식 현상이 심했던 시간은 10시 23분, 食分은 0.80이었다(渡邊敏夫 1979年 304面).
·『송사』 권52, 지5, 천문5, 日食, "冬十月甲戌朔, 日有食之".
·『左經記』, 萬壽 3년 10월, "一日癸酉, 天聽, 早旦參宮, 及辰刻, 日虧, 初巳刻復末, 已合曆家勘申, …".
·『日本紀略』後篇13, 萬壽 3년 8월, 後一條, 萬壽 3년, "十月一日癸酉, 日蝕, 仍廢務".
·『小記目錄』19, 天變事, 萬壽 3년, "十月一日, 日蝕事".

壬午[10日], 至自海州.

十一月[癸卯朔大盡,庚子], [戊午[16日], 夜, 白氣分五道, 亘天東西:五行2轉載].
[某日], 以黃周亮爲太子少詹事, 崔齊顔爲太子右庶子, 崔冲爲太子中允.

[十二月癸酉朔[小盡,辛丑]:追加].

丁卯[顯宗]十八年, 契丹太平七年

1027년 2월 9일(Gre2월 15일)에서 1028년 1월 29일(Gre2월 4일)까지, 355일

春正月[壬寅朔大盡,壬寅], 辛亥[10日], 以[門下侍中]崔士威爲太子太師, [贈其父融乂, 守司空·上柱國·漢南郡開國男·食邑三百戶, 母庾氏, 國大夫人:列傳7崔士威轉載]. 蔡忠順·李龔並爲門下侍郞□□□[平章事]____, 徐訥爲內史侍郞□□□[~~平章事~~], [中樞院使]郭元·李可道並△[爲]參知政事, 李端·金猛並爲中樞□[院]使, 梁稹爲左僕射, 崔冲爲給事中.
壬子[11日], 東女眞酋長昌夫等來, 獻方物.
丙寅[25日], 門下侍郞平章事庾方上表, 乞骸, 許之. 加特進·門下侍中.
戊辰[27日], 契丹遣李正允來.

二月[壬申朔大盡,癸丑], 戊子[17日], 修大廟[~~太廟~~], 復安神主.[57]
[庚寅[19日], 九龍山頹:五行3轉載].[58]
甲午[23日], [淸明]. 黑水靺鞨歸德大將軍阿骨阿駕來, 獻土馬·器仗.

三月[壬寅朔小盡,甲辰], 乙卯[14日], 女眞首領瑟弗達等一百人來朝.
[○月食:天文1轉載].[59]

·『扶桑略記』 권28, 後一條, 萬壽 3년, "十月朔, 日食".
·『本朝統曆』, 萬壽 3년, "十大, 朔癸酉, 日蝕, 七分强, 巳初, 午一".
57) 이 기사는 지15, 禮3, 吉禮大祀에도 수록되어 있다.
58) 이날 일본의 京都에서는 비가 내렸던 것 같다.
·『小右記』, 萬壽 4년 2월, "十九日庚寅, 參內, 中將乘車後, 依雨經溫明殿壇上, 入自敷政門, …".

[是月, 重修佛國寺无垢淨光塔釋迦塔:追加].60)

夏四月辛未朔小盡,乙巳, 甲戌4日, 隕霜.61)

壬午12日, 謁大廟太廟, 加上先王·先后尊號.62)

[○是時, 加謚世祖曰元烈, 世祖妃威肅王后曰惠思, 太祖曰大定, 太祖妃神靜王太后皇甫氏曰宣德. 惠宗曰高平, 惠宗妃義和王后林氏爲懷德, 定宗曰令仁, 定宗妃文恭王后朴氏爲景信, 光宗曰肅憲, 光宗妃大穆王后皇甫氏爲懿正, 景宗曰順熙, 景宗妃獻肅王后金氏爲良惠, 戴宗曰顯獻, 戴宗妃宣義王后曰匡懿, 成宗曰光孝, 成宗妃文德王后劉氏爲英容, 穆宗曰威惠, 穆宗妃宣正王后劉氏爲安獻, 安宗曰聖德, 安宗妣孝肅王太后曰宣容, 故元貞王后金氏曰懿惠:轉載].63)

○以裴玄慶·洪儒·卜智謙·申崇謙·庾黔弼·崔凝配享太祖. 朴述希朴述熙·金堅術配惠宗, 王式廉配定宗. 劉新成·徐弼配光宗. 崔知夢·朴良柔配景宗. 崔承老·崔亮·李知白·徐熙·李夢游配成宗. 韓彥恭·金承祚·崔肅配穆宗. 赦流□罪以下.64)

---

59) 이날 일본의 교토에서도 월식이 있었다(高麗曆과 同一, 日本史料2-24册 9面). 이날은 율리우스력의 1027년 4월 23일이고, 월식 현상이 심했던 때의 世界時는 14시 8분, 食分은 1.79이었다(渡邊敏夫 1979年 471面).
·『小右記』, 萬壽 4년 3월, "十四日乙卯, … 月蝕, 皆既, 虧初戌五剋, 加時亥七剋, 復末丑一剋, 月蝕相合, 於本命位蝕, 仍不見".
·『本朝統曆』 권7, 萬壽 4년, "三小, 朔壬寅, 亥六, 十四望, 亥八, 月蝕, 皆既, 戌六, 丑一".

60) 이는 「佛國寺无垢淨光塔重修記」에 의거하였다(盧明鎬·李丞宰 2009년).

61) 이와 같은 기사가 지7, 五行1, 水, 霜에도 수록되어 있다.

62) 이때 덧붙여진 謚號는 『고려사』에 반영되어 있다.

63) 이들 시호는 세가편에 수록되어 있는 歷代帝王의 記事 ; 열전1, 皇后列傳 ; 열전3, 王子列傳에서 발췌한 것이다. 또 그중에서 穆宗妃 宣正王后劉氏는 '後加安獻·貞愼'으로 되어 있어 어느 것이 현종 18년에 덧붙여진[加上] 것인지를 알 수 없다.

64) 이는 994년(성종13) 4월 23일(甲辰)에 이미 配享된 功臣名單에 崔凝이 太祖廟庭에, 朴良柔가 景宗廟庭에 각각 추가된 것이다. 또 이때 배향된 공신은 지14, 禮2, 吉禮, 大祀, 禘祫功臣配享於庭에도 수록되어 있다.
· 太祖室, 太師·開國·武烈公裴玄慶, 太師·開國·忠烈公洪儒, 太師·開國·武恭公卜智謙, 太師·開國·壯節公申崇謙, 太師·開國·忠節公庾黔弼, 太傅·熙愷公崔凝.
· 惠宗室, 太師·開國·嚴毅公朴述希, 太師·開國·克翼公金堅術.
· 定宗室, 守太師·開國·威靜公王式廉.
· 光宗室, 太師·匡衛公劉新城, 太師·內史令·開國·貞敏公徐弼.
· 景宗室, 太師·開國·匡益公朴良柔, 太師·開國·敏休公崔知夢.
· 成宗室, 太師·內史令·匡彬公崔亮, 太師·內史令·文貞公崔承老, 太尉·內史令·貞憲公李夢游, 太師·內史令·章威公徐熙, 司徒·內史令李知白.

五月庚子朔[大盡,丙午], 禱雨于群望.

甲寅[15日], 以旱, 避正殿, 減常膳, 疏決獄囚.

乙卯[16日], 再雩.

丁巳[18日], 公州, 隕霜殺苗.[65]

庚申[21日], 以王子亨爲開府儀同三司·檢校太帥[~~檢校太師~~]兼內史令, 緖爲開府儀同三司·檢校太傅兼尙書令.

丙寅[27日], 雨.[66]

[某日, 加謚元惠王妃爲平敬王后:列傳1顯宗妃元惠太后金氏轉載].

六月[庚午朔小盡,丁未], 己卯[10日], 以黃周亮爲刑部侍郞, 李周佐爲起居舍人, 許元爲侍御史, 李惟亮爲殿中侍御史, 秦玄錫爲右補闕, 李膺年爲監察御史.

癸未[14日], 楊州奏, "壮義[藏義]·三川·靑淵等寺僧, 犯禁釀酒, 共米三百六十餘石, 請依律斷罪", 從之.[67]

· 穆宗室, 太師·內史令·貞信公韓彦恭, 太師·門下侍中·忠懿公崔肅, 太尉·門下侍中金承祚".

65) 이와 같은 기사가 지7, 五行1, 水, 霜에도 수록되어 있으나 冒頭에 日辰이 탈락되었다. 이달[是月]에 일본의 攝津(現 大阪府의 西北部地域)에서 寒氣가 있었다고 한다(中央氣象臺 1941年 2冊 729面).

· 『高臺寺日記』, 萬壽 4년 5월, "是月, 大寒如冬"[筆者가 이 자료를 確認하지 못했는데, 이러한 경우는 '筆者 未確認'으로 表記한다].

66) 이때 일본의 京都에서 24일(癸亥)에 落雷와 大雨가 있었다고 한다(中央氣象臺 1941年 2冊 419面).

· 『日本紀略』 後篇13, 後一條, 萬壽 4년 5월, "廿四日癸亥, 雷電風雨, 京中洪水流入, 舍屋顚倒, 豊樂院西第二堂, 爲電火欲燒, 卽以撲消了, 雷形如白雞云々, 雷公墯於所々".

· 『扶桑略記』 28, 萬壽 4년 5월, "廿四日, 大雨雷電, 豊樂院觀德堂之柱, 爲霹靂折焉".

· 『小右記』, 萬壽 4년 5월, "廿五日甲子, 昨日, 落雷所々, 豊樂院·雲林院·白河殿, 院於白河殿, 令逍遙給之間, 有此事, 上下失色云々".

67) 壮義寺는 『고려사』의 餘他 記錄에는 모두 藏義寺로 기록되어 있지만, 『삼국사기』에는 莊義寺 또는 壮義寺로 표기되어 있다. 이 사찰은 고려시대에 '楊州三角山壮義寺'(驪州高達院元宗大師慧眞之塔碑의 拓本), '壮義山寺', '壮義別和尙[世文]'(瑞山迦耶山普願寺法印國師寶乘之塔碑의 拓本)로 표기되었다. 또 조선시대에 '楊州三角山藏義寺'로 기록되기도 하였는데, 都城의 西北에 있는 彰義門 밖에 위치한 敎宗寺刹이었다고 한다(『세종실록』 권148, 지리지, 京都漢城府, 現 서울시 鐘路區 新營洞 218번지, 寶物 第235號 幢竿支柱가 위치한 지역, 洗劍亭初等學校의 構內, 李道學 2020년).

· 『삼국사기』 권5, 신라본기5, 太宗武烈王 6년, "冬十月, 王坐朝, 以請兵於唐不報, 憂形於色. 忽有人於王前, 若先臣長春·罷郞者. 言曰, '臣雖枯骨, 猶有報國之心, 昨到大唐, 認得皇帝命大將軍蘇定方等, 領兵以來年五月, 來伐百濟. 以大王勤佇如此, 故玆控告'. 言畢而滅. 王大驚異之, 厚賞兩家子孫, 仍命所司, 創漢山州莊義寺, 以資冥福".

甲申[15日], 教曰, "前工部侍郎庾稟廉等一百四十三人, 雖犯諂曲·奸邪之罪, 已經累赦, 並削罪名, 敍用".

○耽羅獻方物.

[庚寅[21日], 大星飛出牽牛, 入箕·杵間:天文1轉載].

辛卯[22日], 東女眞酋長毛逸羅等二十餘人來朝.

[○熒惑犯胃星:天文1轉載].

秋七月己亥朔[小盡,戊申], 契丹遣太傅李匡一·耶律胡都衮來, 賀生辰.

庚子[2日], 靈光郡獻珊瑚樹, 高八尺, 枝八十一.

癸亥[25日], 松岳崩.

八月戊辰朔[大盡,己酉], 契丹東京使高延來.

丁亥[20日], 宋江南人李文通等來, 獻書册, 凡五百九十七卷.

[某日, 禁僧服白衫·韈頭袴·綾羅勒·帛旋襴衫·皮鞋·彩冒·笠子·冠纓:節要·刑法2禁令轉載].

九月戊戌朔[小盡,庚戌], 命創慧日重光寺, 徵發人夫·工匠, 輔臣·諫官皆奏, 百姓勞弊, 不宜興作. 左承宣李壞獨奏曰, "爲佛造寺, 功德無量, 勞民何傷". [時議譏之:節要轉載].[68]

壬戌[25日], 以郭崇元·李能封年高, 並爲將軍.

[某日, 賜后[王后金氏]舊宅, 號爲長慶宮:列傳1轉載].

· 『삼국사기』 권10, 신라본기10, 헌덕왕 17년, "春正月, 憲昌子梵文與高達山賊壽神等百餘人, 同謀叛, 欲立都於平壤, 攻北漢山州, 都督聰明率兵, 捕殺之[注, 平壤, 今楊州也. 太祖製莊義寺齋文, 有高麗舊壤 ".

· 『삼국유사』 권1, 紀異2, 長春郎·罷郎, "初, 與百濟兵戰於黃山之役, 長春郎·罷郎死於陣中, 後討百濟時, 見夢於太宗曰, '臣等, 昔者爲國亡身至於白骨, 庶欲完護邦國, 故隨從軍行無怠而已. 然迫於唐帥定方之威, 逐於人後爾. 願王加我以小勢'. 大王驚怪之, 爲二魂說經一日, 於牟山亭, 又爲創壯義寺於漢山州, 以資冥援".

68) 이 기사와 관련된 자료로 다음이 있다.

· 『성종실록』 권133, 12년 9월 壬午[11日], "御夕講. 講至'高麗史'創慧日重光寺, 宰相諫官, 皆言不可, 獨李壞曰, '功德無量, 勞民何傷'. 上曰, '此甚無狀小人也', 侍讀官金訢曰, 訢非不知其不可, 只要逢迎耳".

冬十月 丁卯朔大盡,辛亥, 壬午16日, [小雪]. 講仁王經於毬庭.

[十一月 丁酉朔大盡,丁酉, 戊申12日, 月呑歲星:天文1轉載].

[十二月丁卯朔大盡,癸丑:追加].

[是年, 改定十二牧, 置慶州牧·能州牧·朔州牧·寶山州牧·忠州牧·南海牧·尙州牧·溟州牧·元海牧·公州牧·廣州牧·晋州牧:追加].[69)]

[○金州民世明妻, 一產三男:五行1人痾轉載].

[○西京民家, 牛生犢, 一身兩頭:五行3轉載].

[○城東北界顯德鎭. ○城淸塞鎭八百二十一間, 門七, 水口四, 城頭十五, 遮城四:兵2城堡轉載].

戊辰[顯宗]十九年, 契丹太平八年, [宋天聖六年], [西曆1028年]

1028년 1월 30일(Gre2월 5일)에서 1029년 1월 17일(Gre1월 23일)까지, 354일

春正月 丁酉朔小盡,甲寅, 戊戌2日, [立春]. 以林維幹爲右拾遺·知制誥兼東宮侍讀學士.

[丁巳21日, 月犯鉤鈐:天文1轉載].

[某日, 判刪, "今諸道州縣, 每年桑苗, 丁戶二十根, 白丁十五根, 田頭種植, 以供蠶事":食貨2農桑轉載].

是月, 女眞歸德將軍高豆等七十餘人來朝.[70)]

○骨夫率部落五百戶來附.

二月 丙寅朔大盡,乙卯, 辛未6日, 檢校右僕射金慶廉卒[71)]. □□~~慶廉~~, 以善大字, 名一時~~名重一時~~ [72)].

69) 이는 『동도역세제자기』에 의거하였는데, 이때 12牧의 改定事實은 『고려사』에서는 확인되지 않지만, 『경상도지리지』, 慶州府에는 慶州牧이 설치되었다고 한다.

70) 高豆는 『고려사절요』 권3에는 萬豆로 되어 있다.

71) 이날은 율리우스曆으로 1028년 3월 4일(그레고리曆 3월 10일)에 해당한다.

甲戌[9日], 遣禮部員外郞金咢如契丹東京.

[某日, 敎曰, "僧尼誑誘愚民, 鳩聚財物, 輸以驛馬, 害莫大焉. 令官司, 嚴加禁斷":節要·刑法2禁令轉載].

丁亥[22日], 放輕繫.

癸巳[28日], 遣大府卿~~太府卿~~金作賓如契丹.

三月[丙申朔大盡,丙辰], 己亥[4日], [淸明]. 放輕繫.

[甲辰[9日], 延州民家二百餘戶火:五行1火災轉載].

[丁未[12日], 龜州官倉及民家八百四十餘戶火:五行1火災轉載].

己未[24日], 御文德殿覆試, 賜鄭在元等及第.[73)]

辛酉[26日], 契丹遣將軍耶律素·房州防禦使楊延美等來聘.[74)]

是月, 東女眞歸德將軍阿骨來.

夏四月[丙寅朔小盡,丁巳], 辛未[6日], 雨雹.[75)]

[是月, 制, "京外官吏父母喪, 大祥齋後, 禫暇前, 依前出仕":禮6五服制度轉載].

五月[乙未朔小盡,戊午], 辛丑[7日], □[東]女眞來, 攻平海郡, 不克而還. 追捕賊船四艘, 盡殺之.

[是月, 判[制], "鄕職大丞以上, 正職別將以上人, 身死後, 田丁遞立, 鄕職左丞以下, 元尹以上, 正職散員以下, 年滿七十人, 令其子孫遞立, 無後者, 身歿後, 遞立":食貨1田柴科轉載].

---

72) 여기에서 名一時는 名重一時 또는 名震一時로 읽는 것[讀]이 좋을 것이다.

· 『續傳燈錄』 권27, "… 師住徑山時, 名重一時, 如侍郞張公子韶 · 狀元汪公聖錫 · 少卿馮公濟川俱問道".

73) 이와 관련된 기사로 다음이 있다. 이때(1028년) 知貢擧 李作仁의 官職인 郞中(정5품)은 오류일 것이다. 그는 1009년(목종12) 1월 右承宣·殿中侍御史(정6품)로 在職하였고, 1022년(현종13) 1월 同知中樞院事(종2품)에 임명되었으며 10월에 司憲大夫(정3품)를 兼職하였다. 또 1030년(현종21) 2월 參知政事(종2품)에 임명되었던 점을 考慮하면 郞中은 尙書의 오류일 가능성이 높다.

· 지27, 선거1, 科目1, 選場, "[顯宗]十九年三月, 郞中[尙書]李作仁知貢擧, 取進士, 覆試, 賜乙科鄭在元·丙科二人·同進士七人·明經一人及第".

74) 이때의 契丹 使臣은 前年 11월 27일(癸亥) 太子 欽을 啓聖軍節度使에 임명한 것을 전달하기 위해 파견되었던 것 같다.

· 『요사』 권17, 본기17, 聖宗8, 太平 7년 11월, "癸亥, 以三韓王欽爲啓聖軍節度使".

75) 이와 같은 기사가 지7, 五行1, 水, 雨雹에도 수록되어 있다.

六月[甲子朔大盡,己未], 己巳[6日], 以雨甚, 祈晴于群廟.[76]

[壬申[9日], 白氣貫紫微·北斗:天文1轉載].

[丁亥[24日], 飛星出大角, 入氐:天文1轉載].

閏月[~~秋七月甲午朔~~小盡,庚申], [甲寅[21日], 北蕃酋長阿忽等五十七人來附→是月 21日로 옮겨함].[77]

[秋七月:削除要望], 乙未[2日], 契丹遣瀋州刺史蕭瓊·亳州刺史傳用元來, 賀生辰.

丁酉[4日], 東女眞噲拔部落三百餘戶來附.

[己亥[6日], 月入氐星, 大流星自北而南, 其光照地:天文1轉載].

[甲寅[21日], 北蕃酋長阿忽等五十七人來附←月初에서 옮겨옴].[78]

乙卯[22日], 王妃金氏[金殷傅女]薨. [諡[謚]元成王后, 葬明陵:節要轉載].[79]

[己未[26日], 月入畢星:天文1轉載].

是月, 東·西女眞酋長尼烏弗·豆盧盖等二百餘人來, 獻方物.

八月[癸亥朔小盡,辛酉], [戊寅[16日], 歲星犯井鉞:天文1轉載].

[□□[~~是月~~]], 西北界蝗.[80]

九月[壬辰朔大盡,壬戌], 丙申[5日], 宋泉州人李顗等三十餘人來, 獻方物.

---

76) 雨甚은 지8, 五行2, 木行에는 淫雨(제우)로 되어 있는데, 이 글자는 霪雨(음우)로 해야 옳을 것이다.

77) 세가5, 현종 19년 6月 다음에 閏月이 있고,『고려사절요』권3, 현종 19년에는 五月의 다음에 '閏六月'이 設定되어 있다. 이때의 高麗曆에서 閏六月이 있었던 것 같아 보이지만, 이에 接續된 日辰이 7월에 該當되기에 閏六月은 誤謬일 것이다. 이는 閏月(leap month)이 農曆으로 2년 또는 3년에 1回式 設定되는데(農曆으로 3年1閏, 5年2閏, 19年7閏으로 편성), 이 時期의 先後에는 1026년(현종17)에 閏5月이, 1029년(현종20)에 閏2月이 各各 編成되었으므로 이해[是年]에는 閏月이 있을 수 없을 것이다. 또 이는 12월 某日(壬辰)에서 언급한 것과 같이 是年의 曆日編成에서 어떤 錯誤가 있었던 것 같고, 甲寅은 7월 21일에 해당한다.

78) 北蕃은『고려사절요』권3에는 北女眞으로 되어 있다.

79) 이와 같은 기사가 열전1, 顯宗妃, 元成太后金氏에도 수록되어 있다. 또 明陵은 失傳되어 현재 어디에 있는지를 알 수 없다. 그런데 후일 忠穆王의 墳墓를 明陵이라고 하였는데, 이를 통해 볼 때 陵號는 奉祀의 義務가 없어진 後孫代에 이르면[親盡, 親疏, 五服之外] 避諱의 對象이 되지 않았던 것 같다[天子七廟, 諸侯五廟].

80) 宋에서는 이해의 5월 21일(乙卯) 河北·京東地域에서 蝗害가 있었다고 한다(『송사』권62, 지15, 五行1下).

[○夜, 赤氣竟天:五行1轉載].

戊申[17日], 遣左司郎中林福如契丹, 賀皇后生辰.[81)]

[□□[~~是月~~], 城鳳化山南, 以徙高州:節要·兵2城堡轉載].[82)]

冬十月[壬戌朔小盡,癸亥], 癸酉[12日], 遣尙書右丞鄭莊如契丹, 謝恩.

[乙亥[14日], 雷:五行1雷震轉載].

丁亥[26日], [小雪]. 東女眞賊船十五艘寇高城,

己丑[28日], 侵龍津鎭, 虜中郎將朴興彦等七十餘人.

[某日, 贈後宮金氏[金殷傅女]爲元平王后, 陵號曰宜陵:列傳1顯宗妃元平王后金氏轉載].[83)]

十一月[辛卯朔大盡,甲子], 癸卯[13日], [大雪]. 遣大僕卿[~~太僕卿~~]王希傑·殿中侍御史李惟亮, 如契丹, 賀生辰.[84)]

[甲辰[14日], 虹見東北:五行1虹霓轉載].[85)]

十二月[辛酉朔大盡,乙丑], 壬辰[~~某日~~], 東女眞沙逸羅等來, 獻馬.[86)]

---

81) 이때의 皇后는 聖宗妃 齊天皇后 蕭氏인데(『요사』 권71, 열전1, 聖宗仁德皇后蕭氏), 이 기사를 통해 볼 때 그녀의 生辰은 10월 또는 11월의 어느 節日(寒露·重陽·霜降, 立冬·小雪)로 추측된다.

82) 이 기사에서 是月이 탈락되었을 것이다. 이와 관련된 기사로 다음이 있다.
· 지12, 지리3, 高州, "顯宗十九年, 城鳳化山南, 以徙州治".

83) 宜陵은 失傳되어 현재 어디에 있는지를 알 수 없다.

84) 大僕卿은 『고려사절요』 권3에는 太僕卿으로 되어 있는데, 後者가 옳을 것이다.

85) 虹霓[무지개]는 虹蜺, 螮蝀(체동, 蝃蝀)으로도 표기되며 비가 끝난 후[雨後], 日出, 日沒 무렵에 하늘에 나타나는 현상이다. 이는 空中에 있는 수많은 물방울[水滴, 水珠]들이 太陽光에 反射되어 만들어 진 것인데, 이 현상은 瀑布에서도 나타난다. 이에는 두 개의 圓[二環]이 있는데, 內環은 虹, 正虹, 雄虹으로, 外環은 霓(蜺), 副虹, 雌虹으로 불려진다. 또 이날 일본 京都에서는 비가 갑자기 많이 내리다가[雨脚] 그쳤던 것 같다.
· 『시경』, 鄘風, 蝃蝀, "蝃蝀在東, 莫之敢指, 女子有行, 遠父母兄弟. 朝隮于西, 崇朝其雨, 女子有行, 遠父母兄弟".
· 『小右記』, 長元 1년 11월, "十四日甲辰, … 雨脚雖止, 南庭猶濕, 謝座時如何, 侍平, 以頭辨令漏奏, 仰云, 可改雨儀者, …".

86) 原文에는 12月 壬辰으로 기재되어 있지만 이달에는 壬辰이 없다. 이는 위의 기록에 閏6月이 있다는 것과 어떤 관련이 있는 것 같다. 이해 12月이 宋曆은 30日[大盡]인데 비해 高麗曆은 29日[小盡]이여서 太史官員이 推鞫을 당하게 되었던 점을 통해 보아(→顯宗 21년 4월 3일), 高麗曆에 어떤 문제가 있었던 것 같다.

[是年, 修龍津鎭城:兵2城堡轉載].
[○改修公州扶餘郡扶蘇山城及無量寺:追加].[87]
[○以巡字犯王嫌名, 改諸道巡官爲諸道館驛使:百官2外職館驛使轉載].

己巳[顯宗]二十年, 契丹太平九年, [宋天聖七年], [西曆1029年]

1029년 1월 18일(Gre월 24일)에서 1030년 2월 4일(Gre2월 10일)까지, 13개월 383일

春正月[辛卯朔小盡,丙寅], 癸巳[3日], 千秋太后皇甫氏薨于崇德宮, [葬幽陵:節要轉載].[88]

二月[庚申朔大盡,丁卯], [乙丑[6日], 大霧:五行3轉載].
[庚午[11日], 五冠山頹:五行3轉載].
庚辰[21日], 以宮人韓氏父彬卿, 兼太子賓客·同知中樞使[~~同知中樞院事~~]·柱國.[89]
[丙戌[27日], 白鸛來, 巢于神鳳樓鴟吻:五行2轉載].
丁亥[28日], 避王嫌名, 改人姓荀爲孫.

閏[二]月[庚寅朔大盡,丁卯], [某日, 始令文官四品以下, 年未六十者, 每暇日, 習射于東·西郊:節要·兵1五軍轉載].
己亥[10日], 女眞賊船三十餘來, 寇東鄙, 船兵都部署判官趙闓貞擊走之.
[某日, 禁中外軍士請托規免征役:節要·兵1五軍轉載].
是月, 東·西女眞阿忽·沙一羅[~~沙逸羅~~]·骨盖等一百餘人來, 獻士馬·兵器, 增爵一級.[90]

---

87) 이는 충청남도 扶餘郡 扶餘邑 官北里 63-1 扶蘇山城, 外山面 萬壽里 96-1 無量寺址 등에서 출토된 瓦銘에 의거하였는데, 두 기와[瓦]가 同一하였다고 한다(世宗文化財硏究院 編 2015년 308面, 321面, 315面).
· 扶蘇山城 瓦銘, "太平八年戊辰定」林寺大藏當草".
· 扶蘇山城 瓦銘, "□□□[~~太平八~~]年戊辰定□□□[~~林寺大~~]藏當草".

88) 이와 관련된 기사로 다음이 있다. 또 幽陵은 後世에 失傳되어 어디에 있었는지를 알 수 없다.
· 열전1, 후비1, 景宗, 獻哀王太后皇甫氏, "顯宗二十年正月, 薨于崇德宮, 壽六十六, 葬幽陵".

89) 同知中樞使는 同知中樞事의 오자이다.

90) 沙一羅는 沙逸羅의 오자일 것이다(→현종 13년 1월 17일, 19년 12월 壬辰[某日], 22년 3월).

三月[庚申朔小盡,戊辰], [癸亥[4日], 白氣, 亘天東西:五行2轉載].

庚午[11日], 五冠山崩.

庚辰[21日], 東女眞賊船十艘寇溟州, 兵馬判官金厚擊却之.

夏四月[己丑朔大盡,己巳], [乙未[7日], 虎入京城:五行2轉載].

戊戌[10日], 賜三子亨[第二子亨], 穀二千石·田三百結·臧獲三十口.[91]

庚子[12日], 設藏經道場於會慶殿, 飯僧一萬于毬庭.[92]

[辛丑[13日], 白氣彌天:五行2轉載].

庚戌[22日], 契丹遣大將軍耶律延寧·海北州刺史張令儀來聘.[93]

○契丹人曹兀挈家, 來奔.

乙卯[27日], 王議增大廟[太廟]籩豆, 禮部據王制, 豊年不奢, 凶年不儉之義, 執不可, 乃止.[94]

---

91) 다음의 記事를 통해볼 때 三子亨은 第二子亨으로 고처야 옳게 될 것이다[讀].
- 세가5, 덕종, 總書, "德宗敬康大王, 諱欽, 字元良, 顯宗長子, 母曰元成太后金氏".
- 세가6, 정종, 총서, "靖宗弘孝安懿康獻容惠大王, 諱亨, 字申照, 德宗母弟".
- 세가7, 문종, 총서, "文宗章聖仁孝大王, 諱徽, 字燭幽, 古諱緖. 顯宗第三子, 母曰元惠太后金氏".
- 열전3, 종실1, 顯宗王子, "顯宗五子. 元成太后金氏, 生德宗·靖宗. 元惠王后金氏, 生文宗·平壤公基, …".

92) 고려시대의 宮闕에서 設行된 藏經法會[藏經道場]는 대체로 '約幾日夜開設', '約六晝夜開啓'와 같이 數日에 걸쳐 晝夜로 계속 행해졌던 것 같다.
- 『동문선』 권110, 轉大藏經道場疏, "… 特爲社稷靈長, 人民殷富, 謹准前規, 於闕內會慶殿, 自今月某日起始, 約幾日夜開設精嚴道場, 供養本師釋迦文佛爲首, 一會聖賢, 兼請名師, 轉讀大藏經殊勝功德者. …"(金富軾 作).
- 『동문선』 권110, 又[轉大藏經道場疏], "… 特爲宗社底安, 邦家永泰, 祗率舊章, 於天成殿, 以今月十日之夕起首, 約六晝夜開啓轉大藏經道場. 備嚴科儀, 供養敎主釋迦如來爲首, 一會賢聖, 以乞來成之福者. …"(鄭知常 作).

93) 延世大學本과 東亞大學本에는 랄사(剌史)로 되어 있으나 오자이다(東亞大學 2008년 2책 329面). 또 이들 契丹의 사신은 같은 해 2월 9일(戊辰) 聖宗이 太子 欽에게 物品을 하사한 것을 전달하기 위해 온 것 같다.
- 『요사』 권17, 본기17, 성종 9년 2월, "戊辰, 遣使賜高麗王欽物".

94) 籩豆는 祭需를 담아 祠堂[祠廟]에 陳設하는 그릇[用器, 祭器]인데, 이의 종류로 籩豆·簠簋·甄俎 등이 있다. 위의 기사에서 簠簋 以下의 그릇은 생략되었을 것이다. 籩은 竹製의 果實·脯를 담는 祭器이고, 豆는 木製의 食醢를 담는 굽이 높은[高杯] 祭器이다. 簠(보)·簋(궤)는 모두 黍稷(기장과 피)을 담는 그릇으로 木材 또는 사발[瓦]로 만든 것인데, 形態가 前者는 外는 方形, 內는 圓形이고, 후자는 그 반대이다.등 甄(등)은 瓦製의 高杯이고, 俎는 木製의 고배이지만(中村裕一 2014年 223面), 筆者는 實見하지 못해 설명하기 어렵다.
- 『구당서』 권24, 지4, 禮儀4, "武德·貞觀之制, 神祇大享之外, 每歲立春之日, 祀靑帝於南郊, 帝

[某日, 封故王妃[顯宗妃]金氏母成宗妃文和王后金氏爲大妃[太妃]:列傳1成宗妃文和王后金氏轉載].[95]

五月[己未朔小盡,庚午], 乙丑[7日], 東女眞四百餘人寇洞山縣.

[某日, 王謂宰相曰, "女眞屢犯邊陲, 爲害滋甚, 宜招諭渠帥, 厚加賞賜, 此所謂以德懷人也". 參知政事郭元奏曰, "女眞人面獸心, 與其懷之以惠, 曷若震之以威". 王然之:節要轉載].[96]

[丙子[18日], 小暑. 白氣貫北斗, 射室·璧[壁]:天文1轉載].

六月[戊子朔大盡,辛未], [壬辰[5日], 有飛星, 大如燈籠, 自外屛, 入士司空:天文1轉載].

[乙未[8日], 月入氐星:天文1轉載].

[戊戌[11日], 飛星出紫微宮, 入天市垣, 色赤:天文1轉載].

癸丑[26日], 耽羅世子孤烏弩來朝, 授游擊將軍[遊擊將軍], 賜袍一襲.[97]

○盜起廣州山藪,

乙卯[28日], 遣龍虎軍將校, 往捕之.

丙辰[29日], 徵有妻僧, 充重光寺役徒.

秋七月戊午朔[小盡,壬申], 契丹遣將軍耶律管寧·崇祿少卿李可封來, 賀生辰.

○耽羅獻方物.

○聞喜縣, 出水精玉璞四萬餘枚.[98]

[某日, 以朔方道登·溟州管內三陟·霜陰·鶴浦·派川·歙谷·金壤·碧山·臨道·雲岩·豢猳·高城·安昌·列山[烈山]·杆城·翼嶺·洞山·連谷·羽溪等十九縣,[99] 並被蕃賊侵擾, 特蠲

宓羲配, 勾芒·歲星·三辰·七宿從祀 … 每郊帝及配座, 用方色犢各一, 籩·豆各四, 簠·簋各一, 㽀·俎各一, …".

· 『通典』 권43, 禮典, 郊天下, 大唐, "武德·貞觀之制, 大享之外, 每歲立春·入夏·季夏·立秋·立冬郊祀, 並依周禮, 其配食及星辰從祀, 亦然[注. 每郊帝及配座, 用方色犢各一, 籩豆各四, 簠簋·㽀俎各一, …]".

95) 大妃는 太妃로 고쳐야 옳게 될 것이다.

96) 이 기사는 열전7, 郭元에도 수록되어 있으나 자구에 출입이 있다.

97) 游擊將軍은 遊擊將軍(從5品下)의 다른 표기이다.

98) 聞喜縣(혹은 聞喜郡)은 현재의 慶尙北道 聞慶市地域의 一帶이다.

99) 여기에서 列山縣은 烈山縣(現 江原道 高城郡 縣內面)의 誤字일 것이다(→문종 4년 6월 13일,

租賦:食貨3災免之制轉載].[100]

[→□□□~~李周佐~~, 顯宗時, 遷起居舍人, 出爲東北面兵馬使奏, "朔方道登·溟州管內三陟·霜陰·鶴浦·派川·連谷·羽溪等十九縣, 並被蕃賊侵擾, 生業甚艱, 請加撫恤. 命蠲租賦":列傳7李周佐轉載].

[甲子[7日], 月犯鉤鈐:天文1轉載].

乙酉[28日], 耽羅民貞一等, 還自日本. 初, 貞一等二十一人泛海漂風, 到東南極遠島, 島人長大, 遍體生毛, 語言殊異, 劫留七月. 貞一等七人, 竊小船, 東北至日本<u>那沙府</u>, 乃得生還.[101]

八月丁亥朔[小盡,癸酉], <u>日食</u>.[102]

[○晡時, 大流星指西南行:天文1轉載].[103]

乙未[9日], 東女眞大相噲拔率其族三百餘戶來投. 賜渤海古城地, 處之.

己亥[13日], 宋<u>廣南人</u>~~江南人~~莊文寶等八十人來, 獻土物.

癸卯[17日], 王西巡.

庚戌[24日], 次平州.

甲寅[28日], 次白州.

是月, <u>開京羅城成</u>, 凡二十一年而功畢.

[→命參知政事李可道·左僕射異膺甫·御史大夫皇甫兪義·尙書左丞黃周亮, 徵丁夫二十三萬八千九百三十八人·工匠八千四百五十人, 築開京羅城. 先是, [門下侍郎同內

9월 15일). 또 烈山縣의 沿海岸이 陷沒되어 烈山湖(현재의 花津浦)가 되었던 것 같다(『水色集』 권5, 烈山湖[注, 卽花津浦, 昔縣陷爲此浦]).

100) 이 기사는 『고려사절요』 권3에는 地域名이 省略되어 있다("以朔方道登·溟州管內十九縣, 竝被蕃賊侵擾, 特蠲租賦").

101) 那沙府는 현재의 위치를 구체적으로 比定할 수 없으나 上記 記事를 통해 볼 때, 九州의 남쪽에 위치한 가고시마켄[鹿兒島縣] 地域 혹은 다지이후[大宰府]로 유추해 볼 수도 있을 것이다.

102) 이날 宋에서도 일식이 있었고(『송사』 권9, 본기9, 仁宗1, 天聖 7년 8월 丁亥), 일본 京都에서도 일식이 있었다(高麗曆과 同一, 日本史料2-28冊 293面). 이날은 율리우스력의 1029년 9월 11일이고, 開京에서 일식 현상이 심했던 시간은 6시 53분, 食分은 0.64이었다(渡邊敏夫 1979年 304面).
· 『小右記』, 長元 2년 8월, "一日丁亥, 日蝕, 十五分之十四半强, 虧初卯二剋□[三?]分, 加時辰一剋一分, 復末巳一剋二分. …".
· 『日本紀略』 後篇14, 後一條, 長元 2년, "八月一日丁亥, 日蝕, 癈務".
· 『本朝統曆』, 長元 2년, "八小, 朔丁亥, 辰二, 日蝕, 十三分强, 卯二, 辰八".

103) 지1, 天文1에는 朔이 탈락되었다.

史門下平章事姜邯贊，以京都無城郭，請築之．可道，初定城基，令人持傘環立，登高而進退之，均其闊狹，周一萬六百六十步，高二十七尺，廊屋四千九百一十間：節要轉載］.[104]

九月丙辰朔大盡,甲戌，戊午3日，契丹東京將軍大延琳，遣大府丞高吉德，告建國，兼求援．延琳，渤海始祖大祚榮七代孫，叛契丹，國號興遼，建元天興.[105]

甲子9日，移幸鹽州，路上，御製'重陽詠菊詩'一首，宣示翰林學士以下，卽令和進.

丁卯12日，遂幸海州，［蠲鹽·海，今年租稅之半：節要·食貨3恩免之制轉載］．所歷州縣耆年·篤疾，賜酒食·布貨，有差．長吏加職一級.

乙亥20日，敎曰，"近聞宮院所屬莊戶，徭役煩重，民不聊生，殿中省檢覈存恤".

丁丑22日，［立冬］．宴扈從文武常參以上，賜物有差.

［某日，贈王妃外祖父金元崇爲特進·守大尉兼侍中·上柱國·和義郡開國侯·食邑一千五百戶，外祖母王氏爲和義郡大夫人，曾祖光義爲尙書左僕射·上柱國·和義縣開國

---

104) 이와 관련된 자료로 다음이 있는데, 羅城은 大城을 가리킨다. 이 羅城의 축조가 위의 기사와 같이 21년에 걸쳐 이루어졌다고 理解하는 견해가 일반적이지만, 是年의 8월에 기공되어 11월에 완성되었다는 견해도 제시되었다(김희윤 2014년 ; 尹京鎭 2018년).

또 열전7, 姜邯贊에는 1020년(현종11) 무렵 姜邯贊이 城廓이 없는 京都를 방어하기 위해 羅城의 築造를 請하자 李可道[王可道]로 하여금 축조하게 하였다고 되어 있다. 그렇지만 羅城 築造의 論議가 1009년(현종 즉위년) 3월에 이루어지고 21년만인 이해에 완성되었다고 한 점, 지34, 食貨3, 賑恤에는 현종 21년 6월에 羅城을 축성하였다고 되어 있는 점을 보아, 이 기사는 時間編成[繫年]에 문제점이 있는 것으로 추측된다.

· 지10, 지리1, 王京開城府, "顯宗二十年，京都羅城成［王初卽位，徵丁夫三十萬四千四百人，築之，至是功畢．城周二萬九千七百步，羅閣一萬三三千間，大門四，中門八，小門十三，曰紫安·曰安和·曰成道·曰靈昌·曰安定·曰崇仁·曰弘仁·曰宣旗·曰德山·曰長覇·曰德豊·曰永同·曰會賓·曰仙溪·曰泰安·曰鶯溪·曰仙嚴·曰光德·曰乾福·曰昌信·曰保泰·曰宣義·曰狻猊·曰永平·曰通德．又皇城二千六百間，門二十，曰廣化·曰通陽·曰朱雀·曰南薰·曰安祥·曰歸仁·曰迎秋·曰宣義·曰長平·曰通德·曰乾化·曰金耀·曰泰和·曰上東·曰和平·曰朝宗·曰宣仁·曰靑陽·曰玄武·曰北小門，一云，丁夫二十三萬八千九百三十八人，工匠八千四百五十人，城周一萬六百六十步，高二十七尺，厚十二尺，廊屋四千九百一十間］".

· 열전7, 王可道, "顯宗二十年，與左僕射異膺甫·御史大夫皇甫兪義·尙書左丞黃周亮等，築開京羅城．可道令人持傘環立，登高而進退之，均其闊狹，以定城基".

·『자치통감』 권241, 唐紀57, 憲宗元和 14년(819) 2월, "… 比至，子城已洞開，惟牙城拒守［胡三省注，凡大城謂之羅城，小城謂之子城，又有三重城，以衛節度使居宅，謂之牙城］".

·『자치통감』 권244, 唐紀60, 文宗太和 3년(829) 4월, "戊辰19日，盧龍節度使李載義奏攻滄州衰海節度使李同捷，罷其羅城［胡三省注，羅城，外城也］，橫海節度使李祐拔德州，城中將卒三千餘人奔鎭州".

105) 天興은 『요사』 권17, 본기17, 聖宗8, 太平 9년 8월 己丑(3일)에는 天慶으로 되어 있다.

伯·食邑七百戶, 曾祖母金氏爲和義郡大夫人:列傳1成宗妃文和王后金氏轉載].[106]

冬十月丙戌朔小盡,乙亥, 甲午9日, 王至自海州.
[甲辰19日, 雷震:五行1轉載].[107]

十一月乙卯朔大盡,丙子, 庚申6日, 以朴從儉爲禮賓卿·左諫議大夫.

丙寅12日, 賜開京羅城及重光寺造成都監員吏, 職一級. 以內史侍郎平章事徐訥△爲判西京留守事, 尙書左僕射李端爲西京留守使, 黃周亮爲國子祭酒·翰林學士, 崔冲爲右諫議大夫, 李作忠爲給事中.

丁卯13日, 以參知政事李可道△爲檢校大尉~~檢校太尉~~·行吏部尙書兼太子少師·參知政事.
[→加李可道, △爲檢校太尉·輸忠·創闢·致盛功臣, 賜姓王氏, 給開城縣莊田:節要轉載].

[→以功, 進檢校太尉·行吏部尙書兼太子少師·參知政事·上柱國·開城縣開國伯·食邑七千戶, 加輸忠創闢功臣號. 賜姓王, 給開城縣庄田, 封其妻金氏開城郡夫人:列傳7王可道轉載].

戊辰14日, 刑部尙書·參知政事郭元卒.[108] [元, 性淸廉, 工文詞, 歷位臺省, 以吏能稱. 然不自重, 與李作仁厚善, 人以此譏之. 是年九月,·及興遼叛, 密奏曰, "鴨江東畔, 契丹保障, 今可乘機取之". 門下侍中崔士威·內史侍郞平章事徐訥·中樞院使金猛等, 皆上書不可. 元固執, 遣兵攻之, 不克, 慚恚發疽而卒:節要轉載].[109]

庚午16日, 贈光宗~~穆宗~~宮人金氏賢妃.[110]

---

106) 金光義는 善山金氏의 始祖로 불리는 金宣弓의 後孫으로 추측되고 있다(李樹健 1984년 206面).

107) 이는 다음의 기사에 의거하였으나 十二는 二十이 顚倒된 것이다(金一權 2007년 221面).
· 지7, 오행1, 雷震, "顯宗十二年~~二十年~~, 十月甲辰雷震, 十二月庚寅雷震".

108) 이날은 율리우스曆으로 1029년 12월 21일(그레고리曆 12월 27일)에 해당한다.

109) 이때 參知政事 郭元이 압록강 동쪽에 위치한 거란의 保障[堡障, 城堡]을 奪還하자고 請한 지역은 1018년(현종9) 12월 이래 거란의 3차 침입 때 蕭排押에게 빼앗긴 保州와 宣州의 宣化鎭과 定遠鎭을 가리키는 것으로 추측되고 있다(李丙燾 1961년 200面). 또 保障은 障, 候城과 같은 의미를 지니고 있는 것 같다.
·『자치통감』 권19, 漢紀11, 武帝元狩 4년(BC119) 春, "… 武帝曰, '居一縣?' 博士狄山, 對曰, '不能'. 復曰'居一障間?[注, 師古曰, 障, 爲塞上要險之處, 別築爲城, 因置吏士, 而爲蔽障以禦寇也. 障, 之尙翻. 又漢制, 每塞要處別築爲城, 置人鎭守, 謂之候城, 此卽障也], 山自度, 辯窮且下吏, 能".
·『아언각비』 권2, 反切, "反切者, 翻切也[注, 反, 音翻]. '訓民正音'字母一行, 中聲十四行, 錄于一紙, 名之曰反切, 謂字音反切, 直明於一字之音也. 今人訛傳爲半截, 謂紙半截, 可錄此文, 非矣".

甲申[30日], 東女眞求頭等三十餘人來朝.

十二月[乙酉朔小盡,丁丑], 庚寅[6日], 雷震.

○興遼國大師[太師]大延定, 引東北女眞, 與契丹相攻, 遣使乞援, 王不許.

[→王議諸輔臣, 侍中崔士威·[門下侍郎]平章事蔡忠順言, "兵者危事, 不可不愼, 彼之相攻, 安知非我利耶?, 但可修城池, 謹烽燧, 以觀其變耳", 王從之:節要轉載].

自此路梗, 與契丹不通.

[→契丹東京將軍大延琳叛, 自稱興遼國, 刑部尙書郭元, 請乘機取鴨江東岸. [門下侍中崔]士威與[內史侍郎平章事]徐訥等上書, 以爲不可, [參知政事郭]元固執攻之, 竟不克. 延琳所署太師大延定, 引東北女眞 , 與契丹相攻, 遣使乞援. 王議諸輔臣, 士威與[門下侍郎]平章事蔡忠順言, "兵者危事, 不可不愼. 彼之相攻, 安知非我利耶?, 但可修城池, 謹烽燧, 以觀其變", 王從之:列傳7崔士威轉載].

壬辰[8日], 命西北面判兵馬事柳韶, 赴鎭, 以備興遼.

[→起復西北面判兵馬事柳韶, 赴鎭. 時興遼求援, 不許, 故遣韶備之:節要轉載].

[→契丹東京將軍大延琳叛, 自稱興遼, 來求援, 王不許. 時韶以西北面判兵馬事遭喪, 王下敎起復曰, "古者三年之喪, 卒哭, 金革之事無避. 漢丞相翟方進遭喪,[111] 旣葬三十日, 除服視事. 今興遼來請師, 恐有邊警. 卿宜馳往邊上, 以備之":列傳7柳韶轉載].

[是年, 遣平章事[西北面判兵馬事]柳韶等, 修古石城, 置威遠鎭, 築城八百二十五閒, 門七, 水口一, 城頭十二, 遮城十二. ○城定戎鎭八百三十五閒, 門七, 水口三, 城頭十二, 遮城五:兵2城堡轉載].[112]

---

110) "光宗의 宮人 金氏에게 賢妃를 追贈하였다"라고 한 기사는 光宗이 아니라 穆宗으로 추측된다. 后妃列傳에 의하면 光宗의 宮人이 보이지 않고, 穆宗의 宮人 金氏(邀石宅宮人)가 찾아진다(열전1, 后妃1, 穆宗).

111) 翟方進(BC53~BC7)은 汝南 上蔡(現 河南省 上蔡)의 한미한 출신으로 長安에 들어가 力學하여 甲科로 합격하였다. 博士·朔方刺史 등을 역임하고 丞相 薛宣(生沒年不詳)의 천거를 받아 京兆尹·御史大夫를 거쳐 薛宣을 이어 丞相이 되었다. 이때 母喪을 당하여 葬事를 지내고 36일 만에 起復하여 視事하였다고 한다.

· 『한서』 권84, 翟方進傳第54, "及後母終, 旣葬三十六日, 除服起視事, 以爲身備漢相, 不敢踰國家之制[師古曰, 漢制自文帝遺詔之後, 國家遵以爲常, 大功十五日, 小功十四日, 緦麻七日. [翟]方進自以大臣, 故云不敢踰制".

[○罷諸道轉運使: 百官2外職轉載].[113]

庚午[顯宗]二十一年, 契丹太平十年, [宋天聖八年], [西曆1030年]

1030년 2월 5일(Gre2월 11일)에서 1031년 1월 25일(Gre1월 31일)까지, 355일

春正月[甲寅朔大盡,戊寅], 丁巳[4日], 東女眞烏乙那等五十人來, 獻馬.

丙寅[13日], 興遼國又遣水部員外郎高吉德, 上表乞師.

[戊辰[15日], 月當食, 不食: 天文1月·五星淩犯及星變轉載].[114]

二月[甲申朔大盡,己卯], 丙戌[3日], 以[門下侍郎平章事]蔡忠順△[爲]判西京留守事, 李作仁△[爲]參知政事, 柳韶爲中樞□[院]使.

甲午[11日], [春分]. 交州·翼嶺·洞山縣, 地震.

乙未[12日], 東女眞毛逸羅來, 獻土馬.

辛丑[18日], 積慶宮主卒, 謚孝惠, 葬平陵.[115]

---

112) 이와 관련된 기사로 다음이 있다. 威遠鎭城은 현재 平安北道 義州郡 台山里(대산리)에 城址(保存遺跡 第154號)의 一部가 남아 있고, 定戎鎭城은 義州郡 春山里에 위치한 臨川城[臨泉城]의 遺址(保存遺跡 第148號)에 比定된다고 한다(梁時恩 2021년).

· 『고려사절요』 권3, "是年, 遣柳韶, 修古石城, 置威遠鎭, 鎭在興化鎭西北. 又置定戎鎭. 徙永平民, 實之. 鎭在興化鎭北".

· 지12, 지리3, 威遠鎭, "顯宗二十年, 遣柳韶, 修古石城, 置之. 鎭在興化鎭西北".

· 지12, 지리3, 定戎鎭, "顯宗二十年, 遣柳韶, 修古石壁, 置鎭, 徙永平民, 實之. 鎭在興化鎭北".

· 열전7, 柳韶, "進累平章事[同知中樞院事], [顯宗]二十年, 王命韶, 於興化鎭西北四十里, 修古石城, 置威遠鎭. 又修興化鎭北古石堡, 置定戎鎭, 徙永平民實之". 여기에서 平章事는 西北面判兵馬事 또는 同知中樞院事의 오류일 것이다. 柳韶는 明年(현종21) 2월 3일 中樞院使에 임명되었다.

· 『신증동국여지승람』 권53, 義州牧, 古迹, "古定戎鎭, 在州東八十里, 柳韶又修興化鎭北古石壁, 置定戎鎭, 徙永平城民實之. 築土城, 周七千七百九十二尺, 內有三井, 俗號臨川城".

113) 이는 기사를 전재하여 적절히 變改하였다. 지방제도가 대폭 개편된 1018년(현종9) 2월 4일 按撫使가 廢止된 것에 비해, 이해[是年]에 轉運使가 폐지되었다는 것에는 의문이 없지 않다.

· 지31, 百官2, 外職, "轉運使, 國初, 有諸道轉運使, 顯宗二十年, 罷".

114) 原文에는 "[顯宗]二十一年二月[壬井]戊辰, 月當食, 不食"으로 되어 있으나 2월에는 戊辰이 없고, 是年 4월 3일에도 1월 15일에 月食이 豫報되었으나 實現되지 않았다고 되어 있다. 이날은 율리우스력의 1030년 2월 19일인데, 이에 관련된 각종의 정보가 없어(渡邊敏夫 1979年 471面), 計算上으로 예측된 월식이 이루어지지 않았던 것 같다.

115) 平等은 失傳되어 所在地를 알 수 없다.

[□□[是月], 城麟州 : 節要轉載], [移永平鎭民, 實之 : 地理3麟州轉載].[116)]

[→城麟州一千三百四十九間, 門九, 水口二, 城頭二十三, 遮城六, 重城五十五間 : 兵2城堡轉載].

三月[甲寅朔小盡,庚辰], 癸酉[20日], 以郭伸[郭紳]爲右承宣,[117)] 崔延壽爲考功郎中兼御史雜端, 柳雲爲侍御史.

夏四月[癸未朔大盡,辛巳], 乙酉[3日], 敎曰, "上年十二月, 宋曆以爲大盡, 而我國太史所進曆, 以爲小盡, 又今正月十五日, 奏大陰食[太陰食], 而卒不食, 此必術家未精也, 御史臺推鞫以聞".[118)]

戊子[6日], 東女眞曼鬪等六十餘人來, 獻戈船四艘·楛矢十一萬七千六百.

甲午[12日], 御文德殿覆試, 賜崔惟善等及第.

[→賜崔惟善等十八人及第. 王製詩賜之, 特加奬異 : 節要·選擧2轉載].[119)]

己亥[17日], 鐵利國主那沙, 遣女眞計陁漢等來, 獻貂鼠皮, 請曆日, 許之.

---

116) 이는 다음의 기사를 전재한 것인데, 麟州城(古麟州城)은 현재 平安北道 新義州市 送鶻洞에 있다고 한다(梁時恩 2021년).

· 지12, 지리3, 麟州, "[顯宗]二十一年, 移永平鎭民, 實之".

117) 郭伸은 郭紳의 오자로 추측된다.

118) 이에 의하면 王이 1029년(현종20) 12월은 宋曆에는 大盡(30일)인데 비해 高麗의 太史가 바친 曆에는 小盡(29일)이며, 또 1030년(현종21) 1월 15일에 月食[太陰食]할 것이라고 豫言하였으나 行해지지 않았다는 이유로 御史臺로 하여금 推鞫하게 하였다고 한다(지1, 天文1, 月五星淩犯及星變에도 같은 기사가 있다). 그렇지만 宋曆도 小盡으로 高麗曆과 同一하므로, 王이 宋曆에 대한 잘못된 정보를 들었던 것 같다(日本曆은 大盡임).

119) 이와 관련된 기사로 다음이 있는데, 여기에서 覆試는 帝王에 의한 親試, 곧 簾前試·廷試임을 알 수 있다. 이때 崔惟善은 그의 父 崔冲에 이어 壯元及第하였기에 顯宗이 특별히 詩文을 지어 奬勵하였다고 한다.

· 지27, 선거1, 科目1, 選場, "[顯宗]二十一年四月, 禮部郎中朴有仁知貢擧, 取進士, 覆試, 賜乙科崔惟善等十八人及第".

· 열전8, 崔惟善, "顯宗朝, 擢乙科第一, 授七品, 入翰林院".

· 『보한집』권상, 崔文憲公冲 …, "其子文和公惟善, 當顯宗二十二年庚午, 爲御試乙科獨元", "始公於顯廟二十二年, 太平十年, 赴簾前試. …". 여기에서 年代表記는 即位年稱元法을 사용한 고려시기의 方式이다.

· 『보한집』권중, "崔郎官仁全爲國博時, 和同姓從弟見贈詩云, '先後龍頭三相國, 聯翩麟閣四功臣. 一門盛事傾千古, 更有何人繼後塵.' 蓋言文憲公[崔冲], 以龍頭, 配饗靖廟爲功臣, 其子文和公[崔惟善], 亦以龍頭, 配饗文廟, 其孫中書令思諏, 配饗肅廟, 玄孫平章事允儀, 配饗毅廟, 仍孫平章事洪胤, 亦是龍門上客. 其餘非龍頭, 而位宰相者十餘人. 仁全亦文憲之孫也".

[是月, 某等重修珍島縣金沙寺:追加].[120]

五月[癸丑朔大盡,壬午], 甲寅[2日], 以[中樞院使]金猛爲太子少傅, [禮部尙書]劉徵弼爲太子賓客, 黃周亮爲太子右庶子, 崔冲爲太子右諭德.

乙卯[3日], 東女眞奉國大將軍蘇勿蓋等來, 獻馬九匹·戈船三艘·楛矢五萬八千六百及器仗.

乙丑[13日], 契丹水軍指麾使[~~指揮使~~]虎騎尉大道·李卿等六人來投.[121]

○自是, 契丹渤海人來附甚衆.

辛未[19日], 加姜邯贊門下侍中□□[~~致仕~~].

六月[癸未朔小盡,癸未], 辛卯[9日], 特赦殊死二罪, 流遠地, 餘皆原之, 築羅城, 營重光寺員吏·僧俗工匠, 並加階職, 赴役者, 減今年調布, 諸州郡縣逋欠, 限戊辰年[顯宗19年]蠲免. 城麟州·威遠·定戎鎭及西巡扈從有功勞者, 加次第職, 白身, 賜物有差.

[→築羅城, 營重光寺, 赴役者, 減今年調布. 諸州郡縣逋欠, 限戊辰年, 蠲免:食貨3恩免之制轉載].

秋七月[壬子朔大盡,甲申], [丁巳[6日], 白氣如布, 自北而南:五行2轉載].

甲子[13日], 積慶公主卒. [諡孝靖:列傳4公主顯宗].[122]

乙丑[14日], 興遼國行營都部署劉忠正, 遣寧州刺史大慶翰, 賫表來, 乞援.

己巳[18日], 宋泉州人盧遵等來, 獻方物.

[庚午[19日], 東北界顯德鎭以北山, 多崩頹:五行3轉載].[123]

---

120) 이는 珍島 龍藏城에서 발굴된 瓦銘에 의거하였다(江華歷史博物館 2017년 83面).
· 銘文, "太平十年庚午四月…金沙寺…造印".

121) 指麾使는 指揮使의 오자일 것이다. 또 李卿은『고려사절요』권3에는 李鄕으로 되어 있다.

122) 이와 같은 기사로 다음이 있는데, 孝靖은 열전1, 현종, 元和王后에는 孝靜으로 달리 표기되어 있다(東亞大學 2006년 20책, 441面).
· 열전4, 顯宗公主, 孝靖公主,"孝靖公主, 元和王后崔氏所生, 初封積慶公主, 顯宗二十一年卒, 諡孝靖".
· 열전1, 현종, 元和王后, "元和王后崔氏, 亦成宗之女, 生孝靜公主·天壽殿主".

123) 이때 일본에서 7월의 기록이 남겨져 있지 않아 氣象이 어떠하였는지는 알 수 없으나 京都에서 8월 16일(丁酉) 祈晴使[止雨之使]를 神祉에 파견하였다는 점을 보아 7월 이래 비가 계속 내렸다고 추측할 수 있을 것이다.

戊寅[27日], 內史侍郞□□□~~平章事~~晋含祚卒.[124)] 含祚, 治術數, 每遇國家有事, 輒質以圖讖, 遂至大用, 時議輕之.

八月[壬午朔小盡,乙酉], 戊申[27日], 以[參知政事]王可道爲內史侍郞□□□~~平章事~~·判三司事, 李周佐爲御史中丞.

[是月頃, 遣戶部侍郞元穎如宋, 獻方物:追加].[125)]

· 『小右記』, 長元 3년 8월, "十六日丁酉, 今日丹生·貴布彌兩社被立止雨之使, 以藏人爲使云々, …".

124) 이날은 율리우스曆으로 1030년 8월 28일(그레고리曆 9월 3일)에 해당한다.

125) 이는 다음의 자료에 의거하였다. 고려 사신 元穎이 띠고 있는 民官侍郞은 戶部侍郞의 다른 表記인데, 이는 高麗가 宋帝國의 威勢를 意識하여 職銜을 改書한 결과일 것이다(a~d). 隋·唐代에 尙書都省 右僕射의 관할 하의 都官과 度支는 각각 度支→民部→戶部→度支로, 都官→刑部로 改稱되었다.

또 高麗는 이 시기 이후 1070년(熙寧3, 문종24)까지 43年間(實際는 41년간) 宋에 朝貢을 하지 않았다고 한다(e~g). 그런데 末尾의 자료(h『破閑集』)와 같이 11세기 전반의 宰相 李子淵(1002~1061)이 宋에 파견되었다는 기록이 있어 주목된다(鄭墡謨 2019년).

· a『隋書』권28, 百官志下, "[文帝開皇.]三年四月, 詔, 尙書左僕射, 掌判吏部·禮部·兵部三尙書事, … 尙書右僕射, 掌判都官·度支·工部三尙書事, … 尋改度支尙書爲戶部尙書[~~民部尙書~~], 都官尙書爲刑部尙書". 여기에서 戶部는 民部의 誤字일 것이다(中村裕一 2014年 43面→선종 8년 8월 某日의 脚注).

· b『通典』권23, 職官典, 尙書下, 戶部尙書, "開皇三年, 改度支爲民部, 統度支·民部·金部·倉部四曹. 國家修隋志, 謂之戶部, 蓋以廟諱故也". 여기에서 '隋志'는 '隋書'를, 廟諱는 太宗 李世民을 指稱한다.

· c『大唐六典』권6, 尙書刑部, "刑部尙書一人, 正三品[注, 隋初, 曰都官尙書, 開皇三年, 改爲刑部, 皇朝因之]".

· d『大唐六典』권6, 尙書戶部, "戶部尙書一人, 正三品[注, 隋初, 曰度支尙書, 開皇三年, 改爲民部, 皇朝因之. 貞觀二十三年, 改爲戶部, [高宗]顯慶元年, 改爲度支]".

· e『속자치통감장편』권109, 天聖 8년 12월 壬辰14[日], "權知高麗國事王珣[詢], 遣御事民官侍郞元穎等來, 貢方物".

· f『송사』권487, 열전246, 外國3, 高麗, "[天聖]八年, 詢復遣御事民官侍郞元穎等二百九十三人, 奉表入見於長春殿, 貢金器·銀罽刀劍·鞍勒馬·香油·人蔘·細布·銅器·硫黃·靑鼠皮等物. 明年二月辭歸, 賜予有次, 遣使護送至登州. 其後絶不通中國者四十三年".

· g『송회요집고』199책, 蕃夷7, 歷代朝貢, "[天聖八年]十二月十三日, 高麗國王詢, 遣御事民官侍郞元穎奉表, 貢金器·罽龍衣罽褥·銀裝長刀·斫剌刀劍·刀·罽鞍韉·布·人參[~~大蔘~~]·香油·鞍韉馬, 進奉使獻馬·銅器·琉黃·靑鼠皮·貘皮. 玉海, 自後不朝貢, 盖四十三年".

이상과 같은 자료가『玉海』권154, 朝貢, 獻方物, 建隆高麗來貢 ;『皇宋十朝綱要』권5 ;『皇朝編年綱目備要』권19, 熙寧 4년 8月條 ;『文獻通考』권325, 四裔考2, 高句麗 등에도 수록되어 있다.

· h『破閑集』권중, "昌華公李子淵, 杖節南朝, 登潤州甘露寺, 愛湖山勝致, 謂從行三老曰, '爾宜審視山川樓觀形勢, 具載胸臆間, 毋失毫毛'. 舟師曰, '謹聞命矣'. 及還朝與三老約曰, … 卽捐金帛庀材瓦, 凡樓閣池臺之制度, 一倣中朝甘露寺. 及斷手, 用題其額亦曰甘露. 指畫經營旣得

九月辛亥朔[大盡,丙戌], 耽羅獻方物.

丙辰[6日], 興遼國郢州刺史李匡祿來, 告急. 尋聞國亡, 遂留不歸.

甲戌[24日], 遣金哿如契丹, 賀收復東京.

乙亥[25日], 契丹遣千牛□[衛]將軍羅漢奴來, 詔曰, "近不差人往還, 應爲路梗, 今渤海偸主, 俱遭圍閉, 並已歸降, 宜遣陪臣, 速來赴國, 必無虞慮".

[□□[是月], 城寧德鎭:節要轉載].[126)]

[→城寧德□[鎭]八百五十二間, 門七, 水口一, 城頭十四, 遮城七:兵2城堡轉載].

冬十月辛巳朔[小盡,丁亥], 以韓祚△[爲]知西京留守事.

[癸卯[23日], 改安東大都護府, 爲東京留守官:追加].[127)]

是月, 契丹奚哥[奚家]·渤海民五百餘人來投, 處之江南州郡.[128)]

十一月[庚戌朔小盡,戊子], 乙丑[16日], 西女眞曼闘等二十七戶來附, 處之東界.[129)]

癸酉[24日], 御史雜端崔延壽劾奏, "參知政事李作仁詐稱太祖功臣後, 蔭其子". 免官.[130)]

宜, 萬像不鞭而自至. 後詩僧惠素唱之, 而金侍中富軾斷之, 聞者皆和幾千餘篇, 遂成鉅集"(이는 『신증동국여지승람』 권4, 開城府上, 佛宇, 甘露寺에 인용되어 있으나 字句에 出入이 있다). 이 자료가 實際를 반영한 것이라면, 1024년(현종15) 3월 4일 及第한 李子淵이 1030년(현종21) 8월 무렵 戶部侍郎 元穎의 書狀官으로 송에 파견되었다가 明年(1031년, 현종22, 덕종 즉위년) 전반기에 귀국한 후 9월 4일 右補闕에 임명되었을 것이다.

126) 寧德鎭城은 현재의 평안북도 피현군(枇峴郡) 下端里에 위해 있다고 한다(보존유적 제123호).

127) 이는 『동도역세제자기』 ; 지11, 지리2, 東京留守官 ; 『慶尙道地理志』, 慶尙道, 慶州府 ; 『세종실록』 권150, 地理志, 慶州府 등에 의거하였다.

128) 奚哥는 다른 기사에서는 모두 奚家로 기록되어 있음을 보아 후자의 오자로 추측된다. 奚家는 奚族을 가리키는데, 이들은 南北朝時期 이래 庫莫奚라고도 불렸던 東胡系統의 鮮卑族의 한 部類이다. 이후 여러 갈래로 나뉘어 있다가 契丹帝國 支配下에서 13部, 28落, 101帳, 362族이 하나의 種族으로 통합되었고, 거란족과 동등한 征服者의 位相을 가지고 있었다(『金史』 권67, 열전5, 奚王回离保, 島田正郎 1979年).

· 『자치통감』 권188, 唐紀4, 高祖武德 3년(620) 11월 甲子, "… 突利可汗與奚·霫·契丹·靺鞨入自幽州[胡三省注, 奚與契丹本皆東胡種, 保烏丸山者, 其後爲奚, 保鮮卑山者, 其後爲契丹. 霫與突厥同俗, 保冷陘山, 南契丹, 東靺鞨, 西拔野古. 靺鞨居肅愼地, 亦曰挹婁, 元魏時曰勿吉], 會竇建德之師自滏口西入, …".

129) 曼闘는 『고려사절요』 권3에는 曼頭로 되어 있다.

130) 亞細亞文化社本에는 癸酋(계추)로 되어 있으나 오자이다(東亞大學 2008년 2책 332面).

十二月[己卯朔大盡,己丑], [某日, 門下□□~~侍郎~~平章事蔡忠順, 以疾表請解職, 不允:節要·列傳5蔡忠順轉載].

辛卯[13日], 以[內史侍郞平章事]徐訥爲門下侍郞同□□□□~~內史門下~~平章事·判尙書吏部事.[131)]

丁酉[19日], 中樞□~~院~~使<u>金猛卒</u>.[132)]

[→[中樞院使金猛]病革, 加參知政事, 卒, 王痛悼, 諡文定:列傳7金猛轉載].

[某日, 門下侍中崔士威請老, 不允, 令五日一朝:節要轉載].

癸卯[25日], 以崔齊顔爲中樞□~~院~~使, 黃周亮爲中樞□~~院~~副使.

[某日, <u>判</u>[制], "父母居外方, 或外任有病, 其子從仕於京者, 給由, 往返給馬. 父母在京而子外任者, 給馬. 又公卷出使者, 遭父母病, 往返幷給馬. 職事常參以上, 散官五品以上, 幷給從人":刑法1官吏給暇轉載].

[某日, 僧<u>元廉</u>等鑄成金鍾入重三百斤, 長二尺四寸<u>二分</u>:追加].[133)]

是月, 東女眞寧塞將軍睦史·阿骨, 柔遠將軍閼那, 歸德將軍阿箇·朱來, 獻馬及鐵甲·楛矢.

○京城疫, 人多死.

[是年, 改慶州防禦使官爲東京留守官. 又陞知吉州事官爲安東府, 興化鎭爲靈州, 置防禦使:轉載].[134)]

---

131) 열전7, 徐熙, 訥에는 ~~添字~~와 같이 되어 있다.

132) 이날은 율리우스曆으로 1031년 1월 14일(그레고리曆 1월 20일)에 해당한다.

133) 이는 大阪市 大淀區 長柄濱通 1-39 鶴滿寺에 소장된 銅鍾의 銘文에 의거하였다(坪井良平 1974年a 89面 ; 許興植 1984년 472面). 이 동종의 높이는 92.4cm[現尺, 二尺四寸五分]인데, 銘文을 통해 기준척을 계산하면 30.66cm로 唐代의 尺 29.5cm(實物은 32cm 정도) 보다 약간 길다고 한다(李宗峯 2016년 120面).

· 鍾銘, "太平十年十二月日 寺棟梁元廉節」靑金鍾入三百斤, 長二尺四寸二□[分]』".

134) 이는 다음의 자료에 의거하였다.

· 『경상도지리지』, 慶州道, 慶州府, "[太平]庚午, 復稱東京留守官, 知東京事·大都督府".

· 지11, 지리2, 東京留守官 慶州, "[顯宗]二十一年, 復爲東京留守, 時<u>銳方</u>所上'三韓會土記', 有高麗三京之文, 故復置之". 여기에서 『三韓會土記』를 바쳤다는 銳方은 太祖在位 年間에 天安府의 설치를 건의했던 藝方과 같은 術士로 추측되고, 『삼한회토기』는 『삼국유사』에 인용된 『討論三韓集』과 같은 部類의 圖讖書로 추측된다고 한다(李丙燾 1948년 18面, 99面 ; 東亞大學 2011년 15冊 355面).

· 지11, 지리2, 安東府, "[顯宗]二十一年, 更今名".

· 지12, 지리3, 靈州, "顯宗二十一年, 陞興化鎭, 爲州, 置防禦使".

· 지10, 지리1, 天安府, "天安府太祖十三年, 合東·西兜率爲天安府, 置都督[注, 諺傳術師<u>藝方</u>,

[○某等改修洪州唐津縣安國寺:追加].[135]

[○勅重大師海麟, 移住海安寺. 先是, 加重大師, 戒正高妙應覺爲號, 住持水多寺:追加].[136]

辛未[顯宗]二十二年, 契丹太平十一年→6月景福元年,
[11月, 高麗稱太平十一年], [宋天聖九年], [西曆1031年]

1031년 1월 26일(Gre2월 1일)에서 1032년 2월 13일(Gre2월 19일)까지, 13개월 384일

春正月[己酉朔小盡,庚寅], 辛酉[13日], 東女眞尼牛弗來, 獻馬及器仗.

乙亥[27日], 親耕籍田, 赦流罪以下,[137] 圓丘·方澤, 升壇執禮員吏及孝子·順孫·義夫·節婦·耆老·篤疾者, 賜物有差.

丙子[28日], 以左僕射梁積爲東京留守使.

[某日, 門下侍郞平章事蔡忠順, 以疾辭:節要轉載].

[是月壬子[4日], 若木郡副戶長禀柔等寫成淨兜寺五層石塔造成形止記:追加].[138]

[某日, 僧知漢等造成若木郡淨兜寺五層石塔:追加].[139]

啓太祖云, '三國中心, 五龍爭珠之勢, 若置大官, 則百濟自降'. 太祖乃登山周覽, 始置府]"(신증동국여지승람』 권15, 天安府, 建置沿革에도 同一 記事가 있음, 倪方).

· 『삼국유사』 권3, 塔像第4, 天龍寺, "東都南山之南, 有一峰屹起, 俗云高位山. 山之陽有寺, 俚云高寺, 或云天龍寺. '討論三韓集'云, 雞林土内有客水二條·逆水一條, 其逆水·客水二源, 不鎭天災, 則致天龍覆沒之災".

135) 이는 충청남도 唐津郡 貞美面 壽堂里 산102-1 安國寺址에서 출토된 瓦銘 '太平十□[年]'에 의거하였다(世宗文化財硏究院 編 2015년 269面).

136) 이는 「原州法泉寺智光國師玄妙塔碑」, "… 太平年中, 加重大師, 戒正高妙應覺爲號, 住持水多寺. 十季, 有勅移住海安寺"에 의거하였다.

137) 이 구절은 지16, 禮4, 籍田에도 수록되어 있다.

138) 이는 慶尙北道 漆谷郡 若木面 福星里 淨兜寺 寺趾의 「淨兜寺五層石塔造成形止記」의 冒頭에 의거하였다(가로 1.065m, 세로 31.4cm).

139) 이는 淨兜寺 五層石塔 基壇部에 새겨진 銘文에 의거하였는데, 같은 面에 '釋知漢' 등과 같은 小字가 따로 刻字되어 있었다고 한다(石塔, 國立大邱博物館 所藏, 寶物 第357號, 朝鮮總督府博物館 1939年 13輯).

· 銘文, "釋知□[漢?],」 特爲」 家國恒安, 兵戈永息, 百穀豊登, 敬造」 此塔, 永充供養,」 太平十一年辛未 正月 日」"(黃壽永 1976년 ; 申虎澈 1994년 592面).

二月[戊寅朔大盡,辛卯], 己卯[2日], 宴文武常參以上于文德殿.

[辛巳[4日], 歲星犯軒轅大星, 鎭星犯天關:天文1轉載].[140]

己丑[12日], 册王子基△[爲]守太尉兼尙書令·開城國公.

[→册□□□[~~壬子基~~]爲弘引崇孝光德功臣·守太尉兼尙書令·開城國公:列傳3顯宗王子平壤公基轉載].

[某日, 文班有武藝者, 改授將校:節要·兵1五軍轉載].

是月, 東·西女眞八十餘人來, 獻土物.

[○耽羅島人某等八人漂着日本:追加].[141]

三月[戊申朔大盡,壬辰], 甲寅[7日], 以宮人韓氏爲尙宮, 金氏爲尙寢, 韓氏爲尙食, 徐氏爲尙針.

是月, 女眞沙逸羅等四十餘人來, 獻土馬.

○契丹渤海民四十餘人來投.

夏四月[戊寅朔小盡,癸巳], 丁亥[10日], 霜.[142]

戊子[11日], 禱雨于群望.

---

140) 天關은 白羊座(Aries)의 동쪽에 위치한 金牛座(Taurus)에 있는 蟹狀星雲인 客星(혹은 天關客星)을 가리킨다.

141) 이는 다음의 자료에 의거하였다(高麗曆과 同一, 日本史料 2-30册 239面).

· 『小記目錄』16, 異朝事, 長元 4년 2월 19일, "同[長元]四年二月十九日, 大宰府言上耽羅嶋人流來事".

· 『소기목록』16, 異朝事, 長元 4년 2월 19일, "同日 異國流來無事疑者 不可經言上 可返却事".

· 『小右記』, 長元 4년 2월, "十九日丙申, 頭辨[藤原經任]持來齋宮寮返解文正輔申證人寮助ム, 參熊野不歸來, 宣旨, 大宰府解文, 耽羅嶋人八人流來事去年解文, 而關忌不被下, 仰云, 如勘問日記[耽羅嶋人事] 似無野心, 給粮可返遣歟, 是關白[藤原賴通]所傳示, 令申云, 異國人無事疑者, 不經言上, 給粮可還却之由, 格文側所覺也. 近代尙經言上, 如此解文已無疑殆, 給粮還遣尤宜".

· 『소기목록』16, 異朝事, 長元 4년, "同[長元]四年二月廿四日, 流來者給粮廻却官符, 可賜大宰府事".

· 『小右記』, 長元 4년 2월, "廿四日辛丑, 晩頭々辨[藤原經任]來, 傳示關白御逍息, [流人逗留事]流人逗留事, 可給宣旨駿河國, 于今不言上事, 可追捕犯人事, 可達配所事, 卽宣下畢, [耽羅嶋人事]流來者給粮可,從廻却之事, 可賜官符于大宰府事, 但流來者八人, 以自筆書名, 而勘問日記, 問伯達 々々達[者?]八人外也者, 事有相違, 可裁官符歟, 雖申其由, 無指報者, 今一度可申案內之由示含畢".

· 『小右記』, 長元 4년 2월, "廿六日癸卯, 備前守長經來門外, 以師重朝臣相傳, 明日可下於國, 但有申請一事, 欲蒙用意者, 答依物忌不相逢之由, 頭辨來門外, 開門招入, 傳關白御消息云, [耽羅嶋人事]耽羅嶋流來者八人, 其外有曰伯達, 廻却之官符可載相違事, 尤可然者 卽宣下".

142) 이와 같은 기사가 지7, 五行1, 水, 霜에도 수록되어 있다.

[癸卯[26日], 大流星入天市垣:天文1轉載].

乙巳[28日], 王不豫.

○以左僕射李端△[爲]參知政事.

五月[丁未朔大盡,甲午], 壬子[6日], 以柳韶爲吏部尙書·參知政事, 皇甫兪義爲中樞使[~~中樞院使~~].

丁巳[11日], 以崔士威爲內史令, 仍令致仕, 李龔爲□[守]司空·左僕射·判東京留守事.

戊午[12日], 赦公罪徒以下, [公私貸民穀者, 只取其本, 蠲其息:節要轉載].[143)]

丁卯[21日], 以王琳△[爲]檢校右僕射·羅州牧使.

辛未[25日], [夏至].[144)] 王疾篤, 召太子欽, 屬以後事, 俄而薨于重光殿, 壽四十, 在位二十二年.[145)] 王幼聰悟仁惠, 及長, 敏學工書, 好詞翰, 凡耳目所經, 不復遺忘, 謚曰元文, 廟號顯宗, 葬于松嶽西麓, 陵曰宣陵,[146)] 文宗十年加謚大孝, 仁宗十八年加德威, 高宗四十年加達思.

史臣崔冲贊曰,[147)] "傳稱, 天將興之, 誰能廢之?[148)] 千秋太后, 自縱遙荒[~~淫荒~~], 潛圖傾奪, 穆宗[穆王] □□□□[恐傷母心], □□□□[認而不禁], □□□□[~~及乎病殆~~],[149)] 知百姓之屬望, 排千秋之惡黨, 遠馳使命, 以授神器, 俾固本支. 所謂天之將興, 誰能廢之者, 詎不信歟. 然以姨母貽孼, 戎臣構逆, 强鄰伺釁, 京闕俱燼, 乘輿播遷, 艱否極矣. 反正

---

143) 이와 같은 기사로 다음이 있다.

· 지33, 食貨2, 借貸, "令公私貸民穀米者, 只取其本, 蠲其息".

144) 이날은 율리우스曆으로 1031년 6월 17일(그레고리曆 6월 23일)에 해당한다.

145) 『익재난고』 권9상, 忠憲王世家에는 "顯宗二十三年[~~二十二年~~]夏五月辛未, 薨"으로 되어 있다. 이는 당시에 사용된 卽位年稱元法에 의하면 적절한 것이지만, 忠憲王世家에 적용된 稱元法은 踰年法이어서 一貫性을 위해서는 ~~添字~~와 같이 고쳐야 할 것이다. 그런데 누가 忠憲王世家에 踰年法을 適用시켰는지는 알 수 없으나 13세기 후반 고려왕조가 몽골제국의 지배질서 내에 들어감에 따라 이것의 사용이 일부 학자들에 의해 이루어지기도 했던 것 같다. 또 이때 중국 측의 자료는 다음과 같이 되어 있으나 ~~添字~~와 같이 고쳐야 옳게 될 것이다.

· 『요사』 권105, 열전45, 二國外記, 高麗, "太平元年[~~十一年五月~~], 詢薨. 遣使來, 報嗣位, 卽遣使册王欽爲王".

146) 宣陵은 開城市 開豊郡 解線里에 있다(보존급유적 547호, 張慶姬 2013년 ; 洪榮義 2018년).

147) 崔冲의 論贊은 『현종실록』에서 인용한 것이 아니라 『익재난고』 권9하, 史贊, 顯王의 내용을 전재한 것이다.

148) 이 구절은 다음의 자료에서 에서 따온 것이다.

· 『春秋左傳正義』, 附釋音春秋左傳注疏권15, 僖公 23년, "天將興之, 誰能廢之".

149) 穆宗은 『익재난고』에는 穆王으로 되어 있고, 그 以下에 "恐傷母心, 認而不禁, 及乎病殆"가 더 들어 있다.

之後，和戎結好，偃革修文，薄賦輕徭，登崇俊良，修政公平，賓民安輯，內外底寧．農桑屢稔，比之周之成·康，漢之文·景，亦無愧矣”.[150)]

李齊賢曰，“崔冲文憲之言，[151)] 世所謂命也．句踐嘗膽，雪恥會稽，小白齊桓公忘莒，遺患於齊．人君恃有天命，縱欲敗度，雖得之，必失之．是故，君子理思亂，安思危，愼終如始，以對天休，如顯宗顯王，[152)] 所謂‘吾無閒然者’乎?”.[153)]

[顯宗在位年間]

[○追尊僧道詵爲大禪師：追加].[154)]

[○以三重大師決凝爲首座，仍命住錫闕東妙智寺：追加].[155)]

[○賜三重大師鼎賢磨衲方袍一領，未幾加首座：追加].[156)]

---

150) 이 구절은 다음의 자료를 改書한 것인데, 아름다운 文章을 답답하게 만들어 놓은 것 같다.
- 『익재난고』, “遠馳遺命，俾固本支，然以姨母貽蘖，戎臣謀逆，强隣伺釁，京闕俱燼，乘輿播遷，反正之後，和戎結好，偃革修文，薄賦輕徭，進賢登俊，修政公平，賓民安輯，內外底寧，農桑屢稔，所謂天之將興，誰能廢之者，豈不然哉”.

151) 崔冲은 『익재난고』에는 文憲으로 되어 있다.

152) 顯宗은 『익재난고』에는 顯王으로 되어 있다.

153) 閒은 『익재난고』에는 間으로 되어 있는데, 각각 正字와 俗字이다. 또 이 구절은 다음의 자료에서 인용한 것 같다.
- 『논어』, 泰伯]第8, 末尾, “… 子曰，禹吾無閒然矣. 禹王의 君主로서의 行爲는 내가 非難할 餘地가 없다”.

154) 이는 다음의 자료에 의거하였는데, ~~添字~~와를 추가하여야 옳게 될 것이다.
- 「光陽玉龍寺先覺國師證聖慧燈塔碑」, “… 顯王有大禪師之贈，…”.
- 『동문선』 권27, 官誥(崔應淸 撰), “… 顯廟以禪師~~大禪師~~追崇，…”. 여기에서 禪師는 大禪師에서 大字가 脫落되었을 가능성이 있다.

155) 이는 「榮州浮石寺圓融國師塔碑」에 의거하였다(金石總覽 267面 ; 李智冠 2000년 2冊 272面).

156) 이는 「竹山七長寺慧炤國師塔碑」에 의거하였다(金石總覽 273面 ; 李智冠 2000년 2책 307面).

德宗

德宗敬康·□□[~~宣孝~~]·□□[~~剛明~~]·□□[~~光莊~~]<u>大王</u>,[1] 諱欽, 字元良, 顯宗長子, 母曰元成太后金氏. 顯宗七年丙辰五月乙巳[2日]生, 十一年□□[~~四月~~]封延慶君, 十三年□□[~~五月~~]立爲太子, 明年□□[~~四月~~], 契丹册封高麗國公.

二十二年五月辛未[25日], 顯宗薨, 卽位於重光殿, 居翼室, 朝夕<u>哀臨</u>.[2]

甲戌[28日], 率群臣成服, [百姓玄冠素服:節要·禮6國恤轉載].

六月丁丑朔[小盡,乙未], 以[門下侍郞平章事]徐訥△[爲]檢校太師.

己卯[3日], 以姜邯贊△[爲]□□□□□□[~~開府儀同三司~~]·□□□□□□□□□□[~~推忠協謀安國奉士功臣~~]·□□[~~特進~~]·檢校太師·侍中·□□□□□□[~~天水郡開國侯~~]·□□□□□[~~食邑一千戶~~][3].

[辛巳[5日], 乾方有流星, 大如月:天文1轉載].

乙酉[9日], 西女眞寧塞大將軍阿志大等二十七人來, 獻良馬.

[癸巳[17日], 命有司, 改定太廟·三陵祝<u>文式</u>. 第一室, 太祖及王后皇甫氏, 稱孝曾孫嗣王臣某, 第二室, 惠宗及王后林氏, 第三室, 定宗及王后朴氏, 第四室, 光宗及王后皇甫氏, 第五室, 戴宗及王太后柳氏, 並稱孝孫嗣王臣某, 第六室, 景宗及王后金氏, 第七室, 成宗及王后劉氏, 第八室, 穆宗及王后劉氏, 並稱嗣王臣某, 王考顯宗及王后金氏, 稱孝子嗣王臣某, 昌陵世祖及王后韓氏, 稱孝曾孫王臣某, 乾陵安宗·元陵王太后皇甫氏, 稱孝孫王<u>臣某</u>:禮3吉禮大祀轉載].[4]

乙未[19日], 東女眞將軍<u>大宛</u>[大完]沙伊羅等五十八人來,[5] 獻良馬.[6]

---

1) 여기에서 德宗은 묘호이고, 敬康大王은 시호인데, 이는 1034년(靖宗 卽位年) 10월에 德宗의 陵[肅陵]이 마련될 때 붙여진 것이다. 그런데 德宗은 1056년(문종10) 10월에 宣孝가, 1140년(인종18) 4월에 剛明이, 1253년(고종40) 10월 3일(戊申)에 光莊이 각각 덧붙여졌으나, 이 기사에 반영되어 있지 않다. 또 1038년(靖宗4) 1월 작성된 「佛國寺西石塔重修記」에 德宗行剻大王으로 표기되어 있음을 보아 行剻이라는 시호가 더 있었던 것 같다(盧明鎬·李丞宰 2009년).

2) 이와 같은 기사로 다음이 있다.
· 지18, 禮6, 國恤, "辛未, 王疾篤, 薨于重光殿, 德宗卽位. 居翼室, 朝夕哀臨".

3) ~~添字~~는 열전7, 姜邯贊 ;『고려사절요』 권3에 의거하였다.

4) 原文에는 이 기사의 冒頭에 德宗이 있다. 또『고려사절요』 권3에는 "命有司, 改定<u>大廟</u>[~~太廟~~]·三陵祝文式"으로 축약되어 있다.

○鐵利國主武那沙，遣若吾者等來，獻貂鼠皮.[7]

○宋台州商客陳惟志等六十四人來.[8]

丙申20日，葬顯宗于宣陵.［群臣公除:節要·禮6國恤轉載].[9]

戊戌22日，王釋服.[10]

庚子24日，謁景靈殿，告卽位.

癸卯27日，御神鳳樓，揭雞竿于毬庭，肆赦.

［是月己卯3日，遼聖宗耶律隆緖崩. 耶律宗眞卽位，是爲興宗. 辛卯15日，改元景福:追加].

［是月頃，遣使如契丹，陳慰:追加].[11]

---

5) 大宛은『고려사절요』권3에는 大完으로 되어 있다.

6) 이 기사에서 沙伊羅가 띠고 있는 大宛(혹은 大完)은 女眞人들이 太師(혹은 太史)와 함께 契丹으로부터 임명된 職名일 것이다(세가6, 靖宗 5년 4월 辛酉·권9, 세가9, 문종 27년 5월 丁未 ; 池內 宏 1979年 1册 475面).

7) 鐵利國主는『고려사절요』권3에는 鐵利國酋로 되어 있다.

8) 兩浙路 管內의 台州는 현재의 台州灣에서 椒江河口를 거쳐 靈江을 따라 進入하는 浙江省 台州市이고, 이곳에서 北上하면 天台縣에 이른다. 또 椒江河口를 거쳐 永寧江으로 들어가면 黃巖縣(現 台州市 黃巖區)이 있는데, 이곳에는 五代時期에 新羅人의 거주지가 있었는데, 宋代에 新羅坊으로 編制되었다고 한다(이때 浙江地域은 吳越國의 領域이다, 張東翼 2000년 85·86面).

·『嘉定赤城志』권2, 山水門, 坊市, 黃巖, "新羅坊, 在縣東一里. 舊志云, 五代時, 以新羅國人居此, 故名".

·『嘉定赤城志』권3, 橋梁, 黃巖, "新羅坊橋, 在縣東北一里, 卽青水牐橋水閘橋".

9) 여기에서 公除는 '服喪을 끝낸다[脫喪, 除喪]'는 釋服을 指稱하는 것인데, 이에 대한 注釋으로 다음이 있다. 또 服喪은 3年(36月)이지만 漢 文帝 이래 月을 日로 바꾸어[以日易月] 36日로 단축하여 服喪을 마치고, 罷祭日인 37일에 釋服하였던 것 같다.

·『자치통감』권241, 唐紀57, 憲宗元和 15년(820) 8월 己亥30日, "… 上甫過公除[胡三省注, 遵漢制三十七日釋服, 謂之公除. 按此時以二十七日公除, 下所謂易月也], 卽事遊畋聲色, 賜與無節".

10) 이 기사는 지18, 禮6, 國恤에도 수록되어 있다.

11) 이는 다음의 자료에 의거하였다. 이때 고려의 사신은 聖宗 文殊奴가 崩御한 6월 3일(己卯) 이후에 출발하였을 것이다. 또 聖宗은 慶州에 위치한 慶陵(現 內蒙古 巴林右旗 索博日嘎 蘇木駐地 북쪽 위치)에 묻혔는데, 이에서 발견된 哀册에는 성종대의 勢力版圖에 대한 記述이 있다(田村實造 1953年 216面). 또 경릉에서 高麗青磁의 파편이 발견되었다고 하는데, 이는 고려가 進獻했던 貢物의 일부일 것이다.

·『요사』권18, 本紀18, 興宗1, 太平 11년, "秋七月丙午朔, 皇太后率皇族大臨于太平殿, 高麗遣使弔慰".

·「聖宗哀册」, "開拓疆場, 廓靜寰瀛, 東振兵威, 辰卞高麗以納款, 西被聲敎, 瓜沙繇是貢珍, 夏國之羌渾述職, 遐荒之烏舍來貢. 惟彼中土宋, 曩歲渝唱, 自汴宋而親, 驅虵豕, 取并汾而來犯, 絶信弃義, 黷武窮兵, 盖先朝之積忿, 須再駕以徂征, 七德制勝, 天理橫行, 戈戟霜攢而幣野, …". 여기에서 瓜沙는 瓜州(現 甘肅省 安西縣의 西南 約 10km)와 沙州(現 甘肅省 敦煌縣)에 거주하

秋七月[丙午朔大盡,丙申], 戊申[3日], 賜輔臣諸道□[所]進馬.[12)]

己酉[4日], 以[參知政事]柳韶爲中軍兵馬元帥.

庚戌[5日], 以蔣劌孟爲兵部尙書, 洪賓爲刑部尙書, 李有暹爲工部尙書, 金宗鉉爲右諫議大夫, 皇甫穎爲御史雜端, 門思明爲殿中侍御史, 孫謂爲殿中丞, 朴毅夫爲監察御史.

己未[14日], 契丹報哀使·工部郎中南承顔來,[13)] 告聖宗崩, 宣詔於顯宗返魂堂.[14)]

[庚申[15日], 月食:天文1轉載].[15)]

辛酉[16日], 王引契丹報哀使, 擧哀於內殿.[16)]

丙寅[21日], 以鄭流源爲侍御史.

丁卯[22日], 渤海監門軍大道行郎等十四人來投.

己巳[24日], 渤海諸軍判官高眞祥·孔目王光祿, 自契丹持牒來投.

○契丹賀先王生辰使耶律溫德·趙象玄來.

壬申[27日], [處暑]. 傳命於返魂堂.

八月[丙子朔大盡,丁酉], 丁丑[2日], 東女眞將軍古於夫等三十人來, 獻方物.

甲申[9日], 制曰, "女眞將軍阿豆閒等三百四十戶來投, 勒留嘉·鐵二州之地. 然阿豆閒本東蕃子項史之族, 宜遣置東蕃".

壬辰[17日], [內史侍郎平章事]王可道請納妃.

癸巳[18日], 以李端爲左僕射·參知政事.

던 吐蕃을, 夏國은 탕구트族[黨項]을 중심으로 건국된 西夏를, 羌渾은 탕구트의 예하에 있던 羌族의 吐谷渾을 가리키는 것 같다. 또 烏舍는 松河江 일대의 烏舍城(혹은 烏舍寨, 現 黑龍江省 哈爾濱市 賓縣 地域)에 거주하던 兀惹(혹은 烏惹, 溫熱)이라고 불린 女眞族(渤海의 遺民)을 가리킨다(나영남 2017년 ; 朴淳佑 2020년).

12) ~~添字~~는 『고려사절요』 권3에 의거하였다.

13) 契丹의 사신은 6월 8일(甲申)에 파견이 결정되었다(『요사』 권18, 本紀18, 興宗1, 太平 11년 6월 甲申).

14) 이 기사는 지18, 禮6, 上國喪에도 수록되어 있다.

15) 이날 일본 교토[京都]에서도 월식이 있었는데, 이날은 율리우스력의 1031년 8월 5일이고, 월식 현상이 심했던 때의 世界時는 13시 56, 食分은 1.47이었다(渡邊敏夫 1979年 471面).
· 『小右記』, 長元 4년 7월, "十五日庚申, 月蝕, 皆旣, 虧初酉七剋五十人[分], 加時亥初剋三十二□[分], 復末子一剋四十二人[分]. 亥時月虧初, 子時加時, 丑時復末, 時剋頗違, 然而可謂合勘文".

16) 이 기사는 지18, 禮6, 上國喪에도 수록되어 있다.

乙未[20日]，侍中致仕姜邯贊卒.[17)] [邯贊，衿州人，性淸儉，不營產業. 少好學，多奇略，體貌矮陋，衣裳垢弊，不踰中人，正色立朝，臨大事，決大策，屹然爲邦家柱石. 年七十，賜几杖，三日一朝. 遂辭職，歸城南別墅，卒年八十四，弔誄，賻贈甚厚，謚仁憲，命百官會葬，配享顯宗廟庭：節要轉載].[18)]

[史臣曰，"甚矣，天之仁愛斯民也，國家，將有禍敗之來，必生名世之賢，爲之備. 當己酉[顯宗卽位年]·庚戌[1年]之歲，逆臣構亂，强敵來侵，內訌外亂，國步危急，于斯時也，不有姜公，未知將何以爲國也. 公入參謀議，出掌征伐，平定禍亂，克復三韓，以爲宗社生民之永賴，非天之所生，以備斯人之禍者，其孰能與於斯乎? 嗚呼，盛哉. 世傳有一使臣，夜入始興郡，見大星隕于人家，遣吏往視之，適其家婦生男，使臣心異之，取歸以養，是爲邯贊. 後，宋使見之，不覺下拜曰，文曲星，不見久矣，今在此，

---

17) 이날은 율리우스曆으로 1031년 9월 9일(그레고리曆 9월 15일)에 해당한다.

18) 이와 관련된 기사로 다음이 있는데, 姜邯贊은 강한찬으로 읽는 것이 좋을 것이다. 여기에서 弔誄는 '弔問하고 誄書를 내리며'로 읽을 수 있는데[讀], 誄書는 死者를 事蹟[功德]을 열거한 哀悼文[哀悼辭]이다.
- 지18, 禮6, 諸臣喪, "八月，侍中姜邯贊卒，輟朝三日，謚仁憲. 命文武兩班，會葬，弔誄賻贈，加 禮".
- 열전7, 姜邯贊, "卒，年八十四，輟朝三日，謚仁憲. 命百官會葬，弔誄賻贈，一依侍中劉瑨例. 世傳'有使臣夜入始興郡，見大星隕于人家，遣吏往視之，適其家婦生男. 使臣心異之，取歸以養，是爲邯贊'. 及爲相，宋使見之，不覺下拜曰，'文曲星，不見久矣，今在此耶'. 邯贊性淸儉，不營產業. 體貌矮陋，衣裳垢弊，不踰中人. 正色立朝，臨大事決大策，屹然爲邦家柱石. 時歲豊民安，中外晏然，人以爲邯贊之功也. 致仕歸豊城南別墅，著'樂道郊居集'，又著'求善集'. 後配享顯宗廟庭，文宗贈守太師兼中書令，子行經".
- 『성종실록』 권164，15년 3월 "甲寅[27日]，弘文館啓'按春秋傳，大夫三月而葬，同位至. 後漢祭遵卒，詔遣百官先會喪所，車駕素服臨之. 唐魏徵卒，詔內外百官朝集，使皆赴喪. 高麗姜邯贊·李周佐·崔思諏卒，命百官會葬'. 命議政府·領敦寧以上·六曹·弘文館議之".
- 『栢潭集』 권5，"議政府，見姜侍中冠服，感而有作[注，侍中名邯贊，高麗康兆弑穆宗，契丹以問罪爲名，興師來，討執誅之，顯廟奔竄至完山，宮廟蕩爲灰燼. 及其再擧，邯贊大敗之于龜州".
- 『久堂集』 권7，松都錄，"[顯宗5年]二月十三日. 與李甥齊杜·齊黃及兒子，同尋落星洞姜邯贊舊基. 按松都志，安文成[安珦]·韓柳巷[韓脩]及牧隱諸公家，皆在此洞云，而問諸老吏高質明，則耕者只傳姜政丞家園，而他則不識云，洞在太平館西數里許". 현재의 落星臺[落星垈]는 서울시 冠岳區 奉天洞 산48번지에 있다고 한다(서울시 有形文化財 第4號).
- 『자치통감』 권189，唐紀5，高祖武德 4년(621) 4월，"丁卯，[秦王李]世民入宮城[洛陽]，命記室房玄齡先入中書門下省，收隋圖籍·制誥，已爲[鄭皇帝王]世充所毁，無所獲. … 士民無罪爲世充所囚者，皆釋之，所殺者祭而誄之[胡三省注，古者卿大夫歿，則君命有司累其功德，爲文以哀之，曰誄. 今誄之者，哀其無罪而死也]". 여기에서 中書門下省은 '中書·門下省'으로 읽어야 옳게 될 것이다.
- 『후한서』 권20，祭遵列傳第10，"… [建武]九年春，卒於軍. 遵爲人廉約小心，克己奉公，賞賜輒與士卒，家無私財，… 及卒，愍悼之尤甚. 遵喪至河南縣，詔遣百官先會喪所，車駕素服臨之，望哭哀慟. 還幸城門，過其車騎，悌泣不能已. 喪禮成，復親祠以太牢，如宣帝臨霍光故事".

是說似涉荒唐，然傳說，爲箕·尾之精，申甫申伯·仲山甫，維崧岳之降，獨於邯贊，何疑乎?”:節要轉載].

辛丑26日，檢校太保朴訥啚·左僕射朱德明卒，並輟朝一日.[19]

[○月犯軒轅大夫人:天文1轉載].

九月丙午朔小盡,戊戌，幸外帝釋院.

己酉4日，以皇甫穎爲御史中丞，金令器爲侍御史，李子淵爲右補闕，賜緋魚,[20] 文在先爲殿中侍御史，李慶膺爲監察御史，賜金魚.

庚戌5日，以盧戩爲戶部尙書，閔可擧爲工部尙書，許元爲內史舍人.

丙辰11日，以秦玄錫爲御史雜端.

○東女眞懷化將軍烏於那·開老等六十七人來，獻土物.

[庚申15日，大星入輿鬼:天文1轉載].[21]

丙寅21日，以密直學士~~中樞直學士~~·秘書少監朴有仁△爲權知左承宣.[22]

己巳24日，追尊妣△爲王太后.

辛未26日，幸妙通寺.

[某日，敎曰，“故參知政事郭元·金猛·中樞使尹徵古，俱有勳勞，不忘朕懷，元子拯·猛子德符·徵古子希旦，並加擢用”:節要轉載].

冬十月乙亥朔大盡,己亥，以檢校太師·門下侍郞平章事徐訥爲門下侍中，內史侍郞平章事王可道·柳韶並爲門下侍郞同內史門下平章事.

丁丑3日，契丹王守男等十九人來投，處之南地.

戊寅4日，宰輔表請復常膳，許之.[23]

庚辰6日，享國老於毬庭，樂懸而不作.

辛巳7日，納門下侍郞平章事王可道女爲妃. [尋冊爲賢妃:列傳1德宗妃敬穆賢妃王氏].

---

19) 이날은 율리우스曆으로 1031년 9월 15일(그레고리曆 9월 21일)에 해당한다.

20) 이때 李子淵은 右補闕·知制誥에 임명되고 緋魚를 下賜받았다고 한다(李子淵墓誌銘).

21) 이는 新星[大星]이 巨蟹座(Cancer, 輿鬼, 南方七宿 중의 하나)에 출현한 것을 가리킨다(席澤宗 2002年 115面).

22) 密直學士(충렬왕 1년 11월 7일 이후의 官制)는 中樞院直學士[中樞直學士]의 오류이다.

23) 이 기사는 지18, 禮6, 國恤에도 수록되어 있다.

○遣工部郎中柳喬，如契丹會葬,[24] 郎中金行恭賀卽位．表請毁鴨綠城橋，歸我被留行人．

[→門下侍郞平章事王可道奏云，“契丹與我通好友贄，然，□每有幷呑之志，今其主聖宗殂逝，駙馬匹梯，叛據東京，宜乘此時，請毁鴨綠城橋，歸所留我行人，若不見聽，可與之絶，乃附表請之”:節要轉載].[25]

[→時遣工部郎中柳喬·郎中金行恭，如契丹會葬，且賀卽位，可道奏，“契丹與我通好交贄，然每有幷呑之志．今其主殂，駙馬匹梯，叛據東京，宜乘此時，請毁鴨綠城橋，歸所留我行人．若不聽，可與之絶．乃附表請之”:列傳7王可道轉載].[26]

乙酉11日，東女眞元甫開老等四十六人來朝，增爵賜物．

○憲臺御史臺奏,[27] “尙書左僕射·判東京留守事李龔，橫歛橫斂財物，又使家奴借乘驛馬，請論如法”，從之.[28]

丁酉23日，幸毬庭，飯僧三萬．

[己亥25日，月及歲星，入大微太微:天文1轉載].

癸卯29日，[小雪]．加左僕射異膺甫守司徒，右僕射金如琢守司空．

[甲辰30日，雷震:五行1雷震轉載].[29]

閏[十]月乙巳朔小盡,己亥，己酉5日，始設國子監試．[試取鄭功志等六十人，試以賦及六韻十韻詩，監試始此:節要轉載].[30]

---

24) 이 구절은 지18, 禮6, 上國喪에도 수록되어 있다.

25) 세가6, 靖宗 1년 6월에 수록되어 있는 契丹 來遠城에 보낸 回牒에 의하면, 工部郎中 柳喬는 尙書左丞으로, 郎中 金行恭은 給事中으로 되어 있다.

26) 原文에는 이 기사의 冒頭에 '以有疾免朝'가 있으나 閏10월의 事實이므로 삭제하였다.

27) ~~添字~~는 『고려사절요』 권3에 달리 표기된 글자이다.

28) 여러 판본의 『고려사』에서 橫歛(횡감)으로 되어 있으나 橫斂(횡렴)의 오자이다(東亞大學 2008년 2책 341面).

29) 原文에는 '十二年十月甲辰'으로 되어 있으나 資料의 順序로 볼 때 '二十二年十月甲辰'에서 二가 탈락되었을 것이다.

30) 이와 관련된 기사로 다음이 있는데, 成均[成均館]은 國子監의 다른 表記라고 한다.

· 지28, 선거2, 國子監試, "卽進士試, 德宗始置, 試以賦及六韻·十韻詩. 厥後, 或稱成均試, 或稱南省試".

· 『자치통감』 권224, 唐紀40, 代宗大曆 1년(766) 8월, "甲辰21日, 以魚朝恩行內侍監·判國子監事. 中書舍人京兆常衮上言, '成均之任, 當用名儒[胡三省注, 五帝名學曰成均. 則天武后垂拱元年, 改國子監曰成均, 義取此也. 尋復其舊. 常衮爲國子監爲成均, 亦猶今人言太學曰璧雍耳], 不宜以宦

[→命右拾遺廉顯, □□□□□[掌國子監試], 取鄭功志等六十人 : 選擧2國子試額轉載].

己未[15日], 幸外帝釋院.

壬戌[18日], 幸龍興寺.

甲子[20日], 封王氏爲賢妃.

[某日, 以門下侍郞平章事王可道, 有疾免朝 : 節要轉載].

十一月[甲戌朔大盡,庚子], 乙亥[2日], 東京留守使·戶部尙書李作仁卒.[31]

庚寅[17日], 命有司, 賜諸國來投人, 衣服緜絮.

壬寅[壬辰19日], 東女眞將軍毛伊羅來, 獻馬, 且言, "以蕃地僻遠, 不及會葬, 願謁陵寢". 許之.[32]

癸巳[20日], 東女眞烏頭乃等四十餘人來, 獻方物.

[某日, 敎曰, "故□□□[~~士將軍~~]左僕射智蔡文, 嘗從顯考南幸, 功在第一, 宜錄功科, 以勸將來" : 節要轉載].[33]

辛丑[28日], [郞中]金行恭回報, 契丹不從所奏. 遂停賀正使, 仍用聖宗大平[~~太平~~]年號.

[→金行恭, 還自契丹, 言不從所奏. 平章事[~~門下侍中~~]徐訥等二十九人議, 告請不聽, 宜勿通使. 中樞使皇甫兪義等三十三人議, 若絶交, 其害必至勞民, 不如繼好息民. 王從訥及[門下侍郞平章事]王可道議, 停賀正使, 仍用聖宗大平[~~太平~~]年號 : 節要轉載].[34]

[→契丹不從. 王命群臣議, [門下侍中]徐訥等二十九人曰, "彼旣不從我言, 宜勿通好". 皇甫兪義等三十九人駁云, "今若絶交, 必貽禍害, 不如繼好息民". 王從可道及訥等議, 停賀正使, 仍用聖宗大平[~~太平~~]年號 : 列傳7王可道轉載].

[十二月[甲辰朔小盡,辛丑], 戊午[15日], 月食 : 天文1轉載].[35]

者領之'. 丁未[24日], 命宰相以下送朝恩上".

31) 李作仁은 前年(현종21) 11월 16일(乙丑) 參知政事로 재직하다가 탄핵을 받아 면직되었는데, 이때 東京留守使·戶部尙書인 점을 보아 면직된 후 降等되었던 것 같다. 또 이날은 율리우스曆으로 1031년 12월 18일(그레고리曆 12월 24일)에 해당한다.

32) 11월의 己巳는 庚寅(17일), 壬寅(29일), 癸巳(20일), 辛丑(28일)의 순서로 되어 있는데, 이의 순서는『고려사절요』권3에도 同一하다. 그러므로 壬寅은 壬辰(19일)의 오자임을 알 수 있다.

33) 添字는 열전7, 智蔡文에 의거하였다.

34) 平章事는 門下侍中의 오류일 가능성이 있다. 徐訥은 이해의 10월 1일(乙亥) 門下侍中에 임명되었다.

35) 이날은 율리우스력의 1032년 1월 30일인데, 월식에 관련된 각종의 정보가 없다(渡邊敏夫 1979年

[某日, 命<u>侍中</u>~~內史令~~致仕崔士威, 五日一朝, 入省視事:節要轉載].[36]

[<u>庚寅</u>[某日], 雷震:五行1雷震轉載].[37]

[是年, 置東界寧仁鎭·靜邊鎭:轉載].[38]

[○<u>判</u>[制], "中郎將准諸曹員外郎, 別將准七品, 父母封爵":選擧3封贈轉載].

[○<u>判</u>[制], "京所司, 於外方州府, 公貼行移時, 須報尙書省, 商確可否而後, 付<u>靑郊驛館使</u>~~靑郊道館驛使~~轉送. 若諸所司及宮衙典, 有不遵行者, <u>館驛使</u>~~諸道館驛使~~將文貼及事由申省, 隨卽科罪":兵2站驛轉載].[39]

[某日, <u>判</u>[制], "立春後, 禁伐木":刑法2禁令轉載].

壬申[德宗]元年, 契丹景福二年→11月重熙元年, [高麗稱太平十二年], [宋天聖十年→11月, 明道元年], [西曆1032年]

1032년 2월 14일(Gre2월 20일)에서 1033년 2월 2일(Gre2월 8일)까지, 355일

春正月[癸酉朔小盡,建壬寅], 辛巳[9日], 御史臺劾, "<u>大府卿</u>~~太府卿~~王希傑·右司郞中柳伯仁·禮部郞中崔復珪·員外郞李膺年, 分司西京, 求田殖貨, 請黜免", 從之.

甲申[12日], 以林維幹爲右承宣·吏部郞中, 賜金紫.

乙酉[13日], 契丹<u>遣留使</u>來, 至來遠城, 不納.[40] 遂城<u>朔州</u>·<u>寧仁鎭</u>·<u>派川</u>等縣, 備之.

471面).

36) 侍中은 內史令의 잘못일 것이다(→덕종 즉위년 12월 某日).

37) 原文에는 '十二月庚寅雷震'으로 되어 있지만, 이달에는 庚寅이 없다. 庚寅이 오자이거나 아니면 十二月은 十一月이 되어야 한다.

38) 이는 다음의 기사를 전재한 것이다.
- 지12, 지리3, 寧仁鎭, "顯宗二十二年, 置".
- 지12, 지리3, 靜邊鎭, "顯宗二十二年, 置".

39) 이 기사의 冒頭에 '顯宗二十三年'으로 되어 있으나 현종의 재위기간은 22년이므로 적절하지 못하다. 또 卽位年稱元法에 의한 『현종실록』에서의 23년은 踰年稱元法으로 체제를 변경한 『고려사』에서 22년에 해당하므로 '顯宗二十三年'은 '顯宗二十二年'의 오자로 추측된다. 그리고 唐制를 의거하였을 驛制를 考慮하면, 靑郊驛館使는 靑郊道館驛使로, 館驛使는 諸道館驛使로 理解[讀]하는 것이 좋을 것이다(→문종 2년 12월 是月條 ; 尹彦旼妻李氏墓誌銘, 韓祐訓 2002년·2013년 101面).

40) 이때 파견되어 온 契丹의 遣留使는 聖宗 文殊奴의 遺囑 또는 遺品을 고려에 傳達하려는 사신

[→城朔州八百六十五間, 門八, 水口二, 城頭十七, 遮城五:兵2城堡轉載].[41)]

[○月犯軒轅大星:天文1轉載].

丁亥[15日], 幸外帝釋院.

己丑[17日], 改王生日仁壽節爲應天節.

丁酉[25日], 西女眞者昆等八人來投.

戊戌[26日], 制曰, "左僕射異膺甫加□[守]司徒, 右僕射金如琢加□[守]司空,[42)] 其班在參知政事之下·中樞使[~~中樞院使~~]之上, 並加俸祿".[43)]

○渤海沙志·明童等二十九人來投.

二月壬寅朔[大盡,建癸卯], 以通州振威副尉·戶長金巨, 別將守堅, 當庚戌[顯宗1年]丹兵之來, 堅壁固守, 又禽其大夫馬首, 加金巨郞將, 守堅贈郞將.

丁未[6日], 太白晝見.

[→太白晝見, 夜犯昴星:天文1轉載].

戊申[7日], 渤海史通等十七人來投.

○鐵利國遣使□[來], 修好.

壬子[11日], 以皇甫兪義△[爲]參知政事, 黃周亮爲中樞□[院]使.

乙卯[14日], 燃燈, 幸王輪寺.

[壬戌[21日], 虎入宣喜門:五行2轉載].

이었던 것 같다.

41) 朔州城(보존유적 제176호)은 현재의 平安北道 大館郡 大館邑(옛 朔州郡 地域)에 있다고 한다(梁時恩 2021년). 또 寧仁鎭과 派川縣은 東北界의 管轄下에 있던 지역이기에 거란과의 주된 通路인 朔州城과 관련이 없다. 그래서 13일(乙酉)의 기사는 適切하게 기록된 것이 아닌 것 같다(지12, 지리3, 東界, 安邊都護府 派川縣, 寧仁鎭 ;『세종실록』권153, 지리지, 江原道 杆城郡 歙谷縣 ; 권155, 咸吉道 永興大都護府 寧仁社).

42) ~~添字~~는 탈락된 글자이며(→덕종 즉위년 10월 29일), 고려시대에 司徒와 司空에 임명된 사례가 찾아지지 않는다. 재상들에게 일종의 勳職으로 주어진 三師(太師·太傅·太保), 三公(太尉·司徒·司空)의 正職은 追贈職으로 사용되었고, 관료들은 守職 또는 檢校職으로 임명되었다.

43) 이때 尙書省의 長官이었지만 宰相의 班列에 들지 못했던 左·右僕射(정2품)에게 三公(太尉·司徒·司空, 정1품)의 職位가 더해짐으로써 재상의 지위를 보장해준 것이다. 左·右僕射는 관료의 임명 서열에서 중추원부사(혹은 樞密院副使)보다 하위의 위치하였으나 三公이 더해 졌을 때 6부의 판사를 겸직할 수 있어 명실상부한 재상이 될 수 있었다. 이들 左·右僕射에 임명된 인물 중에는 眞宰가 어떠한 사유로 인해 좌천된 경우, 親族間의 相避에 의해 眞宰에 임명될 수 없는 경우[親嫌], 후천적인 요인[出身性分]에 의해 진재[淸要職]에 임명될 수 없는 경우 등의 사례도 있었다(張東翼 2013년a).

[某日, □[坮]尙書左丞李作忠知貢擧, 取進士:選擧1選場轉載].[44]

[癸酉[~~某日~~], 靈州火:五行1火災轉載].[45]

三月壬申朔[大盡,建甲辰], 賜白可易等及第.[46]

癸酉[2日], 契丹殿直高善悟·殿前高眞成等十五人, 左廂都指揮使大光·保州懷化軍事判官崔運符·鄕貢進士李運衡等來奔.

乙亥[4日], [穀雨]. 以朴有仁爲翰林學士, 林維幹爲御史雜端.

[某日, 尙舍奉御朴元綽請, “令有司, 作革車·繡質弩·雷騰石砲”, 從之:節要·兵1五軍轉載].

癸巳[22日], 以[門下侍郞平章事]王可道△[爲]監修國史, 李端爲內史侍郞同內史門下平章事, [中樞院使]黃周亮△[爲]修國史, 劉徵弼爲尙書左僕射, 羅敏爲禮部尙書.

甲午[23日], 幸妙通寺.

[丁酉[26日], 流星出大微[太微], 入轅軒[~~軒轅~~]:天文1轉載].[47]

戊戌[27日], 論庚戌年[顯宗1年]以來戰亡功, 贈潘希岳少府監, 金延慶軍器監, 田仁穎禮賓少卿, 庾伯夫衛尉少卿, 金良佐少府少監, 梁伯殿中丞.

庚子[29日], 以旱, 放奉恩·重光兩寺役夫.[48]

---

44) 이는 지27, 선거1, 科目1, 選場에서 전재하였다.

45) 이달에는 癸酉가 없다.

46) 이와 관련된 기사로 다음이 있는데, 添字가 추가되어야 할 것이다.
- 지27, 선거1, 科目1, 選場, “德宗元年二月, 尙書左丞李作忠知貢擧, 取進士. [~~三月壬申朔~~], 賜乙科白可易等三人·丙科六人·恩賜四人及第”.

47) 轅軒은 軒轅의 글자 순서가 바뀐 것인데, 乙亥字로 組版할 때 생긴 오류일 것이다(東亞大學 2011년 13책 227面). 또 軒轅은 中國人의 祖上이라고 하는 黃帝 軒轅氏(혹은 有熊氏·帝鴻氏)를 가리키는데, 이 기사에서 軒轅星은 獅子座의 α星을 가리킨다.

48) 宋에서는 이달 27일(戊戌) 江淮地域(淮水의 남쪽에서 揚子江의 북쪽 사이의 29州, 現 江蘇·安徽·江西省 地域)에 旱魃이 있어 使臣을 파견하여 長吏와 罪囚[繫囚]를 調査하여 流配以下는 減刑하고, 杖·笞의 對象者는 釋放하였다고 한다(『송사』 권10, 본기10, 인종2, 明道 1년 3월 戊戌). 또 日本에서는 2월에서 6월에 걸쳐 京都와 隣近地域에서 旱魃이 있었다고 하며, 宮中에서 더위와 한발로 인해 占을 치기도 하였다고 한다(中央氣象臺 1941年 2册 529面).
- 『日本紀略』後篇14, 長元 5년 6월, “從去二月至月, 大旱. 山崎·攝津大江渡·宇治川等, 步行往還”.
- 『百練抄』第4, 長元 5년, “今年, 自二月至六月, 大旱, 但五穀稔也”.
- 『小記目錄』, “同[長元5年5月]三日, 可有旱魃御祈事”.
- 『小右記』, 長元 5년 5월, “十一日辛巳, 頭辨[藤原經任]書狀云, 依炎旱, 昨夕有御占, 理運□[之?], 巽艮方神事, 違例之所致云々, …”.
- 『左經記』, 長元 5년 6월, “七日丙午, 天晴, 及未剋時々雷電, 陰雲忽起, 儀[俄]以降雨, 此間雷鳴數

夏四月壬寅朔小盡,建乙巳,[49] 避殿減膳,[50] 禁屠殺, 放輕繫.

丁未6日, 東女眞元尹古豆老等來, 獻土物.

戊申7日, 契丹奚家內乙古等二十七人來投.

辛酉20日, [芒種]. 親醮于毬庭, 禱雨.

五月辛未朔小盡,建丙午, 壬申2日, 以諒陰, 停賀應天節.

丁丑7日, 渤海薩五德等十五人來投.

癸未13日, 復常膳, 御正殿視朝.

[己丑19日, 王以皇考中祥祭, 齋七日, 居翼室, 涼闇·反哭·擧哀, 一如唐德宗故事:禮6國恤轉載].[51]

丁酉27日, 王以皇考諱辰道場, 如玄化寺.[52]

[辛酉某日, 歲星入大微太微:天文1轉載].[53]

六月庚子朔大盡,建丁未, 辛丑2日, 王以太祖諱辰道場, 如奉恩寺.[54]

丙午7日, 以庚伏, 放輕罪.[55]

己酉10日, 西女眞懷化將軍尼冬等八人來朝, 增爵一級.

辛亥12日, 渤海亐音·若已等十二人來投.

壬子13日, 東女眞歸德將軍也於浦等八人來, 獻土物.

聲, 不幾雨止雲晴. 凡今年四月以後怏不雨, 內外御祈依不怠, 雖降雨, 不幾晴止, 其潤不遍, 纔植田, 未殖之田皆欲損云々, …".

49) 宋曆과 日本曆에서 4월은 辛丑朔인데, 高麗曆은 壬寅朔이었던 것 같다.

50) 避殿은 避正殿의 略稱이다.

·『夢溪筆談』 권15, 藝文2, "熙寧六年□□三月, 有司言, 日當蝕四月朔, 上爲徹膳, 避正殿一夕, 微雨, 明日不見日蝕, 百官入賀". 여기에서 ~~添字~~는 필자가 추가한 것이다.

51) 필자는 이러한 德宗의 故事에 대한 出處를 찾을 수 없었다.

52) 顯宗의 父(安宗으로 追贈) 郁의 忌日은 7월 7일(乙巳, 陽7月 24日, 그레고리曆은 7월 29일)이다(→成宗 17년 7월 7일).

53) 5월에는 辛酉가 없고, 宋에서 星變이 확인되지 않는다.

54) 太祖 王建의 忌日은 5월 29일(陽7月 4日, 그레고리력은 7월 9일)이다.

55) 庚伏은 三伏을 指稱하는데, 初伏은 夏至 이후의 日辰이 庚으로 시작되는 세 번째의 날[庚日, 十干의 일곱째 날], 中伏은 네 번째의 庚日, 末伏은 立秋 이후 첫 번째의 庚日이다.

·『송사』 권164, 지117, 職官4, 秘書省, "… 歲於仲夏曝書, 則給酒食費, 尙書·學士·侍郎·待制·兩省諫官·御史並赴, 遇庚伏, 則前期遣中使諭旨, 聽以早歸".

甲寅15日, 王受菩薩戒於膺乹殿.
乙卯16日, 渤海所乙史等十七人來投.
[乙丑26日, 月犯太白:天文1轉載].

秋七月庚午朔大盡,建戊申, 壬申3日, 以李禮均等八人, 使於契丹, 被留不還, 賜妻子物有差.
乙亥6日, 西女眞大相也半等二十五人來, 獻土物.
丁丑8日, [處暑]. 東女眞正朝加伊老, 懷化將軍也半, 歸德將軍開老, 元甫古刀化等九十一人來, 獻土物.
庚寅21日, 王以皇妣諱辰, 如奉恩寺.
丙申27日, 渤海高城等二十人來投.
戊戌29日, 以金宗鉉爲右散騎常侍.
[某日, 定東京官祿. 二百五十石[留守], 一百三十石[判官], 七十石[司錄], 六十石[掌書記], 三十石[法曹]:食貨3外官祿轉載].

八月庚子朔小盡,建己酉, 壬寅3日, 大相主烏歐母毆母, 棄市.
[丁未8日, 月犯建星, 太白犯軒轅:天文1轉載].
庚戌11日, 以柳琮爲左散騎常侍, 皇甫穎爲尙書右丞·知御史臺事, 秦玄錫爲御史中丞.
癸丑14日, 幸妙通寺.
乙卯16日, 東女眞正甫豆於甫等二十人來, 獻土物.
丁巳18日, 以李端爲□□□□內史侍郎平章事,56) 參知政事皇甫兪義爲吏部尙書·參知政事. [舊制, 宣麻於家. 至是, 集百官, 宣於乾德殿, 從有司請也:禮10宣麻儀·節要轉載].
[○月犯畢大星:天文1轉載].
戊午19日, 王如奉恩寺, 以僧法鏡爲國師.
庚申21日, 東女眞甫尹大由等三人來朝.
[甲子25日, 流星出王良, 入天紀:天文1轉載].
[乙丑26日, □□流星出軒轅:天文1轉載].

56) 李端은 같은 해 3월 22일(癸巳) 內史侍郎同內史門下平章事에, 이보다 2년 후인 1034년(덕종3) 7월 9일(丙申) 門下侍郎平章事에 각각 임명되었음을 볼 때, 이때 以前과 같이 內史侍郎同內史門下平章事에 임명되었을 것이다.

九月[己巳朔大盡,建庚戌], 癸酉[5日], 東女眞大相也乙漢等三十人來朝.

丙子[8日], 錄內外囚, 放徒罪以下:天文1轉載].

[○流星出北斗, 入紫微宮, 太白犯大微[~~太微~~]右執法:天文1轉載].

[辛巳[13日], 月犯坐星[~~帝坐星~~]:天文1轉載].[57)]

[戊子[20日], □[月]犯鎭星:天文1轉載].

庚寅[22日], 東女眞奉國大將軍要乙乃等五十人來朝.

乙未[27日], 幸外帝釋院.

冬十月[己亥朔大盡,建辛亥], 丙午[8日], 渤海押司官李南松等十人來奔.[58)]

[某日, [尙舍奉御]朴元綽請, "以八牛弩□[等]二十四般兵器, 置邊城", 從之:節要轉載].[59)]

辛亥[13日], 尙州界十餘縣, 地震.

[→尙州等處十餘縣, 地震:五行3轉載].

---

57) 여기에서 坐星은 帝坐星(帝座星, Alpha Herculis, 武仙座α星)에서 帝가 脫落되었을 것이다(孫曉 等編 2014年 1430面).

58) 押司官은 品外의 吏職으로 추측되는데, 宋代에는 여러 官署의 하급직에 勾押官·押司官 등이 있었다.

· 『구오대사』 권107, 漢書9, 열전4, 聶文進, "聶文進, 幷州人, 少給事於高祖帳下, 高祖鎭太原, 甚見委用, 職至兵馬押司官, …".

59) 이와 같은 기사로 다음이 있으나 冒頭에 十月이 脫落되었을 것이다. 또 二十四般兵器는 1032년(덕종1) 3월 이래 朴元綽에 의해 개발된 革車·繡質弩(繡質九弓弩)·八牛弩·雷騰石砲(抛車, 投石機, 霹靂車) 등을 위시한 24種의 兵器이므로 添字가 추가되어야 옳게 될 것이다. 또 八牛弩는 三弓床弩·三弓𨿽子弩라고도 하는데, 이는 견고한 나무로 된 화살대[箭杆]에 鐵片으로 된 화살깃[翎]을 붙인 器械弩이기에 一槍三劍箭으로 불린다. 이는 3点의 弓弩가 설치되어 활시위[활줄, 弓弦]을 당길 때 90人의 힘(張力]이 필요하고, 射程距離는 200步라고 한다. 또 이의 箭은 標槍과 같아 近距離에서 發射할 때 城墻에 박히기에 兵士들이 城郭을 공격할 때 이것에 의지하여 城壁을 타오를 수 있다고 한다(『武經總要』 권13, 器圖, 藪內 淸 1967年 218面). 그리고 여기의 八牛弩, 雷騰石砲는 唐帝國의 創業期에 사용된 八弓弩, 大礮(대포)와 같은 유형으로 추측된다.

· 지35 병1, 五軍, "德宗元年三月, … □□[十月], 又請以八牛弩□[等]二十四般兵器, 置邊城, 從之".

· 『武經總要』 권13, 器圖, "三弓床弩, 前二弓, 後一弓, 世稱八牛弩".

· 『訥齋集』 권4, "兵事六策, … 高麗以二十四般兵器, 置于邊城, 又以繡質九弓弩·八牛弩·車弩, 或置之東西邊鎭, 或習射南北郊, 此皆東國之事, 所當攷之者也". 이는 1475년(성종6) 6월 24일 南原君 梁誠之가 올린 上疏이다.

· 『자치통감』 권188, 唐紀4, 高祖武德 4년(621) 2월 乙卯, "… 秦王[李]世民圍洛陽宮城, 城中守禦甚嚴, 大礮飛石重五十斤, 擲二百步[胡三省注, 礮, 與砲同], 八宮弩箭如車輻, 鏃如巨斧, 射五百步[注, 八宮弩, 八弓共一絭也, 如古連弩, 今之划車弩, 亦其類也]. 世民四面攻之, 晝夜不息, 旬餘不克. …".

壬子[14日], 契丹注簿劉信思等五人來奔.
[癸丑[15日], 天狗墮西方:天文1轉載].
丙寅[28日], 契丹濟乙男等十人來奔.

十一月[己巳朔小盡,建壬子], [某日, 遣使九道, 選軍士:節要·兵1五軍轉載].
丙子[8日], 羽陵城主遣子夫於仍多郞來, 獻土物.
○西女眞正朝大浦古之門等十四人來, 獻土物.
[是月甲戌[6日], 宋改天聖十年爲明道元年:追加].
[○辛卯[11日], 遼改景福二年爲重熙元年:追加].

十二月[戊戌朔大盡,建癸丑], 辛丑[4日], 以李作忠爲左諫議大夫, 盧祐·朴敭命△[並]爲監察御史.
甲辰[7日], 契丹羅骨等十人來投.
[是月, 大匠位金·慶則, 棟樑元吉等十四人鑄成青鳧大寺鍾, 入重百七十斤:追加].[60)]

癸酉[德宗]二年, 契丹重熙二年[高麗稱太平十三年],[61)]
[宋明道二年], [西曆1033年]

1033년 2월 3일(Gre2월 8일)에서 1034년 1월 22일(Gre1월 28일)까지, 354일

春正月[戊辰朔小盡,甲寅], 辛未[4日], 東女眞將軍開多閒等二十五人來朝.
○鐵利國遣使, 獻良馬·貂鼠皮, 王嘉之, 回賜甚優.
乙亥[8日], 宋劉守全等十四人來奔.
己卯[12日], 以[中樞院使?]黃周亮△[爲]判御史臺事, 崔冲爲右散騎常侍, 閔可擧爲禮部尙書, 柳琮爲工部尙書, 李周佐爲右諫議大夫.

---

60) 이는「青鳧大寺鍾銘」에 의거하였다(滋賀縣 大津市 園城寺町 園城寺 圓滿院所藏, 坪井良平 1974年a 91面 ; 許興植 1984년 474面).

61) 이해에 太平年號를 사용한 사례로 다음이 있다.
·「竹山七長寺慧炤國師塔碑」, "… 太平癸酉歲[13年], □□□□□□□□候, 置中道郵亭, 歷星霜而寢深, 在修泐而無補, …". 이는 靖宗이 竹山 七長寺에 거주하던 首座 鼎賢에 問候를 드리기 위해 楊廣道에 驛館[郵亭]을 설치하였다는 것을 서술한 것으로 추측된다.

辛巳[14日], 東女眞將軍寶伎·阿於乃等一百十三人來, 獻土物.

丁亥[20日], 禮部尙書羅敏上表, 乞退.

乙未[28日], [驚蟄]. 契丹仇乃等十八人來奔.

○左右衛猛校尉吳幸·李璜·申先立等, 抄掠丹兵七人, 賜職一級.

二月[丁酉朔小盡,乙卯], 壬寅[6日], 西女眞持印·古音波及契丹大師[太師]古省奐等十一人來, 獻土物及兵仗.[62)]

己酉[13日], 東女眞懷化將軍居於蔚等四十九人來朝.

乙卯[19日], 以金忠贇爲禮賓卿·知中樞院事.

三月[丙寅朔大盡,丙辰], [辛未[6日], 敎曰, "頃以有司論請, 停宣送官告, 然念恩禮, 由此漸疏, 今後, 文武正三品以上及中樞員, 皆令差人, 到家宣制":禮10宣麻儀·節要轉載].

[某日], 西女眞將軍尼亐弗來, 獻土物.

[某日], 海賊寇杆城縣白石浦, 擒獲五十人, 以獻.

[某日], 賜崔希穆等及第.[63)]

[某日], 契丹奚家古要等十一人來投, 處之江南.[64)]

夏四月[丙申朔小盡,丁巳], 戊戌[3日], 渤海首乙分等十八人來投.

己亥[4日], 東女眞歸德將軍古於夫等二十六人來, 獻土物.

戊午[23日], 渤海可守等三人來投.

壬戌[27日], 海賊寇三陟縣, 擒獲四十餘人.

五月[乙丑朔小盡,戊午], [庚辰[16日], 月食:天文1轉載].[65)]

---

62) 이 기사에서 古省奐이 띠고 있는 太師(혹은 太史)는 大宛(혹은 大完)과 함께 契丹으로부터 任命된 職名일 것이다(→덕종 즉위년 6월 19일의 脚注).

63) 이와 관련된 기사로 다음이 있다.

· 지27, 선거1, 科目1, 選場, "[德宗]二年三月, 禮部侍郞朴有仁知貢擧, 取進士, 賜丙科崔希穆等五人·同進士三人·明經二人·恩賜二人及第".

64) 이들 3월의 기사는 모두 6일(辛未)에 이루어진 것은 아닐 것이다.

65) 이날은 율리우스력의 1033년 6월 15일이고, 월식 현상이 심했던 때의 世界時는 13시 41분, 食分은 0.27이었다(渡邊敏夫 1979年 472面).

戊子[24日], 西女眞正位沙於下等三人來朝.

癸巳[29日], 渤海監門隊正寄叱火等十九人來投.

六月[甲午朔大盡,己未], 辛丑[8日], 渤海先宋等七人來投.

壬寅[9日], 安東府·陜州, 地震.

甲辰[11日], 西女眞懷化大將軍居伊羅等二十四人來朝.

○宋申流等十二人來奔.

丙辰[23日], 東女眞大相古之門等四十一人來朝.

壬戌[29日], 西女眞中尹古舍等六人來投.

○古毛漢等二十五人來, 獻土物.

秋七月[甲子朔大盡,庚申], 壬辰[29日], 東女眞左尹阿浦等四十三人來, 獻土物.

八月甲午朔[小盡,辛酉], 宋泉州商都綱林藹等五十五人來, 獻土物.

戊午[25日], 祔顯宗于大廟[~~太廟~~].[66)]

[□□[~~是月~~]],[67)] 命平章事[門下侍郎同內史門下平章事]柳韶, 創置北境關城.[68)]

[→[德宗]二年, 命平章事柳韶, 創置北境關防. 起自西海濱·古國內城界, 鴨綠江入

---

66) 이와 기사로 다음이 있는데, 戊午가 탈락되었다.
· 지18, 禮6, 國恤, "八月□□[戊午], 祔顯宗于太廟".

67) 是月이 탈락되었을 것이다.

68) 이와 관련된 기사로 다음이 있고, 이 高麗長城은 현재 북한의 국보유적 제48호이다.
· 『세종실록』 권154, 지리지, 平安道, "… 古長城[注, 俗傳萬里長城, 自麟山郡西鎭兵串江始築, 歷義州南, 連延朔州·昌城·雲山·寧邊, 至于熙川東古孟州之境, 接于咸吉道定平境]".
· 『세종실록』 권155, 지리지, 定平都護府, "… 邑石城[注, 周回一千五百十三步, 內有井二·泉十一·小池二, 四時不竭. 右城北依古長城, 其長城西踰大嶺, 東接都連浦. 諺傳萬里長城, 三周其隍, 古守禦要害處]".
· 『세종실록』 권155, 지리지, 預原郡, "… 古長城基, 在郡南德化峴及廣城峴[注, 諺傳, 萬里長城接于道麟浦水中列木柵, 其遺根尙存, 浦東長城連木柵跨山十里許, 至于海涯. 城南有古倉基三處, 諺傳古元興·宣德鎭守禦時, 南道糧餉漕轉處]".
· 『신증동국여지승람』 권53, 義州牧, 古跡, "長城, 高麗德宗二年, 命平章事柳韶創置北境關防. 起自州之西海濱古國內城界鴨綠江入海處, 東跨威遠·興化·靜州·寧海·寧德·寧朔·雲州·安水·淸塞·平虜·寧遠·定戎·孟州·朔州等十四城. 抵耀德·靜邊·和州等三城, 東傳于海, 延袤千餘里. 以石爲城, 高·厚各二十五尺, 俗號萬里長城. 在州東玉江里北者, 長三百二步, 在九龍淵北者, 長四百十一步".

海處, 東跨威遠·<u>興化</u>[~~靈州~~?]·靜州·<u>寧海</u>[~~麟州~~?]·寧德·寧朔·雲州·安水·淸塞·平虜·寧遠·定戎·孟州·朔州等十三城, 抵耀德·靜邊·和州等三城, 東傅于海, 延袤千餘里, 以石爲城, 高厚, 各二十五尺:兵2城堡轉載].[69)]

[○是役, 契丹來爭, 校尉邊柔, 奮身先登, 擊却之, 以功, 授中郞將:列傳7柳韶轉載].

九月癸亥朔[大盡,壬戌], <u>日色如彗</u>.[70)]

○以柳琮爲兵部尙書, 韓彬卿爲工部尙書, 林維幹爲御史中丞, <u>李子淵</u>爲吏部郞中·御史雜端·<u>右承宣</u>[~~左副承宣~~],[71)] 廉顯爲右輔闕, 李惟道爲監察御史.

冬十月癸巳□[~~朔~~大盡,癸亥], 東女眞歸德將軍要賓·柔遠將軍古之門等三十七人來朝.[72)]

己亥[7日], 西女眞<u>大師</u>[~~太師~~]阿角八等十四人·東女眞元甫烏頭那等六十三人來朝.

○以[中樞使?]黃周亮爲戶部尙書, 閔可擧爲刑部尙書.

甲辰[12日], 贈先代功臣, 加崔凝司徒, 劉新城太傅, 崔承老大匡[·內史令:列傳6崔承老轉載], 崔亮三重大匡, 徐熙太師, <u>李知伯</u>[~~李知白~~]大匡,[73)] 李夢游司空, 韓彦恭太傅, 金承祚司空, 崔肅太師, 姜邯贊大丞, 崔沆正匡.

丁未[15日], 契丹侵靜州.

己酉[17日], 敎曰, "朕謬承先業, 統御三韓, 志敦理國安民, 心切奉先思孝. 今當祫享之歲, 克備親行之禮. 欲覃殊恩, 內外同歡. 可大赦國內, 除不忠·不孝·坐贓·奸·盜外, 流罪以下咸赦之, 斬·絞配有人島, 曾流者量移, 收贖者免放".

[□□[~~是月~~], 城靜州及安戎鎭·<u>扞城縣</u>[~~杆城縣~~]:節要·兵2城堡轉載].[74)]

[→[德宗2年,] 城安戎鎭·杆城縣. 又城靜州鎭一千五百五十三間·門十·水口一·城頭四十五·遮城九·重城二百六十間:兵2城堡轉載].

---

69) ~~添字~~는 尹京鎭敎授의 견해에 의거하였다(2011년)

70) 이와 같은 기사로 다음이 있으나 元年은 二年의 오자일 것이다.
· 지1, 天文1, "德宗<u>元年</u>[二年]九月癸亥朔, 日色如彗".

71) 그의 묘지명에는 吏部郞中·御史雜端·左副承宣으로 되어 있다(李子淵墓誌銘).

72) 癸巳에 朔이 탈락되었다.

73) 李知伯은 李知白의 오자일 것이다.

74) 扞城縣은 杆城縣의 오자일 것이다(東亞大學 2011년 15책 92面). 또 靜州鎭城은 현재의 平安北道 新義州市 仙上洞에 위치해 있다고 한다(梁時恩 2021년).

十一月癸亥朔大盡,甲子, 以前戶部侍郞元穎爲西京副留守·知分司戶部事.

辛卯29日, 以西女眞亏火等一百五十六人, 開拓關城時, 並有功勞, 加爵一級.

十二月癸巳朔小盡,乙丑, 辛丑9日, 西女眞甫尹甫失等三十九人來, 獻土物.[75]

甲辰12日, 以門思明·文在先△並爲侍御史, 李紳爲殿中侍御史, 林思行爲監察御史.

[某日, 定文武各品, 路次, 相遇禮:節要轉載].

[→判制, "□□貞觀?政要曰, 三品以上六尙書·九卿, 遇親王, 不合下馬. 親王班, 皆次三公下.[76] 諸王立一品, 文班從三品以上, 與武班上將軍以上, 馬上祗揖, 文班四品以下, 武班大將軍以下, 下馬廻避. 於宰臣·參知政事·政堂文學·左右僕射, 文班四品以上及給舍·中丞·武班大將軍·南班宣徽使, 馬上祗揖, 文班五品以下, 及武班諸衛將軍·南班引進使·文班四品慢路, 少卿·少監·國子司業, 下馬廻避. 三品以上, 文班少卿·少監·司業等五品, 武班諸衛將軍·南班引進使, 馬上祗揖, 五品慢路, 六局奉御·諸陵令·太史令, 及文班六品·武班中郞將·閤門副使, 下馬. 文班四品以上, 文班常參六品, 及武班中郞將·南班閤門通事舍人·文班緊路, 補闕·殿中, 馬上祗揖, 文班參外六品, 及七品以下, 武班郞將·閤門祗候閤門祗候以下,[77] 下馬廻避. 五品隔,[78] 文班七品以上, 武班郞將·閤門祗候閤門祗候祗候·文班緊路, 拾遺·監察, 馬上

75) 延世大學本과 東亞大學本에는 土物이 上物로 되어 있으나 印刷의 잘못일 것이다.

76) 이는 다음의 자료를 인용한 것이다.

· 『정관정요』 권7, 禮樂第29, "貞觀十三年, 禮部尙書王珪奏言, 準令三品已上, 遇親王於路, 不合下馬. 今皆違法申敬, 有乖朝典. 太宗曰, 卿輩欲自崇貴, 卑我兒子耶. 魏徵對曰, 漢魏已來, 親王班皆次三公已下, 今三品並天子六尙書·九卿, 爲王下馬, 王所不宜當也. 求諸故事, 則無可憑, 行之於今, 又乖國憲, 理誠不可. … 太宗遂可珪之奏".

77) 여러 판본의 『고려사』에서 閤門으로 되어 있으나, 閤門과 通用되었다. 『고려사』 세가편을 통해 볼 때 1131년(仁宗9)에서 元宗代까지 대체로 後者와 함께 사용되었고, 1356년(공민왕5) 7월의 官制 改革 이후 많이 사용되었다. 또 閤門은 원래 帝王의 正殿인 宣政殿의 작은 門[旁門, 小門]으로서 左側을 東上閤門, 右側을 西上閤門이라고 하는데, 때때로 閤門이라고도 하였다. 이는 官僚들이 근무하고 있던 外廷과 帝王이 居處하고 있던 內廷[宮闕]을 연결하던 통로를 指稱하는 것 같다(松本保宣 2008年).

고려시대의 閤門은 正殿인 大觀殿의 東·西挾門을 가리키는 것으로 볼 수 있는데, 이것이 閤門과 같은 의미인 것을 傍證하는 자료로 1240년(고종27) 4월 蒙古에 파견된 閤門祗候 金成寶의 경우 중국 측의 자료에는 閤門祗候로 기록되어 있는 것을 들 수 있다(『元高麗紀事』, 太宗 12년 3월 ; 『元史』 권208, 열전95, 高麗).

78) 여기에서 隔은 隔品을 指稱하는데, 이는 官品이 상대적으로 낮은 것을 의미한다고 한다. 이 規程은 隔品한 官僚는 上司에 대하여 敬意를 표시하여야 하는 것[致敬]을 명시한 것이라고 한다(蔡雄錫 2009년 135面).

祇揖, 參外八品以下, 及武班別將, □□[內殿]崇班以下, 下馬廻避. 六品, 文班參外八品以上, 及武班別將·崇班·供奉官, 馬上祇揖, 文班九品以下, 及武班散員, 南班侍禁以下, 下馬廻避. 七品, 文班九品以上, 武班散員, 南班左右侍禁·左右班殿直, 馬上祇揖, 以下, 下馬廻避. 以爲恒式":刑法1避馬式轉載].

癸丑[21日], 渤海寄叱火等十一人來投, 處之南地.

[是年, 築靜州城, 徙民一千戶, 實之:轉載].[79)]

[→又城靜州鎭一千五百五十三間, 門十, 水口一, 城頭四十五, 遮城九, 重城二百六十間:兵2城堡轉載].

[○[門下侍郞同內史門下]平章事柳韶請攻破丹城, 王下宰執議. [門下侍中徐]訥及[參知政事皇甫]兪義·[中樞院使?]黃周亮·崔齊顔·崔冲·[知中樞院事]金忠贊等, 皆曰不可, [門下侍郞同內史門下平章事王]可道與內史[侍郞同內史門下平章事]李端奏, 時不可失, 固請出軍. 王命有司, 卜於太廟, 不果出兵. 可道尋乞骸, 歸鄕養疾:列傳7王可道轉載].

甲戌[德宗]三年, 契丹重熙三年[高麗稱太平十四年],
[宋景祐元年], [西曆1034年]

1034년 1월 23일(Gre1월 29일)에서 1035년 2월 10일(Gre2월 26일)까지, 13개월 384일

春正月[壬戌朔大盡,丙寅], 丁卯[6日], 册王姊, 爲延慶宮長公主.[80)]

辛未[10日], 敎曰, "從儉節用, 足民之道, 尙衣局御衣所染莊芝草, 計一年支用外, 毋得多取. [兩班衙仕, 常服紫衣, 無益於事, 若非扈從, 皆著皀衫":節要轉載].[81)]

丙戌[25日], 東女眞正朝多老閒等五十八人來, 獻土物.

---

79) 이 기사는 다음을 전재한 것이다.
· 지12, 지리3, 靜州, "德宗二年, 築城徙民一千戶, 實之".

80) 長公主는 두 가지의 의미가 있는데, 그 하나는 帝王의 姑母인 大長公主와 함께 사용된 長公主이고, 다른 하나는 막연하게 帝王의 長女를 長公主라고 하는 것이다. 『고려사』에서도 兩者가 倂用되었지만, 두 가지 의미 중에서 어느 하나인 長公主인데도 그냥 公主로 표기하기도 하였다.
·『한서』 권8, 高祖本紀第8, 總序, "正義, 漢帝之女曰公主, 儀比諸侯, 姊妹曰長公主, 儀比諸侯王, 姑曰大長公主, 儀比諸侯王".

81) 이와 같은 기사가 지26, 輿服, 冠服通制에 수록되어 있다.

丁亥[26日], 以[中樞院使?]黃周亮爲政堂文學·判翰林院事.

戊子[27日], 以皇甫穎爲中樞副使, 林維幹爲翰林侍講學士.

[是月壬戌朔, 宋改元景祐:追加].

二月壬辰朔[小盡,丁卯], 東女眞柔遠大將軍主達等三十六人來, 獻土物.

己亥[8日], 納景興院長女金氏爲后.[82)]

○東女眞佐尹阿刀閒等四十二人來, 獻土物.

三月[辛酉朔小盡,戊辰], [丁卯[7日], 鎭星入輿鬼, 凡二十三日:天文1轉載].

丁丑[17日], 以金鼎爲工部尙書, 蔣劇孟爲尙書右僕射, 李有暹爲兵部尙書, 李作忠爲御史大夫·知翰林院事, 李周佐爲國子祭酒·左諫議大夫, 秦玄錫爲中樞直學士·知制誥, 盧祐爲殿中侍御史, 金元鼎·金敬和·朴丁固並爲監察御史.

戊寅[18日], 東女眞奉國將軍阿刀閒等三十二人來, 獻土物.

庚辰[20日], 敎曰, "農桑, 衣食之本, 諸道州縣官, 勉遵朝旨, 無奪三時, 以寧萬姓".[83)]

丁亥[27日], 宴群臣於文德殿. [以勞[門下侍郞同內史門下平章事]柳韶等開拓關城之勤. 賜韶推忠拓境功臣:節要轉載], [進階銀靑興祿大夫·上柱國:列傳7柳韶轉載]

夏四月[庚寅朔大盡,己巳], [某日, 同知中樞院事崔冲奏, "成宗時, 內外諸司廳壁, 皆令書'說苑'六正·六邪之文·漢刺史六條之令, 世代已遠, 乞令更書揭之, 使在位者, 知所飭勵", 從之:節要轉載].[84)]

[某日, 改定兩班及軍·閑人田柴科:節要·食貨1田柴科轉載].

丙申[7日], 東女眞懷化將軍伊羅等二十五人來, 獻土物.

己酉[20日], 賜[內史侍郞平章事]李端推忠佐理功臣·上柱國.

[壬子[23日], 歲星犯房右驂:天文1轉載].

[是月, 康撫民, 擢宋進士第:追加].[85)]

---

82) 이와 유사한 기사가 열전1, 德宗妃, 敬成王后金氏에도 수록되어 있다. 景興院長女 金氏는 顯宗元順淑妃 金氏(金因渭의 女)의 所生인데,『고려절요』 권4에는 顯宗女로 表記되어 있다.

83) 이 기사는 지33, 食貨2, 農桑에도 收錄되어 있으나 萬姓이 百姓으로 달리 표기되어 있다.

84) 이와 같은 기사가 열전8, 崔冲에도 수록되어 있다.

85) 이는 다음의 자료에 의거하였다.

五月庚申朔小盡,庚午, 東女眞歸德將軍骨甫等二十七人來, 獻土物.

丁丑18日, 門下侍郎平章事王可道卒.86) [可道, 嘗乞骸, 歸其鄕淸州, 養疾. 卒, 官庀喪事, 謚英肅, 配享顯宗廟庭:節要轉載].

[壬午23日, 隕石于松岳:五行3轉載].

甲申25日, 以翰林學士朴有仁△爲平壤君文學, 中樞院直學士 秦玄錫爲樂浪君文學.

丙戌27日, 以崔輔成爲尙書左僕射.

六月己丑朔小盡,辛未, 震皇城朱雀門廊屋.87)

壬辰4日, 東女眞寧塞將軍尼仇刀等三十人來, 獻土物.

[癸巳5日, 敎曰, "聖考朝, 置諸王升降所於會同門前, 今諸王, 年紀稍壯, 東則春德門外俠小門, 西則大初門外俠小門, 爲升降所, 當進見時, 且止閤門廳事, 閤門使, 引入殿庭行禮, 令五日一參":禮9一月三朝儀轉載].88)

[閏六月戊午朔大盡,辛未:追加].

秋七月戊子朔大盡,壬申, 庚寅3日, 西女眞元尹毛烏等二十二人來, 獻土物.

[癸巳6日, 月入氐, 流星出五車, 入諸王:天文1轉載].

[甲午7日, 月犯房上相:天文1轉載].

丙申9日, 以內史侍郎同內史門下平章事李端爲門下侍郎平章事門下侍郎同內史門下平章事, 閔可擧·劉徵弼爲尙書左·右僕射,89) 金鼎爲兵部尙書, 張允含·任簡並爲工部尙書.

[甲辰17日, 歲星犯鉤鈐:天文1轉載].

· 『속자치통감장편』 권114, 景祐 1년, "夏四月 辛卯30日, 賜高麗國賓貢進士康撫民同出身, 仍附春榜".

· 『송회요집고』 110책, 選擧9, 賜出身, "景祐元年四月三日, 賜高麗賓貢進士康撫民同進士出身, 召試舍人院, 詩論稍堪, 故命之, 仍附今年榜第五甲".

· 『옥해』 권116, 選擧, 科擧, "景祐元年, 高麗賓貢進士康撫民, 召試舍人院, 四月三日, 賜同出身".

· 『옥해』 권154, 朝貢, 錫予外夷, "景祐元年四月三日, 舍人院試賓貢進士康撫民詩論各一, 賜同出身".

86) 이날은 율리우스曆으로 1034년 6월 7일(그레고리曆 6월 13일)에 해당한다.

87) 이와 같은 기사가 지7, 五行1, 水, 雷震에도 수록되어 있다.

88) 이 기사는 『고려사절요』 권4에는 "令諸王五日一參"으로 축약되어 있다.

89) 閔可擧는 그의 曾孫인 閔瑛의 묘지명에 의하면 최종 관직이 尙書右僕射兼太子少師였다고 한다.

辛亥[24日], 以皇甫兪義爲內史侍郞同內史門下平章事[·判戶部事:列傳7皇甫兪義轉載], [政堂文學]黃周亮爲吏部尙書, [中樞使]崔齊顔爲戶部尙書, 劉志誠爲禮部尙書.

壬子[25日], 以元台瑨爲侍御史.

癸丑[26日], 以崔冲爲刑部尙書·中樞□[院]使, [知中樞院事]金忠贊爲右散騎常侍.

[某日, 敎曰, "省刑部奏讞斬絞之文, 法在必誅, 然罪疑惟輕, 惟刑之恤, 前王之令典也, 其歐擊[毆擊]家主及謀殺·殺人强盜者, 杖流無人島, 縱犯强盜傷人, 持杖及以下罪, 竄有人島". 於是, 京獄, 減死六十九人:節要轉載].[90)]

[八月[戊午朔小盡,癸酉], 癸亥[6日], 白氣如彗, 從軫西, 指翼張, 長二丈餘, 二十七日而滅:五行2轉載].

九月[丁亥朔大盡,甲戌], 癸卯[17日], 王寢疾, 顧命曰, "朕疾不瘳, 已至大漸, 宜以愛弟平壤君亨, 纘登寶位". 遂薨于延英殿, 殯於宣德殿, 在位三年, 壽十九.[91)] 王生而岐嶷,[92)] 執性剛斷. 旣長, 踏塼輒破, 人以爲德重之故. 謚[諡]曰敬康, 廟號德宗, 葬于北郊, 陵曰肅陵.[93)] 文宗十年加謚宣孝, 仁宗十八年加剛明, 高宗四十年加光莊.

李齊賢贊曰, "慶陵[忠烈王]朝, 頭陁山人李承休進'帝王韻記', 有曰, 德何止四年, 鳳鳥來呈瑞[德何止四年, 彩羽來呈瑞 94)]. 考之實錄, 未見其事, 唯俚語相傳, 言鳳鳥來儀於威鳳門[言鳳之來也 95)], 群烏隨而噪之, 鳳乃飛去. 國人憎烏, 少長持弓彈射, 德宗[德王]一代,[96)] 京城無烏. 夫鳳羽族之長也, 爲群烏所逐, 豈曰鳳哉. 盖'韻記'之無稽耳. 德宗居喪, 能盡子之孝, 爲政不改父之道, 任用舊臣徐訥·王可道·崔冲·黃周亮之儔, 朝廷汪無欺蔽, 而民安其生. 雖微鳳烏, 尊號曰德, 不亦宜乎?".

---

90) 이와 같은 기사로 다음이 있지만 字句에 出入이 있고, 『고려사절요』의 내용이 原形에 가깝다고 한다(蔡雄錫 2009년 539面 ; 東亞大學 2012년 19책 659面).
· 지39, 刑法2, 恤刑, "德宗三年七月, 敎曰, '省刑部奏讞斬絞之文, 法在必誅, 然罪疑惟輕, 惟刑之恤, 前王之令典. 其毆家主及謀殺人强盜者, 杖流無人島, 縱犯强盜傷人, 持杖以下罪, 竄有人島'. 於是, 京城, 減死六十九人".

91) 이날은 율리우스曆으로 1034년 10월 31일(그레고리曆 11월 6일)에 해당한다.

92) 延世大學本과 東亞大學本에는 玉으로 되어 있으나 오자이다(東亞大學 2008년 2책 348面).

93) 肅陵은 失傳되어 현재 어디에 있는지를 알 수 없다.

94) "德何止四年, 鳳鳥來呈瑞"는 『帝王韻紀』 卷下에는 "德何止四年, 彩羽來呈瑞"로 되어 있다.

95) "言鳳鳥來儀, 於威鳳門"은 『익재난고』 권하, 史贊, 德王에는 "言鳳之來也"로 되어 있다.

96) 德宗은 『익재난고』에는 德王으로 되어 있다.

[德宗在位年間]

[○以重大師海麟爲三重大師, 幷賜磨衲法衣一領, 加法稱曰, 探玄道源. 未幾, 加授首座, 兼賜磨衲田衣一笥:追加].[97]

[仁同人 張東翼 校注, 增補].

97) 이는 「原州法泉寺智光國師玄妙塔碑」에 의거하였다.

『高麗史』 卷六 世家卷六

[輔國崇祿大夫·議政府左贊成·知集賢殿經筵春秋館成均事·世子賓客·臣金宗瑞奉敎撰]
正憲大夫·工曹判書·集賢殿大提學·知經筵春秋館事兼成均大司成·臣鄭麟趾奉敎修

靖宗

靖宗·弘孝·安懿·康獻·容惠·□□~~英烈~~·□□~~文敬~~大王,[1] 諱亨, 字申照~~申炤~~,[2] 德宗母弟, 顯宗九年七月戊寅[18日]生. 岐嶷明睿, 五歲封內史令·平壤君,
德宗三年九月癸卯[17日], 受顧命, 卽位于重光殿.

冬十月丁巳朔[大盡,乙亥], 告朔于大廟~~太廟~~.
庚午[14日], 葬德宗于肅陵.
○遣輔臣, 賜西京八關會, 酺二日. [西京例以孟冬, 設此會:禮11仲冬八關會儀轉載].
[乙亥[19日], 月犯軒轅次夫人:天文1轉載].
[某日, 賜王后韓氏[韓祚女]號爲延興宮主:列傳1靖宗妃容信王后韓氏].

十一月[丁亥朔大盡,丙子],[3] 庚寅[4日], 御神鳳樓大赦, 受中外群臣賀.
○宋商客·東西蕃·耽羅國, 各獻方物.
庚子[14日], 設八關會, 御神鳳樓, 賜百官酺,[4] 夕幸法王寺.
[○大霧:五行3轉載].

---

1) 여기에서 靖宗은 廟號이고, 容惠大王은 諡號인데, 이는 1046년(문종 즉위년) 5월에 靖宗의 陵[周陵]이 마련될 때 붙여진 것이다. 그런데 靖宗은 1056년(문종10) 10월에 弘孝가, 1140년(인종18) 4월에 英烈이, 1253년(고종40) 10월 3일(戊申)에 文敬이 각각 덧붙여졌으나, 英烈과 文敬이 반영되어 있지 않다. 또 1140년(인종18) 4월 이전에 덧붙여진 獻敬·明襄·桓元 등도 반영되어 있지 않다(『동문선』 권28, 禘太廟第四室加諡册文. 여기에는 安懿가 安義로 달리 표기되어 있다).

2) 申照는 『고려사절요』 권4에는 申炤로, 『익재난고』 권9상, 忠憲王世家에는 中昭로 달리 표기되어 있다.

3) 延世大學本과 東亞大學本에는 十二月로 되어 있으나 오자이다(東亞大學 2008년 2책 354面).

4) 이 구절은 지23, 禮11, 仲冬八關會儀에도 수록되어 있다.

翼日[辛丑15日], 大會, 又賜酺, 觀樂, 東西二京·東北兩路兵馬使·四都護□[府]·八牧, 各上表陳賀. 宋商客·東西蕃·耽羅國, 亦獻方物, 賜坐觀禮[觀樂], 後以爲常.[5)]

十二月[丁巳朔小盡,丁丑], 己巳[13日], 以王弟緖△[爲]守太師兼內史令, 基△[爲]守太保, [政堂文學]黃周亮爲禮部尙書·參知政事, [中樞使]崔齊顔爲吏部尙書, 劉志誠爲工部尙書, 李珍爲戶部尙書, 郭紳爲殿中監, 金令器爲御史中丞, [知中樞院事]金忠贊·李作忠爲左·右散騎常侍.

[→册加[基], 守太保, 册曰, "固本枝而永世, 往代令猷, 分寶玉以展親, 先王美範, 是封崇於戚里, 作藩屛於王家. 旣有元功, 合加寵數. 咨爾基, 靈源誕跡, 偉器推名, 志篤忠貞, 身勤夾輔. 爰遵規於九錫, 乃授職於三公, 賜以奇珍, 兼之命服. 今遣某官某, 備禮册命汝爲守太保, 階勳餘並如故. 體予丕訓, 勵乃深誠":列傳3顯宗王子平壤公基轉載].

[是年, 政堂文學黃周亮進'七代事跡'三十六卷:追加].[6)]
[○修溟州城:兵2城堡轉載].
[○對馬島送還漂着高麗人:追加].[7)]

乙亥[靖宗]元年, 契丹重熙四年[高麗行太平十五年], [宋景祐二年], [西曆1035年]

1035년 2월 11일(Gre2월 17일)에서 1036년 1월 30일(Gre2월 5일)까지, 354일

春正月丙戌朔[大盡,戊寅], 放朝賀.[8)]

---

5) 添字는 지23, 禮11, 仲冬八關會儀에서 달리 표기된 것이다.
6) 이는 열전8, 黃周亮에 의거하였다. 이 시기는 『고려사』 世系에서 政堂文學·修國史 黃周亮이 『七代事跡』 36권을 편찬하였다고 한 점을 감안하였다(鄭求福 1999년 126面). 그는 이해의 1월 26일(丁亥) 政堂文學에, 12월 13일(己巳) 參知政事에 각각 임명되었다.
7) 이는 다음의 자료에 의거하였다.
· 『日本紀略』 後編14, 長元 7년 3월, "某日, 對馬嶋言上, 高麗人漂流大隅國, 厚加慰勞, 返遣之".
8) 여기에서 放朝賀는 臣僚들이 宮闕에 나아가 帝王에게 格式을 갖춘 賀禮의 人事를 올리는 朝賀儀禮[朝覲慶賀, 朝臣詣闕稱賀]를 擧行하지 않고[免除, 免去] 간단한 禮式으로 마치는 것을 指

壬寅[17日], 以崔冲爲中樞使·刑部尙書.

○東女眞懷化將軍毛伊羅等五十七人來朝, 賜物有差.

丁未[22日], 以庾昌爲殿中丞, 柳雲爲起居郎, 金廷俊爲殿中侍御史, 鄭倍傑·金顯爲左·右拾遺·知制誥, 鄭順之爲監察御史.

辛亥[26日], 王子生于延興宮[容信王后韓氏], 賜名詷.

二月[丙辰朔小盡,己卯], [癸酉[18日], 晋州民得廉妻, 一産三男. 准舊例, 賜三男, 租各四十碩:五行1人痾·節要轉載].

己卯[24日], 西女眞酋長哥兒古等十二人來朝.

辛巳[26日], 東女眞奉國將軍高之間等三十五人來朝.

三月乙酉□[朔小盡,庚辰], 以李端爲門下侍郎同內史門下平章事, 皇甫兪義爲內史侍郎同內史門下平章事[·判尙書吏部事:節要轉載].[9)]

丙戌[2日], 賜金無滯等及第.[10)]

癸卯[19日], 冊延興宮主韓氏爲惠妃. [尋封定信王妃1:列傳1容信王后韓氏].[11)]

翌日[甲辰20日], 赦徒罪以下.

夏四月甲寅□[朔大盡,己巳], 親饗國老年八十以上男女於毬庭.[12)]

稱하는 것 같다. 이는 上記의 記事와 같이 이때 처음으로 이루어진 것이 아니라 그 以前에도 있었겠지만, 이보다 앞선 시기의 世家編을 담당했던 編纂者에게는 注目되지 못했던 事實인 것 같다. 또 放朝賀는 조선왕조 초기에 權停禮로 달리 표기되었던 것 같다(文化財管理局 1996년 148面, 174面 ; 桑野榮治 2004年).

· 『세조실록』 권31, 9년 11월 丁巳[3日], "傳于禮曹曰, '明日冬至, 停望闕禮, 以權停例, 行本朝賀禮'. 又傳曰, …".

· 『성종실록』 권94, 9년 7월, "己丑[30日], 誕日, 百官以權停例陳賀".

9) 乙酉에 朔이 탈락되었다.

10) 이와 관련된 기사로 다음이 있는데, 여기에서 ~~添字~~와 같이 고쳐야 옳게 된다. 이때 金無滯·李從現·洪德成·李象廷·崔尙·崔有孚·金淑昌·金正·金良贄·吳學麟 등이 及第하였다(『登科錄』, 朴龍雲 1990년 ; 許興植 2005년).

· 지27, 선거1, 科目1, 選場, "靖宗元年三月, [中樞院使·]刑部尙書崔冲知貢擧, 取進士, 賜乙科金無滯等四人·丙科四人·同進士六人·明經一人及第".

· 『보한집』 권상, "崔文憲公[冲]典試, 所貢十四人, 乙科三人金無滯·李從現·洪德成, 同拜尙書, 李象廷·崔尙·崔有孚, 相繼爲參政[參知政事], 金淑昌·金正·金良贄·吳學麟, 竝爲學士, 世號尙書牓. …".

11) 이와 같은 기사가 열전1, 靖宗妃, 容信王后韓氏에도 수록되어 있다.

丁巳4日, 禮部奏, "禁京城名山樵採, 遍植樹木", 從之.

[○月犯太白:天文1轉載].

[是月頃, 淸州某等鑄成思惱寺靑銅洗盤一副, 入重四兩餘:追加].[13]

五月甲申朔小盡,壬午, 甲辰21日, 祈晴于川上.

[→祈晴于川上, 每水旱, 祭百神於松岳溪上, 號曰川上祭:五行2·禮5雜祀轉載].

○契丹來遠城使·檢校右散騎常侍安署, 牒興化鎭曰, "竊以當郡, 最近仁封, 有小便宜, 須至披達. 載念貴國, 元爲附庸, 先帝每賜優洽, 積有歲月, 靡倦梯航. 昨因伐罪之年, 致阻來庭之禮. 旣剪除於兇逆, 合繼續於貢輸, 曷越數年, 不尋舊好, 累石城而擬遮大路, 竪木寨而欲礙奇兵. 不知蜀國之中, 別有石牛之徑, 擧是後也, 深取誚焉. 今皇上紹累聖之基坰, 統八方之國界, 南夏帝主, 永慕義以通歡, 西土諸王, 長向風而納款. 唯獨東溟之域, 未賓北極之尊, 或激怒於雷霆, 何安寧於黎庶. 其於違允, 自有變通".[14]

六月癸丑朔小盡,癸卯, 丙辰4日, 京城地震, 太白晝見.

癸亥11日, 以致仕邢硏機△爲檢校尙書右僕射, 李徵佐爲尙書兵部侍郞, 示優老也.

---

12) 甲寅에 朔이 탈락되었다.

13) 이는 高麗前期에 製造된 것으로 추측되는 忠淸北道 淸州市 興德區 社稷洞 216-1번지 無心川邊[思惱寺趾는 아님]에서 발견된 靑銅洗盤의 명문에 의거하였다(『韓國金石文集成』 35책 101面).

· 銘文, "太平十五年乙亥四月日□造?思□惱?寺□□帖子,入□重?四兩一目".

14) 이 牒은 거란의 興宗 宗眞(只骨, 夷不董)이 고려의 納貢을 요구하는 것을 代辯한 것인데, 여기에서 夏를 南夏라고 표기한 점이 주목된다. 당시 北東아시아의 4國은 서로 對峙하면서 武力的으로 거란의 優位가 인정되는 형편에서 南宋·北遼, 東韓·西夏로 불리었다(毛利英介 2007年·2009年). 또 이 시기에 거란의 지배층들은 고려가 納貢하지 않는다는 認識을 지니고 있었던 것 같은데, 이는 같은 해에 制命을 내려 施政의 方針[治道之要]을 물었을 때, 蕭韓家奴의 對策에서 그 一面을 읽을 수 있다.

· 『永平府志』 권41, 寺觀附下, 臥如寺, "遼太康七年, 臥如寺碑記云, 大遼義豊縣臥如院櫓子林西堡, …碑(1081年頃), … 伏維今上皇帝, 璿衡御極, 玉斗乘時, 程文選入彀之英, 恤孤頒省刑之詔, 禮樂交擧, 車書混同, 行大聖之遺風, 鍾興宗之正體. 東韓·西夏, 貢土山而輸誠, 南宋·北遼, 交星軺而繼好. …"(『中國地方志集成』, 河北府縣志輯 소수. 이는 『灤縣志』 권4, 寺觀, 臥如寺에도 수록되어 있다).

· 『요사』 권103, 열전33, 文學上, 蕭韓家奴, "重熙四年, 時詔天下言治道之要, 制問, '徭役不加于舊, 征伐亦不常有, 年穀旣登, 帑廩旣實, 而民重困, 豈爲吏者慢, 爲民者惰歟? …'. 蕭韓家奴對曰, 臣伏見比年以來, 高麗未貢, 阻卜猶强, 戰守之備, 誠不容已, … 況渤海·女直·高麗, 合從連橫, 不時征討. 富者從軍, 貧者偵候, 加之水旱, 菽粟不登, 民以日困, 蓋勢使之然也. …".

辛未[19日], 東女眞烏於古等二十七人來朝.

是月, 寧德鎭廻牒契丹來遠城云, "竊以公文聿至, 備見親仁. 責諭頗多, 固須宣剖, 略言一槩, 無至多譚, 其來示云, 昨因伐罪之年, 致阻來庭之禮, 旣剪除於兇惡, 合繼續於貢輸者. 竊念當國, 於延琳作亂之初, 是大國興兵之際, 道途艱阻, 人使寢停. 厥後, 內史舍人金智慶克復於東都, 戶部侍郎李守和續進獻其方物. 先大王之棄國也, 閤門使蔡忠顯將命而告終, 先皇帝之升遐也, 尙書左丞柳喬遄征而會葬, 今皇帝之繼統也, 給事中金行恭乘傳而朝賀. 然則平遼以來, 就日相繼, 豈可謂致阻來庭之禮乎?".

○又云, "累石城而擬遮大路, 竪木寨而欲礙奇兵者. 且羲爻設險, 有土常規.[15)] 魯國廢關, 通人深誡.[16)] 是以列玆城寨, 備我提封, 盖圖其帖息邊氓, 非欲以負阻皇化".

○又云, "唯獨東溟之域, 未賓北極之尊者. 昨緣梯航, 六使被勒留於上國之中. 宣·定□[州]兩城, 致入築於我彊之內, 未蒙還復, 方切禱祈. 幸遇皇帝陛下, 啓運惟新, 與民更始, 天上之汪洋四洽, 日邊之章奏尋陳. 乞放行人, 併歸侵地, 無由得請, 以至于今. 倘兪懇實之誠, 敢怠梁輸之禮. 祗在恩命, 何煩責言".[17)]

○又云, "或激怒於雷霆, 何安寧於黎庶者. 伏想今皇上, 字小情深, 聽卑道廣, 乃睠寅賓之域, 必加推置之恩, 於我無辜, 有何憑怒. 細詳來誨, 似涉戱言".

秋七月[壬午朔大盡,甲申], 丁亥[6日], 以[知中樞院事]金忠贊爲兵部尙書, 李懷爲三司使, 李惟道爲殿中侍御史, 金顯·趙覇爲左·右拾遺, 李公顯·殷伯並爲監察御史.

[庚寅[9日], [楊州]三角山積石頂, 有隕石:五行3轉載].

癸巳[12日], [處暑]. 尙書吏部奏, "前尙書左僕射李龔曾犯汚辱之罪, 累經赦宥, 請復其職", 從之. 御史臺論劾, 未幾罷.

---

15) 土는 亞細亞文化社本과 東亞大學本에는 上으로 되어 있으나 오자일 것이다(東亞大學 2008년 2책 356面). 또 '羲爻設險, 有土常規'에서 羲爻는 伏羲氏가 『周易』(易經)의 符號를 제작하였다는 것에 유래하여 『周易』의 卦를 가리킨다. 또 이 구절의 의미는 다음과 같다(東亞大學 2008년 2冊 209面).

· 『周易上經』, 習坎, "… 彖曰, 習坎, 重險也. 水流而不盈, 行險而不失其信. 維心亨, 乃以剛中也. 行有尙, 往有功也. 天險不可升也. 地險山川丘陵也. 王公設險, 以守其國. 險之時用, 大矣哉".

16) 이 구절은 다음의 자료에서 따온 것이다.

· 『춘추좌씨전』傳, 文公 2년, "秋八月丁卯, 大事于大廟, 躋僖公, 逆祀也. … 仲尼曰, 臧文仲, 其不仁者三, 不知者三. 下展禽, 廢六關, 妾織蒲, 三不仁也. 作虛器, 縱逆祀, 祀爰居, 三不知也".

17) 이 기사에서 忝字가 追加되면 理解하기가 좋을 것이다.

甲午[13日], 以皇甫穎爲中樞使[~~中樞院使~~]兼御史大夫.

○以王生日爲長齡節.

庚戌[29日], 制曰, “先王憂服未闋, 其犯斬罪者, 杖配無人島, 絞罪者, 杖配有人島”.

八月[壬子朔小盡,乙酉], 庚申[9日], 以李子淵爲給事中, 金令器爲內史舍人.

癸亥[12日], [秋分]. 太白晝見.

辛未[20日], 京城地震, 聲如雷.

甲戌[23日], 西女眞大將軍尼于弗等四十四人來朝.

庚辰[29日], 東女眞大完皆多漢等五十二人來朝.[18]

九月[辛巳朔[大盡,丙戌], 熒惑犯鎭星:天文1轉載].

[壬午[2日], 流星出天倉:天文1轉載].

戊子[8日], 東蕃歸德將軍吳多等二十三人來朝.

[癸巳[13日], 皇城西北山石頹:五行3轉載].

癸卯[23日], 慶州等處十九州, 地震.

[乙巳[25日], 月入大微[~~太微~~]:天文1轉載].

[丙午[26日], □[月]又犯上相:天文1轉載].

是月, 築長城於西北路松嶺池東, 以扼邊寇之衝.

[○又城梓田, 徙民實之, 號昌州:節要轉載].[19]

冬十月[辛亥朔大盡,丁亥], 辛酉[11日], 東女眞首領魚弗老等六人來朝.

壬戌[12日], 以林宗翰爲監察御史.

丙寅[16日], 式目都監奏, 收黃州等十州郡僧官印.

[丁卯[17日], 月暈三重:天文1轉載].

[戊辰[18日], 流星, 自坤至艮而行:天文1轉載].

---

18) 이 기사에서 皆多漢이 띠고 있는 大完은 大宛으로도 表記되는데, 女眞人들이 太師(혹은 太史)와 함께 契丹으로부터 임명된 職名이다(세가6, 靖宗 5년 4월 辛酉·권9, 세가9, 문종 27년 5월 丁未).

19) 이와 관련된 기사로 다음이 있다.

· 지12, 지리3, 昌州, “靖宗元年, 城梓田, 移民戶, 爲昌州防禦使”.

· 지36, 병2, 城堡, “築長城於西北路松嶺池東, 以扼邊寇之衝. 又城梓田, 徙民實之”.

[辛未21日, 雷電:五行1雷震轉載].

[丙子26日, 月犯太白:天文1轉載].

十一月辛巳朔大盡,庚戌, 癸未3日, 東女眞酋長阿盧幹等六十五人來朝.

十二月辛亥朔小盡,己丑, 壬子2日, 東蕃大完高陶化等三十人來朝.

[乙亥25日, 雨:五行2轉載].

[是年, 第四次霹靂黃龍寺九層塔:追加].[20]

[○修築泗州沿海某城:追加].[21]

丙子[靖宗]二年, 契丹重熙五年[高麗稱太平十六年], [宋景祐三年], [西曆1036年]

1036년 1월 31일(Gre2월 6일)에서 1037년 1월 18일(Gre1월 24일)까지, 354일

春正月庚辰朔大盡,庚寅, [立春]. 放朝賀.

乙酉6日, 東蕃懷化將軍沙羅等八十三人來朝.[22]

[某日, 御史臺言, “諸道外官, 使民不時, 有防農事, 請遣使, 審察黜陟”, 從之: 節要·食貨2農桑轉載].

甲午15日, □~~冊~~, “犯公徒私杖以下及諸徵贖者, 悉令原免”.[23]

[丁酉18日, 流星出大微~~太微~~, 入軫:天文1轉載].

---

20) 이는 다음의 자료에 의거하였는데, 『고려사』의 편년방식에 의하면 二年은 元年이 된다.
· 『삼국유사』 권3, 탑상4, 黃龍寺九層塔, “… 又靖宗二年乙亥第四霹靂”.

21) 이는 慶尙南道 泗川市 龍見面 船津里 774-1 土城에서 출토된 瓦銘, ‘太平十五連’에 의거하였는데(世宗文化財硏究院 編 2015년 557面), 1135년(太平15, 靖宗1)은 契丹의 興宗 耶律宗眞의 重熙 4년이지만 고려는 그들과 사이가 좋지 않아 前主[聖宗] 文殊奴의 年號인 太平을 그대로 사용하고 있었다.

22) 東蕃은 『고려사절요』 권4에는 東女眞으로 되어 있다.

23) ~~添字~~가 脫落되었을 것이다.

二月庚戌朔[大盡,辛卯], 有事于方澤.[24)]

壬子[3日] 御□[~~壬~~]殿視朝, 賜百官祿牌.[25)]

○以[前門下侍郎同內史門下平章事]柳韶爲門下侍郎同內史門下平章事,　崔齊顔爲尙書左僕射·中樞使[~~中樞院使~~], 李作忠爲吏部尙書·翰林學士承旨.

○制曰, "□[守]太尉·尙書左僕射異膺甫, 引年致仕,[26)] 而功存社稷, 予不敢忘. 其子孫無官者, 量授初職.

甲寅[5日], 東蕃首領大信等來, 獻駱駝.[27)]

[戊午[9日], 不雨而雷:五行1雷震轉載].

己未[10日], 東蕃寧塞將軍阿骨等一百三十五人來朝.

[甲子[15日], 西京雜材署火:五行1火災轉載].

己巳[20日], 東蕃將軍開路等七十一人來, 獻駿馬.

庚午[21日], 以李周佐爲右散騎常侍, [中樞直學士?]秦玄錫爲衛尉卿·左諫議大夫, 元台瑨爲起居郞, 韓延祚爲侍御史.

辛未[22日], 東蕃賊船寇三陟縣桐津戍, 摽略人民, 守將設伏草莽, 伺賊還, 鼓譟掩擊, 俘斬四十餘級.

壬申[23日], 以門思明爲御史中丞.

[戊寅[29日], 諸神廟屋, 自頹:五行2轉載].

三月[庚辰朔小盡,壬辰], 癸未[4日], 以皇甫兪義爲門下侍郞同內史門下平章事[·判戶部事:節要轉載], 劉徵弼△[爲]參知政事兼西京留守使.

[丙戌[7日], 雨土:五行3轉載].

戊子[9日], 幸[楊州]三角山.

癸巳[14日], 還宮.

[丁酉[18日], 雨土:五行3轉載].

---

24) 方澤은 方丘라고도 하며 近代이전의 사회에서 夏至에 연못[澤]의 가운데 四角形의 祭壇[方壇]을 설치하여 地神[地祇]에게 祭祀를 올리던 祭禮行事이다.
·『廣雅注疏』, 釋天, "圓丘大壇, 祭天也, 方澤大折, 祭地也".

25) 이 기사에서 殿은 正殿을 指稱하는 것일 것이다. 당시의 正殿은 會慶殿으로 추측되고 있다(金昌賢 2002년 235面).

26) 이 기사에서 添字가 탈락되었을 것이다(→덕종 1년 1월 26일).

27) 東蕃은『고려사절요』권4에는 東女眞으로 되어 있다.

[己亥[20日], 東界高城縣火:五行1火災轉載].

戊申[29日], 東蕃酋長貴正等八十二人來, 獻駿馬.[28)]

夏四月[己酉朔小盡,癸巳], 壬子[4日], [立夏]. 以立夏節進冰. 制曰, "今年不早熱, 其待五月進冰". 有司奏, "日在北陸而藏冰, 西陸而出之, 獻羔而啓之. 藏之也周, 用之也徧, 則無愆伏凄苦之災. 故凡用冰之法, 自春分至立秋而盡, 若於五月始進, 則有乖古法, 非所以調順陰陽也. 請以立夏進之", 從之.

癸丑[5日], 雨雹.[29)]

庚申[12日], 東女眞酋長烏夫賀等八十六人來朝.

辛酉[13日], 隕霜.[30)]

乙丑[17日], 東北女眞首領太史阿道閒等五十九人來朝. 有司言, "太史契丹職名也, 阿道閒今旣歸化, 請改授正甫", 從之.

○門下侍郎平章事致仕蔡忠順卒.[31)] [謚貞簡:節要·列傳5蔡忠順轉載].

癸酉[25日], 雩.

丁丑[29日晦], 制,[32)] "前尙書左僕射李龔, 雖再被彈奏, 以先朝宰相, 久居文翰之任, 可復其官, 仍令致仕".

五月[戊寅朔大盡,甲午], 己卯[2日], 禁內外名山樵採.

辛卯[14日], 制, "凡有四子者, 許一子出家. 於靈通·嵩法·普願·桐華等寺戒壇, 試所業經律".

○有司奏, "自春少雨, 請依古典, 審理寃獄, 賑恤窮乏, 掩骼埋胔. 先祈岳鎭·海瀆·諸山川能興雲雨者於北郊, 次祈宗廟, 每七日一祈. 不雨, 還從岳鎭·海瀆如初. 旱甚則修雩, 徙市, 斷繖扇, 禁屠殺, 勿飼官馬以穀".[33)] 王從之, 避正殿, 減常膳.

---

28) 以上의 東蕃은『고려사절요』권4에는 東女眞으로 되어 있다.

29) 이와 같은 기사가 지7, 五行1, 水, 雨雹에도 수록되어 있다.

30) 이와 같은 기사가 지7, 五行1, 水, 霜에도 수록되어 있다.

31) 이날은 율리우스曆으로 1036년 5월 15일(그레고리曆 5월 21일)에 해당한다.

32) ~~添字~~는『고려사절요』권4에 의거하였다.

33) 이 구절은 祈雨에 대한 다음의 자료를 인용하여 적절히 變改한 것 같다. 여기에서 岳鎭·海瀆은 五岳(東西南北中)·四鎭(東西南北)·四海(東西南)·四瀆(東西南北)을 가리킨다.

·『구당서』권24, 지4, 禮儀4, "武德貞觀之制, 神祇大享之外, … 京師, 孟夏以後, 旱則祈雨, 審理

己亥[22日], 雨雹.[34)]

癸卯[26日], 設道場於文德殿, 禱雨, 五日.

六月[戊申朔小盡,乙未], 乙卯[8日], 設道場于文德殿, 禱雨.[35)]

[某日, 三司言, "去年, 密城管內牢山部曲等三所, 大水, 漂損田禾, 請放一年租稅", 從之:節要·食貨3災免之制轉載].

乙丑[18日], 親醮, 乃雨.

丙寅[19日], 輔臣上言, "昔者, 聖帝明王, 皆不免灾異, 而惟能修德行政, 變灾爲福. 今自春以來, 旱氣滋甚, 而聖上避殿減膳, 宵旰憂勞, 責躬自省, 時雨應期, 普潤田野, 豊稔可期. 伏請御正殿復常膳, 視事如舊". 制曰, "寡人不德, 致此旱灾, 今雖得雨, 猶有後慮. 然大臣之請, 不可違". 乃從之.

戊辰[21日], [大暑]. 京城及東京·尙·廣二州·安邊府等管內州縣, 地震, 多毁屋廬, 東京三日而止.[36)]

壬申[25日], 有司奏, "門下侍中致仕庾方等十七人, 請限立秋, 每十日, 一賜冰", 從之.

秋七月[丁丑朔小盡,丙申], 戊寅[2日], 中樞院奏, "□□[~~伏審~~]制旨, 令進人參[~~大蔘~~]三百斤, 近□[~~來~~]所進一千斤, 足以供御用. 國府之貢, 皆民膏血, 不可妄歛[~~妄斂~~]. 乞勿令復進. 王不悅, 門下省駁奏, 古之帝王, 節嗜欲, 去奢侈, 恭己修身, 虛心納諫, 所以養民庶而致太

寃獄, 賑恤窮乏, 掩骼埋胔. 先祈嶽鎭·海瀆及諸山川能出[~~興~~]雲雨, 皆於北郊, 望而告之. 又祈社稷, 又祈宗廟, 每七日, 皆一祈. 不雨, 還從嶽瀆. 旱甚, 則大雩, 秋分以後, 不雩. 初祈後, 一旬不雨, 卽徙市, 禁屠殺, 斷繖扇, 造土龍. 雨足, 則報祀. 祈用酒脯醢, 報准常祀, 皆有司行事. 已齋未祈而雨, 及所經祈者, 皆報祀".

· 『通典』 권43, 禮3, 沿革3, 吉2, 大雩, 郊天下, 大唐, "… 開元十一年, 孟夏□[~~以~~]後, 旱則祈雨, 審理寃獄, 賑恤窮乏, 掩骼埋胔. 先祈岳鎭·海瀆及諸山川能興雲致雨者, 皆於北郊, 遙祭而告之. 又祈社稷, 又祈宗廟, 每以七日, 皆一祈. 不雨, 還從岳瀆如初. 旱甚, 則大雩. 秋分□[~~以~~]後, 不雩. 初祈後, 一旬不雨, 卽徙市, 禁屠殺, 斷□[~~繖~~]扇, 造大土龍. 雨足, 則報祀. 祈用酒脯醢, 報准常祀, 皆有司行事, 已齋未祈而雨, 及所經祈者, 皆報祠". 여기에서 '開元十一年'은 後世에 添加된 것[衍字]으로 적절하지 않다고 한다(中村裕一 201年 280面).

34) 이와 같은 기사가 지7, 五行1, 水, 雨雹에도 수록되어 있다.

35) 宋에서는 같은 달에 河北地域(太行山 동쪽의 黃河 북쪽, 現 河北省)에서 오랫동안 旱魃이 심해 使臣을 北嶽에 파견하여 비를 빌었다고 한다(『송사』 권66, 지19, 五行4).

36) 이때 佛國寺 釋迦塔[西石塔]도 기울어졌다고[傾墮] 한다(佛國寺西石塔重修形止記, 盧明鎬·李丞宰 2009년).

平□□[之業]也. 今災變屢作, □[所]宜齊心責躬, 豈可枉費無益□□[之需], □[以]損民膏血. 乞從密院[中樞院]所奏", 從之.[37]

辛巳[5日], 宋商陳諒[陳亮?]等六十七人獻土物.[38]

壬午[6日] 制,[39] "近者, 天地見怪, 儆誡不德, 日愼一日, 不敢遑寧. 群公庶僚, 除休暇輟朝外, 視事無怠, 以塞災變.

[□一. 諸衛軍人, 家貧而名田不足者, 頗衆. 今邊境, 征戍未息, 不可不恤, 其令戶部, 分公田, 加給:節要·兵1五軍轉載].

[□一. 生徒入學, 滿三年, 方許赴監試":選擧1科目轉載].[40]

[戊子[12日], 震會賓門:五行1雷震轉載].

庚寅[14日], 知中樞院事·兵部尙書金忠贊卒.[41] [贈中樞院使:追加], 諡恭靖.[42]

壬辰[16日], 制曰, "乙卯歲[顯宗6年], 契丹犯邊, 太史丞康承穎, 先鋒戰死, 厥功可嘉. 其贈軍器少監, 授子和初職".

○日本國歸我漂流人謙俊等十一人.

庚子[24日], 惠妃[靖宗妃]韓氏薨.[43] [謚[諡]容信王后, 八月葬玄陵:節要·列傳1靖宗妃容信王后韓氏轉載].[44]

是月, 進奉兼告奏使尙書右丞金元冲, 如宋, 至瓮津, 船敗而還.

八月[丙午朔大盡,丁酉], [丁未[2日], 虎入京城:五行2轉載].

[己酉[4日], 雨雹, 震人于昇平門南路:五行1雷震轉載].

---

37) 添字는 『고려사절요』 권4에 의거하였다. 이 添字가 『고려사』, 세가편을 板刻할 때 탈락된 글자인지, 아니면 『고려사절요』를 편찬할 때 潤文하여 추가한 것인지를 분별하기에 어려움이 있다.

38) 陳諒은 이보다 2년 후인 1038년(정종4) 8월 24일의 明州商人 陳亮의 다른 표기[同音異字]로 추측된다(朴玉杰 1997년).

39) 添字는 『고려사절요』 권4에 의거하였다.

40) 이는 다음의 기사를 전재한 것인데, 이는 國子監에 3년간 在學한 모든 生徒에 대한 혜택이 아니라 이때의 災變과 관련된 特例일 것이다.
· 지27, 선거1, 科目, "靖宗二年七月, 判[冊], 生徒入學, 滿三年, 方許赴監試".

41) 이날은 율리우스曆으로 1036년 8월 8일(그레고리曆 8월 14일)에 해당한다.

42) 金忠贊(金殷傅의 長子)의 贈職은 그의 弟 金爛圓의 墓誌銘에 의거하였다.

43) 이날은 율리우스曆으로 1036년 8월 18일(그레고리曆 8월 24일)에 해당한다.

44) 玄陵은 失傳되어 현재 어디에 있는지를 알 수 없다.

壬戌[17日], 以皇甫穎爲兵部尙書,[45] 李作忠爲中樞院使, 郭紳爲御史大夫.

癸亥[18日], 飯僧一萬於毬庭.

丙寅[21日], 制,[46] "昨覽刑部所奏, 犯斬絞二罪. 朕方在憂服, 屢致變怪, 欲施好生之德, 以示恤民之心. 其犯斬絞二罪者, 除刑配無人島, 雖犯二罪, 情有矜者, 配有人島". 於是, 免死者百十六人.

戊辰[23日], 以秦玄錫△[爲]直門下省[~~直門下省事~~],[47] 金令器·林維幹爲左·右諫議[~~左·右諫議大夫~~], 朴敭命爲侍御史, 徐維傑[~~徐惟傑~~]爲尙書左司郎中·右承宣.[48]

---

45) 皇甫穎은 前年(靖宗1) 7월 13일(甲午) 中樞使兼御史大夫에 임명되었기에, 이때에는 中樞院使 또는 그보다 上位職인 政堂文學(혹은 參知政事)으로 兵部尙書를 兼職하였을 것으로 추측된다. 고려시대에는 唐制에 의한 三省六部制가 채택되었으나 顯宗代 이후에 宰相들의 회의기관[宰相府]인 政事堂의 改稱인 '中書門下' 體制로 變化된 제도가 아니라 그 이전의 三省分立의 체제를 수용하였다. 이의 運用에서 兼職制가 광범위하게 실시되었는데, 宰相[宰樞]에 의한 6部의 判事, 尙書 等職의 兼職, 7寺·3監의 判事, 卿·監[大卿] 等의 겸직 사례에서 參知政事·政堂文學·知門下省事 등의 '中書門下'의 宰臣, 樞院院使[中樞院使] 이하의 樞密의 宰相[宰樞, a]이 판사·상서·大卿[b] 等職을 겸직하였는가, 아니면 그 逆으로 b가 a를 겸직하였는가에 대해서는 여러 학설이 있다.

唐制를 핵심으로 삼았던 11세기 前半(文宗 以前)까지는 b에 의한 a의 겸직이 이루어졌을 가능성이 높고, 그 이후에는 '중서문하' 체제로 전환되어 a가 宰相職으로 정착하게 되면서 b를 겸직하였다. 그래서 宰臣[眞宰]은 序列[班次]에 따라 6부의 판사를 겸직하였고, 樞密(樞臣은 적절한 용어가 아님)은 6부의 상서와 대경을 겸직하였다. 만약 추밀의 경우 b가 a을 겸직하였다는 주장에 의하면, 6부 상서가 宰臣의 겸직과 같은 방식으로 吏·兵·戶·刑·禮·工部의 서열에 따라 추밀원의 院使·知院事·同知院事·副使·僉書事 등을 순차적으로 겸직하여야 할 것이지만, 그러한 흔적은 전혀 찾아지지 않는다.

곧 3品官이 樞密院副使, 簽書樞密院事, 樞密直學士 등에 임명되어 入相하면 樞密職에 따른 재상의 역할이 중요하고, 그들이 兼帶한 實務官署의 3품관의 高下가 重視되지 않았다. 이 점은 高麗 樞密院의 典範이 되었던 宋制의 樞密使, 樞密副使의 機能과 位相에서도 같은 현상을 찾을 수 있다.

또 樞密과 三司의 諸官이 祿官으로 된 것이 高麗後期였다는 『고려사』 撰者의 意見(歸納的 方法에 의해 얻어진 것임)에 따라 b가 a를 겸직하였다고 强辯하는 경우도 있지만, 食貨志의 土地, 祿俸의 分給 規定은 모든 관직을 나열한 것이 아니고, 科田法의 분급 규정과 같이 대표적인 관직만을 기록한 것이다.

그러므로 고려시대의 兼職制의 운영을 위시한 정치제도의 운영에 대한 문제는 관료의 人事移動을 극히 일부만을 소략하게 다룬 연대기보다는 개인의 身上變動이 보다 상세하게 반영되어 있는 特定의 墓誌銘을 재구성하여 一般化시켜야 할 것이다.

46) ~~添字는~~ 『고려사절요』 권4에 의거하였다.

47) 直門下省事는 『고려사』에서 直門下省, 直門下 등의 略稱으로 사용되기도 하였다.

48) 徐維傑은 그의 孫子 徐鈞의 墓誌銘에는 徐惟傑로, 曾孫子 徐恭의 神道碑에는 徐維傑로 되어 있다(徐鈞墓誌銘 ; 徐恭神道碑). 이들 묘지명에 의하면 徐維傑은 徐熙의 아들인 셈인데, 서희에게는 嫡子 訥과 側室子 周行이 있었다고 한 점(열전7, 徐熙)을 고려하면 周行이 維傑로 改名

○東京管內州縣及金州·密城, 地震, 聲如雷.
[○流星出五車, 入諸王:天文1轉載].
[是月, 麟蹄縣人<u>金富</u>造成五層石塔:追加].[49)]

九月[丙子朔小盡,戊戌],丁丑[2日], 東女眞將軍阿骨等百三十五人來, 獻駿馬.
[辛巳[6日], 流星出天苑, 入羽林:天文1轉載].

冬十月[乙巳朔大盡,己亥], [丁未[3日], 流星出五車, 入內階:天文1轉載].
[戊申[4日], 日傍, 有青赤氣環繞:天文1轉載].
[癸丑[9日], 太白犯南斗:天文1轉載].
丁卯[23日], 東女眞奉國將軍要耶等七十四人來朝.
[庚午[26日], 太白犯氐星:天文1轉載].

十一月[乙亥朔大盡,庚子], [丁丑[3日], 雷:五行1雷震轉載].
[庚辰[6日], 熒惑·歲星同舍:天文1轉載].
己丑[15日], 設八關會, 宋商及東女眞·耽羅, 各獻方物.
丁酉[23日], 東女眞將軍吾乙耶等七十八人來朝.
[甲辰[30日], 流星出大角, 入<u>女林</u>[女床]:天文1轉載].[50)]
[□□[是月], 修東大悲院, 以處飢寒·疾病·無所歸者, 衣食之:節要轉載].
[→修東大悲院, 以處飢寒·疾病<u>之</u>無所歸者, <u>給</u>衣食:食貨3水旱疫癘賑貸之制轉載].

十二月[乙巳朔小盡,辛丑], 戊申[4日], 東女眞奉國大將軍姚乙道等七十四人來朝.
辛酉[17日], 祔德宗於<u>大廟</u>[太廟]. [初, 王問昭穆之制於輔臣, 徐訥·黃周亮等言, "顯宗之祔廟也, 以兄弟同昭穆之文, 惠·定·光·戴, 同班爲昭, 景·成爲穆, 穆宗爲昭, 而顯宗祔於穆廟, 則二昭·二穆, 與太祖之廟而五, 今祔德宗, 數過五廟, 請遷惠·定·

하였을 가능성이 있다.

49) 이는 江原道 麟蹄郡 南面 甲屯里 산80-2 5層石塔 上臺甲石의 刻字에 의거하였다(江原道 文化財資料 제117호, 江原大學博物館 1996年).
· 銘文, "菩薩戒弟子仇上□<u>金富</u>, 壽命長存, □[造]五層石塔成, 永充供養, 太平十六年丙子八月日".

50) 女林은 武仙座(Herculis)의 女床(女床三星)의 오자일 것이다(孫曉 等編 2014年 1431面).

光三宗, 藏于太祖廟西壁, 戴, 追王之主, 遷祭於其陵, 可也". 參知政事劉徵弼言, "太祖在曾祖行, 親未盡故, 惠·定·光三宗, 不必遷, 唯遷戴宗於陵, 而祔德宗於次室, 可矣". 周亮等言, "徵弼, 論親未盡之義, 亦以一時四廟, 難於遷毁, 其言如是. 臣聞, 前典云, 親過高祖, 則毁其廟,[51] 由是觀之, 自禰祖·曾·高而上, 論親盡未盡, 非以旁親論也. 惠·定·光, 在從祖行, 不可比於親祖. 昔, 晋鍾雅奏言景皇帝, 不以伯祖, 而祭於廟, 宜除伯祖之文,[52] 朝廷從之. 則從祖, 不入於廟, 明矣. 惠·定·光·戴, 俱宜遷毁. 其後, 王謂一時而遷四神主, 意所未安, 欲更從徵弼所奏. 周亮復言, 太祖爲一廟,[53] 惠·定·光·戴, 爲昭一廟, 景·成, 爲穆一廟, 穆宗爲昭, 顯宗爲穆, 五廟之數, 於是乎備, 若以派系次第論之, 顯宗, 於穆宗爲叔, 若先卽位, 可與景·成, 同一行, 然繼穆宗位, 故顯宗祔於穆宗下, 第二穆位, 今祔德宗, 則惠·定·光·戴四神主, 可以遷毁, 徵弼, 唯論四廟遷毁之難, 不論昭穆之數, 宗廟之禮, 國之大事, 胡可臆斷. 若以德宗爲昭, 則三昭二穆, 與太祖爲六廟, 非古制也. 若論派系次第, 以顯宗爲第一穆, 次于景·成位, 而降穆宗於其下, 則公羊傳所謂, 僖·閔逆祀也".[54] 徐訥曰, "周亮之奏, 合於古制, 然魯國以諸侯, 昭穆之外, 有文世室·武世室, 惠·定·光三宗, 亦不可遷毁", 從之:節要轉載].[55)]

[某日, 有司奏, "金州管內州縣, 水潦暴至, 隄防潰溢, 壞廬舍, 損田苗, 今年租稅, 合在蠲免, 請遣使宣慰", 從之:節要·食貨3災免之制轉載].

[是年, 以和州·溟州等郡縣, 稱東界, 以西京所管西北地域, 稱北界, 以昇州復爲昇平郡:轉載].[56]

---

51) 이 구절은 다음의 자료를 인용한 것이다.
· 『大戴禮記』 권10, 諸侯遷廟第72, "謂親過高祖, 則毁廟, 以昭穆遷之".

52) 이 구절은 다음의 자료를 인용한 것이다.
· 『晋書』 권70, 열전40, 鍾雅, "時有事於太廟, 雅奏曰, … 景皇帝, 自以功德, 爲世宗, 不以伯祖, 而登廟, 亦宜除伯祖之文".

53) 一廟는 延世大學本과 東亞大學本에서 二廟로 되어 있으나 誤字일 것이다(孫曉 等編 2014年 1957面).

54) 이 구절은 다음의 자료를 인용한 것이다.
· 『춘추좌씨전』 傳, 文公二年, "秋八月丁卯, 大事於大廟, 躋僖公, 逆祀也[杜預注, 僖是閔兄, 不得爲父子, 嘗爲臣, 位應在下, 令居閔上, 故曰逆祀]".

55) 이 기사는 지15, 禮3, 吉禮大祀에도 수록되어 있으나 位, 傳, 國 등의 글자가 빠져있다.

56) 이는 다음의 기사를 전재하였다.

丁丑[靖宗]三年, 契丹重熙六年[高麗稱太平十七年], [宋景祐四年], [西曆1037年]

1037년 1월 19일(Gre1월 25일)에서 1038년 2월 6일(Gre2월 12일)까지, 13개월 384일

春正月甲戌朔[大盡,壬寅], 放朝賀.

[某日, 京城人家八百六十餘戶災:節要轉載].

[某日, 判[制], "立春後, 諸道外官, 並停獄訟, 專務農事, 勿擾百姓, 如有違者, 按察使糾理":食貨2農桑轉載].

[某日, 制, "外任及東西兵馬官吏之妻, 在京身死, 令坊里, 報吏部, 除奏聞. 幷行喪式限, 行移界兵馬使及界員, 無事時, 則所管事體酌量, 許令上京, 以爲恒式. 又官吏及軍·其人等, 有父母墳墓改葬者, 給暇三十日, 來往程途, 其官遠近, 參酌施行":禮6五服制度轉載], ["兩親及祖父母歸葬者, 除往返程, 給暇二十一日":刑法1官吏給暇轉載].[57)]

二月[甲辰朔大盡,癸卯], 丙辰[13日], [驚蟄]. 門下侍郎平章事致仕朴忠淑卒.[58)] 謚[謚]貞愼.

己未[16日], 西北路兵馬使捕東女眞交通契丹者沙伊邏等五十五人, 送于西京.

[乙丑[22日], 月入南斗:天文1轉載].

癸酉[30日], 彗星五出, 長各五六尺.

三月[甲戌朔小盡,甲辰], [戊子[15日], 月食:天文1轉載].[59)]

己亥[26日], 賜盧延霸等及第.[60)]

[某日, 尙州有女, 一產三子, 賜其子粟三十碩, 以爲恒式:五行1人痾·節要轉載].

· 지12, 지리3, 東界, "以和州·溟州等郡縣, 稱東界".

· 지11, 지리2, 昇平郡, "成宗十四年, 爲昇州袞海軍節度使, 靖宗二年, 復爲昇平郡".

57) 이 구절의 冒頭에 判[制]가 있으나 생략하였다.

58) 이날은 율리우스曆으로 1037년 3월 일(그레고리曆 3월 8일)에 해당한다.

59) 이날은 율리우스력의 1037년 4월 3일인데, 월식 현상이 심했던 때인 前日(2日乙亥)의 世界時는 23시 26분, 食分은 0.87이었다(渡邊敏夫 1979年 472面).

60) 이와 관련된 기사로 다음이 있다.

· 지27, 선거1, 科目1, 選場, "[靖宗]三年三月, [參知政事·]禮部尙書黃周亮知貢擧, 取進士, 下詔, 賜乙科盧延霸等四人·丙科四人·同進士三人·明經二人及第".

夏四月癸卯朔大盡,乙巳, [丁巳15日, 立夏. 流星出氐, 入大微~~太微~~: 天文1轉載].
丁卯25日, 親禘于大廟~~太廟~~, 赦.
○西蕃酋長沙蘊等來, 獻土物.[61]
[壬申30日, [小滿]. 大流星出角, 入南門, 色赤: 天文1轉載].

閏[四]月癸酉朔小盡,乙巳, 壬辰20日, 東女眞甫阿·道閒等五十三人來朝.

五月壬寅朔大盡,丙午, 癸丑12日, 賜東女眞歸德將軍尼句豆等五十七人職一級.
乙丑24日, 王如玄化寺.

六月壬申朔小盡,丁未, 己卯8日, [以親禘推恩: 節要轉載], 親饗國老於毬庭.

秋七月辛丑朔小盡,戊申, [乙巳5日, 月貫心星: 天文1轉載].
[庚申20日, 辰星·熒惑·太白, 聚于張: 天文1轉載].
壬戌22日, 以母后諱辰, 百官上表陳慰.
[→元成太后諱辰, 百官詣乾德殿, 上表陳慰. 諱辰陳慰, 始此: 節要轉載].
[→壬戌, 以王妣元成太后諱辰, 百官就乾德殿, 上表陳慰, 諱辰陳慰始此. 自後, 考妣諱辰, 宰臣進表, 三品以上, 黑帶假紅, 以下犀帶, 陳慰如儀: 禮6先王諱辰眞殿酌獻儀轉載].
乙丑25日, 御乹德殿宣麻. 以劉徵弼爲內史侍郞同內史門下平章事·西京留守使, 黃周亮爲內史侍郞同內史門下平章事[·判尙書禮部事: 節要轉載], 崔齊顔爲尙書左僕射·參知政事, 中樞使~~中樞院使~~崔冲△爲參知政事·修國史.
[丁卯27日, 有三流星, 大如杯, 一出卷舌, 入五車, 一出天船, 入勾陳, 皆色赤, 一出八穀, 入勾陳, 色白: 天文1轉載].[62]

八月庚午朔大盡,己酉, 乙亥6日, 册弟樂浪君緖△爲守太師兼內史令.
壬午13日, 册弟開城國公基△爲守太保.

---

61) 西蕃은 『고려사절요』 권4에는 西女眞으로 되어 있다.
62) 지1, 天文1에 七月이 두 번에 걸쳐 기록되었다[重出].

乙酉[16日], 宋商朱如玉等二十人來.

丁亥[18日], 宋商林贇等來, 獻方物.

九月[庚子朔小盡,庚戌], 己酉[10日], 龜·朔·博·泰等州·威遠鎭, 地震.

丙寅[27日], 王如普濟寺.

是月, 契丹來遠城奉皇帝宣旨, 牒寧德鎭曰, "高麗之國, 早務傾輸, 近歲以來, 稍聞稽闕. 欲載修於職貢, 合先上於表章. 苟驗實誠, 別頒僉命".[63]

○門下侍中徐訥等十四人議奏曰, 宜遣使告奏.

冬十月[己巳朔大盡,辛亥], 庚午[2日], 東女眞將軍阿留大等五十九人來朝.

丙子[8日], 西北路兵馬使奏, 契丹以船兵, 侵鴨綠江.

[○流星, 大如半月, 出翼, 入斗魁, 色赤:天文1轉載].

[戊寅[10日], 熒惑, 犯進賢:天文1轉載].

十一月[己亥朔小盡,壬子], [壬寅[4日], 大府寺~~太府寺~~火:五行1火災轉載].[64]

癸丑[15日], 宥公杖罪以下.

十二月[戊辰朔大盡,癸丑], 丁亥[20日], 遣殿中少監崔延嘏如契丹, 奏□[狀]云,[65] "當國伏, 自前皇太后聖帝降册命以頒宣, 疏土封而定分, 但玆東域, 仰戴北辰, 連年不絶以勤王, 遞代相傳而述職. 頃以先臣亡兄, 簒承祖業~~簒承祖業~~,[66] 歸附皇朝, 聞一德之君臨, 新頒慶澤, 將兩條之公事, 專奏宸聰. 未垂兪允之恩, 轉積遲疑之慮, 自從曩歲, 以到今辰, 雖迭換於炎涼, 且久停於朝貢. 近蒙睿旨, 頗愜鄙懷. 謹當遵太后之遺言, 固爲藩屛, 撫小邦之弊俗, 虔奉闕庭. 更從文軌以輸誠, 永效梯航而展禮".[67]

---

63) 이 시기에 契丹도 高麗와 女眞 등의 침입에 대비하고 있었던 것 같다.

· 『全遼文』 권8, 耶律仁先墓誌銘, "又遷樞密副使. 時朝廷以高麗·女眞等五國入寇聞. 上曰, '仁先可往', 命馳驛安定之. 因奏保·定二帥, 聯於北鄙, 宜置開鏑, 以爲備守. 有詔報, 自是, 五國絶不敢窺擾. 上嘉之, 賜予甚厚. 重熙十一年大兵南擧, 宋國遣奏乞舊好".

64) 原文에는 "二年~~三年~~十一月壬寅, 大府寺火"로 되어 있으나 二年은 三年의 오자일 것이다(金一權 2007년 284面). 또 大府寺는 太府寺로 고쳐야 옳게 된다.

65) ~~添字~~는 『고려사절요』 권4에 의거하였다.

66) ~~添字~~는 『고려사절요』 권4에 의거하였는데, 그렇게 해야 같이 고쳐야 옳게 될 것이다.

乙未[28日], 賜玄德宮主金氏萬齡宮.[68)]

戊寅[靖宗]四年, 契丹重熙七年[←8月, 高麗稱太平十八年], [宋景祐5年→11月, 寶元元年], [西曆1038年]

1038년 2월 7일(Gre2월 13일)에서 1039년 1월 26일(Gre2월 1일)까지, 354일

春正月戊戌朔[大盡,甲寅], 契丹遣馬保業來.

辛酉[24日], [鷩蟄]. 東女眞歸德將軍高之問來朝, 改授懷化將軍, 傔從皆授職.

[是月, 重修佛國寺西石塔[釋迦塔]:追加].[69)]

二月[戊辰朔大盡,乙卯], 癸未[16日], 燃燈, 王如奉恩寺, 謁太祖眞. 燈夕, 必親行香眞殿以爲常.

[乙酉[18日], 月犯心星:天文1轉載].

[庚寅[23日], 中部民家八百六十戶火:五行1火災·節要轉載].

三月[戊戌朔小盡,丙辰], [辛丑[4日], 小星[~~心星?~~]犯月:天文1轉載].[70)]

辛亥[14日], [殿中少監]崔延嘏還自契丹, 詔曰, "省所奏, 乞修朝貢事具悉. 以小事大, 列國之通規, 捨舊謀新, 諸侯之格訓. 卿本世稟聲朔, 歲奉梯航. 先國公, 方屬嗣藩, 遂稽任土. 時候屢更於灰管, 天朝未審於事情, 近覽奏章, 備觀誠懇. 欲率大弓之俗, 荐陳楛矢之儀, 載念傾虔, 信爲愛戴. 允兪之外, 嘉歎良多. 勉思永圖, 無曠述職".[71)]

---

67) 崔延嘏는 다음 해 2월 10일(丁丑) 契丹에서 朝貢을 바쳤던 것 같다. 또 이 表가 축약되어 明代 愼懋賞의 著述에 인용되어 있으나 적절하지 못하다.

· 『요사』 권18, 본기18, 興宗 1년 重熙 7년 2월, "丁丑, 高麗遣使來貢".

· 『四夷廣記』 不分卷, 上契丹表, 有宋景佑二年乙亥[~~景祐四年丁丑~~], 高麗容惠王王亨, "頃以先世[~~世~~]亡兄, 簒承祖業, 轉積遲疑之慮, 未修朝貢之儀, 更從文軌以輸誠, 願效梯航而述職".

68) 靖宗妃 金氏(金元冲女)의 宅號는 延興宮主로 되어 있다(열전1, 靖宗妃, 容節德妃金氏).

69) 이는 「佛國寺西石塔重修記」에 의거하였다(盧明鎬·李丞宰 2009년).

70) 小星은 心星의 오자로 추측된다(孫曉 等編 2014年 1431面).

71) 이 詔書가 축약되어 明代 愼懋賞의 저술에 인용되어 있으나 적절하지 못하다.

· 『四夷廣記』 不分卷, 契丹答高麗容惠王王亨詔, 宋景佑二年[~~景祐五年~~], "卿世稟正朔, 歲奉梯航, 欲陳楛矢之儀, 將率大方之俗, 允兪之外, 嘉納維新. 勉思良圖, 無曠迺職, 其罷兵".

庚申[23日], 東女眞歸德將軍仇知羅等三十二人, 誘其屬恢八等三十人來朝.

[乙丑[28日], 雨雹 : 五行1雨雹轉載].

夏四月丁卯朔[大盡,丁巳], 册宮人韓氏[韓祚女]爲麗妃, [號昌盛宮主, 後改玄德宮□[主] : 列傳1靖宗妃容懿王后韓氏].

戊辰[2日], 平章事[~~守太尉·門下侍郎同內史門下平章事~~]柳韶卒.[72)] [謚襄毅[~~襄懿~~], 配享德宗廟庭 : 節要轉載]. [子洪, 官至門下侍郎平章事·贈門下侍中 : 追加].[73)]

是月, 遣尙書左丞金元冲如契丹, 起居謝恩, 仍請年號.

[五月[丁酉朔小盡,戊午], 某日, 東界兵馬使報, "威雞州女眞仇屯·高刀化二人, 與其都領·將軍開老, 爭財, 乘開老醉, 毆殺[~~毆殺~~]之". 事下輔臣議, 門下侍中徐訥等議曰, "女眞, 雖是異類, 然旣歸化, 名載版籍, 與編氓同, 固當遵率邦憲, 今因爭財, 毆[毆]殺其長, 罪不可原, 請論如法". 內史侍郞[平章事]黃周亮等議曰, "此輩雖歸化, 爲我藩籬, 然人面獸心, 不識事理, 不慣風敎, 不可加刑. 且律文云, 諸化外人, 同類自相犯者, 各依本俗法, 况其隣里老長, 已依本俗法, 出犯人二家財物, 輸開老家, 以贖其罪, 何更論斷". 王從周亮等議 : 節要轉載].[74)]

六月[丙寅朔大盡己未], 乙酉[20日], 侍中[~~門下侍中致仕~~]庾方卒.[75)]

---

72) 이날은 율리우스曆으로 1038년 5월 8일(그레고리曆 5월 14일)에 해당한다.

73) 柳韶는 靖宗 2년 2월 庚戌(1일) 門下侍郞同內史門下平章事에 임명되었고, 이것이 그가 逝去할 때의 官職이었다. 또 柳韶는 柳洪(肅宗妃 明懿太后 柳氏의 父)의 父인데, 上記의 記事와 이와 관련된 자료도 ~~添字~~와 같이 고쳐야 옳게 될 것이다.

· 열전2, 后妃, 肅宗妃 明懿太后 柳氏, "貞州人, □[贈]門下侍中洪之女".

· 열전7, 柳韶, "柳韶, □□□[貞州人], 史失其世系. 顯宗朝, 歷司憲中丞·諫議大夫, … 官至□[守]太尉·門下侍郞平章事. 謚襄懿, 配享德宗廟庭. □□[子洪], □□□□□□□□□□□□□□[官至門下侍郞平章事·贈門下侍中]".

· 「尹彦榮妻柳氏墓誌銘」, "夫人姓柳氏, 其先本河源郡[貞州], 今承天府[~~昇天府~~]也. 故銀青光祿大夫·檢校太傅·守司空·門下侍中·上柱國·匡肅公□[洪]之第四女, 明懿太后之弟也. … 祖內史門下侍郞平章事[~~門下侍郞同內史門下平章事~~]·判尙書刑部事·上柱國·襄懿公韶, 妣樂浪郡大夫人金氏, …".

74) 이 기사는 지38, 刑法1, 殺傷 ; 열전8, 黃周亮에도 수록되어 있으나, 前者에는 '事下輔臣議'가 없다. 또 "且律文云, 諸化外人, 同類自相犯者, 各依本俗法"은 다음의 자료에서 따온 것이다.

· 『唐律疏議』 권6, "諸化外人, 同類自相犯者, 各依本俗法, 異類相犯者, 以法律論. 疏議曰, 化外人, 謂蕃夷之國, 別立君長者, 各有風俗, 制法不同. 其有同類自相犯者, 須問本國之制, 依其俗法斷之. 異類相犯者, 若高麗之與百濟相犯之類, 皆以國家法律, 論定刑名".

秋七月丙申朔小盡,庚申, 辛丑6日, 太白晝見.

戊申13日, 尙書刑部奏, "京外斬·絞二罪, 百有三人". 制, "降斬罪, 杖配無人島, 絞罪, 杖配有人島".

甲寅19日, 尙書左丞<u>金元冲</u>還自契丹, 詔曰, "省所上表, 夏季起居事具悉. 卿挺生方略, 善撫世封, 得愛戴於東韓, 盡傾虔於北闕. 屬敲蒸之在候, 馳章奏以問安, 嘉矚之懷, 每興增切. ○又詔曰, 省所上表, 謝恩令朝貢. 并進捧金吸甁·銀藥甁·幞頭·紗紵布·貢平布·腦原茶·大紙·細墨·龍鬚簦席等事具悉, 卿權司國宇, 欽奉朝廷, 昨差使人, 遠敷忠款. 述累世傾輸之節, 達近年阻限之由, 乞重效於梯航, 願永爲於藩翰. 載觀恭順, 尋示允從, 煩致謝章, 仍陳貢篚. 顧閱之際, 媿歎良深". ○又詔曰, "省所奏, 已行用重熙年號事具悉, 卿昨者乞修朝貢, 尋允奉陳. 使介回旋, 知我紀年之號, 書文稟用, 見其向日之誠. 省覽歎嘉, 不忘于意".

八月乙丑朔小盡,辛酉, 始行契丹<u>重熙年號</u>.[76)]

○以水潦損禾, 停徵諸道秋役軍.

丙寅2日, <u>東蕃</u>懷化將軍阿豆等四十九人來朝.[77)]

丁卯3日, 遣持禮使·閤門祇候金華彥, 如契丹東京.

[癸酉9日, 流星, 大如半月, 出天苑:天文1轉載].

丁丑13日, <u>西北蕃</u>歸德將軍耶半等二十六人來朝.[78)]

戊子24日, 宋明州商<u>陳亮</u>陳諒?·台州商<u>陳維績</u>等一百四十七人來, 獻土物.

[壬辰28日, 流星大如杯, 出五諸侯, 入軒轅:天文1轉載].

[九月甲午朔大盡,壬戌:追加].

冬十月甲子朔小盡,癸亥, 辛卯28日, 契丹遣馬保業來, 詔曰, "卿<u>恊</u>協副人情, 分權國務.

---

75) 이날은 율리우스曆으로 1038년 7월 24일(그레고리曆 7월 30일)에 해당한다.

76) 이때부터 거란의 연호인 重熙를 사용했던 것을 확인해 주는 자료로 佛國寺의 釋迦塔重修形止記[太平十八年佛國寺西塔重修形止記]가 있다. 곧 같은 해 1월은 '<u>大平</u>太平十八年正月日'로, 1036년(靖宗2)은 太平 16年으로 표기되어 있다(國立中央博物館 2009년 66~67面). 또 1032년(重熙1, 덕종1) 12월 鑄造된「靑鳧大寺種」에도 '太平十二年十二月'로 표기되어 있다.

77) 東蕃은『고려사절요』권4에는 東女眞으로 되어 있다.

78) 西北蕃은『고려사절요』권4에는 西北女眞으로 되어 있다.

昨馳章表, 遠達闕庭, 述阻絶之端由, 瀉傾輸之懇款. 雖已從於告奏, 宜特示於綏存, 注想所深, 不忘于意. 今差東上閤門使·左千牛衛大將軍馬保業, 往彼安撫".

十一月癸巳朔大盡,甲子, 甲寅22日, 以黃周亮爲門下侍郞平章事, 李作忠△爲參知政事·柱國.

乙卯23日, 契丹東京回禮使·義勇軍都指揮□使康德寧來.

己未27日, 遣崔忠恭如契丹, 賀永壽節, 仍賀正.

[是月庚戌18日, 宋改景祐五年爲寶元元年:追加].

十二月癸亥朔小盡,乙丑, 甲戌12日, 東女眞歸德將軍~~懷化將軍~~高之問等五十人來朝.[79)]

癸未21日, 內史門下省言, "東池白鶴·鵝鴨·山羊之類, 日飼稻粱, 爲費多矣. 前典云, '犬馬, 非其土性不畜, 珍禽奇獸, 不育于國'.[80)] 又云, '鳥獸昆虫, 各遂其性'.[81)] 盖不以玩好, 傷物性也. 乞放海島", 從之.

己卯[靖宗]五年, 契丹重熙八年, [宋寶元二年], [西曆1039年]

1039년 1월 27일(Gre2월 2일)에서 1040년 2월 14일(Gre2월 20일)까지, 13개월 384일

春正月壬辰朔大盡,丙寅, 辛丑10日, 祭雨師, [非時日也:禮5風師雨師雷神靈星轉載].[82)]

丙午15日, 以工部尙書元穎爲春夏番西北路兵馬使, 大府~~太府~~少卿楊帶春副之, 右散騎常侍秦玄錫爲東路兵馬使, 殿中侍御史林宗翰·王夷甫副之.[83)]

---

79) 歸德將軍은 懷化將軍의 誤謬일 것이다. 高之問은 이해의 1월 辛酉(24일) 歸德將軍에서 懷化將軍으로 陞級되었다.

80) 이 구절은 다음의 자료에 의거한 것인데, 여기에서 性은 生으로 解釋하면 좋을 것이다[讀].
 · 『서경』, 周書, 旅獒(僞古文), 冒頭, "… 犬馬, 非其土性不畜, 珍禽奇獸, 不育于國. 不寶遠物, 則遠人格. 所寶惟賢, 則邇人安".

81) 필자는 이 구절의 出典을 찾지 못했는데, 향후 探索하겠다.

82) 雨師에게 祭禮를 올리는 것은 立夏以後의 申日이었기에, 이때는 적절한 設行이 아니었다. 또 다음 자료의 司中·司命·司人·司祿은 星名으로, 각각 인간의 經理[司徒], 運命, 生死, 錢穀을 담당한다는 觀念이 있었다.
 · 『대당육전』 권4, 尙書禮部, 祠部郞中·員外郞, "… 立春後丑日, 祀風師於國城東郊, 立夏後申日, 祀雨師於國城西南, 立秋後辰日, 祀靈星於國城東南, 立冬後亥日, 祀司中·司命·司人·司祿".

二月壬戌朔大盡,丁卯, 遣殿中監李成功如契丹, 獻方物.

丁卯6日, 遣戶部郎中庾先, 謝安撫, 仍請罷鴨江東加築城堡.

[→判都兵馬事·門下侍中徐訥言, 往年契丹, 欲於鴨江東, 加築城堡, 今復和親, 可因庾先, 附表請罷, 從之:節要·列傳7徐訥轉載].

乙亥14日, 燃燈, 王如奉恩寺.

丙子15日, 御重光殿觀樂.

壬午21日, 祭老人星於南郊.84)

辛卯30日, 賜黃抗之等及第.85)

三月壬辰朔小盡,戊戌, [戊戌7日, 東路金壤縣城廊八十五間·民廬六十五區火:五行1火災轉載].

辛丑10日, 東北路兵馬使奏, "女眞諸蕃子等六十人請執贄入朝". 許之.

[某日, 制, "東南海諸道州縣民, 多飢饉, 發義倉, 賑之":節要轉載].

[→制, "東南海諸道州縣, 去歲, 禾穀不稔, 民多饑饉, 其令有司, 發義倉, 賑之": 食貨3水旱疫癘賑貸之制轉載].

夏四月辛酉朔大盡,己巳, 戶部郎中庾先還自契丹, 詔曰, "省所告鴨江東城壁, 似妨耕鑿事具悉. 乃睠聯城, 置從先廟, 盖邊隅之常備, 在疆土以何傷. 朕務守成規, 時難改作. 先臣欽, 曾煩告奏, 致阻傾輸. 卿襲爵云初, 貢章纔至, 所欲當遵於曩舊, 乃誠更勵於恭勤. 卽是永圖, 兼符至意. 厥惟墾殖, 勿慮驚騷".

○契丹遣大理卿韓保衡來, 册王, 詔曰, "地控東域, 星環北宸, 愈堅奉上之心, 宜擧策勳之典. 遐馳使馭, 載啓王封, 是謂恩榮, 所宜祗荷. 今差大理卿韓保衡往彼, 賜卿官告一通, 勑牒一道, 到可祗受". ○官告曰, "朕體天洪覆, 酌古通規, 內則推皇家懷遠之誠, 外則付王國專征之柄. 航棧不可以輕入, 車書不可以妄同, 庶及群

83) 林宗翰(林槩의 父, 沃溝縣人)은 守禮部侍郎에 이르렀던 것 같다(崔湊妻任氏墓誌銘).

84) 이 기사는 지17, 禮5, 雜祀에도 수록되어 있다.

85) 黃抗之는 지27, 選場에는 黃杭之로 되어 있으나 후자가 오자일 것이다. 문종 15년 11월 庚戌(1일)과 『登科錄』에는 전자로 되어 있다. 또 이와 관련된 기사로 다음이 있다.

· 지27, 선거1, 科目1, 選場, "靖宗五年二月), 左諫議大夫林惟幹知貢擧, 取進士, 賜乙科黃杭之等五人·丙科八人·同進士五人·明經二人·恩賜一人及第".

雄, 永全大義. 與其軒習弧矢而夏陳干戚, 曷若周分藩屛而漢誓山河. 其有業重桓文, 望高辰卞. 紹祖服之云始, 革先王之不恭, 貢土疆而廣我提封, 奉玉幣而首諸方面.[86] 安和是務, 忠肅爲容, 宜擧彝章, 特敷寵數. 權知高麗國王, 奇姿玉瑩, 偉量淵渟. 鼇丘聳架海之雄, 旁鍾秀拔, 龍宿挺麗天之彩, 俯降精英. 而自守名區, 大開霸府, 動靜先遵於典則, 寐興能制於驕矜. 千里甸畿, 先臻富庶, 一方民俗, 咸荷恩榮, 成奕世之令名, 得殿邦之異略. 是用專馳駢轡, 遠降龍綸. 玄菟全封, 榮加於一字, 溫詔峻秩,[87] 兼示於三師. 馭貴崇階, 褒功懿號, 廣疏井賦, 茂奬忠庸. 於戱, 星辰在拱北之躔, 則爲合度, 江漢得朝宗之路, 乃是安流, 勉服斯言, 勿煩常訓. 可授開府儀同三司·守太保兼侍中·上柱國·高麗國王, 食邑七千戶·食實封一千戶, 仍賜輸忠·保義·奉國六字功臣".

[某日, 制曰, "東北路諸州, 去年大水, 漂沒禾稼, 百姓貧乏. 其令本路勸農使, 發倉米·鹽, 賑之":節要·食貨3水旱疫癘賑貸之制轉載].

五月辛卯朔小盡,庚午, 庚子10日, 日本民男女二十六人來投.

[六月庚申朔大盡,辛未, 癸未24日, 大暑. 中散大夫·尙書右僕射·判閤門事·輕車都尉劉志誠卒, 年六十八. 輟朝一日, 諡質良:追加].[88]

[某日, 制曰, "自前朝, 偃武修文, 盖有年矣, 雖四方無事, 不可忘戰. 周禮, '以軍禁, 糾邦國, 以蒐狩, 習戎旅'.[89] 傳曰, '以不敎人戰, 是謂弃之'.[90] 宜遣使兩京·兩路·諸州, 簡取驍勇, 敎習弓馬":兵1五軍轉載].[91]

---

86) 延世大學本과 東亞大學本에는 回로 되어 있으나 面의 오자일 것이다(東亞大學 2008년 2책 366面).

87) 여러 판본의 『고려사』에서 貂로 되어 있으나 詔의 오자일 것이다(東亞大學 2008년 2책 366面).

88) 이는 「劉志誠墓誌銘」에 의거하였는데, 이날은 율리우스曆으로 1038년 7월 17일(그레고리曆 7월 23일)에 해당한다.

89) 이 구절은 다음의 字句를 結合한 것 같다(蔡雄錫敎授의 敎示).
· 『主禮注疏』 권29, 夏官, "大司馬之職, … 制軍詰禁, 以糾邦國, 施貢分職, 以任邦國", '仲春蒐田', '仲冬狩田'.

90) 이 구절은 다음의 자료를 인용한 것이다.
· 『논어』, 子路第13, 末尾, "… 子曰, 善人敎民七年, 亦可以卽戎矣. 子曰, 以不敎民戰, 是謂棄之".
· 『후한서』 권58, 傅燮傳第48, "… 諫曰, 使君統政日淺, 人未知敎. 孔子曰, '不敎人戰, 是謂弃之'. 今率不習之人, …".

91) 이 기사는 『고려사절요』 권4에 축약되어 있다.

[戊子29日, 西北路大雨, 鴨江水漲, 兵船漂失七十餘艘:節要·五行1水潦轉載].

秋七月庚寅朔大盡,壬申, [某日], 契丹遣少府監陳邁來, 賀生辰.

[某日], 遣右散騎常侍林維幹如契丹, 謝册封.

八月庚申朔小盡,癸酉, 宋商惟積~~陳維績~~等五十人來, 獻方物.92)

[九月己丑朔大盡,甲戌, 某日, 都兵馬副使朴成傑奏, "東路靜邊鎭, 蕃賊窺覦之地, 請城之", 從之:節要·兵2城堡轉載].

[→靖宗朝, □□□王寵之爲右承宣·給事中, 與都兵馬副使朴成傑等奏, "東路靜邊鎭, 蕃賊窺覬之處, 百姓不得安居. 請俟農隙, 築設城池", 從之:列傳8王寵之轉載].

[冬十月己未朔小盡,乙亥:追加].

冬十一月戊子朔小盡,丙子, [庚子13日, 大雪.93) 雷:五行1雷震轉載].

辛丑14日, 設八關會, 御神鳳樓, 賜酺, 幸法王寺.

[某日, 八關會, 雖是前規, 旣行盛禮, 宜揷德音. 其犯公徒私杖以下, 及諸徵贖, 皆免之:食貨3恩免之制轉載].

[□□~~是月~~, 城肅州:節要·兵2城堡轉載].

十二月丁巳朔大盡,丁丑, 遣戶部侍郞宋融如契丹, 賀永壽節兼賀正.

○制曰, "候在大寒, 風雪嚴凝, 言念貧窮, 必至凍餒. 其外國投化人及沒蕃懷土男女共八十餘人, 有司量其老幼, 各賜綿布".94)

· "制曰, 自前朝, 偃武修文, 蓋有年矣. 雖四方無事, 不可忘戰, 遣使兩京·兩路·諸州, 簡取驍勇, 敎習弓馬".

92) 惟積은 前年(1038) 8월 24일의 台州商人 陳維績의 다른 표기[同音異字] 및 脫字로 추측된다(朴玉杰 1997년).

93) 여기의 大雪은 눈이 많이 내린 것이 아니라 11월의 節氣인 大雪(그레고리曆으로 12월 6일~8일에 해당함)을 指稱할 것이다.

94) 土는 延世大學本과 東亞大學本에는 士로 보일 수는 있으나 土를 잘못 刻字한 것이다(東亞大學 2008년 2책 366面).

閏[十二]月丁亥朔小盡,丁丑, 契丹東京回禮使大堅濟等九人來.

[是年, 兵馬使奏, "北朝通好, 關塞無虞, 每春秋遞代, 亭驛勞弊, 請減錄事一員", 從之: 百官2外職轉載].

[○立賤者隨母之法: 刑法2奴婢轉載].

庚辰[靖宗]六年, 契丹重熙九年, [宋寶元三年→2月, 康定元年], [西曆1040年]

1040년 2월 15일(Gre2월 21일)에서 1041년 2월 2일(Gre2월 8일)까지, 354일

春正月丙辰朔大盡,戊寅, [雨水]. 日食.[95]
○以崔延嘏爲西京副留守.
[戊午3日, 雲霧四塞, 至午乃收: 五行3轉載].
辛酉6日, 東女眞奉國大將軍傜漁等五十人來, 獻土物.
壬申17日, [驚蟄]. 遣右散騎常侍秦玄錫如契丹, 獻方物.
丙子21日, 安山郡大君~~大夫人~~金氏,[96] 告其子李公叶不孝, 棄市.
庚辰25日, 東女眞綏遠將軍巴桀等四十人來, 獻駿馬.
甲申29日, 西北女眞歸德將軍高寶等四十六人來, 獻馬及土物.

二月丙戌朔小盡,己卯, [某日, 賜兩京軍士有邊功者衣著, 有差: 節要·兵1五軍轉載].
庚寅5日, 昇平門廊屋數百閒灾, 延燒御史臺.[97]
[甲午9日, 雨土: 五行3轉載].
丁酉12日, 以吏部員外郞金廷俊△爲權知承宣.

---

95) 이날 宋과 일본에서도 일식이 있었다(『송사』 권52, 지5, 천문5, 日食). 이날은 율리우스력의 1040년 2월 15일이고, 개경에서 일식 현상이 심했던 시간은 15시 35분, 食分은 0.75이었다(渡邊敏夫 1979年 304面).
·『扶桑略記』 28, 長曆 4년 "正月朔, 日食".

96) 大君은 大夫人의 오류로 추측된다. 여기에서 金氏夫人은 封君號를 통해 볼 때 檢校太師·安平公 金殷傅와 安孝國大夫人 李氏의 所生이며 中樞院使·兵部尙書 金忠贊의 弟[妹]로 추측된다(開城福興寺景德國師墓誌銘, 金龍善 2006년 24面).

97) 이와 같은 기사가 지7, 五行1, 火, 火災에도 수록되어 있다.

[某日, 靈光郡及臨陂縣饑, 發義倉, 賑之:節要·食貨3水旱疫癘賑貸之制轉載].

[辛丑16日, 松岳大石頹:五行3轉載].

戊申23日, 東女眞懷化將軍傜寶等四十八人來, 獻駿馬.

[己酉24日, 松岳神祠灾:五行1火災轉載].[98)]

壬子27日, 命有司, 定權衡, 平斗量.[99)]

---

98) 松嶽山에 위치한 松嶽神祠(松岳神社, 松嶽祠, 松岳祠)에 城隍祠·大王祠·國師祠·姑女祠·府女祠의 5祠가 있었지만 구체적으로 어떠한 神을 奉安하였는지는 알 수 없었던 것 같다. 또 이달[是月]에 교토에서도 비가 많이 내렸던 것 같다(高麗曆과 同一, 日本史料3-5册 244面).

· 『신증동국여지승람』 권5, 開城府下, 祠廟, 松岳山祠, "上有五宇, 一曰城隍, 二曰大王, 三曰國師, 四曰姑女, 五曰府女, 俱未知何神". 八仙宮, "在松嶽頂. 李穡詩, 石路縈回到上頭, 八仙宮觀俯神州". 이는 主享의 位牌를 열거한 것인 것 같고, 이색의 시는 『목은시고』 권6, 拜八仙宮의 첫 句節이다.

· 『명종실록』 권32, 21년 1월 "丙辰24日, 中宮殿承傳色趙連宗·內需司別坐朴評, 以內敎往審開城府松岳山而還, 書啓曰, '城隍堂·月井堂·開城堂·大國堂, 並爲儒生所焚爇. 國祀堂國師堂?, 則只撤破蓋屋而已, 德積堂, 則儒生聞內官將摘奸, 又欲焚之, 如前聚會. 內官告于留守, 使禁之, 亦不聽, 盡燒之矣'. 傳曰, '觀此單子, 極爲駭愕. 開城府乃齊陵·穆清殿奉安之地, 近年以來, 國綱板蕩, 人心頑暴, 恣行狂悖, 不可不隨現重治, 以振頹綱也, …". 이는 祠宇의 名稱[額字]을 열거한 것 같다.

· 『태종실록』 권8, 4년 11월, "戊戌7日, 給白嶽城隍神祿. 前此給祿於松嶽城隍神, 以定都漢陽, 故移給之". 이 記事를 통해 볼 때 고려시대에는 封爵이 下賜된 여러 祠廟에는 일정한 祿俸이 지급되었음을 알 수 있다.

· 『세종실록』 권49, 12년 8월 甲戌6日, "禮曹據各道山川壇廟巡審別監所申條件, 磨鍊以啓, … 一. 留後司松岳山城隍無位版, 設泥像四, 春秋兩節, 大小男女淫祀動樂. 此像亦宜撤去, 設位版, 書曰'松岳之神', 器皿並用鉢, 其銀匙·盞盤·香爐·香合·燈盞·長燈·瓶·鐥·豆古里皆用銀, 宜並收納工曹, 更用奉常寺祭器. 大皇堂大王堂無位版, 設泥像四 並用銀器, 數與城隍堂同, 堂直人百姓四名. 宜毁大皇堂大王堂, 撤去神像, 收取銀器, 其堂直人, 定于軍役. 一. 國師堂無位版, 諺傳法師尊者, 亦用銀豆古里·銀香合·銀長燈各一, 堂直人四名. 宜毁堂, 收銀器, 堂直人定軍役. …".

· 『濡谿集』 권7, 遊松都錄(1477年 作), "… 成宗8年五月丁卯□朔, 早遵銀篦峴, 過兵部橋, 緣松嶽陽道, 俯臨廣明之洞, 岡巒襞積, 煙霞縹緲, 似入雁蕩而登赤城也. 盤回百餘折, 得抵塚頂, 樹木圍擁, 自作一區, 有平家數四架巖成落, 鷄犬蕭然. 南北峯各有祠, 北曰大王堂, 神像六, 皆峨冠褒紛. 南曰聖母堂, 神像亦六, 戴女冠, 塗粉脂, 廟史立門下, 曝神衣, 恚視曰, '明神不欲與外人褻', 予呵叱之, 令啓戶. 室內淨潔, 絳帳施牀, 香穗猶熏, 豈古所云八仙宮耶". 여기에서 聖母堂은 上記의 姑女堂에 비정되고 있다(許興植 2003년).

· 『月沙集』 권38, 遊松嶽記(1614년), "… 祠凡五所, 一曰城隍, 二曰大王, 三曰國師, 四曰姑女, 五曰府女. 壇而不宇, 列在山頂之北, 而其有屋有壇者, 卽嶽神祠也. 所謂大王·國師·姑女·府女, 未知何神, 而國中之祝釐·祈福者, 爭奔走焉. 漢都士女凡有禱, 必於此, 至有宮人降香, 歲時不絶云, 豈山之靈異耶. 抑麗朝尙鬼多淫祠, 遺俗流傳, 不知改耶". 이는 임진왜란 이후의 衰退했던 모습을 보여 주는 것 같다.

· 『中右記』, 承德 2년 7월, "三日, … 未時許俄大雨, 雷大鳴, 或人云, 雷落者. … 廿五日, 晩大雨, 雷大鳴".

[○日暈, 白虹貫暈:天文1轉載].

甲寅[29日晦], 冊麗妃韓氏[~~韓祚~~之女]爲王后.

[翼日[乙卯],告于太廟,百官賀→3월 1일로 옮겨감].[100]

[□□[~~是丹~~], 城金海府:節要·兵2城堡轉載].

[是月丙午[21日], 宋改寶元三年爲康定元年:追加].

三月[乙卯朔[大盡,庚辰], 以冊妃, 告于太廟, 百官賀←2월 29일에서 옮겨옴].

辛酉[7日], 東女眞奉國將軍阿骨等三十三人來, 獻馬十五匹.

壬戌[8日], 西北女眞寧塞將軍仍保等二十五人來, 獻土物.

甲戌[20日], 西北女眞酋渠古史門等二十六人來, 獻土物.

[乙亥[21日], 月犯熒惑:天文1轉載].

[丁丑[23日], 白氣經天:五行2轉載].

壬午[28日], 制曰, "內史侍郎平章事劉徵弼, 積閥襲慶, 以文翰輔佐累朝. 其功可錄, [丹]授其子綽工部書令史".[101]

[○太白犯五車:天文1轉載].

夏四月[乙酉朔大盡,辛巳], 丙戌[2日], 契丹東京民巫儀老·吳知桀等二十餘人來投, 賜物及田宅, 處之嶺南.

辛丑[17日], 契丹橫宣使·秦州防禦使馬世長等來.[102]

---

99) 이 기사는 고려전기의 衡器와 量器의 整備를 보여주는 것이다(李宗峯 2016년 118面).

100) 이해의 2월은 宋曆과 日本曆과 마찬가지로 小盡이어서 이날, 곧 乙卯는 3월의 朔日이 된다. 이 기사에서 翼日의 기사는 3월 1일로 이동하여야 할 것이다[校正事由].

101) ~~添字~~는『고려사절요』권4에 의거하였다.

102) 橫宣 또는 橫賜는 皇帝가 規定된 賞賜 이외에 특별히 物品을 下賜하는 것인데,『고려사』에는 契丹과 金이 橫宣使 또는 橫賜使를 파견해 온 것으로 기록되어 있다(稻葉岩吉 1932年). 이들 사신은 宋帝國이 隣接國과 어떤 事案이 발생했을 때 임시로 파견했던 泛使와 같은 部類로 추측된다.

- 『聞見前錄』권4, "熙寧七年春, 契丹遣泛使蕭禧來言, '代北對境有侵地', 請遣使分畫, 神宗許之. …"(四庫全書本1右冒頭).
- 『송사』권386, 열전145, 范成大, "… 隆興再講和, 失定受書之禮, 上嘗悔之. 遷成大起居郎, 假資政殿大學士, 充金祈請國信使. 國書專求陵寢, 蓋泛使也".
- 『續資治通鑑』권138, 宋紀138, 孝宗隆興 2년(1164) 8월 壬午[29日], "兵部侍郎胡銓上書, 以賑災爲急務, 議和爲闕政. 其諫議和之言曰, … 今日養兵之外, 又有歲幣, 歲幣之外, 又有私覿, 私

丁未[23日], 禱雨于臨海院.

[戊申[24日], 熒惑犯哭星:天文1轉載].

壬子[28日], 以東女眞曾渠烏阤爲都領將軍.[103)]

甲寅[30日], 西北女眞奉國將軍阿伊化等二十七人來, 獻土物.

[是月, 判[册], "南班及流外人吏·將校等子, 不付工匠案者, 依父祖有痕咎人例, 入仕":選擧3限職轉載].[104)]

五月乙卯朔[小盡,壬午, 105)], 禱雨于北岳.[106)]

辛酉[7日], 醮于會慶殿, 禱雨.

壬戌[8日], 大雨彌月.

○以李令幹爲史館修撰, 李象先爲監察御史.

六月[甲申朔大盡,癸未], [戊戌[15日], 月食:天文1轉載].[107)]

覲之外, 又有正旦·生辰之使, 正旦·生辰之外, 又有泛使. 生民疲於奔命, 帑廩涸於將迎, 可弔七也".

103) 都領將軍은 □□[地域名]都領·□□[歸化武散階名]將軍의 略稱일 것이다.

104) 이들 중에서 流外[流外人吏]에 대한 銓選을 唐制에서는 流外銓, 小銓, 小選이라고 불렀던 것 같다.

· 『자치통감』 권195, 唐紀11, 太宗貞觀 14년(640) 12월, "[太子左庶子張]玄素少爲刑部令史, 上嘗對朝臣問之曰, '卿在隋何官?', 對曰, '縣尉'. 又問, '未爲尉時何官?', 對曰, '流外'[胡三省注, 按隋之視品, 卽唐之流外銓也. 宋白曰, '唐制, 吏部郎中一人, 掌考天下文吏班秩階品. 一人掌小銓, 亦分九品, 通謂之行署. 以其在九流之外, 故謂之流外銓, 亦謂之小選'. 杜佑曰, '宋·齊流外, 自諸衛錄事及五省令史始'], 又問, '何曹?', 玄素恥之, …".

105) 이해의 5월은 宋曆에서는 甲寅朔(高麗曆의 4월 30日)이고, 高麗曆과 日本曆에서는 乙卯朔이다.

106) 契丹에서는 이해의 6월에 비가 내리지 않아 버들[柳]에 활을 쏘아 비를 빌었다고 한다. 또 일본의 京都에서도 4월 이래 비가 洽足하게 내리지 않았던 것 같다.

· 『요사』 권18, 본기18, 興宗1, 重熙 9년 6월, "射柳祈雨".

· 『春記』, 長久 1년 6월, "十三日丙申, 天晴, 時々陰雲, 小雨灑落, 旱魃往々, 有其愁云々, … 十五日戊戌, 天晴, … 炎旱之事, 往往有其愁申云々, … 十六日己亥, 天晴, 午時巳後, 頗陰雲, 時々雨降, 然而不及濕草木, 早旦被仰云, 炎旱涉旬也, 有燋葉之愁也, 一昨日奉幣雨降, 二社未在其驗應, 太不便事也".

107) 이때 일본에서 월식이 예보되었으나 관측되지 않았던 것 같다. 이날은 율리우스력으로 1040년 7월 26일인데, 월식에 관련된 각종의 정보가 없다(渡邊敏夫 1979年 472面).

· 『春記』, 長久 1년 6월, "十五日戊戌, 天晴, … 今夜月蝕, 有曆家勘申, 而陰晴不定間, 不正見云々".

乙巳22日, 遣尙書右丞柳伯仁如契丹, 謝恩.

○東女眞寧塞將軍慕伊羅等五十人來, 獻土物.

[某日, 校尉邊柔, 超授中郎將. 初, 門下侍郎平章事柳韶之城鴨綠關塞也, 契丹兵來爭, 柔奮身先登, 以振士氣. 故有是命:節要轉載].

癸丑30日, 塞北奚家積乙仇等來投.

秋七月甲寅朔小盡,甲申, [戊午5日, 歲星臨東井:天文1轉載].

[癸亥10日, 月犯南斗:天文1轉載].

[某日, 以楊帶春爲安北大都護府副使. 左僕射崔冲奏, 帶春, 立志峻拔, 多智略, 閑軍事, 若有邊虞, 非此人, 無可遣者, 不宜出外, 不允:節要轉載].108)

乙丑12日, 震宜春樓.109)

○崇化宮王妃卒.110)

○契丹遣夏州觀察使趙安仁來, 賀生辰.

戊辰15日, 尙書左僕射致仕梁積卒.111)

[丁丑24日, 暴雨疾風, 路人至有僵死者, 廣化門鴟吻, 頹:五行3轉載].112)

[某日, 詔曰, "去歲以來, 水旱作沴, 生民被災, 苗稼空於農疇, 貲財盡於私室. 此寡人不德之所致, 深有痛焉. 其發倉廩, 以賑之":節要·食貨3水旱疫癘賑貸之制轉載].

八月癸未朔大盡,乙酉, 乙酉3日, 刑部尙書·判御史臺事李周佐卒.113) [周佐, 東京人, 家

---

108) 이 기사는 열전7, 楊規, 帶春에도 수록되어 있으나 자구에 출입이 있다.

109) 이와 같은 기사가 지7, 五行1, 水, 雷震에도 수록되어 있다.

110) 崇化宮王妃가 누구인지 알 수 없다. 이날은 율리우스曆으로 1040년 8월 22일(그레고리曆 8월 28일)에 해당한다.

111) 이날은 율리우스曆으로 1040년 8월 25일(그레고리曆 8월 31일)에 해당한다.

112) 일본에서는 7월 26일 伊勢(現 三重縣地域)와 近畿地域에서 大風雨와 洪水가 있었다고 한다(中央氣象臺 1941年 1冊 22面).
- 『百練抄』第4, 長曆 4年 7월, "廿六日, 大風, 伊勢豊受大神宮正殿, 幷東西寶殿瑞垣, 悉以顚倒, 八省含嘉堂, 同顚倒".
- 『勘仲記』, 弘安 10년 2월, "三日甲子, … 長曆四年七月廿六日, 豊受太神宮正殿幷東西寶殿, 爲大風顚倒, 依御體露顯. 翌日, 祭主宮司禰宜等相共, 且奉遷御體於御膳殿, 且上奏仔細. 其奏狀云, …".

113) 이날은 율리우스曆으로 1040년 9월 11일(그레고리曆 9월 17일)에 해당한다.

世單微, 幼聰悟. 留守李成功, 一見器之, 秩滿携至京, 使肄業國學. 登第, 歷臺省, 立朝四十餘年, 倜儻瓌偉. 時稱得大臣體. 及卒, 王悼惜, 贈□守司空, 特令百官會葬:節要轉載].

[→以刑部尙書·判御史臺事卒, 王悼惜, 贈□守司空·尙書右僕射, 賻米麥四百石, 賜茶及衣著, 令百官會葬. 周佐, 襟懷倜儻, 儀表瓌偉,114) 立朝四十餘年, 有大臣之體:列傳7李周佐轉載].

○遣工部侍郞庾昌如契丹, 賀皇太后生日.115)

癸巳11日, 東女眞古陶達等五十三人來, 獻土物.

[丁未25日, 祈晴于北岳:五行2轉載].116)

[戊申26日, 月犯軒轅夫人:天文1轉載].

[某日, 西北路兵馬使奏, "金海兵書, 武略之要訣也, 請沿邊州鎭, 各賜一本", 從之:兵1五軍轉載].117)

[某日, 制, "各道起復領軍員, 當黲服者, 權著吉服正角, 還軍, 歸家, 依制黲服":禮6五服制度轉載].

九月癸丑朔大盡,丙戌, 乙卯3日, 以李懷爲尙書右僕射, 前西北路兵馬使元穎爲工部尙書.

○西北女眞將軍耶盤等來, 獻駿馬十三匹.

丁巳5日, 以李子淵△爲知中樞院事[·右散騎常侍·柱國:追加],118) 王寵之爲中樞院知奏事[·兵部侍郞:追加].119)

---

114) 儀表에 대한 설명으로 다음이 있다.
- ·『자치통감』 권33, 漢紀25, 成帝綏和 2년(哀帝卽位年, BC7) 6월, "河間惠王良能脩獻王之行, 母太后薨, 服喪如禮, 詔益封萬戶, 以爲宗室儀表[注, 師古曰, 儀表者, 言爲禮儀之表率. 余胡三省謂有儀可象謂之儀, 四外望之以取正謂之表]".

115) 이때 契丹의 皇太后는 聖宗妃(興宗母) 欽哀皇后 蕭氏이다(『요사』 권18, 본기18, 흥종1, 總書).

116) 이달에 일본 교토[京都]에서 비가 내린 날은 4일(丙戌, 大雨), 9일(辛卯, 大雨), 12일(甲午, 小雨), 16일(戊戌, 雨降), 27일(己酉, 雨降)이었다고 한 점을 보아(『春記』, 長曆 4년 8월), 降雨前線이 韓半島에 머물고 있었던 것 같다.

117) 이 『金海兵書』는 隋帝國 이래 中原에 전래되던 兵書인 '金海三十卷蕭吉撰'으로 추측되는데(『수서』 권34, 지29, 經籍3, 兵家), 이는 『구당서』 경적지와 『신당서』 예문지에는 모두 47권으로 기록되어 있어 後日 增補되었던 것 같다. 蕭吉은 南北朝·隋 時期의 陰陽家로서 『五行大義』를 저술하였다.

118) 이때 李子淵은 □□大夫·知中樞院事·右散騎常侍·柱國에 임명되었다고 한다(李子淵墓誌銘).

119) 이때 王寵之는 中樞院知奏事·兵部侍郞에 임명되었던 것 같다(榮州浮石寺圓融國師塔碑).

庚申[8日], [霜降]. 契丹□[遣]東京回禮使·都指揮使高維翰來.[120)]

壬申[20日], 北女眞將軍尼迂火骨輔來投, 賜田宅, 處之圻內.[121)]

冬十月[癸未朔小盡,丁亥], 甲申[2日], 西北女眞仍化老等十三人來投, 命充爲課戶.

乙酉[3日], 西北女眞正朝孚巨等一百餘人來, 獻土物.

[○司天少監·知太史局事林匡漢奏, "據曆八月中氣, 雷乃收聲, 今自秋季, 殷殷不絶, 有乖時令. 願省躬修德, 以禳災變": 五行1雷震轉載].

[丙戌[4日], 歲星留東井: 天文1轉載].

庚寅[8日], [小雪]. 納知中樞院事金元冲女, 爲妃.

[某日, 西面兵馬都監使朴元綽, 造繡質九弓弩一張, 以獻, 極爲神巧. 王大加褒賞, 命造置於東西邊鎭: 節要·兵1五軍轉載].[122)]

[乙未[13日], [歲星,]又犯西轅北端: 天文1轉載].[123)]

癸卯[21日], 東女眞將軍沙伊羅·西北女眞將軍董化盧, 各率衆二百餘人來, 獻土物.

是月, [工部侍郎]庾昌還自契丹, 詔曰, "近以群輿抗議, 徽懿加尊. 雖答疏以屢回, 而叫閽之莫却, 載矜懇到, 難默都俞. 眷藩國之同休, 宜詔函之寵錫. 今已定十二月上旬, 大行禮册, 故玆詔示".

十一月[壬子朔小盡,戊子], [癸丑[2日], 歲星犯鉞: 天文1轉載].

[甲寅[3日], 流星大如升, 尾長一丈餘, 出東井, 入軒轅: 天文1轉載].

[庚申[9日], 流星大如升, 尾長一丈, 出參星, 入闕丘: 天文1轉載].

---

120) 高維翰은 『고려사절요』 권4에는 高惟翰으로 되어 있다.

121) 圻內[기내]는 帝王의 遊觀之宮, 곧 離宮을 指稱하는데, 이것이 轉化되어 畿內와 같은 의미로 사용되었던 것 같다(宇野精一 1996年 497面).

· 『春秋左傳正義』, 附釋音春秋左傳注疏卷第45, "正義曰, 馬融云, 圻內, 遊觀之宮也. 杜不解, 蓋以爲王離宮之名也".

· 『孔子家語』 卷第9, 正論解第41, "且昔天子一圻, 列國一同, 自是以衰, 周之制也[注, 地方千里曰圻]. (또 옛날에 天子는 四方千里의 土地를 保有하고, 公·侯爵의 列國은 四方百里를, 伯·子·男爵은 等級에 따라 減少시키는 것이 周의 制度입니다)".

122) 이 기사에서 朴元綽의 職責인 '西面兵馬都監使'는 적절한 관직이 아닌 것 같다. 곧 朴元綽은 兵器製造의 專門家로서 尙舍奉御(정6품), '西面兵馬都監使', 少監(종4품) 등을 역임하였다고 한다(지35, 병1, 五軍). 그렇지만 '西面兵馬都監使'라는 관직은 없고, 이는 四面都監 중의 '西面都監使'(職事 3品以上) 또는 '西北面兵馬判官'(5, 6품)의 오류로 추측된다.

123) 原文에는 "十三日, 又犯西轅北端"으로 되어 있다.

[甲子[13日], 日暈, 有兩珥:天文1轉載].

丙寅[15日], 大食國客商保那盍等來, 獻水銀·龍齒·占城香·沒藥·大蘇木等物. 命有司, 館待優厚, 及還, 厚賜金帛.

辛未[20日], 遣工部侍郎李仁靜如契丹, 賀永壽節兼賀正.

[戊寅[27日], 詔曰, "朕卽位以來, 心存好生, 欲使鳥獸昆虫, 咸被仁恩. 歲終儺禮, 磔五雞, 以驅疫氣, 朕甚痛之. 可貸以他物". ○司天臺奏, "瑞祥志云, '季冬之月, 命有司, 大儺旁磔, □[出]土牛, 以送寒氣'. 請造黃土牛四頭, 各長一尺高五寸, 以代磔雞", 從之:禮6季冬大儺儀轉載].[124)]

十二月[辛巳朔小盡,己丑], 丁酉[17日], 東女眞元尹阿豆簡等五十人來, 獻馬三十五匹.

○契丹東京民二十餘戶來投.

[癸卯[23日], 流星大如杯, 長十三尺許, 出織女, 入天市垣:天文1轉載].

辛巳[靖宗]七年, 契丹重熙十年, [宋康定二年→11月, 慶曆元年], [西曆1041年]

1041년 2월 3일(Gre2월 9일)에서 1042년 1월 24일(Gre1월 30일)까지, 356일

春正月庚戌朔[大盡,庚寅], 放朝賀.[125)]

---

124) 이 구절은『天地瑞祥志』권20, 儺를 인용한 것인데, 이것도『周禮』(『禮記』, 月令)에서 由來한 것이다(金一權 2002년). 이를 통해 위의 기사에서 出이 탈락되었음을 알 수 있다.

·『周禮』권6, 春官宗伯下, 占夢, 注疏, "季冬之月, 命有司, 大儺旁磔, 出土牛, 以送寒氣".

·『대당육전』권14, 太常寺, 太卜署, 太卜令, "… 太卜令掌卜筮之法, 以占邦家動用之事, 丞爲之貳, … 凡歲季冬之晦, 帥侲子入於宮中, 堂贈·大儺, 天子六隊, 太子二隊[注, '周禮', 男巫冬堂贈, 無方無筭. 鄭玄云, '贈, 送也. 歲終, 以禮送不祥, 其行必由堂始. 巫與神通, 言東則東, 言西則西, 可近則近, 可遠則遠, 無常數'. 大儺禮選人年十二已上, 十六已下爲侲子. 著假面, 赤衣布袴褶. 二十四人一隊, 六人作一行也]. 方相氏, 右□[手]執戈, 左□[手]執楯, 以導之. … 唱十二神, 以逐惡鬼. 儺者旣出, 乃磔雄□[鷄], 於宮門及城之四門, 以祭焉".

·『구당서』권44, 지24, 職官3, 太常寺, 太卜署, "… 太卜令掌卜筮之法, 丞爲之貳, … 歲季冬之晦, 帥侲子入宮, 堂贈·大儺[注, 贈, 送也, 堂中舞侲子, 以送不祥也]".

·『신당서』권48, 太常寺, 太卜令, "… 季冬, 帥侲子, 堂贈·大儺, 天子六隊, 太子二隊. 方相氏, 右□[手]執戈, 左□[手]執盾, 以導之. 唱十二神, 以逐惡鬼. 儺者出, 磔雄鷄于宮門·城門".

·『唐令拾遺補』(995面), "… 季冬晦, 堂贈·儺, 磔牲於宮門及城四門, 各用雄鷄一. 將預前一日, 所司奏聞". 이는『天地瑞祥志』에 의거하여 復原하였다고 한다(中村裕一 2014年 264面).

125) 이해[是年]의 1월은 宋曆·契丹曆·日本曆에서 辛亥朔인데, 고려만이 庚戌朔(宋曆의 12월 30

丙辰[7日], 西女眞大丞高支智等十五人來, 獻馬.

[某日, 戶部奏, "尙州管內中牟縣, 洪州管內枏城郡[~~槥城郡~~], 長湍縣管內臨津·臨江等縣, 民田, 多寡·膏瘠, 不均, 請遣使量之, 均其食役", 從之:節要轉載].[126)]

[某日, 門下省奏, "舊法, 凡犯罪者, 不得受永業田. 上將軍李洪叔曾犯憲章, 流配嶺表, 其妻子孫, 不當給田". 制曰, "洪叔, 昔在通州, 丹兵來攻, 城垂陷, 固守不下, 成不朽之功, 可賞延于世, 以激將來, 宜令給田":節要·食貨1田柴科轉載].

[某日, 三司奏, "諸道外官員僚, 所管州府稅貢, 一歲, 米三百碩, 租四百斛, 黃金一十兩, 白銀二斤, 布五十匹, 白赤銅五十斤, 鐵三百斤, 塩三百碩, 絲緜四十斤, 油蜜一碩, 未納者, 請罷見任", 從之:食貨1租稅轉載].[127)]

二月庚辰朔[大盡,辛卯], 尙書工部奏, "松岳東西麓植松, 以壯宮闕", 從之.

[某日, 門下省奏, "郡縣, 比年不登, 民常艱食, 實由方岳官吏, 政不合民心, 刑不順天意, 致傷和氣, 以至於此. 請下令, 恤刑勸農, 以救民瘼", 制可:食貨2農桑·節要轉載].[128)]

己丑[10日], 賜兪暢等及第.[129)]

壬寅[23日], 西女眞奉國將軍尼于大等十八人來, 獻名馬.

[癸卯[24日], 雨土, 色黃:五行3轉載].

三月庚戌朔[小盡,壬辰], 東女眞中尹也賜老等來朝.[130)]

[癸丑[4日], 內史令致仕崔士威卒:追加], [年八十一. 贈太師, 諡貞肅:列傳7崔士威轉載].[131)]

일)이다. 그래서 이해[是年]는 大盡이 8개월이 되어 12개월 356일의 奇現象이 나타나게 되었다. 일반적으로 12개월 중 大盡 6개월, 小盡 6개월의 354일, 또는 대진 7개월, 소진 5개월의 355일로 구성된다.

126) 이와 같은 기사가 지32, 食貨1, 經理에도 수록되어 있다.

127) 이 기사에서 사용된 碩과 斛은 石과 함께 사용된 동일한 容積이다(李宗峯 2016년 128面).

128) 『고려사절요』 권4에는 制可가 從之로 달리 표기되어 있다.

129) 이와 관련된 기사로 다음이 있다.

· 지27, 선거1, 科目1, 選場, "[靖宗]七年二月, 門下侍郎[平章事]黃周亮知貢擧, 取進士, 賜乙科兪暢·丙科四人·明經五人及第".

130) 中尹은 『고려사절요』 권4에는 中允으로 되어 있으나 前者가 高麗로부터 부여받은 官階(鄕職)이었기에 後者는 誤字일 것이다.

夏四月己卯□~~朔~~大盡,癸巳, 東女眞酋長大相伊盖等來朝.[132)]

[某日, 門下省奏, "北路寧州等三十三州, 東路高·和等州, 隣於狄境, 防禦事殷, 未嘗徵稅. 己卯年[靖宗5年]間, 有司奏定稅額, 前項兩路州鎭, 一年貢布, 五萬二百九匹, 折納餱糧, 一萬四千四十九斛. 由此, 邊民不樂, 請除放稅籍", 從之:節要·食貨1租稅轉載].

癸巳[15日], [小滿]. 設□□~~春例~~藏經道場于會慶殿. 春秋二季, 例設此會, 春六日, 秋七日.[133)]

五月[己酉朔小盡,甲午], 乙卯[7日], 謁顯陵[太祖].

丙辰[8日], 謁宣陵[顯宗], 制曰, "聖祖[太祖]統三之時, 扈從臣僚子孫, 有沈于厮庶, 未有官資者, 有司召試文武才藝, 皆許登仕. 仍賜上護軍~~上將軍~~洪賓·尹修已·大將軍韋靖·金琢磨·石忠·梁抱質·河興休·智孟·吳金甫·韓所寶·敷暢·監察御史金瓊, 馬各一匹".[134)]

庚午[22日], 設金剛明經道場于文德殿, 禱雨.

乙亥[27日], 雨.

[□□~~是月~~, 賜侍中徐訥, 几杖:節要轉載].

[六月以前, 王欲封僧統決凝爲王師, 遣中樞院知奏事·兵部侍郞王寵之宣諭, 凝

---

131) 이는 「崔士威墓誌銘」에 의거하였는데, 이날은 율리우스曆으로 1041년 4월 7일(그레고리曆 4월 13일)에 해당한다.

132) 己卯에 朔이 탈락되었다.

133) ~~添字~~는 『고려사절요』 권4에 의거하였다. 고려시대에는 每年 春·秋에 大藏經의 轉經과 消灾道場을 開設하였다고 한다.

· 『보한집』 권중, "每歲春秋, 轉大藏經及與消災道場, 命誥院詞臣作四韻音讚詩".

· 『大覺國師文集』 권1, 新集圓宗文類序, "… 我國家, 一統三韓, 僅二百載, 光揚三寶, 誘掖群迷, 累朝敦外護之緣, 當世協中興之化, 緬承付囑, 寔在休明. 每年春秋, 於大內會慶殿, 請百法師, 開設看大藏經會等道場佛事. 又三年一度, 置仁王般若百座大會, 齋僧三萬人, 以爲恒式. …".

· 『동문선』 권110, 轉大藏經道場䟽, "特爲社稷靈長, 人民殷富, 謹准前規, 於闕內會慶殿, 自今月某日起始, 約幾日夜, 開設精嚴道場, 供養本師釋迦文佛爲首, 一會聖賢, 兼請名師, 轉讀大藏經, 殊勝功德者, …"(鄭知常 作).

· 『동문선』 권110, 又[轉大藏經道場䟽], "特爲宗社底安, 邦家永泰, 祗率舊章, 於天成殿, 自今月十日之夕起首, 約六晝夜, 開啓轉大藏經道場, 備嚴科儀, 供養敎主釋迦如來爲首, 一會賢聖, 以乞來成之福者, …"(鄭知常 作).

134) 이때의 上護軍은 勳官의 視正三品인지(→현종 7년 6월 4일), 上將軍(正三品)의 誤字인지를 판가름하기가 어렵지만, 後者일 가능성이 있다(朴龍雲 2009년 640面).

堅持而疊讓, 以三返之禮後, 就之:追加].[135]

六月[戊寅朔大盡,丁未], 乙酉[8日], 東女眞正甫烏夫等二十六人來朝.

[○某日, 雨絲, 幸城南奉恩寺, 奉安聖考安宗之眞. 仍迎入王師決凝, 行摳衣之禮:追加].[136]

秋七月[戊申朔大盡,丙申], 己未[12日], 西女眞歸德將軍所智羅等來朝.

辛酉[14日], 契丹遣衛尉少卿耿致君來, 賀生辰.

八月[戊寅朔小盡,丁酉], [某日, 命判西北路兵馬事·尙書左僕射崔冲行邊. 王御便殿, 賜衣遣之:節要轉載].

乙未[18日], [秋分]. 東女眞柔遠將軍波乙達等五十人來朝.

是月, 彗星見東方, 長三十尺許, 二十餘日乃滅.

九月丁未朔[大盡,戊戌], 尙書兵部奏, "選軍別監選取文武班七品以上員子弟, 除業文赴擧外, 並充軍伍. 此雖安不忘危之慮, 然皆累世勳舊之子孫, 故祖宗以來, 不與于役. 況在甲子[顯宗15年]·丙子年[靖宗2年]間, 已有禁制, 非惟忘其先世之功, 亦違舊制. 請勿充隊伍", 從之.

[□□[是月], 城寧遠·平虜二鎭:節要轉載].[137]

[→[判西北路兵馬事]崔冲城寧遠·平虜二鎭, 寧遠城七百五十九間, 堡子八區內, 金剛戍四十二間, 宣威戍六十一間, 宣德戍五十間, 長平戍五十三間, 鼎岑戍三十八間, 鎭河戍四十二間, 鐵墉戍六十一間, 定安戍三十二間, 關城一萬一千七百間. 平虜城五百八十二間, 堡子六, 區內, 檮戎戍三十六間, 鎭兇戍三十間, 直岑戍四十一間, 降魔戍

135) 이는 「榮州浮石寺圓融國師塔碑」에 의거하였다.

136) 이는 「榮州浮石寺圓融國師塔碑」에 의거하였다. 여기에서 雨絲는 細雨를 가리킨다.

137) 이들 鎭城의 축조에 관련된 기사로 다음이 있는데, 이때 西女眞의 酋長 高之知 등 12人이 協力하였다고 한다(→정종 8년 2월 22일).

· 지12, 지리3, 平虜鎭, "靖宗七年, 命崔冲, 築城, 後改柔遠".
· 지12, 지리3, 寧遠城, "靖宗七年, 命崔冲, 築城".
· 열전8, 崔冲, "靖宗朝, 除尙書左僕射·參知政事·判西北路兵馬事, 王命冲行邊境拓定城池, 賜衣遣之. 冲置寧遠·平虜等鎭及諸堡十四還".

五十間, 折衝戍三十間, 靜戎戍三十間, 關城一萬四千四百九十五間:兵2城堡轉載].

冬十月[丁丑朔小盡,己亥], [某日], 幸鎬京.

○彗星長三十尺許, 出東方十餘日.

辛巳[5日], 駕至大同江, 留守使·參知政事皇甫穎, 奉迎江頭. 王御龍船, 賜宴輔臣, 命將軍 承愷等射. 右拾遺金尙賓進諫, 乃止, 入御宣恩館.

[乙酉[9日], 震人于宣恩館外:五行1雷震轉載].

[○暴雨:五行2轉載].

己丑[13日], 設八關會, 御靈鳳門, 受百官賀, 賜酺. 遂幸興國寺, 行香, 移御長樂宮.

己亥[23日], 以崔沖爲內史侍郞平章事, [參知政事]皇甫穎△[爲]守司空·左僕射.

十一月丙午朔[大盡,庚子,138] 至自鎬京.

○加[門下侍中]徐訥·[上將軍]洪賓·□[李]有暹·安甫·高烈等重大臣.[139]

己未[14日], 宋商王諾等來, 獻方物.

○東女眞柔遠將軍沙伊羅·寧塞將軍耶於盖等六十二人來, 獻馬.

[是月丙寅[20日], 宋改康定二年爲慶曆元年:追加].[140]

十二月[丙子朔大盡,辛丑], 辛巳[6日], [小寒]. 閱射于東池龜齡閣.

壬午[7日], 東女眞奉國將軍阿加主等五十五人來, 獻土物.

[□□[~~是月~~,] 築東路豢猳縣城:節要轉載].

[→城東路豢猳縣一百六十八間:兵2城堡轉載].

[是歲, 遣翰林學士承旨朴有仁·右丞李惟亮如契丹,賀册禮,判衛尉事柳參獻方物→靖宗9年으로 옮겨감].[141]

---

138) 丙午는 宋曆에서는 10월 30일이지만, 高麗曆은 日本曆과 같이 11월의 朔日이다.

139) 이 기사에 有暹은 李有暹을 가리키는 것으로 李가 탈락되었을 것이다.

140) 이는 다음의 자료에 의거하였다.
『송사』 권11, 본기11, 인종3 慶曆 1년 11월, "丙寅, 祀天地于圜丘, 大赦, 改元".

141) 契丹의 群臣들이 황제 및 황후에게 尊號를 올린 것[加上尊號]은 明年(1042년, 重熙11) 11월 18일(丁亥)이며, 고려가 사신을 보내와 하례한 것은 次明年(1043년, 重熙12) 3월 25일(壬辰)이다(『요사』 권19, 본기19, 興宗2, 重熙 11년 11월 丁亥, 重熙 12년 3월 壬辰 ; 권70, 表8, 屬

[是年, 以東界巴只[注, 一云宣威], 爲定州防禦使, 置關門:轉載].[142]

[是年四月, 契丹, 罷修鴨淥江浮梁及漢兵屯戍之役:追加].[143]

壬午[靖宗]八年, 契丹重熙十一年, [宋慶曆二年], [西曆1042年]

1042년 1월 25일(Gre1월 31일)에서 1043년 2월 12일(Gre2월 18일)까지, 13개월 384일

春正月丙午朔小盡,壬寅, 放朝賀.

[某日, 侍中徐訥再上表, 乞退, 不允:節要轉載].

己酉4日, 東女眞首領昆豆等來, 獻駿馬駿馬.

甲寅9日, 金吾衛上將軍·刑部尙書安保, 上表請老, 不允.

庚申15日, 西北路兵馬使籍鴨綠以東, 至淸塞鎭轄下立石村蕃戶, 以聞.

己巳24日, 東女眞歸德將軍阿兜幹等四十九人來, 獻土物.[144]

二月乙亥朔小盡,癸卯, 戊寅4日 東女眞柔遠將軍高之間等三十六人來, 獻土物, 拜職有差.

戊子14日, 燃燈, 王如奉恩寺.

丙申22日, 西女眞酋長高之知等十二人來, 獻土物. ○禮賓省奏, "之知等於往年, 平虜·寧遠兩城拓開之時, 頗有勞效, 請優賜禮物", 從之.

己亥25日, 東京副留守崔顥·判官羅旨說·司錄尹廉·掌書記鄭公幹等奉制, 新刊'兩漢書'與'唐書', 以進, 並賜爵.

國表 : 권115, 열전45, 二國外記, 高麗). 그러므로 이 기사는 정종 9년으로 옮겨 가야 옳게 될 것이다[校正事由].

142) 이는 다음의 기사를 전재하였다.
- 지12, 지리3, 定州, "古稱巴只[注, 一云宣威], 靖宗七年, 爲定州防禦使, 置關門".
- 『세종실록』 권155, 지리지, 定平都護府, "… 古稱巴只. 高麗靖宗七年辛巳[注, 宋仁宗慶曆元年], 始築城堡, 爲定州防禦使. 恭愍王丙申, 改爲都護府, 本朝太宗癸巳, 改定平, 嫌平安道 定州牧也".
- 『신증동국여지승람』 권48, 定平都護府, 建置沿革, "古稱巴只[注, 一云宣威], 高麗成宗二年, 置千丁萬戶府. 靖宗七年, 始築城堡, 置關門, 爲定州防禦使". 여기에서 千丁萬戶府는 實體알 수 없다.

143) 이는 『요사』 권19, 본기19, 興宗2, 重熙 10년 4월에 의거하였다.

144) 이 기사에서 阿兜幹은 『고려사절요』 권4에는 阿都幹으로, 世家6, 靖宗 9년 7월 丁丑(12일)에는 阿豆幹으로 달리 표기되어 있다.

[是月, 登仕郎·司宰丞同正·臨陂縣令崔積良造成'金剛般若波羅密經'一千卷:追加].[145]

三月甲辰朔大盡,甲辰, 乙巳2日, 內史門下奏, "請御殿視朝之日, 令百官各自奏對", 從之.

[戊申5日, 尙書禮部奏, "今四月, 當行禘祫, 而二十一日, 將行王后册封禮, 其禘祫, 請行攝事". 內史門下奏, "禘祫固有定期, 封册自可從宜, 請先行禘禮", 從之: 禮3吉禮大祀轉載].[146]

[→禮部奏, "今四月, 當行禘祫, 而王后册封都監, 將以二十一日, 行册禮, 其禘祫, 請行攝事". 內史門下奏, "禘祫固有定期, 封册自可從宜, 請先行禘禮", 從之: 節要轉載].

丙辰13日, 西北女眞寧塞將軍耶於盖等來, 獻土物.

甲子21日, □□□~~西女眞~~將軍尼亏弗等四十七人來, 獻土物.[147]

夏四月甲戌朔小盡,乙巳 丙戌13日, 霜.[148]

壬寅29日, 東女眞大相吳於達, 請耕牛, 乃賜東路屯田司牛十頭.

---

145) 이는 다음에 의거하였다(南權熙 2002년 8面 ; 崔然柱 2015년).

· 『金剛般若波羅密經』 卷末의 刊記, "菩薩戒弟子南贍部州高麗國臨陂縣令」登仕郞·司宰丞同政同正·臣崔積良,」伏聞我」大王殿下,去年四月」遐齡,雖保於天長,發疾暫勞,於月」厄,弟子特披心,禱仰乞」佛恩,果將法力,以陰扶救寧病質,」遂使」聖躬, 而再起統御群邦, 爰瀝丹誠,」欲酬前擔誓?, 刻成'金剛般若經'一千卷,印」施普散者, 時重熙十一年二月 日謹記,」戒珋』".

146) 禘祫[禘祫]은 殷代 이래 太廟[宗廟]에서 행해진 祭祀인데, 이것의 實相에 대해서는 여러 견해가 있는 것 같다.

· 『후한서』 권3, 章帝紀3, 卽位年(永平18), "十二月癸巳, 有司奏言, '孝明皇帝聖德純茂, … 其四時禘祫, 於光武之堂, 閒祀悉還更衣[李賢注, '~~續漢書~~曰, 五年再殷祭, 三年一祫, 五年一禘. 父爲昭, 子爲穆, 北向. 禘以夏四月, 祫以冬十月. …], 共進武德之舞, 如孝文皇帝祫祭高廟故事', 制曰可".

· 『자치통감』 권214, 唐紀30, 玄宗開元 27년(739) 12월, "… 初, 睿宗喪旣帝, 祫於太廟, 自是三年一祫, 五年一禘. 是歲, 夏旣禘, 冬又當祫. 太常議以爲祭數則瀆, 請停今年祫祭, 自是通計五年一祫, 一禘, 從之[胡三省注, 史言如此, 乃合於五年再殷祭之義], …".

· 『國故論衡』, 明解故下, "禘祫之言, 訩訩爭論, 旣二千年. 若以禘祫同爲殷祭, 祫名大事, 禘名有事, 是爲禘小於祫, 何大祭之云? 故知周之廟祭有大嘗·大烝, 有秋嘗·冬烝. 禘祫者大嘗·大烝之異語, …".

147) 將軍尼亏弗은 현종 9년 9월 丁亥(28일)에는 東女眞尼亏弗로, 덕종 2년 3월 辛未(6일)에는 西女眞將軍尼亏弗로 表記되어 있는데, 여기에서는 후자를 택하여 보충하였다.

148) 이와 같은 기사가 지7, 五行1, 水, 霜에도 수록되어 있다.

五月[癸卯朔小盡,丙午], 己巳[27日], [夏至]. 王如玄化寺.

六月[壬申朔大盡,丁未], 乙亥[4日], 王以太祖諱辰道場, 如開國寺.[149)]

丁丑[6日], 制曰, "農事方殷, 時雨阻降, 凡可以救旱者, 有司具以奏聞".

庚辰[9日], 禱雨于宗廟·山川.[150)]

甲申[13日], [小暑]. [三重大匡·]內史令徐訥卒.[151)] [訥, 熙之子. 初訥遘疾, 在地藏寺. 王遣右承宣金廷俊, 問疾, 仍以御衣二襲·穀一千碩·馬二匹, 納寺祈福, 疾篤 親臨視之. 制, 加三重大匡·內史令, 賜子孫永業田. 及卒, 王御重光殿廊下, 擧哀, 諡元肅, 後配享王廟:節要轉載].[152)]

[→及卒, 王哀悼, 贈諡簡敬, 後配享靖宗廟庭. 宣宗三年, 避先王[定宗]諡, 改元肅: 列傳7徐訥轉載].

丙戌[15日], 都兵馬使奏, "東路烈山縣寧波戍隊正簡弘, 與賊鬪, 衆寡不敵, 矢盡力窮而死, 請追加職賞", 從之.

○東女眞歸德將軍耶伊弗等二十五人來朝.

乙未[24日], 內史侍郞平章事劉徵弼卒.[153)]

秋七月[壬寅朔大盡,戊申], 乙巳[4日], 延昌宮妃卒.[154)]

[丁未[6日], 衆星流轉:天文1轉載].

乙卯[14日], 契丹遣吏部郞中馮立來, 賀生辰.

---

149) 太祖 王建의 忌日은 5월 29일이므로, 이 時期前後에 忌辰道場이 開設되고 있었던 것 같다.

150) 宋에서도 이달의 7일(戊寅)에 비를 빌었다(『송사』 권66, 지19, 오행4).

151) 이날은 율리우스曆으로 1042년 7월 2일(그레고리曆 7월 8일)에 해당한다.

152) 이와 관련된 기사로 다음이 있다.

· 지18, 禮6, 諸臣喪, "六月, 內史令徐訥卒, 王御重光殿廊下, 擧哀. 貴臣擧哀, 與諸王同, 其異者, 一擧哀而止耳".

· 열전7, 徐熙, 訥, "疾篤, 親臨視之, 制加三重大匡·內史令, 賜子孫永業田. 及卒, 王哀悼, 贈諡簡敬. 後配享靖宗廟庭. 宣宗三年, 避先王諡, 改元肅. 初, 弼父神逸郊居, 有鹿犇投, 神逸拔其箭而匿之, 獵者至, 未獲而返. 夢有神人謝曰, 鹿吾子也. 賴君不死, 當令公之子孫, 世爲卿相. 神逸年八十, 生弼, 弼·熙·訥果相繼爲宰相".

153) 이날은 율리우스曆으로 1042년 7월 13일(그레고리曆 7월 19일)에 해당한다.

154) 延昌宮妃가 누구인지 알 수 없는데, 이날은 율리우스曆으로 1042년 7월 23일(그레고리曆 7월 29일)에 해당한다.

八月壬申朔小盡,己酉, 戊寅7日, 以李子淵爲中樞副使~~中樞院使~~.[155]
庚辰9日, 東女眞柔遠將軍沙伊羅等六十八人來, 獻土物.
甲申13日, 御宣政殿, 聽斷刑部奏讞.

九月辛丑朔大盡,庚戌, 丁巳17日, 東女眞歸德將軍阿盖等五十人來, 獻方物.
乙丑25日, 西北女眞柔遠將軍高豆老等來, 獻土物.

[閏九月辛未朔大盡,庚戌:追加].

[冬十月辛丑朔小盡,辛亥:追加].

冬十一月庚午朔大盡,壬戌, [甲申15日, 月食:天文1轉載].[156]

辛卯22日, 契丹遣檢校禮部尙書兼御史□□~~大夫~~王永言來,[157] 詔曰, "朕以關南十縣, 我國舊基, 將擧兵師, 議復土壤. 宋朝累馳專介, 懇發重言, 定於舊貢銀絹三十萬兩匹外, 每年別納金繒之儀, 用代賦與之物. 再論盟約, 永卜歡和. 其諸道兵馬等, 優給蠲免賦調, 並已放還本部. 夫何眇躬, 成此美事. 今文武百辟, 中外庶官, 屢拜封章, 載稽典故, 謂予有元功大略, 加予以懿號鴻名. 不獲固辭, 勉依群請, 已撰定十一月三日, 兩宮並行大禮. 卿稱藩事上, 望闕輸忠, 遐想聞知, 必增慶悅. 今差禮部尙書王永言賫詔, 往彼示諭".[158]

---

155) 中樞副使는 中樞院使[中樞使]의 오자이다. 李子淵은 1040년(정종6) 9월 5일(丁巳)에 知中樞院事에 임명되었으므로 이때는 中樞院使에 임명되었을 것이고, 그의 묘지명에도 中樞副使→知中樞院事→中樞院使의 순서로 歷官이 기재되어 있다(李子淵墓誌銘). 이때 李子淵은 中樞院使·右散騎常侍에 임명되었다(『동문선』 권25, 賜李子淵中樞使·右□□散騎常侍敎書, 여기에서 散騎가 省略되었을 것이다).

156) 이날은 율리우스력의 1042년 12월 29일이고, 월식 현상이 심했던 때의 世界時는 10시 23분, 食分은 0.29이었다(渡邊敏夫 1979年 472面).

157) 御史는 御史大夫의 잘못일 것이다.

158) 延世大學本과 東亞大學本에는 間으로 되어 있으나 聞의 誤字이다(東亞大學 2008년 2책 372面). 또 이때 契丹과 宋의 盟約은 1004년(統和22) 12월 송과 거란이 澶州(現 河南省 濮陽市, 黃河를 渡河할 수 있는 要衝)에서 쟁패전을 전개하려다가 和議한 澶淵의 盟에서 결정한 歲幣 30萬(絹 20萬疋, 銀 10萬兩)을 각각 10萬 씩을 增額시키고 文書에는 바친다[貢]로 기록[稱]한다는 약속이다(이의 체결은 율리우스曆은 1005년 1월임). 이는 兩國이 對等한 관계의 두 國家였으나 이때의 改約(明約)은 거란의 優位가 인정되는 形式으로 같은 해(1042년) 9월 25일

丁酉[27日], 東女眞寧塞將軍冬弗等來, 獻馬.

十二月[庚子朔大盡,癸丑], 癸卯[4日], 致仕門下侍郎~~同內史門下~~平章事皇甫兪義卒.[159)]
[乙巳[6日], 日有四抱, 白虹貫日:天文1轉載].
甲寅[15日], 以李令幹爲秘書少監兼翰林侍講學士.

[是年, 判[刪], "國子監諸業學生, 年壯不成才者, 充光軍":兵1五軍轉載].
[○僧祂雲受具足戒於某寺戒壇, 時雲年十二:追加].[160)]

癸未[靖宗]九年, 契丹重熙十二年, [宋慶曆三年], [西曆1043年]

1043년 2월 13일(Gre2월 19일)에서 1044년 2월 1일(Gre2월 7일)까지, 354일

春正月庚午朔[小盡,甲寅], 放朝賀.
庚辰[11日], 以黃周亮爲[推忠盡節文德匡國功臣·特進:列傳8黃周亮轉載]·守太保兼門下侍中·判尙書吏部事·上柱國.
甲申[15日], 西女眞歸德將軍骨盖等三十六人來, 獻土物.
[乙酉[16日], 白翎鎭火, 延燒城門二百餘間·倉庫五十間·民廬三百餘所:五行1火災轉載].[161)]

二月[己亥朔小盡,乙卯], 壬寅[4日], 以崔齊顔爲門下侍郎同內史門下平章事·判尙書戶部事,[162)]

(乙丑)에서 윤9월 13일(癸未) 사이에 체결된 것 같다(『속자치통감장편』 권137, 慶曆 2년 9월 乙丑 ; 『요사』 권19, 본기19, 興宗2, 重熙 11년 閏9월 癸未).

159) 여타의 사례에서는 '官職+致仕'로 표기되었는데, 이 기사에서만 '致仕+官職'으로 예외적인 경우이다. 이날은 율리우스曆으로 1043년 1월 17일(그레고리曆 1월 23일)에 해당한다.

160) 이는 「開城弘護寺住持等觀僧統墓誌銘」에 의거하였다(金龍善 2006年 50面).

161) 白翎鎭은 현재의 仁川廣域市 甕津郡 白翎面[白翎島]에 있었다. 이의 遺趾는 아직 찾아지지 않지만 白翎面 鎭村里 807番地 一帶, 곧 白翎天主敎會 隣近의 丘陵으로 추측되고 있다(仁川廣域市 甕津郡 2013년 43面).

162) 이해의 6월에 崔齊顔이 天龍寺(慶州 南山에 위치)에 바친 信書에는 檀越·內史侍郞同內史門下平章事·柱國으로 되어 있었다고 하는데(『삼국유사』 권3, 塔像第4, 天龍寺), 여기에 기록된 重熙九年六月日은 重熙八年六月日의 잘못일 수도 있을 것이다. 또 1998년 天龍寺址의 發掘이

[內史侍郎平章事]崔冲△[爲]守司徒·修國史·上柱國, 皇甫穎爲內史侍郎同內史門下平章事·上柱國, 李作忠爲內史侍郎同內史門下平章事·判尙書禮部事, 金廷俊·高肅成爲左·右承宣.

壬子[14日], 燃燈, 王如奉恩寺.

[乙卯[17日], 熒惑·太白並失度:天文1轉載].

三月[戊辰朔大盡,丙辰], 丙子[9日], 西女眞酋長高豆老等四十人來, 獻土物.

己丑[22日], 設百座道場于會慶殿, 飯僧一萬.

壬辰[25日], 東女眞將軍開老等四十人來, 獻馬.

夏四月戊戌□[朔小盡,丁巳], 東北路兵馬使奏, "□[東]女眞柔遠將軍沙伊羅, 誘致水陸賊首羅弗等四百九十四人, 詣和州館, 請朝". 有司議奏, "此類人面獸心, 宜令兵馬使, 量減人數, 分次赴朝", 從之.[163)]

壬寅[5日], 制曰, "時雨愆期, 農功可慮. 豈刑罰不中, 而民有怨乎. 所司, 其審流罪以下, 皆令原放".[164)]

癸卯[6日], 東女眞將軍尼多弗等來朝.

[某日, 禁中外男女錦繡·銷金·龍鳳紋·綾羅衣服:刑法2禁令轉載].

五月丁卯朔[小盡,戊午], 日食.[165)] 制曰, "寡人不德, 致此旱乹, 屢有災變, 宜令尙食

이루어졌는데, 이때 崔齊顏이 중창했던 建物의 痕迹을 찾지 못했다고 한다(慶州文化財硏究所 1998년).

163) 戊戌에 朔이 탈락되었다.

164) 이때 王師 決凝을 文德殿에 招致하여 華嚴經[雜花經]을 講說하게 하여 비를 빌었다고 한다(祈雨, 浮石寺圓融國師塔碑). 이때 日本에서는 1월에서 5월에 걸쳐 全國에서 旱魃이 있었다가(中央氣象臺 1941年 2冊 529面), 5월 13일(己卯, 高麗曆과 同一) 日本列島와 韓半島에 걸쳐 降雨가 시작되었던 것 같다. 또 宋에서도 春夏에 비가 오지 않아 使臣을 嶽瀆에 파견하여 비를 빌었다(『송사』 권11, 본기11, 인종3, 慶曆 3년 4월 丙辰[19日] ; 권66, 지19, 오행4).

· 『扶桑略記』 28, 長久 4년, "五月一日, 日食, 天下旱魃. 八日, 令僧正仁海於神泉苑, 修請雨經法. 十三日午後, 雨下".

· 『祈雨日記』, "長久四年, 自正月至于五月, 旱魃, … 五月八日, 僧正仁海, 於神泉苑修請雨經, 十三日午後, 雨脚快降, 十四日甘雨猶降".

165) 이날 宋과 日本에서도 일식이 있었다(『송사』 권52, 지5, 천문5, 日食 ; 『扶桑略記』 28, 長久 4년). 이날은 율리우스력의 1043년 6월 10일이고, 開京에서 일식 현상이 심했던 시간은 5시 44

局, 放鷹鷂軍, 又禁籠滬捕魚".

甲戌[8日], [夏至]. 肆赦.

戊寅[12日], 避正殿.

己卯[13日], 雨.

[庚辰[14日], 興國寺門廊二十一間, 自頹, 壓死八十餘人: 五行2轉載].

[辛卯[25日], 松岳神祠大石頹: 五行3轉載].

乙未[29日晦], 雨. 百官詣乾德殿表賀.

六月[丙申朔大盡,己未], 丙午[11日], 以金令器爲刑部尙書.

丁巳[22日], 東女眞酋長紐弗達等二十五人來朝.

○東北路兵馬使奏, "沿海分道判官皇甫瓊獨領戰艦, 深入大洋, 奮擊水賊, 俘斬甚衆, 請行褒賞", 從之.

[某日, 制, "罪不及孥, 前典彝訓, 誅殺人等無罪之子, 禮當行服, 其三年大喪, 依制行服, 其他五服, 勿令給暇": 禮6五服制度轉載].

秋七月[丙寅朔小盡,庚申], 丁卯[2日], 契丹遣侍御史姚居善來, 賀生辰.

丁丑[12日], 東女眞酋長阿豆幹等六十六人來朝.

[是月, 判[制], "州縣稅糧納官時, 令輸人自量": 食貨1租稅轉載].

八月[乙未朔大盡,辛酉], 己未[25日], 決內外死刑, 避正殿, 素膳輟樂.

九月[乙丑朔大盡,壬戌], 壬申[8日], 親醮于毬庭.[166]

丁丑[13日], 有司奏, "重光寺成造都監使[造成都監使]鄭莊,[167] 與吏胥承迪,[168] 盜監臨之物. 請准法杖配". 制, "從輕典". 御史臺論, "請依律科斷". 允之.

분, 食分은 0.34이었다(渡邊敏夫 1979年 305面).

166) 이 기사는 지17, 禮5, 雜祀에도 수록되어 있다.

167) 여러 판본의 『고려사』와 『고려사절요』 권4에서 成造都監으로 되어 있으나 造成都監이 옳을 것이다(東亞大學 2008년 2책 374面).

168) 延世大學本과 東亞大學本에는 史胥로 되어 있으나 吏胥의 오자일 것이다(東亞大學 2008년 2책 374面).

庚辰16日, 東女眞寧塞將軍冬弗老·柔遠將軍沙伊羅等, 率化外女眞八十人來朝. 奏云, "化外人, 妄懷狼戾, 曾擾邊疆, 洎蒙洪育, 頓改前非. 今引水陸蕃長, 詣闕陳款, 願爲邊民, 自今每侯隣寇動靜, 以報". 王嘉之, 特賜金帛, 加等.

[癸未19日, 月犯昴星:天文1轉載].

[□□是月, 城寧朔·樹德二鎭:節要·兵2城堡轉載].

冬十月乙未朔大盡,癸亥, 壬寅8日, 東女眞寧塞將軍耶沙盖等八十人來, 獻方物.

十一月乙丑朔小盡,甲子, 戊寅14日, 東京回禮使·檢校左僕射張昌齡來.

辛巳17日, 契丹遣册封使蕭愼微, 使副韓紹文, 都部署·利川管內觀察留後劉日行, 押册使·殿中監馬至柔, 讀册□宰·將作少監徐化洽, 傳宣□宰·檢校左散騎常侍韓貽孫等一百三十三人來.

丁亥23日, 王設壇受命, 詔曰, "朕猥以眇德, 嗣受丕圖, 賴六聖之垂休, 致八方之咸乂. 近從群懇, 祗受鴻名, 凡在照臨, 畢均慶賞. 卿世欽聲朔, 地襲土茅, 航深罄述職之儀, 事大竭爲臣之節. 屬陳鉅禮, 載擧彝章, 特推進秩之恩, 併茂疇庸之數. 今遣使·左監門衛上將軍蕭愼微, 使副·尙書禮部侍郎韓紹文, 持節備禮册命. 幷賜車服·冠劒·印綬及國信物等, 具如別錄, 到可祗受". ○册文曰, "朕膺穹旻之寄, 紹祖宗之基, 四表歸仁. 偃靈旗而定覇, 百官考禮, 鏤寶册以加尊. 逷眷帝臣, 踐開國社, 航海之誠靡怠, 帶河之誓愈堅. 屬覃慶之在辰, 宜頒恩而及遠, 式遵徽典, 特擧寵章. 咨爾輸忠·保義·奉國功臣·開府儀同三司·守太保兼侍中·上柱國·高麗國王·食邑七千戶·食實封一千戶王亨, 英·哲間開時, 仁慈纘服. 張皇土宇, 亘日域以分圻, 尊奬天朝, 仰宸居而送款, 戴舜, 樹弼成之業, 匡周規夾輔之勳, 化被蒼隅, 聲敷青畎. 朕昨戒嚴駕, 巡撫京畿, 邦尹展肆覲之儀, 都人契來蘇之望. 干戈不試, 獄市惟齊, 群方則慕義向風, 交馳玉帛, 鄰國則畏威懷德, 增納金縑. 聿臻累洽之期, 適享虛名之册. 是推皇澤, 首及王藩, 進絶席之崇資, 正專車之峻秩. 爰田益賦, 美號褒功. 是用遣使蕭愼微·使副韓紹文, 持節備禮, 册命汝爲守太傅兼中書令, 加食邑三千戶·食實封三百戶. 仍賜同德·致理四字功臣, 散官勳爵如故. 於戲, 守君子國, 冠諸侯王. 論道而爲周師, 奮庸而登漢相, 維堅臣節, 以答皇家. 享富貴於昌時, 傳功名於長世, 輝流竹素, 永惟欽哉".

<u>丙寅</u>~~庚寅~~26日,[169] 東蕃賊以船八艘, 寇登州管內瑞谷縣, 虜四十餘人, 以不謹備防, 罪其將卒.

十二月甲午朔大盡,乙丑, 庚申,27日 乇羅國星主·游擊將軍<u>加利</u>奏, 王子<u>豆羅</u>近因卒, 一日不可無嗣, 請以號仍爲王子. 仍獻方物. [乇羅, 卽耽羅也:節要轉載].
[某日, <u>判</u>𠕁, 諸公私米布貸者, 身歿後, 勿許追徵:食貨2借貸轉載].

[是歲, 遣翰林學士承旨<u>朴有仁</u>·右丞<u>李惟亮</u>如契丹, 賀册禮, 判衛尉□寺事<u>柳參</u>獻方物←靖宗7年에서 옮겨옴].[170]

甲申[靖宗]十年, 契丹重熙十三年, [宋慶曆四年], [西曆1044年]

1044년 2월 2일(Gre2월 8일)에서 1045년 1월 20일(Gre1월 26일)까지, 354일

[春正月甲子朔大盡,丙寅:追加].

[春二月甲午朔小盡,丁卯, 某日, 以禮成江兵船一百八十艘, 漕轉軍資, 以實西北界州鎭倉廩:節要·兵2屯田轉載].

[三月癸亥朔小盡,戊辰:追加].

夏四月壬辰朔大盡,己巳, 庚戌19日, 東女眞一千四十五人, 執贄請盟, 各賜衣著·銀器.

---

169) 이달의 기사는 戊寅(14일), 辛巳(17일), 丁亥(23일), 丙寅(2일)의 순서로 되어 있고, 『고려사절요』 권4에도 순서가 같다. 그러므로 丙寅(2일)은 庚寅(26일)의 오자일 것이다.

170) 이는 다음의 자료에 의거하여 1041년(정종7)의 기사를 이동하여 왔다. 이들 기사에 의하면 1042년(정종8, 重熙 11년 11월 18일(丁亥)에 群臣들이 皇帝 및 皇后의 號를 높였던 것[加上尊號]을 하례하였을 것이고(『요사』 권19, 본기19, 興宗2, 重熙 11년 11월 丁亥), 고려에서 사신이 파견된 것은 1043년(정종9, 重熙12) 2月頃이었을 것이다[校正事由].
· 『요사』 권19, 본기19, 興宗2, 重熙 11년 11월, "丁亥18日, 群臣加上尊號曰, '聰文聖武英略神功睿哲仁孝皇帝, 册皇后蕭氏曰, 貞懿宣慈崇聖皇后. 大赦".
· 『요사』 권19, 본기19, 興宗2, 重熙 12년 3월, "壬辰25日, 高麗國以加上尊號, 遣使來賀".
· 『요사』 권115, 열전45, 二國外記, 高麗, "重熙十二年三月, 以加上尊號, 來賀".

○賜金元鉉等及第.[171]

五月[壬戌朔小盡,庚午], 丁卯[6日], 東女眞將軍仇羅等二十五人來, 獻土物.

六月[辛卯朔小盡,辛未], 乙巳[15日], 王受普薩戒[~~菩薩戒~~]於乾德殿.[172]

秋七月[庚申朔大盡,壬申], 癸酉[14日], 契丹遣檢校太保劉從政來, 賀生辰.
[某日], 遣右僕射李壞·尙舍奉御崔希正如契丹, 謝封册.[173]
[某日, 制, "凡納穀內外官者, 許令自量":節要轉載].[174]

八月[庚寅朔小盡,癸酉], 癸卯[14日], 東女眞將軍阿刀閒等四十六人來, 獻土物.

九月[己未朔大盡,甲戌], 辛酉[3日], 東女眞將軍沙伊羅等六十六人來, 獻土物.
癸亥[5日], 東女眞將軍包伎等五十九人·西女眞大將軍高豆老等二十七人來, 獻土物.
丁卯[9日], 東女眞將軍仇尼道等二十六人來, 獻土物.

[冬十月[己丑朔小盡,乙亥], 某日, 城長州·定州·元興鎭:節要轉載].[175]

---

171) 이와 관련된 기사로 다음이 있다.
· 지27, 선거1, 科目1, 選場, "[靖宗]十年四月, 內史侍郎[平章事]李作忠知貢擧, 取進士, 賜乙科金元鉉等四人·丙科五人·同進士七人·明經二人·恩賜二人及第".

172) 여러 판본의 『고려사』에서 普로 되어 있으나 『고려사절요』에는 菩로 되어 있는데, 後者가 옳을 것이지만, 並用되는 글자이다(東亞大學 2008년 2책 376面).
· 『자치통감』 권222, 唐紀38, 肅宗上元 2년(761), "九月甲申[3日], 天成地平節, 上於三殿置道場, 以宮人爲佛菩薩[胡三省注, 釋典曰, 菩, 普也. 薩, 濟也. 言能普濟衆生也], 士爲金剛神王, 召大臣膜拜圍繞".

173) 이날 李壞·崔希正 등을 契丹에 보내 册封을 사례한 것 이외에도 이해[是年]에 3차에 걸쳐 사신을 파견하여 朝貢을 바쳤다(『요사』 권19, 본기19, 興宗2, 重熙 13년 3월 丁亥[25日], 6월 丙午[16日], 12월 己亥[12日]).

174) 이와 類似한 記事로 다음이 있는데, 그 시기가 前年(정종9) 7월이었다고 한다. 이는 동일한 자료[同源史料]인 『정종실록』을 기전체인 『고려사』를 편찬하면서 시기정리를 잘못한 결과로 추측된다[繫年錯誤].
· 지32, 식화1, 田制, 租稅, "[靖宗]九年[~~十年~~]七月, 判[制], 州縣稅糧納官時, 令輸人自量". 添字와 같이 고쳐야 옳게 될 것이다.

175) 이들 성곽은 1033년(덕종2) 8월 門下侍郎同內史門下平章事 柳韶가 鴨綠江口에서 和州까지

[→命東北路兵馬使·參知政事金令器·中樞院使?王寵之, 城長州·定州及元興鎭. ○長州城, 五百七十五間, 戍六所, 曰靜北·高嶺·掃兇·掃蕃·壓川·定遠. ○定州城, 八百九間, 戍五所, 曰<u>防戍</u>關防·押胡·弘化·大化·安陸.[176] ○<u>元興鎭</u>城, 六百八十三間, 戍四所, 曰來降·壓虜·海門·道安:兵2城堡轉載].[177]

[→王寵之與東北路兵馬使·參知政事金令器, 城長·定二州及元興鎭:列傳8王寵之轉載].

[→東北路兵馬使金令器, 築長·定二州·元興鎭城, 右司郞中金元鼎等, 率兵出屯要路, 以備之, 遇賊戰有功, 令器還奏, 請加褒賞, 從之:列傳8金元鼎轉載].

冬十一月戊午朔大盡,丙子, 乙亥18日, ~~東北面~~兵馬使<u>金令器</u>奏,[178] "今築長·定二州及元興鎭城, 不日告畢, 勞效甚多. 其督役州·鎭官吏, 一科七品以上, 超正職一級, 父母封爵, 八品以下, 超正職一級, 加次第階職, 二科, 加正職一級, 幷階職. 且三城之地, 元是賊巢, 侵擾可慮, 兵馬軍事, 分屯要害, 水陸捍禦, 賊不得近. 其軍士, 一科別將以上, 超正職一級, 父母封爵, 隊正以上, 超正職一級, 幷鄕職, 軍人超鄕職一級. 二科隊正以上, 及船頭, 加正鄕職一級, 軍人及梢工·水手, 加鄕職, 且賜物有差. 當築城時, 出戰有功, 一科攝兵部尙書高烈等十人, 次一科少府監 柳喬等五人, 二科大樂丞鄭霸等五人, 亦加褒賞, 以勸後來", 制可.

癸未26日, 東女眞將軍烏乙達等男女一百四十四人來, 獻駿馬, 奏曰, "我等在貴國之境, 慕化臣服, 有年矣. 每慮醜虜來侵, 未獲奠居, 今築三城, 以防賊路, 故來朝謝恩". 王優賞遣還.

[□□是月, 城<u>宣德鎭</u>:節要·兵2城堡轉載].

[→~~德宗二年八月,~~ 始,命~~門下侍郞同內史門下~~平章事<u>柳韶</u>, 創置北境關防. 起自西海濱古國內

축조한 高麗長城[長城]을 東海方向으로 延長시키기 위한 작업이었을 것이다.

176) 여기에서 防戍는 關防[關防戍]의 오류일 것이다(尹京鎭 2011년).

· 『세종실록』 권155, 지리지, 永興大都護府, "… 社五, 平川社, 本永興鎭[注, 古稱<u>關防戍</u>], 高麗文宗十五年辛丑[宋仁宗嘉祐六年], 始築城堡, 本朝太祖癸酉, 改今名. …".

177) 元興鎭과 관련된 자료로 다음이 있는데, 栍川은 현재의 金津江이라고 한다(韓禎訓 2013년 229面).

· 지12, 지리3, 元興鎭, "靖宗十年, 城栍川, 爲鎭. 有鎭使".

· 『세종실록』 권155, 지리지, 預原郡, "高麗靖宗十年甲申[注, 宋慶曆四年], 城栍川爲元興鎭".

· 『신증동국여지승람』 권48, 定平都護府, 古跡, "預原廢縣, 在府南四十五里. 高麗靖宗十年, 城栍川, 爲元興鎭, 有鎭使".

178) ~~添字~~는 『고려사절요』 권4에 의거하였다.

城界, 鴨綠江入海處, 東跨威遠·興化·靜州·寧海·寧德·寧朔·雲州·安水·淸塞·平虜·寧遠·定戎·孟州·朔州等十三城, 抵耀德·靜邊·和州等三城, 東傳于海, 延袤千餘里, 以石爲城, 高厚各二十五尺. ~~至是王畢~~:節要·兵2城堡轉載].[179]

[○制, "凡貸公私穀者, 身死, 勿徵":節要轉載].[180]

[○遣使如契丹, 賀永壽節兼賀正:追加].[181]

[十二月戊子朔大盡,丁丑:追加].

---

179) 이 기사가 이곳으로 轉載되기 위해서는 ~~添字~~가 추가되어야 할 것이다. 또 宣德鎭은 東海岸의 都連浦에 인접해 있다.

· 지12, 지리3, 麟州, "有古長城基, 德宗朝, 平章事柳韶所築, 起自州之鴨綠江入海處, 至東界和州海濱".

이 關城(千里長城, 국보유적 제48호)은 西海岸의 鴨綠江口에서 東海岸의 和州 都連浦(혹은 道麟浦)까지 1千餘里에 걸쳐 16城을 연결하는 石城(俗稱 萬里長城)을 쌓은 것이다. 높이와 폭이 各各 25尺이고 3重의 垓字[隍池]로 둘러 싸여 있었고, 都連浦의 水中에는 木柵이 設置되었으며 路程이 3個月이나 所要되었다고 한다(열전7, 柳韶, 지36, 兵2, 城堡 ; 『세종실록』 권88, 세종 22년 2월 辛卯18日 ; 권154, 地理志, 平安道古長城 ; 권155, 地理志, 定平都護府·預原郡 ; 『신증동국여지승람』 권48, 咸興府, 山川, 都連浦·定平都護府, 古跡, 古長城 ; 권53, 義州牧, 古跡, 國內城·長城).

또 이 長城은 1500년(燕山君6) 북쪽의 城郭을 축조할 때 주목되어 이를 그린 그림인 『兩界長城圖』가 조사되었는데, 이에 의하면 義州에서 咸鏡道 定平에 걸쳐 있었으며 당시에 城郭은 무너지기는 하였으나 흔적은 남아 있었다고 한다(『연산군일기』 권36, 6년 1월 乙亥20日). 또 같은 해 6월 領議政 韓致亨은 이 장성이 麟山[仁山]에서 鐵嶺까지 萬里에 걸쳐 있었다고 하였다(『연산군일기』 권38, 6년 6월 戊申26日). 그리고 『兩界長城圖』는 조선 초에 '존재했던 高麗中期 이전[高麗中葉以上]에 만들어진 『五道兩界圖』와 관련이 있는 지도로 추정된다(『성종실록』 권138, 13년 2월 壬子13日 ; 『訥齋集』 續編1, 請修撰御製詩文及撰輯'東國勝覽'等十二事箚).

이 장성은 서해안의 鴨綠江口(現 新義州市 城西里, 土城里의 인근으로 추정)에서 동해안의 和州(現 耀德郡 龍坪里·城里 추정) 都連浦(道麟浦, 耀德郡 完山里 추정)까지 總延長 630km, 城壁 높이는 4~7m, 넓이는 2~5m에 달한다고 한다(최희렴 1983년·1986년 ; 손영종 1987년 ; 강경구 등편 2000년 ; 社會科學院 言語學硏究所 2001·2002년).

180) 이와 類似한 記事로 다음이 있는데, 그 시기가 前年(정종9) 12월이었다고 한다(盧明鎬 等編 2016년 124面).

· 지33, 식화2, 借貸, "靖宗九年十二月, 判冊, 諸公私米布貸者, 身歿後, 勿許追徵".

181) 이는 다음의 자료에 의거하였다(陳述 1982年 179面). 이 시기 이전에 高麗가 契丹의 永壽節(興宗의 生辰)과 正旦을 賀禮하기 위해 보낸 使臣은 11월에 파견되었다.

· 「張績墓誌銘」, "重熙十三年正月, □□□~~加承事~~郎·□守大理寺丞, 當年冬, 以案空加宣義郎·驍騎尉, 尋奉詔接送賀永壽·正旦高句麗人使". 여기에서 ~~添字~~는 筆者가 추가한 것이고, 案空은 의미를 알 수 없으나 '獄空으로 褒賞을 받은 것'처럼 '罪案(獄訟)이 없어 褒賞'을 받은 것으로 해석[讀]하는 것이 좋을 것이다.

[是年, 以李頲爲內庫副使, 時頲年二十:追加].[182]

[○僧統·玄化寺住持鼎賢, 列鼎於廣濟寺門前, 炊飯以待餓人, 蕩盡千囷積穀, 施百斛而無恡. 先是, 上以鼎賢爲僧統, 請住錫玄化寺, 賜紫繡僧伽梨一領:追加].[183]

乙酉[靖宗]十一年, 契丹重熙十四年, [宋慶曆五年], [西曆1045年]

1045년 1월 21일(Gre1월 27일)에서 1046년 2월 8일(Gre2월 14일)까지, 355일

春正月戊午朔大盡,戊寅, 放朝賀.

丁丑20日, 祭風師於東北郊.[184]

○東女眞歸德將軍阿豆主等五十人來, 獻土物.

二月戊子朔小盡,己卯, 賜臨津課橋院號, 曰慈濟寺. 先是, 津無船橋, 行人爭渡, 多致陷溺. [王憂之:節要轉載], 命有司作浮梁. 自此, 人馬如履平地.

[某日, 制, "文武官, 父母在三百里外者, 三年一定省, 給假三十日. 無父母者, 五年一掃墳, 給假十五日, 竝不計程途, 五品以上, 奏聞, 六品以下, 有司給假. 登第者, 定省掃墳日限, 亦依此例":節要·刑法1官吏給暇轉載].[185]

甲午7日, 東女眞柔遠將軍巴乙達等六十五人來, 獻駿馬.

三月丁巳朔大盡,庚辰, [戊辰12日, 清明. 日有背氣:天文1轉載].

己巳13日, 東女眞懷遠將軍鹽漢等七十五人來朝.

庚午14日, 幸妙通寺.

丙子丙戌30日, 以穀雨節降霜, 錄囚.[186]

---

182) 이는 「李頲墓誌銘」에 의거하였다.

183) 이는 「竹山七長寺慧炤國師塔碑」에 의거하였다.

184) 東郊에서 風師에게 祭禮를 올리는 것은 立春以後의 丑日이었다(→정종 5년 1월 10일의 脚注).

185) 이 율령은 다음의 법령을 수용하여 고려의 현실에 맞게 변형한 것이라고 한다(仁井田陞 1964年 736面 ; 蔡雄錫 2009년 118面).

·『唐令拾遺』, 假寧令, "諸文武官, 若流外已上者, 父母在三千里外, 三年一給定省假三十日. 五百里, 五年一給墓暇十五日, 並除程, 若已經還家者, 計還後給, 其五品已上, 所司勘當於事, 每閾表奏, 不得輒自奏請".

[是月頃, 遣使如契丹, 獻方物:追加].[187)]

夏四月丁亥朔[小盡,辛巳], 太史奏, "日當食, <u>陰雲不見</u>".[188)] 群臣表賀.

戊戌[12日], 東女眞首領<u>沙於頭</u>等三十五人來, 獻駿馬.

己亥[13日], [立夏]. 東女眞將軍<u>要於那</u>等七十人來, 獻良馬.[189)]

庚子[14日], □□□[~~東女眞~~]寧塞將軍<u>高陶化</u>等七十人來, 獻土物.[190)]

[辛丑[15日], <u>月食</u>:天文1轉載].[191)]

丙午[20日], 西北路兵馬判官·監察御史李春奏, "蕃賊百餘人, 侵寧遠鎭長平戍, 擄掠軍士三十餘人, 請治將校不能守禦之罪", 從之.

戊申[22日], 祭雷師於西南郊.

己酉[23日], 秘書省進新刊'禮記正義'七十本·'毛詩正義'四十本, 命藏一本於御書閣, 餘賜文臣.

[是月, <u>判</u>[制], "五逆·五賤·不忠·不孝·鄕·部曲·樂工·雜類子孫 勿許赴擧":選擧1 科目轉載].

五月[丙辰朔大盡,壬午], 庚申[5日], 制, "以小暑將至, 挺重囚, 放輕繫".

丙寅[11日], 大宋泉州商林禧等來, 獻土物.

---

186) 이와 같은 記事가 지7, 五行1, 水, 霜에도 수록되어 있다. 그런데 이해[是年]의 穀雨는 3월 28일(甲申)이므로, 이날[是日]의 일진은 甲申(28일), 乙酉(29일), 丙戌(30일) 중에서 晦日인 丙戌의 誤字일 가능성이 있다.

187) 이는 다음의 자료에 의거하였는데, 四月이 탈락되어 高麗列傳에는 3월로 되어 있으나 屬國表에는 4월로 되어 있다.
· 『요사』 권19, 본기19, 興宗2, 重熙 14년, "四月辛亥[25日], 高麗遣使來貢".
· 『요사』 권70, 표8, 屬國表, "[重熙]十四年四月, 高麗遣使來貢".
· 『요사』 권115, 열전45, 二國外記, 高麗, "[重熙]十四年三月, 又來貢".

188) 이날 宋에서도 같은 현상이 있었다고 한다(『송사』 권52, 지5, 천문5, 日食). 이날은 율리우스력의 1012년 4월 20일이고, 개경에서 일식 현상이 심했던 시간은 5시 58분, 食分은 0.05이었다(渡邊敏夫 1979年 305面).

189) 이상의 두 記事와 관련된 것으로 다음이 있는데, 字句에 출입이 있다(盧明鎬 等編 2016년 124面).
· 『고려사절요』 권4, "東女眞 首領<u>沙於豆</u>·將軍<u>要於羅</u>等一百五人來, <u>獻馬</u>".

190) 高陶化는 東女眞[東蕃]이므로(→정종 1년 12월 2일) 이 기사에서 東女眞이 탈락되었을 것이다.

191) 이날은 율리우스력의 1045년 5월 3일이고, 월식 현상이 심했던 때인 前日(14日庚子)의 世界時는 21시 4분, 食分은 1.81이었다(渡邊敏夫 1979年 472面).

○東路軍士, 與蕃賊戰勝者, 各賜內廐馬.

[是月, 揭榜云, "國家之制, 近仗及諸衛每領, 設護軍將軍一·中郎將二·郎將五·別將五·散員五·伍尉校尉二十·隊正四十·正軍訪丁人一千·望軍丁人六百,[192] 凡扈駕內外力役, 無不爲之. 比經禍亂, 丁人多闕, 丁人所爲賤役, 使祿官六十, 代之. 因此, 領役艱苦, 爭相求避, 伍尉·隊正等, 未能當之. 若有國家力役, 乃以秋役軍, 品從, 五部坊里各戶, 刷出, 以致搔擾. 今國家太平, 人物如古, 宜令一領, 各補一二百名, 京中五部坊里, 除各司從公令史·主事·記官, 有蔭品官子, 有役賤口外, 其餘兩班, 及內外白丁人子, 十五歲以上, 五十歲以下, 選出充補. 令選軍別監, 依前田丁連立, 其領內十將六十有闕, 除他人, 並以領內丁人, 遷轉錄用, 中禁·都知·白甲別差, 亦以丁人當差. 丁人戶, 各給津貼, 務要完恤. 復立都監, 擇公廉官吏掌之, 勿令容私. 如有飾詐求免者, 着枷立市, 決杖七十七, 下配島, 指揮人, 並令徵銅. 其閒諸宮院, 及兩班等, 以丘史賤口, 拘交造飾求請者, 宮院則所掌員, 兩班則勿論職之有無, 依例科罪. 諸衙門, 詐稱通粮丘史, 追錄名籍, 知情規避者, 亦皆科罪": 兵1五軍轉載].

閏[五]月丙戌朔小盡,壬午, 辛丑16日, 以久雨, 慮囚, 放輕繫.[193]

六月乙卯朔小盡,癸未, 己卯25日, 契丹橫宣使·檢校太傅·判三班院事耶律宣來.
庚辰26日, 祭零星.

秋七月甲申朔大盡,甲申, 丁酉14日, 契丹遣檢校尙書右僕射高惟幾來, 賀生辰.

[八月甲寅朔小盡,乙酉: 追加].

九月癸未朔大盡,丙戌, 庚寅8日, 東女眞將軍高之閒等四十五人來朝.

---

192) 여기에서 護軍은 將軍의 誤字일 것이고, 伍尉는 校尉 또는 尉라고도 하는데, 正9品으로 隊正(品外)의 上級指揮官이다.

193) 唐代에는 비가 계속 내릴 때[久雨] 坊市의 北門을 폐쇄하고 비가 그치기를 빌었다고 한다[祈晴].
·『자치통감』 권208, 唐紀24, 中宗神龍 1년(705) 8월, "戊申, 以水災求直言, 右衛騎曹參軍西河宋務光上疏, 以爲, 水陰類, 臣妾之象, 恐後庭有干外朝之政者, 宜杜絶其萌. 今霖雨不止, 乃閉坊門 以禳之, 至使里巷謂坊門爲宰相, 言朝廷使之燮理陰陽也[注, 宋白曰, 唐制, 久雨則閉坊市北門, 以祈晴], …".

[冬十月癸丑朔小盡,丁亥, 某日, 復禁人佩匕首:節要·刑法2禁令轉載].[194]

冬十一月壬午朔大盡,戊子,[195] 庚寅9日, 以盛寒, 放輕繫, 停不急之役.
○東女眞高遮等三十六人來, 獻土物.
十二月壬子□朔大盡,己丑, 慮囚.[196]
[是年, 陞權知監察御史, 班在閤門祗候正7品上:百官1司憲府轉載].
[○設國子監試, 取耽羅賓貢學生高維等數十人:追加].[197]
[○某等改修公州扶餘郡無量寺:追加].[198]
[○僧統·玄化寺住持鼎現, 開創三角山沙峴寺:追加].[199]
[○以首座海麟爲僧統:追加].[200]

丙戌[靖宗]十二年, 契丹重熙十五年, [宋慶曆六年], [西曆1046年]

1046년 2월 9일(Gre2월 15일)에서 1047년 1월 28일(Gre2월 3일)까지, 354일

[春正月壬午朔大盡,庚寅:追加].

春二月壬子朔小盡,辛卯, 丙寅15日, 燃燈, 賜酺.
壬申21日, 祭馬祖.[201]

---

194) 지39, 刑法2, 禁令의 冒頭에는 十月이 생략되었다.
195) 延世大學本과 東亞大學本에는 十二月로 되어 있으나 十一月의 誤字이다(東亞大學 2008년 2책 379面).
196) 壬子에 朔이 탈락되었다.
197) 이는 『동문선』 권101, 星主高氏家傳에 의거하였다(資料→정종 12년 3월 11일의 脚注).
198) 이는 충청남도 扶餘郡 外山面 萬壽里 96-1 無量寺址에서 출토된 瓦銘 '重熙十四年」乙酉五月日凡鳳」', '重熙十四年」乙酉凡鳳」', '重熙十四年」乙酉三月卍草', '金面同未」運主土木主」重熙十四年」' 등에 의거하였다(世宗文化財研究院 編 2015년 291~298面).
199) 이는 「竹山七長寺慧炤國師塔碑」에 의거하였다.
200) 이는 「原州法泉寺智光國師玄妙塔碑」에 의거하였다.
201) 馬祖에 대한 祭禮는 2월 剛日에 행해졌는데, 剛日을 日辰의 甲·丙·戊·庚·壬日이고, 柔日은 乙·丁·辛·癸·巳日이다(中村裕一 2014年 266面).
· 『대당육전』 권4, 尙書禮部, 祠部郎中·員外郎, "… 仲春祀馬祖, 中夏享先牧, 仲秋祭馬社, 中冬祭馬步, 並以剛日, 皆於大澤之中".

［某日, 制, “凡人民依律文, 立嗣以嫡. 嫡子有故, 立嫡孫, 無嫡孫, 立同母弟, 無母弟, 立庶孫, 無男孫者, 亦許女孫”:節要轉載］.

［→判[~~制~~], “諸田丁連立, 無嫡子, 則嫡孫, 無嫡孫, 則同母弟, 無同母弟, 則庶孫, 無男孫, 則女孫”:刑法1戶婚轉載］.

［□□[~~是丹~~], 城永興鎭:節要轉載］, ［四百二十四間, 門四:兵2城堡轉載］.

［是月頃, 遣使如契丹, 獻方物:追加］.[202)]

三月辛巳朔[大盡,壬辰], 日食,[203)] 王避殿素襴, 救食.

辛卯[11日], 賜李仁挺等及第.[204)]

辛丑[21日], 命侍中崔齊顏, 詣毬庭行香, 拜送街衢經行. 分京城街衢爲三道, 各以彩樓子, 擔‘般若經’前行, 僧徒具法服, 步行讀誦, 監押官亦以公服步從, 巡行街衢. 爲民祈福, 名曰經行. 自是歲, 以爲常.

夏四月辛亥□[~~朔~~小盡,癸巳], 祭仲農.[205)]

丁卯[17日], 王不豫, 移御山呼殿[山呼亭].[206)]

· 『元和郡縣圖志』 권2, 關內道2, 京兆府, 鄠縣［注, 畿東北至府六十五里］, “馬祖壇, 在縣東北三十二里, 龍堂澤中. 每年, 太常·太僕, 四時祭之. 春祭馬祖, 夏祭先牧, 秋祭馬社, 冬祭馬步”.

· 『禮記注疏』 권3, 曲禮上, “外事以剛日, 內事以柔日［疏, 正義曰, 此一節, 明卜筮及用日之法, 各依文解之. 外事, 以剛日者, 外事, 郊外之事也, 剛, 奇日也, 十日有五奇·五偶, 甲·丙·戊·庚·壬五奇爲剛也, 外事剛義, 故用剛日也. 內事以柔日者, 內事, 郊內之事也, 乙·丁·辛·癸五偶爲柔也, …］”(四庫全書本二十一左1行).

202) 이는 다음의 자료에 의거하였다.

· 『요사』 권19, 본기19, 興宗2, 重熙 15년 3월, “丁酉[17日], 高麗遣使來貢”.

203) 이날 宋과 일본에서도 일식이 있었다(『송사』 권52, 지5, 천문5, 日食 ; 『扶桑略記』 29, 寬德 3년, “三月朔, 日蝕”). 이날은 율리우스曆의 1046년 4월 9일이고, 開京에서 일식 현상이 심했던 시간은 15시 47분, 食分은 0.53이었다(渡邊敏夫 1979年 305面).

204) 이와 관련된 기사로 다음이 있다. 이때 李仁挺·高維(乙科3人) 등이 급제하였다(『登科錄』, 朴龍雲 1990년 ; 許興植 2005년).

· 지27, 선거1, 科目1, 選場, “[靖宗]十二年三月, 門下侍郎崔融[~~門下侍郎平章事崔沖~~]知貢擧, 取進士, 賜乙科李仁挺等四人·丙科六人·同進士七人·明經一人及第”. 여기에서 門下侍郎崔融은 明年(문종1) 4월 3일 門下侍中에 임명된 崔冲, 곧 門下侍郎平章事崔冲에서 官職은 縮約이고, 이름［名字］은 誤字일 것이다.

· 『동문선』 권101, 星主高氏家傳, “… 高維始以賓貢, 靖王乙酉[11年], 首中南省試, 明年丙戌[12年], 李作梃[~~李仁挺~~]榜第三人, 官至右僕射”(鄭以吾 作). 添字와 고쳐야 옳게 될 것이다(金甫桄 2018년).

205) 辛亥에 朔이 탈락되었다.

丁丑[27日], 移御大內法雲寺.

[某日, 金海府戶長·禮院使許珍壽寫成'白紙墨書大般若波羅密多經':追加].207)

五月[庚辰朔大盡,甲午],208) 丙戌[7日], 百官禱于佛寺.

乙未[16日], 吏部奏, "衛尉卿·知大史局事[~~知太史局事~~]徐雄被疾請告, 已經一百八十餘日. 國制, 凡見任官, 乞假滿百日者, 罷職. 請解雄職". 制曰, "雄, 精於其業, 爲日官之長, 特賜告二百日".

丁酉[18日], 王疾彌留, 召弟樂浪君徽, 入臥內, 詔令權摠揚國事. 詔曰, 朕承先君之末命, 嗣累聖之丕圖, 十有二載, 賴天之休, 國內乂安. 春夏以來, 憂勞爽和, 藥石無效, 遂至大漸. 欲以神器, 歸之有德. 內史令·樂浪君徽, 朕之愛弟也, 仁孝恭儉, 聞於隣國, 宜傳大寶, 以顯耿光".

○是日薨.209) 壽~~二十三~~[~~二十九~~],210) 在位十二年. 移殯于宣德殿. 王寬仁孝友, 識度弘遠. 英武果斷, 不拘小節. 謚[諡]曰容惠, 廟號靖宗, [六月某日:追加],211) 葬于北郊,

---

206) 山呼殿은 山呼亭의 初名 또는 다른 表記인 것 같다(→숙종 8년 11월 22일, 金昌賢 2017년 229面).

207) 이는 長崎縣 壹岐市(日岐島) 芦邊町 深江榮觸 546 安國寺(a, b), 東國大學 圖書館(c)에 소장되어 있는『大般若波羅密多經』, 各卷의 卷末 題記에 의거하였다(權憙耕 1986년 372面 ; 李基白 1987년 51面 ; 張東翼 2004년 695面 ; 張忠植 2007년 96面).

· 권33, 題記a, "菩薩戒弟子南贍部洲高麗國金海府戶長·禮院使[~~禮院吏~~]許珎壽,」特爲」聖壽天長,邦家地久,隣兵永息,慈親九族,」福海增深,次亡考尊靈,法界衆生, 成無上道之願,」謹成六百般若經,永充」供養,重熙十五年丙戌四月日 謹記」看經比丘 曇光」, …". 여기에서 禮院使는 金海都護府 鄕校의 職責[執事職]인 禮院吏의 誤字일 것이다(具山祐 2018년b).

· 권97, 題記b, "薩戒弟子南贍□[部]洲高麗國金海府戶長·禮院使[~~禮院吏~~]許珎壽,」特爲」聖壽天長,邦家地久,隣兵永息,[禾]稼豊登,然,」慈親九族,福海增深,次願亡考尊□[靈],」法界衆生,成無上道之願,謹成六百般若經,」永充供養,」重熙十五年丙戌四月 日謹記」看經比丘 曇光」, 甫看」, 住持岳琳, 寺當謹□, 祐德』".

· 권442, 題記c, "菩薩戒弟子南贍部洲高麗國金海府戶長·禮院使[~~禮院吏~~]許珎壽,」主聖邦安[~~聖主邦安~~],兵消禾稔,慈親益壽,先故[先考]生天,」及弟子福昌, 諸親命久, 謹成六百大般若經,」永充供養, 重熙十五年丙戌四月日 記』". 여기에서 添字와 같이 고쳐야 옳게 될 것이다.

· 지17, 禮5, 吉禮小祀, 諸州縣文宣王廟, 釋奠儀, 陳設, "… 贊唱者, 位於三獻官西南, 西向北上. 助教以文師差充, 若無文師, 則以教授生徒者, 代之. 本司掌醴者, 以學院吏, 贊禮·贊唱者, 以禮院吏, 亦閑習禮文者, 爲之".

208) 丙戌은 5월 7일이므로 五月乙未(16일)에서 五月을 丙戌의 앞으로 移動시켜 왔다[校正事由].

209) 이날은 율리우스曆으로 1046년 6월 24일(그레고리曆 6월 30일)에 해당한다.

210) 靖宗은 1018년(현종9) 7월 18일에 誕生하였기에 歲數가 29歲(만28세)이므로 添字와 같이 고쳐 옳게 될 것이다(金昌鉉 2016년).

211) 이는『동문선』권28, 靖王哀册에 의거하였다.

陵曰周陵.[212] 有司奉遺命, 山陵制度, 悉從儉約. 文宗十年加謚[謚]弘孝, 仁宗十八年加英烈, 高宗四十年加文敬.

李齊賢贊曰, "契丹貪暴, 不足保信, 太祖[聖祖]深以爲戒.[213] 然而幸其一灾而棄舊好, 亦非計也. 顯宗[顯王]艱難反正,[214] 日不暇給, 德宗[德王]未及方剛之年,[215] 尤宜戒之在鬪.[216] 王可道議絶和親, 不若皇甫兪義繼好息民之論也. 靖宗[靖王]嗣位三年,[217] 我大夫崔延嘏如契丹, 四年, 契丹之使馬保業寔來,[218] 自是, 復尋懽盟. 感之匪由至誠, 致之必有奇策. 君子以爲善繼善述, 以保其國".

[靖宗在位年間]

[○定十二倉[漕倉], 漕船之數, [合浦]石頭[219]·[泗州]通陽[220]·[牙州]河陽[221]·[富城]永豊[222]·[臨陂]鎭城[223]·[靈光]芙蓉[224]·[靈巖]長興[225]·[昇州]海龍[226]·[羅州]海陵[227]·[保安]安興,[228] 各船六艘, 並哨馬船, 一船載一千石. [忠州]德興二十艘,[229] [原州]興元二十一艘,[230] 並平底船, 一船載二百石.: 食貨2漕運轉載].[231]

---

212) 周陵은 失傳되어 현재 어디에 있는지를 알 수 없다.

213) 太祖는 『익재난고』 권9하, 史贊, 靖王에는 聖祖로 되어 있다.

214) 顯宗은 『익재난고』에는 顯王으로 되어 있다.

215) 德宗은 『익재난고』에는 德王으로 되어 있다.

216) 東亞大學本에는 亢으로 되어 있으나 오자일 것이다(東亞大學 2008년 2책 381面).

217) 定宗은 『익재난고』에는 靖王으로 되어 있다.

218) 『익재난고』에는 之字가 없다.

219) 石頭倉은 현재의 慶尙南道 昌原市 馬山合浦區 石田洞 半月山으로 추정된다.

220) 通陽倉은 현재의 경상남도 泗川市 龍見面 船津里 船津里城으로 추정된다.

221) 河陽倉은 현재의 京畿道 平澤市 彭城邑 老陽里, 本井里 望海山으로 추정된다.

222) 永豊倉은 현재의 忠淸南道 瑞山市 八峯面 漁松里로 추정된다.

223) 鎭城倉은 현재의 全羅北道 群山市 聖山面 倉梧里로 추정된다.

224) 芙蓉倉은 현재의 全羅南道 靈光郡 法聖面 笠岩里 古法聖 大德山으로 추정된다.

225) 長興倉은 현재의 전라남도 海南郡 馬山面 孟津里로 추정된다.

226) 海龍倉은 현재의 전라남도 順天市 鴻內洞, 五泉洞 海龍山城으로 추정된다.

227) 海陵倉은 현재의 전라남도 羅州市 多侍面 會津里로 추정된다.

228) 安興倉은 현재의 全羅北道 扶安郡 保安面 英田里, 南浦里로 추정된다.

229) 德興倉은 현재의 忠淸北道 忠州市 中央塔面(옛 可金面) 倉洞里로 추정된다.

230) 興元倉은 현재의 江原道 原州市 富論面 興湖里로 추정된다(以上 文敬鎬 2014년 70面 表3, 115面 表4).

231) 이상의 12漕倉 以外에 西海道 長淵縣 安瀾倉이 찾아지는데, 이는 현재의 黃海南道 龍淵郡 龍

[○以首座決凝爲僧統:追加].[232)]

[○賜長湍縣臨津課橋於慈濟寺, 改寺爲院. 先是, 津無船橋, 行人爭渡, 多致陷溺. 有司作浮橋, 自此人馬如履平地:追加].[233)]

[仁同人 張東翼 校注, 增補].

淵邑地域으로 추정된다.

232) 이는 「榮州浮石寺圓融國師塔碑」에 의거하였다(許興植 1984년 479面 ; 李智冠 2000년 2冊 272面).

233) 이는 다음의 자료에 의거하였는데, 課橋은 橋梁의 通行料[橋稅, 過橋費], 浮梁은 浮橋를 가리키는 것 같다.

· 『신증동국여지승람』 권12, 古跡, "慈濟寺, 靖宗賜臨津課橋, 院號曰慈濟寺. 先是, 津無船橋, 行人爭渡, 多致陷溺. 有司作浮梁, 自此人馬如履平地".

『高麗史』 卷七 世家卷七

[輔國崇祿大夫·議政府左贊成·知集賢殿經筵春秋館成均事·世子賓客·臣金宗瑞奉教撰]
正憲大夫·工曹判書·集賢殿大提學·知經筵春秋館事兼成均大司成·臣鄭麟趾奉教修

文宗 一

文宗·章聖·仁孝·□□[~~剛正~~]·□□[~~明載~~]大王,[1] 諱徽,[2] 字燭幽, 古諱緒. 顯宗第三子, 母曰元惠太后金氏. 顯宗十年己未十二月癸未[1日]生, 十三年, 封樂浪君, 靖宗三年, 冊爲內史令.

十二年五月丁酉[18日], 靖宗薨, 卽位于柩前, 百官奉國璽, 詣重光殿朝賀.

己亥[20日], 制曰, "先朝所御倚床·踏斗, 皆以金銀裝釘, 又以金銀線織成罽錦爲茵褥, 宜令有司, 代以銅鐵·綾絹".

庚子[21日], 王率百官, 詣殯殿, 哭盡哀.

[某日, 以靖宗遺命, 賜宮人盧氏延昌宮. 初, 靖宗聞盧氏有殊色, 密納有寵. 至是, 門下省與御史臺駁奏曰, "盧氏, 先王納不以禮, 况亂命, 不可從", 不允:節要轉載].[3]

六月[庚戌朔小盡,乙未], 甲寅[5日], 遣尙書工部郎中崔爰俊如契丹, 告哀.[4]

己未[10日], 醮本命于大內, 每遇是日, 必親醮.

---

1) 여기에서 文宗은 廟號이고, 仁孝大王은 諡號인데, 이는 1083년(順宗 즉위년) 8월에 文宗의 陵[景陵]이 마련될 때 붙여진 것이다. 그런데 문종은 1140년(인종18) 4월에 剛正이, 1253년(고종40) 10월 3일(戊申) 明載가 각각 덧붙여졌으나, 이 기사에 반영되어 있지 않다. 또 章聖은 어느 시기에 붙여진 것인지는 알 수 없다.

2) 고려시대에는 避諱로 인해 文宗의 이름인 徽字를 피하여 大元蒙古國의 宣徽使를 宣美使로(『動安居士集』 行錄권4, 賓王錄幷序), 皇太后의 府인 徽政院을 敬政院으로 改稱하였다(『稼亭集』 年譜).

3) 이와 관련된 기사로 다음이 있다.
· 열전1, 靖宗妃, 延昌宮主盧氏, "初, 靖宗聞其美, 潛納宮中, 遂專房宴. 文宗立, 以遺命, 賜盧氏延昌宮, 門下省及御史臺駁奏, 盧氏納不以禮, 且先王亂命, 不可從也. 王終不允".

4) 崔爰俊은 8월 6일(癸丑) 契丹에 도착하여 告哀하였던 것 같다(『요사』 권19, 본기19, 興宗2, 重熙15년 8월 癸丑).

[→己未, 親醮本命星宿于內殿:禮5雜祀轉載].

丁卯[18日], 御神鳳樓大赦, 凡有職者, 加一級.

[某日, 遣兵部郎中金瓊, 自東海, 至南海, 築沿邊城堡·農場, 以扼海賊之衝:節要·兵2城堡轉載].[5)]

秋七月己卯朔[小盡,丙申], 以母后諱晨道場[諱辰道場], 幸王輪寺.[6)]

辛巳[3日], 制, "[江華縣]八音島水軍殷質·壤島水軍匡協[協]·寬達·英吉, 有擒賊功, 並授中尹".[7)]

戊戌[20日], 制, "往者[重熙十二年·靖宗10年], 東賊圍靜邊鎭, 別將鄭匡順, 力戰却敵, 沒於陣下. 其功甚大, 可贈金吾衛郎將".[8)]

八月[戊申朔大盡,丁酉], 壬子[5日], 設華嚴經道場于乹德殿.

庚申[13日], 御乾德殿視朝, 退御宣政殿, 召侍中崔齊顔·[門下侍郎]平章事崔冲等, 論時政得失.

九月[戊寅朔小盡,戊戌], 己卯[2日], 王如普濟寺, 飯僧.

癸未[6日], 以致仕尙書左僕射崔輔成·右僕射趙顒·上將軍異膺甫·金洪光□[等], 年老, 賜酒食·衣服.[9)]

乙酉[8日], 設百座仁王經道場于內殿三日.

---

5) 지36, 兵2, 城堡에는 이 기사의 冒頭에 文宗卽位가 있는데, 一般的으로 前王의 在位年을 表示하는 慣例에 의하면 靖宗十二年으로 표기하였을 것이다.

6) 元惠太后(顯宗妃 延德宮主)의 忌日은 6월 30일이다(→현종 13년 6월 30일). 또 諱晨은 漢語에서 찾아지지 않기에 諱辰[忌辰, 忌日]으로 고쳐야 옳게 될 것이다(덕종 1년 5월 27일, 정종 8년 6월 4일, 숙종 10년 9월 4일).
· 『세종실록』 권24, 6년 5월 己丑[15日], "上命知申事郭存中曰, '三功臣·原從功臣, 同庚·同牓, 以至親試之臣, 當太祖·太宗忌辰, 各就寺社, 設水陸齋, 雖是忠孝之意, 予則以爲未便. 其令與政府·六曹同議可否以聞'. 吏曹判書許稠·禮曹參判李明德·刑曹參判河演·兵曹參議柳衍之等議, '諱辰水陸之設, 是雖出於至誠, 然水陸本是非禮之正, 矧設神位於下壇, 甚爲褻慢. … 自今諸臣毋得行太祖·太宗忌辰齋', 從之".

7) 八音島는 名稱으로 볼 때 江華府 巴音島의 別稱인 것 같다(공민왕 1년 3월 11일). 이곳은 현재의 仁川市 江華郡 西島面 乶音島로 추정되고 있다(東亞大學 2008년 3冊 5面).

8) ~~添字~~인 重熙十三年은 『고려사절요』 권4에 의거하였다.

9) ~~添字~~는 『고려사절요』 권4에 의거하였다.

丁酉[20日], 臨津縣人裴行矯制, 授趙京等七人職, 法當絞, 會赦免歸鄕.

己亥[22日], 親饗年八十以上官員及百姓男女·孝子·順孫·義夫·節婦·鰥寡·孤獨·廢疾於毬庭, 賜物有差.

丙午[29日晦], 幸妙通寺, 行香.

冬十月[丁未朔大盡,己亥], [某日, 侍中崔齊顔等奏曰, "兵書云, 萬人之軍, 取三千爲奇, 千人之軍, 取三百爲奇. 請以六衛軍, 每一將軍領下, 選二百人, 爲先鋒軍", 從之: 節要·兵1五軍轉載].[10]

[某日, 判[册], "凡軍人, 有七十以上父母, 而無兄弟者, 京軍則屬監門, 外軍則屬村留二·三品軍, 親沒後, 還屬本役": 兵1五軍轉載].

癸丑[7日], 有司奏, "宮殿·城門·寺院·官名·府號, 與御名同音者, 悉改之".

丙辰[10日], 設消災道場於會慶殿.

十一月[丁丑朔小盡,庚子], [某日, 制曰, "大中祥符三年[顯宗1年], 丹兵入寇, 西北面都巡檢使[巡檢使]楊規·副指揮金叔興等,[11] 挺身奮擊, 連戰破敵, 矢集如蝟毛, 俱沒陣下. 又於大中祥符十一年[顯宗9年], 丹兵闌入, 兵部尙書·知中樞院事姜民瞻爲元帥,[12] 鼓譟奮擊, 大敗於盤嶺之野, 丹兵奔北, 投戈委甲, 行路隘塞. 民瞻乃俘斬萬級, 追念其功, 合行褒奬, 可圖形功臣閣, 以勸後來": 節要轉載].[13]

[丁亥[11日], 門下侍中崔齊顔及疾篤, 親臨問疾, 齊顔具服拜謝: 列傳6崔承老轉載].[14]

戊子[12日], 侍中崔齊顔卒.[15] [輟朝三日, 謚順恭. 制曰, "故侍中崔齊顔一子雖年未

---

10) 이 구절은 어떠한 兵書를 인용하는지 알 수 없고, 先鋒軍에 관한 기사로 다음이 있다. 또 이 兵書를 인용한 구절은 中原의 어떤 典籍에도 찾아지지 않는 것이므로 신라시대 이래의 전해 내려오던『金海兵書』의 내용을 인용한 것일 수도 있을 것이다(→靖宗 6년 8월 某日).

· 『요사』 권34, 지4, 兵衛志上, 兵制, "又選諸軍兵馬尤精銳者三萬人, 爲護駕軍, 又選驍勇三千人, 爲先鋒軍, 又選剽捍百人之上, 爲遠探攔子軍. 以上各有將領".

11) 여기에서 都巡檢使는 巡檢使의 오류일 것이다. 1010년(현종1) 11월 16일 楊規는 刑部郎中·巡檢使였고, 이 職責을 띠고서 수차에 걸쳐 奮戰하다가 장렬히 戰死하였다.

12) 이때 姜民瞻은 大將軍으로 副元帥가 되었고(→현종 9년 12월 10일), 兵部尙書·知中樞院事는 그의 最終官職이다.

13) 이 구절의 전반부는 열전7, 楊規에, 후반부는 열전7, 姜民瞻에도 수록되어 있다.

14) 이는 다음의 기사를 전재하여 적절히 變改하였다.

· 열전6, 崔齊顔, "及疾篤, 文宗親臨問疾, 齊顔具服拜謝. 翼日卒".

及仕, 可特授八品職, 賜名繼勳, 以示優眷":列傳6崔承老轉載]. [太祖信書·訓要, 失於兵燹. 齊顔嘗得訓要於崔沆家藏, 以進. 由是, 得傳於世:節要轉載].[16]

庚寅[14日], 設八關會, 幸法王寺.

十二月丙午朔[大盡,辛丑][17] 百官詣乹德殿, 賀成平節, 宴宰樞·給舍·中丞~~給舍中·中丞~~以上侍臣于宣政殿.[18] 成平節, 王□[之]生日也.[19]

[○僧錄司奏, "自今:節要轉載], 每遇節日, 國家設祈祥迎福道場於外帝釋院七日, 文武百寮,[20] 於興國寺, 東西兩京·四都護·八牧, 各於所在佛寺行之, 以爲恒式". [從之:節要轉載].

[戊午[13日], 鎬京南北二面城廊六十七間灾:五行1火災轉載].[21]

壬戌[17日], 契丹遣起居舍人周宗白來, 歸賻.

[是年, 判[刪], "每年春秋, 平校公私枰[秤]·斛·斗·升·平木·長木, 外官則令東西京·四都護·八牧, 掌之":刑法1職制轉載].[22]

---

15) 이날은 율리우스曆으로 1046년 12월 12일(그레고리曆 12월 18일)에 해당한다.

16) 이와 같은 기사가 열전6, 崔承老, 齊顔에도 수록되어 있다.

17) 여러 판본의 『고려사』에서 十一月로 되어 있으나 十一月은 이미 나왔기에 十二月의 오자이다. 이달의 朔日이 丙午이기에 12월이 분명하며, 『고려사절요』 권4에는 옳게 되어 있다(東亞大學 2008년 3책 381面).

18) 中原의 史書에도 給事中과 御史中丞을 連稱할 때 給事·中丞으로 略稱하였다.

19) ~~添字~~는 『고려사절요』 권4에 의거하였다. 또 文宗의 生辰은 12월 朔日(1日)인데, 다음의 기사는 帝王이 中外의 賀表를 翌日에 御覽하였기 때문일 것이다.

· 『동문선』 권31, 賀節表에 "臣某等言, 伏遇今月二日, 俯届城平節~~成平節~~者".

20) 延世大學本과 東亞大學本에는 百察로 되어 있으나 百寮의 오자일 것이고, 『고려사절요』 권4에는 百官으로 되어 있다(東亞大學 2008년 3책 381面). 고려시대에 百寮는 百僚와 並用되었다(→태조 19년 9월).

21) 이날 일본의 京都에서 맑았다고 한다(『土右記』, 永承 1년 12월, "十三日戊午, 晴").

22) 여기에서 枰은 秤의 誤字일 것이고(蔡雄錫 2009년 195面), 기사의 내용은 衡器와 量器를 春秋로 점검한다는 것을 보여주는 것이다. 또 이 기사는 靖宗이 崩御한 5월 18일(丁酉) 이전에 이루어진 사실일 가능성도 있다. 그리고 1205년(泰和5, 희종1) 전후에 清州牧의 檢印을 받아 제작된 青銅油斗에 銘文이 있다고 하는데, ~~添字~~와 같이 고쳐야 옳게 될 것이다(清州博物館 1999년 ; 李宗峯 2016년 138面).

· 銘文, "清州牧官平校思惱寺傳受油斗印, 住持·重大師宗常,加成,」監,」副使 [手決,] 判官,」司錄 [手決]」". 여기의 思惱寺는 어느 곳에 있었는지는 알 수 없으나 1993년 清州市 社稷洞 270番地 無心川 堤防에서 思惱寺, 思内寺라는 刻字가 있는 佛具들이 출토되었으나 이곳이 寺址는

丁亥[文宗]元年, 契丹重熙十六年, [宋慶曆七年], [西曆1047年]

1047년 1월 29일(Gre2월 4일)에서 1048년 1월 17일(Gre1월 23일)까지, 354일

春正月丙子朔大盡,建壬寅, 丙戌11日, 制曰, "頃於甲申歲靖宗10年, 寇賊侵掠東北路, 軍士李暹漢等四十人, 先鋒告捷, 其各賞職有差".

丁亥12日, 制曰, "卒中樞院使林維幹, 忠貞輔弼, 績效實多, 宜行異數, 可授其子良槩八品職".

丁酉22日, 制曰, "諸州府郡縣, 逐年盛設輪經會, 慮外吏憑此聚歛聚斂, 以成勞弊, [固非作福之意:節要轉載]. 今後, 醉飽娛樂之事, 並宜禁斷".

壬寅27日, 以司宰卿盧祐△爲知東北面兵馬事, 刑部侍郎·三司副使李仁靖充西北面兵馬副使.

[某日, 制□曰, "登州管內霜陰·鶴浦兩縣沿海處, 設置軍戍, 以扼蕃賊之衝":節要·兵2鎭戍轉載].

二月丙午朔小盡,建癸卯, 西北路兵馬使楊帶春奏, "轄下連州防禦長吏·軍民等八百餘人, 告云, 防禦副使蘇顯, 自下車以來, 勸課農桑, 存恤民庶, 政績茂著, 理合升聞". 制, "令尙書吏部, 准制量用".[23]

己未14日, 燃燈, 王如奉恩寺.

아니었다고 한다(國立清州博物館 1999년 ; 尹京鎭 2004년 ; 司空영애 2019년 ; 『韓國金石文集成』 35책 103面). 그리고 上記 記事와 이 遺物에 刻字된 平校는 事實을 對照하여 샅샅이 檢查[查核]한다는 漢語인 檢校의 高麗式의 表記로 추측된다.

· 『자치통감』 권191, 唐紀7, 高祖武德 8년(625) 9월, "癸卯, 初令太府檢校諸州權量[胡三省注, 檢校其輕重小大也. 唐制, 凡度以北方秬黍中者, 一黍之廣爲分, 十分爲寸, 十寸爲尺, 一尺二寸爲大尺, 十尺爲丈. 凡量以秬黍中者, 容一千二百黍爲籥, 二籥爲合, 十合爲升, 十升爲斗, 三斗爲大斗, 十斗爲斛. 凡權衡以秬黍中者, 百黍之重爲銖, 二十四銖爲兩, 三兩爲大兩, 十六兩爲斤. 其量制, 公私又不用籥, 合內之分, 則有抄撮之細. 鄭大昌曰, 杜佑'通典'敍六朝賦稅而論其總曰, 其度量三升當今一升, 秤則三兩當今一兩, 尺則尺二寸當今一尺. 註云, 當今, 謂卽時. 卽時者, 當杜佑之時也]". 여기에서 秬黍는 黑黍를 가리키는데, 그 중간 정도의 크기[中者]를 선택하여 量度의 標準으로 삼았던 것 같다. 또 當今은 우리말로 '지금의[是時, 現在]'를 意味하는 것 같다.

· 『世說新語』 권上之下, 政事第3, "賀太傅賀邵作吳郡, 初不出門. 吳中諸強族輕之, 乃題府門云, '會稽雞, 不能啼'. 賀聞故出行, 至門反顧, 索筆足之曰, '不可啼, 殺吳兒'. 於是至諸屯邸, 檢校諸顧·陸役使官兵及藏逋亡, 悉以事言上, 罪者甚重. 陸抗時爲江陵都督, 故下請孫皓, 然後得釋".

23) 이 기사는 지33, 食貨2, 農桑에도 수록되어 있다.

翼日(庚申15日), 宴親王及近臣.

壬戌(17日), 契丹遣忠順軍節度使蕭愼微·守殿中少監康化成等來, 祭靖宗于虞宮, 王往參之.

丁卯(22日), 都兵馬使奏, "東蕃酋長阿兜幹, 內附以來, 夂(久)承恩賞,[24] 背我投丹, 罪莫大焉. 其黨首領高之問等, 今在蕃境, 請密遣軍士, 拘執入關, 栲(拷)訊端由, 依律科罪", 從之.[25]

[某日, 衛尉寺奏請, "依定制, 送弩手箭(手弩箭)六萬隻, 車弩箭三萬隻于西北路兵馬所", 從之:兵1五軍轉載].[26]

甲戌(29日), 幸外帝釋院. [自是, 數幸寺院:節要轉載].

[是月, 判(制), "六品以下·七品以上, 無連立子孫者之妻, 給口分田八結, 八品以下, 戰亡軍人, 通給妻口分田五結, 五品以上戶, 夫妻皆死, 無男而有未嫁女子者, 給口分田八結, 女子嫁後, 還官":食貨1田柴科轉載].

三月乙亥朔(大盡,建甲辰), 日食.[27]

○御史臺奏, ["舊例, 日月薄食. 太史局預先聞奏, 告諭中外, 伐鼓於社. 上素襴

---

24) 여러 판본의 『고려사』에서 夂로 되어 있으나 久의 오자이고, 『고려사절요』 권4에는 옳게 되어 있다(東亞大學 2008년 3책 382面).

25) 이들 酋長들은 고려와 契丹의 兩國 사이에서 歸順과 不服을 거듭하던[時叛時服] 白頭山一帶[長白山部]의 女眞으로 추측된다(陳述 1981年 203面). 이들의 歸順해왔을 때 고려에서는 朱記를 하사하여 歸順州로 편성하였는데, 이의 성격은 唐代의 羈縻州와 같았을 것이다(→문종 27년 9월 4일, 金浩東 1998년·金甫桄 2018년).
- 『요사』 권33, 지3, 營衛志下, 部族下, 遼國外十部, "烏古部·敵烈八部 … 回鶻部·長白山部·蒲盧毛朶部. 右十部, 不能成國, 附庸於遼, 時叛時服, 各有職貢, 有唐人之有羈縻州也".

26) 이를 축약한 기사로 다음이 있는데, 下記의 기사를 통해볼 때 上記의 弩手箭은 手弩箭의 오자일 것이다.
- 『고려사절요』 권4, "送手弩箭六萬隻, 車弩箭二萬隻于西北路".
- 『衛公兵法輯本』 권하, 攻守戰具, "作軸車, 車上定十二石弩弓, 以鐵鉤繩連, 車行轉軸, 引弩弓滿弦. 牙上弩爲七衡, 中衡大箭一, 鏃刃長七寸·廣五寸, 箭簳長三尺, 圍五寸, 以鐵葉爲羽, 左右各三箭, 次小於中箭, 其牙一發, 諸箭齊起, 及七百步. 所中城壘, 無不摧損, 樓櫓亦顚墜, 謂之車弩".
- 『송사』 권259, 열전18, 張瓊, "… 及攻壽春, 太祖乘皮船入城壕. 城上車弩遽發, 矢大如椽, 瓊亟以身蔽太祖. 矢中瓊股, 死而復蘇, 鏃著髀骨, 堅不可拔. 瓊索杯酒滿飮, 破骨出之, 血流數升, 神色自若, 太祖壯之".

27) 이날은 율리우스력의 1047년 3월 29일이고, 개경에서 일식 현상이 심했던 시간은 16시 58분, 食分은 0.12이었다. 또 宋과 日本에서는 일식의 中心食帶에서 벗어나 있었기에 관측될 수 없었다(渡邊敏夫 1979年 305面).

避殿, 百官素服, 各守本局, 向日拱立, 以待明復. 今:節要轉載]. 春官正柳彭·太史丞柳得韶等, 昏迷天象, 不預聞奏, 請罷其職". 制, "原之". 復駁曰, "日月食者, 陰陽常度也, 曆算不愆, 則其變可驗. 而官非其人, 人失其職, 豈宜便從寬典? 請依前奏科罪", 從之.[28)]

癸未[9日], 親設般若道場於乹德殿五日.

丙戌[12日], 東女眞奉國將軍沙伊羅等來, 獻土物, 加歸德大將軍.

辛卯[17日], 門下侍郞平章事皇甫穎上言, "臣無嗣, 乞以外孫金祿崇爲後", 從之, 官祿崇九品.

戊戌[24日], 東女眞將軍耶於害等六人, 各率其衆, 款塞, 賜田宅, 處之內地.[29)]

---

28) 이와 같은 기사로 다음이 있는데, 여기에서 二月은 三月의 오자일 것이다. 또 近代 이전의 사회에서 日食[日蝕]과 月食[月蝕]의 현상이 일어날 때, 帝王 이하의 모든 人民이 勤愼하며 이의 解消를 日月을 향해 祈禱하였던 것 같다[救食, 救蝕].
- 지18, 禮6, 救日月食儀, "其日, 應陪侍群臣, 並玄冠素服, 伺候. 王素服出坐絞床, 承宣·重房肅拜訖, 分立. 閤門入庭, 橫行再拜. 行頭進步, 復位揖, 左邊立, 祗侯引樞密, 就褥位, 橫行立定. 舍人喝, '再拜'. 訖, 分立. 王入歇, 待時刻, 復出下殿立. 尙舍別監點香, 王拜禮後, 還上殿. 閤使承傳云 '賜樞密坐', 舍人喝, '再拜'. 閤使又云, '賜侍奉員將坐, 舍人喝. '再拜', 就坐. 救食訖, 王下殿, 尙舍別監點香. 王拜禮訖, 還上殿, 入內".
- 지18, 禮6, 救日月食儀, "文宗元年二月[三月]乙亥朔, 日食. 御史臺奏, 舊制, 日月食, '太史局預奏, 告諭中外. 伐鼓於社, 上素襴避殿, 百官素服, 各守本局, 向日拱立, 以待明復. 今太史官昏迷天象, 不預聞奏, 請科罪', 從之".
- 『신당서』 권16, 지6, 禮樂6, 合朔伐鼓, "其日前二刻, 郊社令及門僕赤幘絳衣, 守四門, 令巡門監察. 鼓吹令平巾幘, 袴褶, 帥工人以方色執麾旗, 分置四門屋下, 設龍蛇鼓於石. 東門者立於北塾, 南面, 南門者立於東塾, 南面, 西門者入於南塾, 北面, 北門者立於西塾, 東面. 隊正一人平巾幘, 袴褶, 執刀, 帥衛士五人執五兵立於鼓外, 矛在東, 戟在南, 斧鉞在西, 矟在北. 郊社令立攢於社壇四隅, 以朱絲繩縈之. 太史一人赤幘, 赤衣, 立於社壇北, 向日觀變. 黃麾次之, 龍鼓一次之, 在北. 弓一, 矢四次之. 諸兵鼓立候變. 日有變, 史官曰, '祥有變'. 工人擧麾, 龍鼓發聲如雷. 史官曰, '止', 乃止. ○其日, 皇帝素服, 避正殿, 百官廢務, 自府史以上皆素服, 各於其廳事之前, 重行, 每等異位, 向日立, 明復而止. ○貞元三年八月, 日有食之, 有司將伐鼓, 德宗不許. 太常卿黃晉言, '伐鼓所以責陰而助陽也, 請聽有司依經伐鼓', 不報. 由是其禮遂廢". 이 자료는 『大唐開元禮』 권9, 合朔伐鼓 ; 『通典』 권133, 合朔伐鼓에도 수록되어 있는데, 약간씩 字句의 出入이 있기에 3者를 함께 읽어야 할 것이다.
- 『退憂堂集』 권10, 南征錄(1660年撰), "[三月]十六日[辛未], 午前到仁同府留宿, 張參議應一聞余來到, 遣其孫勞問, 俄又自來見之. … 是夕月食, 禮吏告以救食, 出庭中見之, 復圓而罷". 이날의 月食은 『현종실록』 권2에서도 확인된다.
- 『無名子集』 詩稿册4, [乙丑純祖5年], 六月十六曉, 月食, 各司長官皆救食, 余亦出往軍資監, 賦卽事, "簪奏猶傳救食名, 香煙細裊燭雙明, 池蛙亦識爲公義, 閣閣爭鳴和鼓鉦".

29) 款塞는 異民族이 國境의 塞門을 두드린다는 의미로, 이민족의 歸順을 가리킨다.
- 『사기』 권130, 太史公自序第70, "海外殊俗, 重譯款塞. 集解, 應劭曰, "款, 叩也. 皆叩塞門, 來服

夏四月[乙巳朔大盡,建乙巳], 丙午[2日], 御乹德殿視朝, 又御宣政殿, 召宰臣·御史臺, 論時政得失.

丁未[3日], 以[門下侍郞平章事]崔冲爲門下侍中, 金令器爲門下侍郞平章事, 金元冲爲內史侍郞平章事, 朴有仁爲尙書左僕射·參知政事, <u>李子淵</u>爲吏部尙書·參知政事.[30)] [舊例, 宣麻日, 宰臣一員, 引詔案, 授讀詔者. 至是, 五宰相同日宣麻, 特命閤門使引案. 仍爲永式:節要·禮10宣麻儀轉載].

戊午[14日], 加致仕守太尉異膺甫△[爲]開府儀同三司.

癸亥[19日], 王以<u>自春不雨</u>, 避殿, 輟<u>常朝</u>, 斷屠宰, 止用脯醢, 令中外慮囚.[31)]

甲子[20日], [小滿]. 禘于<u>大廟</u>[~~太廟~~].

乙丑[21日], 以武臣高烈△[爲]守司空·尙書左僕射, <u>何興休</u>[~~河興休~~]△[爲]<u>守工部尙書</u>[爲守司空·工部尙書][32)].

丁卯[23日], 親設百座仁王道場於會慶殿, 飯僧一萬于毬庭.

辛未[27日], 賜<u>金鼎新</u>等及第.[33)]

癸酉[29日], 東女眞阿加主等來, 獻土物, 授平遠大將軍.

五月[乙亥朔小盡,建丙午], 丁丑[3日], 東女眞將軍烏於乃來朝.

己卯[5日], 大雨.

乙未[21日], [夏至]. 門下省奏, "時雨旣洽, 請復常膳", 從之.

從也 <u>如淳</u>曰, 款, 寬也, 請除守塞者, 自保不爲寇害".

30) 이때 李子淵은 吏部尙書·參知政事·判尙書禮部事에 임명되었다고 한다(李子淵墓誌銘).

31) 宋에서는 이해의 1월부터 비가 내리지 않아 嶽瀆에 使臣을 파견하여 비를 빌고, 正殿을 避하고 常膳을 減하고 宰相의 品階를 降等시키기도 하였다(『송사』 권11, 본기11, 인종3, 慶曆 7년 3월 丁亥, 癸巳, 辛丑, 壬寅·권66, 지19, 오행4). 또 日本에서는 6, 7월 全國에서 旱魃이 있었다고 한다(中央氣象臺 1941年 2冊 529面). 그리고 常朝는 唐代의 常參(群臣이 每日 前殿에서 皇帝를 알현하는 것)이 약간씩 변해 가면서 五代의 常朝(皇帝가 臨席하지 않은 채 이루어지는 儀禮)로 繼承되었다고 한다(松本保宣 2016年).

- 『扶桑略記』 29, 永承 2년, "六·七兩月, 天下旱魃".
- 『신오대사』 권54, 雜傳42, 李琪, "然唐故事, 天子日御殿見羣臣, 曰常參, …".

32) 何興休는 河興休의 誤字이고(→정종 7년 5월 7일), 그가 임명된 守工部尙書는 守司空·工部尙書일 가능성이 있다. 이는 이 시기에 守職으로 임명보다는 攝職으로 임명되었기 때문이다.

33) 이와 관련된 기사로 다음이 있다.

- 지27, 선거1, 科目1, 選場, "文宗元年四月, 中樞院副使<u>鄭倍傑</u>知貢擧, 取進士, 賜乙科<u>金鼎新</u>等二人·丙科九人·同進士六人·明經三人及第".

戊戌24日, 東女眞大相烏弗遮來朝.

己亥25日, 王以顯宗諱晨道場~~諱辰道場~~, 如玄化寺.34)

[某日, 制□曰, “去年久旱, 邊民飢餓, 其發義倉, 賑之”: 節要·食貨3水旱疫癘賑貸之制轉載].

六月甲辰朔大盡,建丁未, 乙巳2日, 王如奉恩寺.

戊申5日, 制曰, “法律, 刑罰之斷例也, 明則刑無枉濫, 不明則罪失輕重. 今所行律令, 或多訛舛, 良用軫懷, 其令侍中崔冲, 集諸律官, 重加詳校, 務從允當. 書·算業亦令考正”.

乙卯12日, 王率公卿大夫, 如奉恩寺, 以王師決凝爲國師.

丁巳14日, 召見門下侍中崔冲等於文德殿, 問軍國庶務.

庚申17日, 東女眞寧塞將軍老道·歸德將軍耶思老等來, 獻土物, 授思老懷化將軍.

乙丑22日, [大暑]. 契丹人高無諸等來投.

庚午27日, 東女眞沙伊弗等來朝.

秋七月甲戌朔小盡,建戊申, 幸王輪寺.

庚辰7日, 制曰, “守司徒·左僕射蔣劇猛, 久著邊功, 國耳忘家, 宜申異寵, 以示眷懷. 其子孫, 除常例奏蔭外, 可特賜一子官”.

○長淵縣民文漢, 假言托神顚狂, 弑其父母, 又殺親妹小兒等四人, 棄市. 尙書刑部奏, “縣令崔德元·尉崔崇望等, 不能善政化民, 致有不祥之變, 且申報稽遲, 宜罷其職”, 從之.35)

辛巳8日, [立秋]. 以禮部尙書李守和爲西北面秋冬番兵馬使, 兵部侍郎·三司副使朴宗道爲東北面兵馬副使.

壬午9日, 召見宰相於文德殿, 問時政得失.

戊子15日, 以崔惟善爲御史雜端, 金義珍爲殿中侍御史.

---

34) 이날은 顯宗의 忌日(5월 25일)이다.

35) 이 기사는 지38, 刑法1, 大惡에도 수록되어 있는데, 여기에서 崔崇望은 崔德望으로 달리 표기되어 있다(東亞大學 2012년 19책 634面). 또 長淵縣은 瓮津縣의 屬縣이었다가 1106년(예종1) 4월 29일(庚寅)이후에 監務가 파견되었기에 이에 나타난 縣令과 縣尉는 瓮津縣의 守令으로 推定된다(蔡雄錫 2009년 364面).

[某日, 制, "西京監軍與分司御史, 選猛·海軍, 共一十領, 依上京例, 每千人, 選先鋒三百, 以郞將一人, 領之, 仍屬左府":節要·兵1五軍轉載].

壬辰19日, [制曰, "舊制, 邊陲有處置, 則命兩府宰臣, 往專軍事, 號大蕃兵馬, 名義未稱, 宜改爲行營兵馬使". 遂:節要·百官2行營兵馬使轉載]以中樞使王寵之爲西北面中軍使兼行營兵馬使.

[某日, 門下省奏, "謹按前典, 戟之爲制, 如槍兩岐, 施刃其端, 魏武帝門戟, 用蝦蟆頭, 以懸幡旐, 長一丈二尺, 雜以靑黃. 今宮殿及大廟~~太廟~~門戟, 皆作鬼面, 實無所據, 乞依古制, 改畫爲蝦蟆頭", 從之:節要轉載].[36]

八月癸卯朔小盡,建己酉, [某日, 制曰, "尙書考功, 職在考績百僚. 今獨按胥吏能否, 未爲允當. 自今, 可悉考中外見官殿最, 委所司議奏":節要·選擧3考課轉載].[37]

戊申6日, 御史臺奏□~~曰~~, "~~伏見~~近日,[38] 除李希老·洪德威爲監察御史. 希老, 性躁急, 歷仕中外, 無成績. 德威, 當靖宗喪制未闋, 今年燈夕, 與衛尉注簿徐罄宜, 置酒作樂, 極歡自恣, 殊無臣子之義. 俱不宜風憲, 請黜之", 不允, 再駁切直, 從之.

辛亥9日, [白露]. 親設金剛經道場於文德殿五日.

[某日, □□尙書刑部覆奏死刑. 王曰, "人命至重, 死者不可再生, 寡人每聽死囚, 必待三覆, 尙慮失其情實, 儻有冤枉, 欲訴無路, 飮恨呑聲, 可不痛哉? 其審愼之":節要·刑法2恤刑轉載].[39]

甲子22日, 東女眞柔遠將軍無伊老·阿豆等來, 獻土物.

己巳27日, 蒙羅古村·仰果只村等三十部落蕃長, 率衆內附.

---

36) 이와 같은 기사가 지26, 輿服, 儀衛에도 수록되어 있다. 또 蝦蟆頭는 兵器의 상단부에 붙인 裝飾物로 曹操[魏武, 魏武帝]가 이를 사용하였다고 한다.
· 『事物紀原』 권9, 戎容兵械部第49, 戟, "龍魚河圖曰, 蚩尤造戟也. 續事始曰, 魏武加蝦蟆頭幡".

37) 殿最는 官僚들의 政績과 軍功의 考課評定에서 그 成果를 9等級으로 결정하는데, 最高인 上上을 最로, 最下인 下下를 殿으로 表記하는 것을 가리킨다.
· 『자치통감』 권20, 漢紀12, 武帝元鼎 4년(BC113) 秋, "… 是時, 吏治皆以慘刻相尙, 獨左內史兒寬, 勸農業, 緩刑罰, 理獄訟, 務在得人心, 擇用人厚士, 推情與下, 不求名聲, 吏民大信愛之. 收租稅時, 裁闊狹, 與民相假貸, 以故租多不入. 後有軍發, 左內史以負調課殿, 當免[胡三省注, 殿, 課下下曰殿], 民聞當免, 皆恐失之, 大家牛車, 小家擔負輸租, 繦屬不絶[師古曰, 繦, 索也. 言輸者接連不絶於道, 若繩索之相屬也, 猶今言續索矣], 課更以最[注, 課上上曰最], 上武帝由此愈奇寬".

38) ~~添字~~는 『고려사절요』 권4에 의거하였다.

39) ~~添字~~는 지39, 刑法2, 恤刑에 의거하였다.

九月壬申朔大盡,建庚戌, 乙亥4日, 王如普濟寺.

丁丑6日, 宋商林機等來, 獻土物.

壬午11日, 契丹遣福州管內觀察使宋璘來, 册王. 其册曰, "眷乃馬韓之地, 素稱龍節之邦, 代襲王封, 品高人爵. 分頒金盤, 表榮冠於諸侯, 申錫彤旅, 得顓征於四履. 爰屬傑時之器, 允膺纘服之權, 載歷藏時, 式均徽典. 權知高麗國王事王徽, 應基運之數, 鍾英異之靈. 天麟迥首於龜龍, 遹明嘉瑞, 日觀遍崇於嵩華, 夙煥幽經. 負文武之全才, 識忠孝之大本, 粤自勝衣有始, 構室推良, 靜守貞純, 動循禮樂. 慕桓 文之覇業, 精衛 霍之兵符, 富厥令圖, 稔茲淑會. 洎帥臣之告闕, 亟藩國之歸尊, 而能惠洽一方, 情協群望. 及露章而斯暨, 故寵數以難稽, 是用, 宜顯被於紫綸, 俾特建於玄社. 倚爲左相, 峻陟三師, 超隮馭貴之階, 優賜褒功之號. 盈蹝實賦, 劇轉淸勳. 於戱, 周天王之重非熊, 止遙分於齊壤, 漢高祖之刑白馬, 仍納約於劉宗. 順考古先, 罕偕恩禮. 用卜攸長之祚, 愈堅匡合之誠. 勉佩訓言, 仰迪神祐, 可特授開府儀同三司·守太保兼侍中·上柱國, 封高麗國王, 食邑七千戶·食實封一千戶, 兼賜匡時·致理·竭節功臣之號".

冬十月壬寅朔小盡,建辛亥, 甲辰3日, 致仕門下侍郞平章事皇甫穎卒.40)

乙巳4日, 東女眞將軍高都達等四十人來, 獻土物.

丁未6日, 東女眞蒙羅等村古無諸等三百十二戶來附.

庚申19日, 晋州牧使·司宰卿崔復圭奏, 招安逋民一萬三千餘戶, 復其業. 王嘉奬之.

十一月辛未朔大盡,建壬子, 丁丑7日, 東女眞將軍馬志·高謝等四十六人來, 獻駿馬.

己丑19日, 召見宰臣於文德殿, 議時政得失.

丙申26日, 尙書吏部奏, "伏准宣旨, 凡內外大小衙門官員, 皆減一人, 惟巡邊官司仍舊. 今伏審, 浿西·山南道州牧, 務劇員少, 事多壅滯, 甚爲不便. 請岳牧州府員數, 並令仍舊, 永爲定制", 從之.

[是月頃, 遣使如契丹, 獻方物:追加].41)

---

40) 이와 관련된 기사로 다음이 있다. 이날은 율리우스曆으로 1047년 10월 24일(그레고리曆 10월 30일)에 해당한다.

· 지18, 禮6, 諸臣喪, "十月, 平章事□□致仕皇甫穎卒, 賜米百石, 麥五十石, 布四百匹, 大茶三百斤, 香十斤".

十二月辛丑朔[小盡,建癸丑], 致仕門下侍郎平章事李端卒.[42)]

[○乾方有聲, 如風水相搏, 亦如雷吼:五行1鼓妖轉載].[43)]

[某日, 制, "故侍中崔齊顏一子, 雖年未及仕, 可特授八品職":節要轉載].

己酉[9日], 延德宮妃李氏[參知政事李子淵之一女]生子, 賜名烋. [後, 改勳:節要轉載].

庚戌[10日], 尙書吏部奏, "舊制, 凡諸官僚例, 非上章請老者, 年至六十九, 則歲杪解職. 今茶房·太醫少監金徵渥, 年當致仕, 宜罷". 制曰, "徵渥名醫, 職在近侍, 可許數年供職".

丙辰[16日], 以戶部尙書朴成傑爲西北面行營兵馬使.

丁巳[17日], 東女眞也古·西女眞高舍等來朝.

[是年, 以東界, 稱東北面:轉載].[44)]

[○立子母停息之法, 貸一石者, 秋納一石五斗, 二年, 一石十斗, 三年二石, 四年停息, 五年三石, 六年後停息:食貨2借貸轉載].

[○以[內庫副使]李頲爲禮賓省主簿:追加].[45)]

戊子[文宗]二年, 契丹重熙十七年, [宋慶曆八年], [西曆1048年]

1048년 1월 18일(Gre1월 24일)에서 1049년 2월 5일(Gre2월 11일)까지, 13개월 385일

春正月庚午朔[大盡,甲寅], 放朝賀.

乙亥[6日], 東女眞懷化將軍仇羅痲里弗等四十人來, 獻名馬, 賜物有差.

[某日, 制, "犯罪配鄕人, 若有老親, 權留侍養, 親歿還配":節要·刑法2恤刑轉載].

---

41) 이는 다음의 자료에 의거하였다.
· 『요사』 권20, 본기20, 興宗2, 重熙 16년 12월, "壬戌[22日], 高麗遣使來貢".

42) 李端은 그의 4代孫[高孫]인 李仁榮의 墓誌銘에 의하면 本貫이 遂安郡이다. 또 이날은 율리우스曆으로 1047년 12월 20일(그레고리曆 12월 26일)에 해당한다.

43) 原文에는 "文宗元年十一月辛丑[十二月辛丑], 乾方有聲, 如風水相搏, 亦如雷吼"로 되어 있으나, 十一月辛丑은 十二月辛丑의 잘못일 것이다.

44) 이는 다음의 기사를 전재하였다.
· 지12, 지리3, 東界, "文宗元年, 稱東北面, 或稱東面·東路·東北路·東北界".

45) 이는 「李頲墓誌銘」에 의거하였다.

閏[正]月庚子朔[小盡,甲寅], 告朔于大廟[太廟].

丙午[7日], 東女眞歸德將軍沙伊羅·柔遠將軍 沙時賀等三十五人來, 獻土馬.

庚戌[11日], 東女眞懷化將軍都仇羅等三十八人來, 獻土物.[46]

辛亥[12日], 西女眞寧塞將軍高之智[高之知]等二十四人來, 獻土物.[47]

○契丹遣千牛衛大將軍王澤等來, 致國信.

二月[己巳朔大盡,乙卯], [癸酉[5日], 流星出郎將東, 入大角·攝提閒, 大如木瓜, 光芒照地: 天文1轉載].

辛巳[13日], 慮囚.

甲申[16日], [淸明]. 燃燈. 以望日癸未[15日]寒食, 至是日, 行之.[48]

[己丑[21日], 行壓兵祭于西京北郊:禮5雜祀轉載].

三月[己亥朔大盡,丙辰], 庚子[2日], 御史臺奏, "伏審前月制, 播穀伊始, 雨澤愆期, 深用惕厲[惕厲].[49] 其丙戌年[文宗卽位年]肆赦, 頒示賑濟條晝內, 可行之事, 未得施行者, 速令攸司擧行. 臣等已遵制旨, 施行, 唯今大雲·大安兩寺之役方興, 丁匠廢農. 一夫不耕, 必有飢者, 三時之務, 安可奪焉. 又况赦書云, 一切土木之役, 限三年停罷. 擧國欣欣, 皆感德音, 而竟不行之. 信者, 國之大寶, 不可弃也. 食言之謗, 恐由此起. 伏望兩寺之役, 湏[須]俟農隙", 從之.

癸卯[5日], 尊靖宗定信王妃爲容信王后.[50]

辛亥[13日], 設消災道場於內殿, 放輕繫, 蠲逋欠.

甲寅[16日], [立夏]. [靖宗後宮]延昌宮主盧氏卒.[51]

乙丑[27日], 雩.

---

46) 都仇羅은 『고려사절요』 권4에는 都仇那로 되어 있다.

47) 高之智는 1042년(靖宗8) 2월 22일(丙申)과 1064년(문종10) 5월 10일(乙巳)에는 高之知로 달리 표기되어 있는데, 『고려사절요』에서는 前者로 되어 있다.

48) 이 기사는 지23, 禮11, 上元燃燈會儀에도 수록되어 있다.

49) 여러 판본의 『고려사』에서 惕(상)으로 되어 있으나 惕(척)의 誤字이다(東亞大學 2008년 3책 386面). 惕과 惕은 비슷하여 오자가 생긴다고 한다(『字學』, 行久義異).

50) 이는 靖宗妃 定信王妃 韓氏에게 諡號를 容信王后로 올린 것[追諡]이다(열전1, 后妃1, 靖宗, 定信王妃韓氏).

51) 이와 같은 기사가 열전1, 靖宗妃, 延昌宮主盧氏에도 수록되어 있다. 이날은 율리우스曆으로 1048년 5월 1일(그레고리曆 5월 7일)에 해당한다.

[是月頃, 遣使如契丹, 獻方物:追加].[52)]

夏四月[己巳朔小盡,丁巳], 庚午[2日], [小滿]. 幸外帝釋院, 聽軒欄說經. 故事, 行幸山林, 將駕還, 必駐是院, 命僧乘鳳輦, 軒欄講法, 以爲常式.

甲戌[6日], 幸妙通寺.

甲午[26日], 隕霜于土山縣.[53)]

[某日, 制, "各司, 巳初赴衙, 酉初罷衙, 已有成規. 四時晷刻, 長短不同, 自今日永, 辰初, 日短, 巳初赴衙":節要·選擧3考課轉載].

五月[戊戌朔大盡,戊午], 甲子[27日], 王如玄化寺.

[是月, 旱冷:追加].[54)]

六月戊辰□[朔小盡,己未], 王如奉恩寺.[55)]

癸未[16日], 祭中霤.

丁亥[20日], 祭後農.

○東女眞首領吳史等二十六人來朝.

己丑[22日], 慮囚.

[秋七月[丁酉朔大盡,庚申], 壬寅[6日], 制, "自今大小官吏, 四仲時祭, 給假二日":禮5大夫士庶人祭禮·節要轉載].

[→判[制], "大小官吏, 四仲時祭, 給暇二日":刑法1官吏給暇轉載].

[己未[23日], 親醮北斗于內殿:禮5雜祀轉載].

秋八月[丁卯朔小盡,辛酉], 庚午[4日], 設金剛明經道場於會慶殿.

---

52) 이는 다음의 자료에 의거하였다.

·『요사』 권20, 본기20, 興宗3, 重熙 17년 4월, "丙子[8日], 高麗遣使來貢".

53) 이와 같은 기사가 지7, 五行1, 水, 霜에도 수록되어 있다.

54) 이때(5월) 크게 가물고 冷害[甘澍阻霑, 驕陽爲冷]가 있어 首座 鼎賢을 文德殿에 招致하여 8卷本 金剛明經[金經]을 講說하게 하자 비가 내렸다고 한다(竹山七長寺慧炤國師塔碑).

55) 戊辰에 朔이 탈락되었다.

丙子[10日], 附靖宗于大廟[太廟].

九月[丙申朔大盡,壬戌], 甲寅[19日], 東女眞歸德將軍阿豆等三十六人來朝.

丙辰[21日], 設百座仁王道場於會慶殿三日, 飯僧一萬於毬庭, 二萬於外山名寺.

冬十月[丙寅朔小盡,癸亥], 甲戌[9日], 王乘象輅, 宿齋宮.

乙亥[10日], 祫于大廟[太廟], 還御神鳳樓, 赦.

[乙酉[20日], 雷:五行1雷震轉載].

[是月, 判[冊], "各州縣副戶長以上孫, 副戶正以上子, 欲赴製述·明經業者, 所在官, 試貢京師. 尙書省·國子監, 審考所製詩·賦, 違格者及明經不讀一二机者, 其試貢員, 科罪. 若醫業, 須要廣習, 勿限戶正以上之子, 雖庶人, 非係樂工·雜類, 並令試解":選擧1科目轉載].

十一月乙未□[朔大盡,甲子], 門下侍中崔冲以下兩府及常參員, 祫饗執事者, 並推恩增級.[56]

戊申[14日], 設八關會, 幸法王寺.

己未[25日], 契丹遣崇祿少卿邢彭年來, 賀生辰.

辛酉[27日], 契丹東京回禮使·棣州刺史高慶善來.

十二月乙丑朔[大盡,乙丑], 御乾德殿, 受生辰賀.

[是月, 判[冊], "諸道館驛公須田租, 大路一百石, 中路五十石, 小路三十石, 儲峙以支廩給, 餘租, 各輸州倉":食貨1租稅轉載].

甲午[30日], 晦, 日食.[57]

---

56) 乙未에 朔이 탈락되었다.

57) 宋曆·契丹曆·日本曆 등에서 12월은 小盡이기에 甲午는 다음 해(1049년, 문종3) 1월의 朔日이다. 그런데 高麗曆에서는 甲午가 12월 30일로, 日食이 朔日[朔食]에만 반드시 일어나는 것이 아니기에 그믐[晦日, 晦食]에 일어났다고 하여 문제가 되는 것은 아니다. 이때 高麗曆은 餘他의 曆日에 비해 1日의 차이가 있지만, 1월 己酉(15일) 월식이 있었으므로 曆에 있어서 문제점이 있었던 것은 아니다. 또 이날은 율리우스력의 1049년 2월 5일이고, 개경에서 일식 현상이 심했던 시간은 12시 13분, 食分은 0.12이었다(渡邊敏夫 1979年 305面).

· 『자치통감』 권15, 漢紀7, 文帝後 4년(BC160), "夏四月丙寅晦, 日有食之[胡三省注, 月末爲晦, 天文書, 晦則日月相沓, 月在日後, 則光體伏矣]".

[是年, 遣人如宋, 問'魏武注孫子'三處要義無注說:追加].[58]

己丑[文宗]三年, 契丹重熙十八年, [宋皇祐元年], [西曆1049年]

1049년 2월 6일(Gre1월 12일)에서 1050년 1월 25일(Gre1월 31일)까지, 354일

春正月乙未朔小盡,丙寅, 乙巳11日, 東女眞阿骨等三十二人來, 獻駿馬.

○契丹遣蕭惟德·王守道來, 冊王, 詔曰, "卿纘襲王封, 紹興祖業, 飛章雙闕, 嘉織篚之聿修. 考禮曲臺, 宜冊函之顯錫, 兼申頒賜, 用示眷懷. 今差使千牛衛上將軍蕭惟德, 使副·御史大夫王守道, 持節備禮冊命, 幷賜車服·冠劍·印綬及衣帶·匹叚匹段·鞍馬諸物, 具如別錄, 到可祗受".

○冊曰, "朕紼闕承祧, 祖有功而宗有德. 靑藩建社, 大者王而小者侯, 雖武肅於群雄, 亦柔懷於遠裔, 式全大義, 永保鴻圖. 其有纘服開榮, 飛章述職, 控臨日域. 居蒼龍列宿之方, 尊奬天庭, 奉白馬刑牲之約. 爰擧旌疇之命, 是行冊拜之儀. 咨爾匡時·致理·竭節功臣·開府儀同三司·守太保兼侍中·上柱國·高麗國王·食邑七千戶·食實封一千戶王徽. 玉藻含溫, 金球播雅, 宇量平呑於渤澥, 風稜峻屹於崐崙. 蠅字觀書, 洞探經綸之略, 鶴鈴蘊術, 深知戰伐之機. 粤自分啓三陲, 紹興五覇, 尋就頒於鳳綍, 俾爲長於兎城. 四方于宣, 匡合之名輝信史, 一變至道, 拊循之化洽熙民. 加以靖恭無驕滿之容, 忠孝有委輸之節. 豊陳篚筥, 繼走梯航. 宜考禮於曲臺, 載圖勳於盛府. 班崇絶席, 秩峻專車, 襲乃王封, 增之井賦. 仍錫褒功之號, 併推懋賞之恩. 遣使千牛衛上將軍蕭惟德, 使副·御史大夫王守道, 持節備禮, 冊命爾爲守太傅兼中書令·特封高麗國王, 加食邑三千戶·食實封三百戶. 仍賜資忠·奉上四字功臣, 階勳如故. 於戱, 周賜彤弓, 尤重專征之柄, 漢頒玄鉞, 益雄作翰之權, 今古相望, 寵靈若是. 勉副殿邦之寄, 無忘奉國之誠. 欽荷丕言, 以綏吉履".

丙午12日, 王受冊於南郊.

[己酉15日, 月食:天文1轉載].[59]

---

58) 이는 다음의 자료에 의거하였다. 이때 송과의 외교관계가 杜絶되어 있었기에 사신단의 파견이 아니라 양국을 왕래하던 商人을 통해 質疑한 것으로 추측된다.

·『佛祖統紀』 권45, 法運通塞志17-12, 宋 慶歷 8년, "… 高麗遣使, 問'魏武注孫子'三處要義無注說, 廷中諸賢無敢答者, 有詔問歐陽修, 亦未知其答. …".

[是月甲午朔, 宋改元皇祐:追加].[60]

二月[甲子朔小盡,丁未], 乙亥[12日], 以崔冲△[爲]守太保, [參知政事]李子淵△[爲]守司徒, [參知政事?]王寵之△[爲]守司空·上柱國, 鄭傑[~~鄭倍傑~~]△[爲]同知中樞院事,[61] 蔡忠顯爲禮部尙書, 崔延嘏·楊鑑爲左·右散騎常侍.[62]

甲申[21日], 册弟平壤公基△[爲]守太師兼內史令.[63]

[是月, 右副承宣金尙賓, □□□□□[掌國子監試], 取韓復等三十九人:選擧2國子試額轉載].

三月癸巳朔[大盡,戊辰], 東北路監倉使奏, "交州防禦判官李惟伯, 繕理城池, 修備器械, 爲諸郡第一. 且其所部連城·長楊吏民等言, 惟伯上任以來, 勸農恤民. 雖秩滿當代, 願得見借". 王嘉之, 付尙書吏部.[64]

庚子[8日], 饗八十以上國老, □□[~~致仕~~]尙書右僕射[~~左僕射~~]崔輔成·司宰卿趙顒·太子詹事李澤成等於閤門, 王親臨賜酒. 仍賜輔成·顒等公服各一襲·幞頭二枚·腦原茶三十角, 澤成公服一襲. 許令閤門乘馬, 出正衙門, 三老固辭:節要轉載].[65]

[翼日[辛丑9日], 饗庶老男女及義夫·節婦·孝子·順孫·鰥寡·孤獨·廢疾于毬庭. [分貴

---

59) 이날은 율리우스력의 1049년 2월 20일이고, 월식 현상이 심했던 때의 世界時는 15시 32분, 食分은 1.36이었다(渡邊敏夫 1979年 472面).

60) 이날은 高麗曆의 前年 12월 30일에 해당한다.

61) 鄭傑은 그의 歷官을 통해 볼 때 鄭倍傑이 改名하였던 것 같다. 곧 「竹山七長寺慧炤國師塔碑」에 "知中樞院事·翰林學士·秘書監鄭傑"로 되어 있다.

62) 崔延嘏는 그의 外孫 金義元의 묘지명에 의하면 尙書右僕射·中樞院使에 이르렀다고 한다. 또 최연하는 그의 딸의 封郡號가 西海郡大夫人이었음을 보아 本貫이 海州였던 것 같다.

63) 이 기사는 열전3, 顯宗王子, 平壤公基에도 수록되어 있다.

64) 이와 같은 기사로 다음이 있다.

· 지33, 食貨2, 農桑, "東北路監倉使奏, 交州防禦判官李惟伯所部, 連城·長楊吏民等言, 惟伯上任已來, 勸農恤民, 雖秩滿當代, 願得見借".

65) 正衙는 朔望의 朝參·赦書의 頒布·將相의 任命 등이 이루어지는 正廳, 곧 正殿의 다른 표기이다(松本保宣 2016年).

·『구당서』 권38, 지18, 地理志1, 河南道, "正殿曰明堂, 明堂之西, 有武成殿, 卽正衙, 聽政之所也".

·『涑水記聞』 권8, 寶元 1년 12월 庚申, "… 丹鳳□[門]之內曰, 含光殿, 每至大朝會, 則御之. 次曰, 宣政殿, 謂之正衙, 朔望大册拜, 則御之. 次曰, 紫宸殿, 謂之上閤, 亦曰內衙, 奇日視朝, 則御之".

·『자치통감』 권275, 後唐紀4, 明宗, 天成 1년(926) 5월, "丁巳, 初令百官正衙常朝外, 五日一赴內殿, …".

賤, 設次於左右同樂亭及廊下:節要轉載], 賜物有差.

癸卯11日, 以韋靖爲尙書右僕射, 魏崇△爲攝戶部尙書, 吳演爲攝工部尙書.

乙巳13日, [穀雨]. 契丹所擄鳳州喜達等三十人還.

甲寅22日, 東女眞麻離害等二十人來, 獻良馬.

戊午26日, 以李仁靜爲尙書左僕射·柱國, 金廷俊爲中樞院使·判御史臺事, 鄭傑爲秘書監·知中樞院事,[66] 金元鼎爲禮賓卿·同知中樞院事.

夏四月癸亥朔小盡,己巳, [某日, 制曰, "去歲, 霖雨損禾,[67] 民食不周, 遣使賑恤, 務要全活":節要·食貨3水旱疫癘賑貸之制轉載].

乙丑3日, 西女眞符巨等二十人來, 獻良馬.

[○大雨, 有雹, 震人及樹木:五行2轉載].

丁亥25日, 東女眞奉國將軍沙伊羅等七十九人來, 獻駿馬.

戊子26日, 納內史侍郞平章事金元冲女爲妃.[68]

五月壬辰朔大盡,庚午, 甲子某日,[69] 御文德殿覆試, 賜朴仁壽等及第.[70]

[某日, 定兩班功蔭田柴法. 一品, 門下侍郞平章事以上, 田二十五結, 柴十五結. 二品, 參政參知政事以上,[71] 田二十二結, 柴十二結. 三品, 田二十結, 柴十結. 四品, 田十七結, 柴八結. 五品, 田十五結, 柴五結. 傳之子孫. 散官減五結. 樂工·賤口, 放良員吏, 皆不得與. 受功蔭田者之子孫, 謀危社稷, 謀叛大逆延坐, 及雜犯公私罪,

---

66) 이때 鄭傑은 知中樞院事·翰林學士·秘書監에 임명되었던 것 같다(竹山七長寺慧炤國師塔碑).

67) 霖雨는 비가 3日 以上에 걸쳐 계속 내리는 것을 가리킨다.

· 『자치통감』 권8, 秦紀3, 二世皇帝 2년(BC208), "秋七月, 大霖雨[胡三省注, 雨三日以往爲霖雨], 武信君項梁引兵攻亢父, …".

68) 金元冲은 다음 해 1월 乙卯(27일) 門下侍郞平章事·判尙書刑部事에 昇進한 점을 보아, 이때 內史侍郞平章事였을 것이다.

69) 이달에 甲子가 없고 6월 3일이 甲子이므로, 5월의 甲子는 甲午(3일), 甲辰(13일), 甲寅(23일)의 誤字일 것이다. 이날은 覆試를 시행하고 朴仁壽 등에게 급제를 하사한 날인데, 選擧志에도 5월에 시행하였다고 되어 있다(지27, 선거1, 科目1, 選場).

70) 이와 관련된 기사로 다음이 있다.

· 지27, 선거1, 科目1, 選場, "文宗三年五月, 中樞院使金廷俊知貢擧, 取進士, 覆試, 賜乙科朴仁壽等二人·丙科七人·同進士六人·恩賜一人·明經四人及第".

71) 參政은 參知政事의 약칭이다(『송사』 권161, 지114, 職官1, 參知政事).

除名外, 雖其子有罪, 其孫無罪, 則給功蔭田柴三分之一:食貨1功蔭田柴·節要轉載].[72)]

六月[壬戌朔大盡,辛未], 戊辰[7日], 東蕃海賊寇[溟州管內]臨道縣, 擄十七人.

壬申[11日], 東北路兵馬使奏, [溟州管內]雲嵒縣折衝軍隊正惟古等十一人,[73)] 夜巡行到泉井戍, 有蕃賊四十餘人, 突入屯中. 軍卒皆奔匿, 惟古挺身奮擊, 賊遂潰走, 請量功授職.

[某日, 命□□[~~有司~~], 集疾病·飢餓者, 於東·西大悲院, 救恤:節要·食貨3水旱疫癘賑貸之制轉載].[74)]

戊子[27日], 制□[~~曰~~], "每歲, 自六月至立秋, 頒冰于諸致仕輔臣, 三日一次, 僕射·尙書·卿·監·大將軍以上, 七日一次, 以爲永制".

秋七月[壬辰朔小盡,壬申], 丁酉[6日], 東蕃海賊寇[溟州管內]金壤縣, 擄二十人.

[丙午[15日], 處暑, 月食:天文1轉載].[75)]

八月[辛酉朔大盡,癸酉], 己巳[9日], 宋台州商徐贊等七十一人來, 獻方物.

辛巳[21日], 宋泉州商王易從等六十二人來, 獻珍寶.

九月[辛卯朔小盡,甲戌], [丙申[6日], 制, "外方官吏, 遭兄弟·姊妹喪者, 若在遠州, 除申請, 京官直於外官請假, 妻父母服, 不論妻之先後, 並令給假":禮5五服制度轉載].

[→制, "外方官吏, 遭兄弟·姊妹喪者, 若在遠州, 除申請, 京官直於外官請假, 妻父母服, 不計妻之先後, 並許給假":節要·刑法1官吏給暇轉載].

庚子[10日], 延德宮妃生子, 賜名烝. [後改祁, 又改運:節要轉載].

---

72) 이때 지급된 功蔭田柴의 受給對象을 官品 5品以上의 官僚로 볼 것인가(李佑成 1962년 ; 武田幸男 1967年), 아니면 모든 官僚로 볼 것인가(末松保和 1953年 ; 朴昌熙 1973년 ; 金東洙 1981년)에 따라 지배층의 범위와 당시의 정치적 성격을 이해하는데 큰 차이가 있을 수 있다(張東翼 2015년a).

73) 雲嵒縣은 지리지에는 雲岩縣으로 달리 표기되어 있다(지12, 지리3, 溟州 金壤縣, 雲岩縣).

74) ~~添字~~는 지34, 食貨3, 水旱疫癘賑貸之制에 의거한 것이다.

75) 이날 일본에서는 월식이 예보되었으나 관측되지 않았다고 한다. 이날은 율리우스력의 1049년 8월 16일이고, 월식 현상이 심했던 때인 前日(14日乙巳)의 世界時는 21시 40분, 食分은 1.57이었다(渡邊敏夫 1979年 472面).

·『扶桑略記』 29, 永承 4년 7월, "十五日, 曆道注月蝕, 而不蝕".

冬十月庚申朔大盡,乙亥, 丁亥28日, 慮囚.

十一月庚寅朔小盡,丙子, 壬寅13日, 耽羅國振威校尉夫乙仍等七十七人·北女眞首領夫擧等二十人來, 獻土物.

戊午29日, 東南海船兵都部署司奏, "日本對馬島官遣首領明任等, 押送我國飄風人金孝等二十人, 到金州". 賜明任等例物, 有差.

十二月己未朔大盡丁丑,[76] 契丹遣殿中少監馬祐來, 賀生辰.

[某日, 東北路兵馬使奏, "永興鎭軍成厚等三百二十餘人狀告, 鎭將·尙舍直長丁作鹽, 勸農桑, 均賦役, 修城郭, 備戰具. 又於沙石不耕之地, 勸種雜穀, 歲收二百餘斛, 功課爲最, 雖已考滿, 願借留任". 王嘉歎, 並許之:食貨2農桑轉載].[77]

[是年, 判制, "公私奴婢, 三度逃亡者, 鈒面還主":刑法2奴婢轉載].

[○下詔, 以僧統鼎賢爲王師, 遣知中樞院事·秘書監·翰林學士鄭傑, 左副承宣·尙書左丞高肅成等賢居處傳宣, 三返呼而不已, 賢不得已, 而受命焉. 上率群臣幸奉恩寺, 拜賢, 獻罽錦衲衣·法具等, 質釋氷疑, 恩情炎慕:追加].[78]

[○以禮賓省主簿李頲爲閤門祗候:追加].[79]

庚寅[文宗]四年, 契丹重熙十九年, [宋皇祐二年], [西曆1050年]

1050년 1월 26일(Gre2월 1일)에서 1051년 2월 13일(Gre2월 19일)까지, 13개월 384일

春正月己丑朔小盡,戊寅, 放朝賀.

---

76) 12월 己未朔은 宋曆의 11월 30일이다. 곧 宋曆에서는 12월이 庚申朔이고 小盡이지만, 高麗曆·契丹曆·日本曆 등에서는 己未朔이고 大盡이다.

77) 이 기사는 『고려사절요』 권4에 축약되어 있다.
· "東北路永興鎭軍三百二十餘人狀告, 鎭將丁作鹽, 勸農桑, 均賦役, 修城廊, 備戰具. 又於沙石不耕之地, 勸種雜穀, 歲收二百餘斛, 功課爲最, 雖已考滿, 願借留任. 王嘉嘆, 許之".

78) 이는 「竹山七長寺慧炤國師塔碑」에 의거하였다.

79) 이는 「李頲墓誌銘」에 의거하였다.

○東北面都兵馬使朴成傑奏, "上年十月, 海賊奪鎭溟兵船二艘而去, 兵馬錄事文揚烈, 卽率兵船, 與元興都部署判官宋齊罕, 追至賊穴, 焚蕩廬舍, 斬馘二十級而還, 其功可賞". 制, "付都兵馬使".80)

癸卯15日, 以門下侍中崔冲△爲守太傅.

[→以門下侍中崔冲爲開府儀同三司·守太傅, 賜推忠贊道功臣號:節要轉載].

丙午18日, 東北面兵馬錄事·衛尉注簿朴庸載陛辭. 制, "蕃人有欲來朝者, 非賊首那拂, 勿許入朝". 以蕃類三百人, 勒留京館故也.

乙卯27日, 以金元冲爲門下侍郞平章事·判尙書刑部事, 李子淵爲內史侍郞平章事 內史侍郞同內史門下平章事 81), ~~知中樞院事·翰林學士·秘書監~~鄭傑爲中樞院使·翰林學士承旨.82)

[某日, 制, "外官父母, 在京身死, 除奏達, 許令上京. 軍興時, 則所管事體商量, 兼考兵馬使給暇移文, 酌量裁決. 其別命員及隨使記事者, 亦依此例":禮6五服制度轉載].

[二月戊午朔大盡,己卯, 暴風拔屋折木, 三日:五行3轉載].

[某日, 西北面興化道監倉使奏, "去戊子年文宗2年, 道內昌州, 有蝗災, 其年, 已納租稅者, 請依令文, 以損分多少, 折放", 從之:節要·食貨3災免之制轉載].

三月戊子朔小盡,庚辰, [某日, 城寧朔鎭, 以扼蕃賊要衝:節要轉載].

[→城安義鎭榛子農場, 爲寧朔鎭, 以扼蕃賊要衝, 六百六十八間, 門六, 水口三, 城頭十三, 遮城五:兵2城堡轉載].83)

---

80) 이때의 上年이 前年(文宗3)인지 再前年(문종2)인지는 알 수 없다.

81) 이때 李子淵은 內史侍郞同內史門下平章事에 임명되었다고 한다(李子淵墓誌銘).

82) ~~添字~~는 「竹山七長寺慧炤國師塔碑」에 의거하였다(→문종 3년 2월 12일의 脚注).

83) 현재의 平安北道 天摩郡 西古里(內地)에 위치한 寧朔鎭城과 郭州에 있었던 것으로 추정되는 安義鎭(현재의 郭山郡 安義里에 위치한 것으로 추정됨, 沿海地域) 榛子[山板栗, Hazelnut, 개암나무] 農場과의 관계는 분명히 알 수 없다.
- 『태조실록』 권10, 5년 7월 壬午27日, "都評議使司據西北面都巡問使報, 以順寧·安定合爲順安縣, 以价州兼官熙州, 別爲知郡, 大·小朔州, 龜州合爲知朔州郡, 龍州兼官定戎·寧德·寧朔合爲定寧縣, 陽巖·樹德合爲陽德監務".
- 『태조실록』 권10, 5년 8월 甲寅29日, "是月, 西北面都巡問使請城寧朔鎭, 從之".
- 『세종실록』 권154, 지리지, 義州牧, 隨川郡, "知郡事一人, 兼義州道左翼兵馬. 高麗高宗辛卯18年, 狄兵陷昌州城, 邑人入于京畿紫燕島, 元宗辛酉2年出陸, 寓于郭州海濱, 以失土割郭州東十六村及屬縣安義鎭, 以與之, 稱知隨州事, 仍兼郭州. 恭愍王辛亥20年, 析置郭州, 本朝太宗癸巳13年, 例改

[丁酉10日, 松岳西麓大石頹:五行3轉載].

丙午19日, 東女眞寧塞將軍塩漢等十二人·柔遠將軍阿加主等三十人·中尹仍亏憲等四人·將軍要羅那等三十八人來, 獻良馬.

○懷化將軍阿加主包加主?等六人進豹·鼠皮, 賜物有差. 塩漢等十五人, 以曾犯邊, 留之.[84]

[是月頃, 遣使如契丹, 獻方物:追加].[85]

夏四月丁巳朔大盡,辛巳, 辛酉5日, 謁顯太祖·宣顯宗二陵, 肆赦.

癸酉17日, 渤海開好等來投.

[某日, 中書省內史省奏曰, "關內西道州縣, 前歲不登, 民有飢色, 請發司倉·公廨粟, 以助耕耘, 其貧不能自存者, 發義倉以賑", 從之:節要·食貨3水旱疫癘賑貸之制轉載].[86]

癸未27日, 命有司, 檢定東女眞大·小乞羅尼村疆界, 以備寇.

[五月丁亥朔小盡,壬午, 辛卯5日, 夜, 暴雨, 震人及樹木:五行2轉載].

[是月頃, 遣使如契丹, 賀伐夏捷:追加].[87]

六月丙辰朔大盡,癸未, 戊辰13日, 東蕃海賊寇杆城縣管內烈山縣寧波戍, 掠男女十八人.

己卯24日, 制, "東北界沿海城堡軍民, 未獲安業. 欲懷遠人, 莫如愼簡元帥, 宜以兵部尙書楊鑑, 爲今秋冬番兵馬使".

今名. 四境, 東距定州二十九里, 西距郭山九里, 南臨大海, 北距定州三十里".

84) 이 기사에서 柔遠將軍 阿加主와 懷化將軍 阿加主가 함께 기록되어 있다. 同名異人일 수도 있지만 後者는 包加主의 오자일 가능성이 있다(→문종 6년 1월 9일, '東女眞懷化將軍包加主').

85) 이는 다음의 자료에 의거하였다.

· 『요사』 권20, 본기20, 興宗3, 重熙 19년 4월, "甲申28日, 高麗遣使來貢".

· 『요사』 권115, 열전45, 二國外記, 高麗, "重熙十九年, 復貢".

86) 中書省은 內史省의 오자인데, 이는 內史門下省이 中書門下省으로 改稱된 것은 1061년(문종15) 6월이기 때문이다(세가8, 문종 15년 6월 某日, 己卯28日 ; 지30, 百官1, 門下府).

87) 이는 다음의 자료에 의거하였다.

· 『요사』 권20, 본기20, 興宗3, 重熙 19년 4월, "甲申28日, 高麗遣使來貢", 6월, "甲戌, 宋遣使來, 賀伐夏捷, 高麗使俱至".

· 『요사』 권115, 열전45, 二國外記, 高麗, "重熙十九年, 復貢, 六月, 遣使來, 賀伐夏之捷".

[壬午27日, 流星出牛入雞**野雞**,[88] 大如木瓜, 色赤:天文1轉載].

秋七月丙戌朔小盡,甲申, 東蕃賊寇登州管內派川縣.

庚子15日, 以伏熱, 停修羅城.

戊申23日, 東女眞酋長骨羅介等來, 獻土物, 又贖還沒蕃男女四人, 賜金帛.

八月乙卯朔大盡,乙酉, 辛巳27日, 東女眞阿加主·塩漢·沙伊羅等, 歸我沒蕃靜邊鎭副將皇甫沖·隊正宋迎.

九月[乙酉□朔大盡,丙戌, 黑氣經天, 衝乾巽方, 貫虛·危·歲星:天文1轉載].[89]

丁亥3日, 契丹東京回禮使·忠勇軍都指揮使高長安來.

[甲午10日, 月犯鎭星:天文1轉載].

己亥15日, 東北面兵馬使奏, "海賊寇掠杆城縣管內烈山縣, 遣兵馬錄事文揚烈, 以戰艦二十三艘, 追至椒子島[90], 奮擊大敗之. 斬九級, 焚其部落屋舍三十餘所, 毁戰艦八艘, 獲兵器以百數, 請賞其功", 從之.

乙巳21日, 設百高座仁王道場於會慶殿三日.

[某日~~壬未23日~~, 制曰, "朕以凉德, 托于臣民之上, 擬憑佛敎, 以致理平, 開大法筵. 今當罷會, 欲霈洪恩, 其今日以前, 贖罪徵收之類, 可悉除免":食貨3恩免之制轉載].[91]

[己酉25日, 月犯熒惑:天文1轉載].

[冬十月乙卯朔小盡,丁亥, 庚午16日, 熒惑入大微**太微**:天文1轉載].

[某日, 都兵馬使·參知政事·吏部尙書王寵之奏, "傳曰, 安不忘危.[92] 又曰, 無恃敵

---

88) 雞는 野雞(野雞星, 현재의 大犬座, Canis Major)에서 野가 脫落되었을 가능성이 있다(孫曉 等編 2014年 1432面).

89) 乙酉에 朔이 탈락되었다.

90) 島는 延世大學本과 東亞大學本에는 而로 되어 있는데, 띄어쓰기를 달리하면 의미상으로 문제가 없을 것이다(東亞大學 2008년 3책 392面).

91) 이날의 날짜[日辰] 推定은 기사의 내용에 의거하였다.

92) 이는 다음의 자료에서 따온 말이다.

· 『易經』, 系辭下傳, 第5章의 "子曰, 危者, 安其位者也. 亡者, 保其存者也. 亂者, 有其治者也. 是故, 君子安而不忘危, 存而不忘亡, 治而不忘亂, 是以, 身安而國家可保也".

之不來, 恃吾有備.[93] 故國家每當仲秋, 召會東·南班員吏於郊外, 教習射御, 而況諸衛軍士, 國之爪牙, 宜於農隙, 教金鼓·旌旗·坐作之節. 又馬軍皆不鍊習, 請先選先鋒馬兵, 每一隊, 給馬甲十副, 俾習馳逐, 仍令御史臺·兵部·六衛, 掌其教閱", 從之:節要·兵1五軍轉載].[94]

[某日, 判[制], "近仗將校, 以諸領府將校中, 御選有身彩多功勞者, 充差":兵1五軍轉載].

冬十一月[甲申朔大盡,戊子], [戊子[5日], 熒惑犯大微[太微]上相:天文1轉載].

[庚寅[7日], 月犯鎭星, 熒惑守端門:天文1轉載].

[癸卯[20日], 月入大微[太微], 犯謁者:天文1轉載].

[甲辰[21日], 雷電:五行1雷震轉載].

[某日, 都兵馬使·門下侍中崔冲等上言, "西北州鎭, 因去歲禾穀不登, 百姓貧乏, 男困於徭投, 女困於徵糶, 將何以堪. 請修繕城池外, 一切工役, 悉令禁斷", 從之:節要轉載].[95]

己酉[26日], 鎭溟都部署副使金敬應率舟師, 擊海賊三艘于烈島, 敗之, 斬數十級以獻, 沒溺者甚衆. 命有司論賞.

[是月, 判[制], "田一結, 率十分爲定損至四分除租, 六分除租布, 七分租布役俱免".[96] □[又]是月, 判[制], "凡州縣, 水旱虫霜, 禾穀不實田疇, 村典告守令, 守令親驗, 申戶部, 戶部送三司, 三司移牒, 撿覈虛實後, 又令其界按察使, 差別員審檢, 果災傷, 租稅蠲減":食貨1踏驗損實轉載].

閏[十一]月[甲寅朔大盡,戊子], 壬戌[9日], 契丹橫宣使·匡義軍節度使蕭質來.

辛未[18日], 契丹漢兒曹一來投.[97]

---

93) 이는 다음의 자료에서 따온 말이다.

·『孫子』, 九變篇, "故用兵之法, 無恃其不來, 恃吾有以待之. 無恃其不攻, 恃吾有所不可攻也".

94) 이와 같은 기사가 열전8, 王寵之에도 수록되어 있으나 자구에 출입이 있다.

95) 이와 같은 기사가 열전8, 崔冲에도 수록되어 있다.

96) 이때의 免租率은 이미 성종 7년 12월 某日의 災免의 制令에서 제시되었다.

97) '漢兒曹一'은 契丹에 被擄되어 있던 '漢人 曹一'을 의미하는 것 같다. 이는 遼·金時代의 燕地域(現 北京市)의 言語에 兒字가 붙어 있었고, 당시의 契丹人이 漢人을 漢兒라고 불렀다고 한다(漆俠 等編 2010年 5冊 320面).

十二月甲申□[~~朔~~小盡,己丑], 契丹遣<u>高州</u>觀察使<u>蕭玉</u>來, 賀生辰.[98)]

[辛卯[8日], 月犯畢:天文1轉載].

[某日, [都兵馬使·門下侍中]崔冲奏曰, "東女眞酋長鹽漢等<u>八十五人</u>, 以累曾犯境, 劫掠邊民, 勒留京館有日. 然夷狄人面獸心, 不可以刑法懲, 不可以仁義敎, 拘留旣久, 發憤含怨, 首丘之情, 必不忘本, 且其供費甚多, 請皆放還", 從之:節要轉載].[99)]

[是年, 築渭州·寧朔鎭城:轉載].[100)]

[→修<u>渭州城</u>六百七十五間:兵2城堡轉載].[101)]

辛卯[文宗]五年, 契丹重熙二十年, [宋皇祐三年], [西曆1051年]

1051년 2월 14일(Gre2월 20일)에서 1052년 2월 3일(Gre2월 9일)까지, 355일

春正月癸丑朔[小盡,庚寅], 放朝賀.

癸亥[11日], 幸眞觀寺, 轉新成'華嚴·般若經'.

---

98) 甲申에 朔이 탈락되었다. 또 蕭玉이 管轄하던 高州 管內에는 현종 때에 거란군에게 피로된 高麗人들로 구성된 三韓縣이 있었다고 한다. 高州의 位置는 不明이지만, 高州가 中京의 管轄 하에 있었으므로 中京大定府가 위치했던 現在의 內蒙古自治區 赤峰市 寧城縣 天義鎭 大明鄕의 大明城 부근인 土河(現 老哈河) 上流의 어느 곳일 것이다. a와 b기사는 하나의 사실을 高州와 高州 管內의 三韓縣에 重複으로 수록한 것인데, 三韓縣의 내용은 문장의 順序를 바꾸고 c와 같이 고쳐야 옳게 될 것이다[校正事由].

· a『요사』권39, 지9, 지12, 지리3, 中京道 高州, "開態中, 聖宗伐高麗, 以俘戶置高州".

· b『요사』권39, 지9, 지12, 지리3, 中京道 高州 三韓縣, "辰韓爲扶餘, 弁韓爲新羅, 馬韓爲高麗, 開泰中, 聖宗伐高麗, 俘三國之遺人爲縣, 戶五千".

· c "開泰中, 聖宗伐高麗, 俘三國之遺人爲縣, 戶五千, □□□[~~三韓之~~]辰韓爲扶餘, 弁韓爲新羅, 馬韓爲<u>高麗</u>[高句麗]"[校正].

99) 이와 같은 기사로 다음이 있는데, 上記 記事의 八十五人이 八十六人으로 되어 있다(盧明鎬 等編 2016년 132面).

· 열전8, 崔冲, "又奏, '東女眞 酋長塩漢等<u>八十六人</u>, 累犯邊境, 今勒留京館有日. 夷狄人面獸心, 不可以刑法懲, 不可以仁義敎. 勒留旣久, 首丘之情, 必深忿怨. 且供費甚多, 請皆放還', 從之".

100) 이는 다음의 기사를 전재한 것이다.

· 지12, 地理3, 渭州·寧朔鎭. "文宗四年, 築城".

101) 渭州城은 현재의 평안북도 球場郡(옛 寧邊郡 龍山面과 그 隣近地域) 沙烏里에 있다고 한다(보존유적 제175호, 梁時恩 2021년).

[是月, 以[尙書兵部員外郞]劉肅爲西海道按察副使:追加].[102)]

二月[壬午朔大盡,辛卯], 癸巳[12日], 京市署火, 延燒一百二十戶.[103)] 命有司, 給材瓦.

[某日, 制, "去歲不稔, 黎民阻飢, 以御史雜端金化崇爲西京關內西道宣撫使, 兵馬判官金繼參爲北界宣撫使, 發倉賑之":食貨3水旱疫癘賑貸之制轉載].[104)]

乙未[14日], 燃燈, 王如奉恩寺.

翼日[丙申15日], 命肆花宴, 召近侍同宴.

庚子[19日], [淸明]. 白翎鎭城廊二十八間及民家七十八戶災.[105)] 按察副使·尙書兵部員外郞劉肅劾奏, "鎭將崔成道·副將崔崇望等, 不爲謹愼, 以致火災, 請削見任, 科罪", 從之.

三月[壬子朔小盡,壬辰], 壬戌[11日], 禱雨于川上.[106)]

戊辰[17日], 尙書左僕射李守和卒.[107)]

壬申[21日], 禱雨于川上.

夏四月辛巳朔[小盡,癸巳], 雩.

○賜崔錫等及第.[108)]

壬午[2日], 幸普濟寺, 設五百羅漢齋.

乙未[15日], 制, "放還廣仁館拘留東女眞賊首阿骨等七十七人".

---

102) 이는 是年 2월 19일의 記事에 의거하였다.

103) 이와 같은 기사가 지7, 五行1, 火, 火災에도 수록되어 있다.

104) 이 기사는 『고려사절요』 권4에 冒頭는 생략된 채 축약되어 있다("以民飢, 發倉賑之").

105) 이와 같은 기사가 지7, 五行1, 火, 火災에도 수록되어 있다.

106) 宋에서는 이달에 官僚를 天下의 名山大川의 祠廟에 보내어 비를 빌었다(『송사』 권66, 지19, 오행4).

107) 이날은 율리우스曆으로 1051년 4월 30일(그레고리曆 5월 6일)에 해당한다.

108) 이와 관련된 기사로 다음이 있다. 崔錫은 1075년(문종29) 이후에 崔奭으로 改名하였다(『登科錄』, 文宗 5년). 또 이때 [太學進士]崔錫(改崔奭)·金良鑑·崔思訓(改思諒)·朴寅亮·崔澤·魏齊萬 등이 급제하였다(『보한집』 권상, 朴龍雲 1990년 ; 許興植 2005년). 이때의 及第放榜詔書[敎書]는 『동문선』 권23에 수록되어 있다(金成槩[任成槩] 撰, 金成槩는 任成槩의 오자로 추측된다).

· 지27, 선거1, 科目1, 選場, "[文宗]五年四月, 內史侍郞[平章事]李子淵知貢擧, 取進士, 下詔賜乙科崔錫等七人·丙科六人·同進士六人·明經三人及第".

· 「李子淵墓誌銘」, "… 辛卯年□[掌?]知貢擧事, 人之麟鳳與琳琅·杞梓, 皆出門下矣".

庚子[20日], 內史門下□[省]奏, "重興·大安·大雲等寺, 創新補舊, 土木興役, 凡所營爲,[109] 事非急切. 匠夫疲於日夜, 餉饋勞於轉輸, 妻還子去, 道路相繼, 春夏以來, 略無休息. 況去歲不稔, 生民乏食, 力不能堪. 應須興役, 請俟農隙", 從之.

丁未[27日], 內史門下□[省]奏, "制, 皇甫延爲鷹揚軍大將軍兼攝大府卿[~~太府卿~~], 秦彦爲左右衛大將軍, 盧能訓爲神虎衛大將軍. 三人曾坐罪削職, 雖因赦復官, 更無功効, 不合遷擢. 請罷之", 制可. 唯皇甫延勿罷.

戊申[28日], 親醮于毬庭.[110]

五月[庚戌朔大盡,甲午], 丁巳[8日], 以旱赦.

[乙丑[16日], 月食:天文1轉載].[111]

辛未[22日], [小暑]. 再雩.

[六月庚辰朔[小盡,乙未]:追加].

秋七月[己酉朔大盡,丙申], 庚戌[2日], 幸興王寺.

己未[11日], 日本對馬島遣使□[來], 押還被罪逃人良漢等三人.

[某日, 有司奏, "京都有一孝子釋珠, 早孤無托, 剃髮爲僧. 刻木爲父母形, 就加繪飾, 朝昏定省, 奉養之禮, 悉如平日". 王曰, "丁蘭之孝, 無以加焉". 命厚賞之:節要轉載].[112]

戊寅[30日], 東女眞元甫古舍等二十六人來, 獻土物.

[是月, 金州移牒日本大宰府:追加].[113]

---

109) 凡은 『고려사절요』 권4에는 几(궤)로 되어 있으나 오자일 것이다(盧明鎬 等編 2016년 132面).

110) 이 기사는 지17, 禮5, 雜祀에도 수록되어 있다.

111) 이날은 율리우스력의 1051년 6월 26일이고, 월식 현상이 심했던 때의 世界時는 20시 42분, 食分은 0.14이었다(渡邊敏夫 1979年 472面).

112) 이 기사는 열전34, 孝友, 釋珠에도 수록되어 있다.

113) 이는 다음의 자료에 의거하였다.
- 『百練抄』 第4, 永承 6년 7월, "十日, 高麗國牒狀定, 返上日向國女事".
- 『水左記』, 承曆 4년 9월, "四日癸巳 … 永承六年, 金州返牒云, 專行李以謄信札, 而便附商船, □數□[缺?]云々".
- 「異國牒狀記」, "永承 6년(1051) 7월, 高麗國의 牒이 도래했다. 그 禮가 없음[無禮]에 의해 太宰府는 牒을 보내지 않았다(永承六年七月, 高麗國牒到來, 其禮なきによつて, 宰府牒をつか

八月己卯朔大盡,己卯, 中樞□院使·禮部尙書鄭傑卒.[114) ［贈弘文廣學推誠贊化功臣·開府儀同三司·守太尉·門下侍中·上柱國·光儒侯:追加］.[115)]

辛丑23日, 親饗年八十以上僧俗男女一千三百四十三人, 篤·癈疾僧俗男女六百五十三人·孝子·順孫·節婦十四人于毬庭, 賜物有差.

甲辰26日, 龜州郎將康隣·昌州別將康彥·崔立等, 捕殺蕃賊六人.

乙巳27日, 東女眞歸德將軍豆也弗等三十一人來, 獻土物.

九月己酉朔大盡,戊戌, 東北面兵馬副使金化崇奏, "女眞寇邊, 遣軍士擊斬五十九級". 遣閤門通事舍人徐亶, 賜敎曰, "爾富蘊兵謀, 遐分閫寄, 偵戎醜之作梗, 擾我邊封, 聘婉畫以出奇, 形玆捷奏. 顧多俘馘, 可奬勞庸, 今差閤門通事舍人徐亶, 往彼宣諭. 賜爾衣對衣襨·綵叚綵段·銀器,[116) 其軍前員將, 隨等第, 亦賜匹叚匹段".

甲寅6日, 西北面兵馬使朴宗道奏, "昨率軍將, 巡行關外, 遇東蕃賊,[117) 擊斬十餘級, 奪戰馬二十匹, 鎧仗無算". 王優奬之.

冬十月己卯朔小盡,己亥, 丁亥9日, 東北面兵馬使奏, "蕃賊寇邊,[118) 遣兵馬錄事尹甫·敬忠·長州防禦使金旦等, 追擊斬二十餘級".

庚寅12日, 幸楊州三角山.

壬寅24日, 還京都.

丁未29日, 契丹東京回禮使·檢校工部尙書耶律守行來.

［是月, 判判, "諸州縣吏, 初職後壇史諸壇史, 二轉兵·倉史, 三轉州府郡縣史, 四轉副兵·倉正, 五轉副戶正, 六轉戶正, 七轉兵·倉正, 八轉副戶長, 九轉戶長. 其公須·食祿正准戶正, 副正准副兵·倉正, 客舍·藥店·司獄正准副戶正, 副正准州府郡縣史, 以家風不及戶正·副兵·倉正者, 差之. 若累世有家風子息, 初授兵·倉史, 其次, 初授後壇史諸壇史":選擧3鄕職轉載］.[119)]

ハさず)".

114) 이날은 율리우스曆으로 1051년 9월 8일(그레고리曆 9월 14일)에 해당한다.

115) 이는 열전8, 鄭文에 의거하였다.

116) 衣對는 衣襨로 고쳐야 옳게 될 것이다(東亞大學 2008년 3책 520面).

117) 東蕃賊은『고려사절요』권4에는 女眞으로 되어 있다(盧明鎬 等編 2016년 133面).

118) 蕃賊은『고려사절요』권4에는 女眞으로 되어 있다(盧明鎬 等編 2016년 133面).

十一月[戊申朔大盡,庚子], 庚申[13日], 設八關會, 月食在望, 以十三日爲初會.[120]

[壬戌[15日], 月食:天文1轉載].[121]

[某日, 雲中道監倉使奏, "肅州·通海·永淸縣·安戎鎭, 春夏旱乾, 早秋霜雹, 禾穀不登, 請免今年租稅", 從之:食貨3災免之制轉載].[122]

十二月戊寅朔[大盡,辛丑], 契丹遣恩州刺史劉從備來, 賀生辰.

[戊子[11日], 制, "大雪之候, 雪不盈尺, 宜令諏日, 祈雪於川上". 禮部奏, "仲冬以來, 雖無盈尺之雪, 雨復霈然. 況今節近立春, 不宜祈雪", 從之:禮5雜祀轉載].

[是年, 內史門下省奏, "諸司判事, 本皆權帶, 近皆爲祿官 有違古制, 請改之", 從之:百官1典校寺轉載].

[○判[制], "有蔭奇光軍, 以文武七品以上之子, 五品之孫, 京職太常以上之子, 爲之":兵1五軍轉載].

[○[以門下侍中崔冲]爲式目都監使, 與內史侍郞□□□[~~平章事~~]王寵之等奏, "及第李申錫, 不錄氏族, 不宜登朝". 門下侍郞□□□[~~平章事~~]金元冲·判御史臺事金廷俊奏, "氏族不錄, 乃其祖父之失, 非申錫之罪. 況積功翰墨, 捷第簾前, 身無痕咎, 合列簪紳". 制曰, "冲等所奏, 固是常典, 然立賢無方, 不宜執泥, 其依元冲等奏":列傳8崔冲轉載].

---

119) 鄕吏의 가장 末端이 諸壇史인 점으로 보아 後壇史는 諸壇史의 오자일 것이다(지26, 輿服, 長吏公服, 현종 10년). 또 後世의 기록에 의하면, 이들 鄕吏의 職級 중에서 어떤 段階(副戶正以上?)는 大官鄕吏로, 그 이하는 記官으로 불렸던 같다.

·『세종실록』 권81, 20년 4월 甲寅朔, "議政府據禮曹呈啓, '外方各官鄕吏公服, 有特賜犀帶者, 竝皆還收, 改賜玳瑁黑革帶. 又有戶長僭用玉環者, 竝皆禁斷', 從之. 高麗舊制, 外方鄕吏比朝官文·武班, 戶長有大相·中尹·左尹之號, 記官有兵正·獄正之號, 都軍有都令[都領]·別正·校尉之號, 故都軍, 至今稱爲將校. 由是, 大官鄕吏, 例用犀帶·象笏·玉瓔·玉環, 至本朝皆禁之".

120) 이 기사를 통해 유추하여 보았을 때 당시에 사용되었던 고려의 曆日[具注曆]에도 中·日의 具注曆과 마찬가지로 年間의 日數, 月朔·朔望·日月食의 豫測時刻과 分數, 物候, 節氣, 節日, 일상생활의 각종의 정보와 吉凶宜忌 등이 기록되어 있었음을 알 수 있다.

121) 이날은 율리우스력의 1051년 12월 30일이고, 월식 현상이 심했던 때의 世界時는 8시 8분, 食分은 0.83이었다(渡邊敏夫 1979年 472面).

122) 이 기사는 『고려사절요』 권4에 축약되어 있다("以雲中道肅州·通海等縣, 禾稼不登, 免今年租稅").

壬辰[文宗]六年, 契丹重熙二十一年, [宋皇祐四年], [西曆1052年]

1052년 2월 4일(Gre2월 10일)에서 1053년 1월 22일(Gre1월 28일)까지, 354일

春正月戊申朔[小盡,壬寅], 放朝賀.

甲寅[7日], 以崔惟善爲翰林學士.

丙辰[9日], 東女眞懷化將軍包加主等來, 獻良馬.

丙寅[19日], 東女眞正甫馬波等男女四十八人, 請入定州關外爲編戶, 賜田宅, 處之內地.[123)]

甲戌[27日], 西女眞寧塞將軍高反知·東女眞歸德將軍多老等數十人來, 獻良馬.

二月丁丑朔[小盡,癸卯], 安西都護府地震.

戊寅[2日], 册延德宮主李氏[李子淵之一女]爲王妃. [册曰, "王化興邦, 首述關雎之義, 坤元立配, 固推神馬之占. 盖所以敦序二儀, 甄揚四德,[124)] 彪簡編而可久, 柬賢淑以爲先. 盍據前修, 用旌殊寵. 咨爾延德宮主李氏, 含章有順, 飾性無虧. 覆以玉衣, 早膺嘉瑞, 貯之金屋, 亮協幽求. 爰將五可之稱, 來演六宮之慶, 葛覃之詠, 寀著於睦和, 蘭夢之徵, 誕彰於蕃衍. 執組紃之妙致, 景慕共姜, 守閨壺之令猷, 思齊太姒. 顧惟弘懿, 宜示正封, 遂頒命於鷃衜, 俾加榮於翟服. 令遣使某官某, 持節備禮, 册爲王妃. 於戲, 后妃之職, 國家所宗, 勵乃柔規, 效餘芳於翼夏, 竟令彤史, 免傳美於熙殷. 永孚于休, 毋忘厥訓":列傳1文宗妃仁睿順德太后李氏轉載].

庚辰[4日], 東蕃元甫阿麟等二十九人來, 獻良馬.[125)]

辛巳[5日], 新築社稷壇於皇城內西.[126)]

---

123) 이 기사에서 나타난 東女眞 正甫(5品下) 馬波를 통해 볼 때, 女眞族의 경우 高麗로부터 化內女眞(高麗의 政令과 教化가 미친 地域의 女眞)은 鄕職(高麗初期의 官等)과 武散階를, 化外女眞은 歸化武散階인 □□將軍을 附與받았던 것으로 추측된다.

124) 四德에 대한 설명으로 다음이 있다.

· 『여유당전서』 권25, 小學紺珠, 四之類, "四德者, 君子所行也. 體仁曰元[注, 善之長], 合禮曰亨[嘉之會], 和義曰利[物之遂], 幹事曰貞[事之固], 此之謂四德也. 四德之名, 出'周易'[乾文言]".

125) 東蕃은 『고려사절요』 권4에는 東女眞으로 되어 있다.

126) 이 기사는 지13, 禮1, 吉禮大祀에도 수록되어 있다. 또 이때 內史侍郎平章事 李子淵이 社稷壇의 建立의 責任者[領事]가 되어 功을 세워 開府儀同三司에 임명되었다고 한다.

· 「李子淵墓誌銘」, "重熙中, 社稷之設, 因巡未置, 詔稽舊制, 命築新壇, 公監視其事, 酌宜以畢, 鑾輿備采, 躬展於報, 祈雷解沛, 恩普沾於□[民]庶, 以領使[領事]之重, 詔加開府儀同三司".

○月犯畢:天文1轉載].

戊子[12日], 親幸祀事,[127] 賜執事員吏爵一級, 隨駕軍士, 賜物有差, 又賜築壇監役員吏職一級.

[某日, 以關西·安北兩道饑, 遣御史中丞金化崇, 發倉賑之:食貨3水旱疫癘賑貸之制轉載].[128]

三月[丙午朔大盡,甲辰], 丁未[2日], 王如大安寺, 飯僧.

庚戌[5日], 以[王后父, 內史侍郎平章事]李子淵△[爲]守太尉, [母樂浪郡君金氏爲大夫人, 授子顗, 軍器主簿, 顥·頲, 並九品職:列傳1文宗妃仁睿順德太后李氏·列傳8李子淵轉載].[129]

乙卯[10日], 以[同知中樞院事]金元鼎爲御史大夫.

[丙辰[11日], 月入大微[太微]·天庭, 又犯屛星:天文1轉載].

戊午[13日], 命太史金成澤撰'十精曆', 李仁顯撰'七曜曆', 韓爲行撰'見行曆', 梁元虎撰'遁甲曆', 金正撰'太一曆', 以禳來歲災祥.[130]

---

127) 이 구절은 지13, 禮1, 吉禮大祀에도 수록되어 있다.

128) 이 기사는 『고려사절요』 권4에 축약되어 있다("以關西·安北兩道饑, 發倉賑之").

129) 이와 관련된 기사로 다음이 있는데, 이 자료가 後代에 제작되었기에 ~~添字~~와 같이 고쳐야 옳게 될 것이다.

· 「李子淵墓誌銘」, "其年, 公之長女封爲王妃, 尋加守太尉, 册拜門下侍郎同中書[內史]門下平章事".

130) 이 기사의 十精曆·七曜曆·見行曆·遁甲曆·太一曆 및 最近에 알려진 「吉凶逐月橫看」(一種의 拘忌曆으로 추측됨) 등은 모두 天文曆이 아니고 陰陽·五行·圖讖 등과 같이 人間의 思惟에 연결되어 만들어진 曆일 것이다. 또 이들은 『신당서』 권59, 지49, 藝文3, 丙部, 子錄, 曆算類 36家 중 名稱이 유사한 典籍을 底本으로 하여 편찬되었을 것이다. 또 太一曆은 이 시기 이후에 延禧宮錄事 金希寧에 의해 다시 편찬되었던 것 같다.

· 『삼국유사』 권3, 塔像第4, 迦葉佛宴坐石, "… 又延禧宮錄事金希寧所撰'大一曆法', 自開闢上元甲子, 至元豊甲子一百九十三萬七千六百四十一歲". 여기에서 元豊甲子는 1080년(원풍7, 선종1)에 해당하므로, 金希寧에 의한 '太一曆法'은 이 시기 이후에 편찬되었던 것 같다.

· 『성종실록』 권200, 18년 2월 "甲午[24日], 傳于承政院曰, '領議政言, 世宗朝嘗撰太一曆未就, 故命崔灝元等撰集之, 今有言者, 斥以邪道, 於政院意何如?' 僉啓曰, '古云天時不如地利, 則興師動衆, 必有擇天時而擧之矣. 且周易大聖人之訓也, 而有動靜吉凶之說, 一人之行尙擇日, 況興師應敵乎? 太一曆雖非正道, 亦不可斥以邪道'. 傳曰, '太一曆非如宋朝天書之類也, 況今設太一殿而醮之矣, 豈可指爲邪道乎? 其議于領敦寧以上及政府'. 韓明澮·沈澮議, '太一曆自祖宗朝修撰, 臣等意謂非邪術也'. 尹弼商議, '太一兵法, 臣未知門戶, 豈識邪正? 但聞世宗重其事, 爲設局傳習, 近間中廢敢啓'. 李克培議, '太一曆法, 臣本不知邪正, 大槪兵家詭術, 律以聖賢之道, 豈爲正乎?'. 盧思愼議, '太一曆法, 臣未知其術何如, 不敢輕議, 然雜術如此之類非一, 雖非正道, 豈可盡廢?'. 尹壕議, '太一曆如其異端邪說, 則可無也, 若是陰陽書之類, 則不可廢也'. 孫舜孝議, '道家之說, 臣不講究, 然非聖人之道, 欲專而攻之, 必害於正道'. 李崇元議, '太一曆恐非爲

壬戌[17日], 王如玄化寺, 飯僧.

壬申[27日], 三司奏, "耽羅國歲貢橘子, 改定一百包子, 永爲定制", 從之.

[某日, 制曰, "東北路諸州鎭, 戍邊之卒, 連年旱暵, 饑饉相仍, 可令兵馬·監倉使及首領官, 分道賑恤". 仍賜衣服:食貨3水旱疫癘賑貸之制·兵1五軍轉載].[131)]

[某日, 以京城饑, 命有司, 集飢民三萬餘人, 賜米·粟·鹽·豉, 以賑之:節要·食貨3水旱疫癘賑貸之制轉載].

夏四月[丙子朔小盡,乙巳], 己卯[4日], 以王務崇爲中樞院左副承宣, 崔成節爲中樞院右副承宣·殿中侍御史.

丙戌[11日], 幸大安寺, 以修葺功畢, 設落成道場.

丁亥[12日], 以李仁靖△[爲]檢校司徒·尙書左僕射, 仍令致仕.

壬寅[27日], 沒蕃人毛阿眞率男婦十六人還.

[某日, 有司奏, "雙阜·萬頃·沃溝·利城四縣, 往年久旱, 禾穀不登, 百姓飢饉, 請蠲租賦", 從之:節要·食貨3災免之制轉載].

[某日, 移龍門倉粟八千碩于鹽·白二州, 以給農民:節要·食貨3水旱疫癘賑貸之制轉載].

五月[乙巳朔小盡,丙午], 庚戌[6日], 北路三撒村賊魁高演與蕃兵, 圍淄潭驛. 兵馬錄事金忠簡·慈州防禦判官張立身等, 率兵出戰, 大破之, 乘勝追擊, 斬擄五十餘級.

甲寅[10日], 王以旱, 避正殿, 減常膳, 令中外慮囚.

[○月犯亢上星:天文1轉載].

乙卯[11日], 東女眞酋長高之問等二十五人來, 獻土物.

戊午[14日], 制曰, "頃在統和間[顯宗1年], 丹兵入寇, 我皇考顯宗, 避難于山南. 于時, 尙書右僕射朴暹負紲扈從, 克著勤勞, 比及收復京城, 終始一節, 以安社稷. 可圖形閣上, 以示來者".[132)]

國之急務, 請停之'. 命以此議示鄭誠謹".

131) 이 기사는 『고려사절요』 권4에 축약되어 있다.

· "制曰, '東北路諸州鎭, 戍邊之卒, 連年旱暵, 飢饉相仍, 可令賑恤'. 仍賜衣服".

132) 朴暹(朴昇中의 曾祖)에 관한 기사로 다음이 있다.

· 열전38, 朴昇中, "朴昇中, 字子千, 羅州務安縣人. 曾祖暹, 事顯宗, 爲南幸扈從功臣".

癸亥19日, 命文武常參以上及致政致仕舊臣, 各上封事, 陳時政得失.[133]

[己巳25日, 制曰, "檢校太師·內史令崔士威, 在聖考朝, 以淸節直道, 屢有裨益, 弘濟艱難, 保安宗社, 以致中興, 可配享廟庭. 其甥姪未官者, 超授八品職. 左司郞中河拱辰, 在統和二十八年顯宗1年, 丹兵入侵, 臨敵忘身, 掉三寸舌, 能却大兵, 可圖形閣上. 超授其子則忠, 五品職": 節要轉載].[134]

[壬申28日, 竹州新昌里女泉德, 一產三男: 五行1人痾轉載].

六月甲戌朔大盡,丁未, 乙亥2日, 設金剛道場於文德殿, 禱雨, 大雨.

戊寅5日, 宋進士張廷來, 授秘書□省校書郞. 敎曰制曰,[135] "魏之樂毅, 翼彼燕王, 吳之陸機, 歸諸晋室, 皆因遭際, 式契一同. 汝二謝名流, 三張世襲, 登俊造而飛價, 曄儒雅而飭身. 周遊不羈, 縱丈夫之志, 寅緣有素, 臻君子之邦. 旣諧得士之昌, 深慰思賢之竭. 授汝文職, 輔予朝綱, 他山之石, 諒符於我. 用合浦之珠, 休擬於言旋, 預推肩一之心, 終贊膺千之運. 今賜汝敎書詔書一道, 幷賜衣帶·綵叚段·白銀等物, 至可領也".

己卯6日, 東女眞高之問等航海來, 攻三陟縣臨遠戍. 守將河周呂率兵出城, 徇于軍曰, "彼衆我寡, 若人自爲戰, 不愛其身, 則戰必勝矣". 遂擁干, 挺刃而進. 適有安邊都護□府判官金崇鼎, 巡所管諸戍, 行至近境. 賊聞其角聲, 謂援兵徑至, 遂驚亂. 周呂軍, 乘勝擊之, 俘斬十餘級, 賊奔潰.

[辛卯18日, 月入哭星: 天文1轉載].

[癸巳20日, 白氣竟天, 狀如魚鼈, 有靑紫氣, 貫於其間, 良久乃散: 五行2轉載].

[己亥26日, 流星大如木瓜, 出大微太微, 入天市, 色赤: 天文1轉載].

秋七月甲辰朔小盡,戊申, 戊午15日, 以崔惟善爲刑部尙書, 李令幹爲禮部尙書, 王祚爲戶部尙書, 庾逵爲工部尙書, 金顯爲□散騎常侍.

[己未16日, 大風, 毁屋折木: 五行3轉載].[136]

---

133) 添字는 『고려사절요』 권4에 의거하였는데, 어느 글자를 取해도 무방하다.

134) 이 구절은 열전7, 崔士威과 河拱辰에 分散되어 수록되어 있다. 이와 관련된 기사로 다음이 있다.
· 「崔士威墓誌銘」, "壬辰五月二十五日己巳, 別降宣旨, 封公爲顯宗廟配享功臣".

135) 敎曰은 원래 制曰인 것을 『고려사』의 편찬 과정에서 改書되었다가 原狀復舊될 때 還元되지 못하고 남겨진 글자일 것이다.

八月癸酉朔[大盡,己酉], 制, "以韓式·文質·牛奇理·金悅等, 於聖考[顯宗]南巡, 扈從有功, 並追贈左右衛上將軍, [河拱辰, 衛社有功, 贈尙書工部侍郞":節要轉載].[137]

[某日, 制曰, "社壇, 配以后土勾龍氏, 其題主及祝文, 不宜稱名, 改勾龍氏爲后土氏":節要轉載].[138]

乙酉[13日], 致仕撿校太師[~~檢校太師~~]·尙書左僕射崔輔成卒, 輟朝一日.[139]

○宋商林興等三十五人來, 獻土物.

辛卯[19日], 宋咸州沒蕃高士文, 自東女眞來投.

九月癸卯朔[大盡,庚戌], 以金元鼎△[爲]同知中樞院事, [禮部尙書]李令幹爲翰林學士. 興王

○宋商趙受等二十六人來, 獻土物.

壬子[10日], 宋商蕭宗明等四十人來, 獻土物.

己未[17日], 東女眞將軍沙時賀等四十人來, 獻駿馬.

庚申[18日], 設百高座道場於會慶殿三日, 飯僧三萬於毬庭及諸名寺.

冬十月[癸酉朔小盡,辛亥], 癸未[11日], 册姪璥△[爲]守太保兼尙書令.

[→册□□[~~姪璥~~]爲開府儀同三司·守太保兼尙書令·上柱國·樂浪侯·食邑三千戶·□□□□□□[~~食實封三百戶~~?], 賜輸誠協理奉德功臣號:列傳3靖宗王子轉載].

丙戌[14日], 錄蘇康漢, 平虜鎭戰死之功, 贈興威衛上將軍.

甲午[22日], 册姪䁝△[爲]守太尉兼尙書令.

[→册□□[~~姪䁝~~]開府儀同三司·守太尉兼尙書令·上柱國·開城侯·食邑二千戶·□□□□□□[~~食實封二百戶~~?], 賜資仁保理[~~輔理~~]佐化功臣號:列傳3靖宗王子轉載].[140]

[丙申[24日], 月入大微[~~太微~~], 天庭犯謁者星:天文1轉載].

---

136) 宋에서는 2일 전인 14일(丁巳) 西北方에서 大風이 불어와서 나무를 뽑았다고 한다.
· 『송사』 권67, 지20, 오행5, "皇祐四年七月丁巳, 大風起西北方, 拔木".

137) 河拱辰에 대한 기록은 열전7, 河拱辰에도 수록되어 있다.

138) 이와 같은 기사로 다음이 있다.
· 지13, 禮1, 吉禮大祀, "八月乙酉, 制, 社壇, 配以后土勾龍氏, 其題主及祝文, 不宜稱名, 改勾龍, 爲后土氏".

139) 이날은 율리우스曆으로 1052년 9월 8일(그레고리曆 9월 14일)에 해당한다.

140) 이 기사에서 功臣號의 保理는 어떤 意味가 있는 單語가 되지 못하므로 輔理의 誤字가 아닐까 한다(→공민왕 12년 12월 某日 李穡의 脚注).

[丁酉25日, 雪而雷:五行1雷震轉載].

[○祭宣陵顯宗訖, 許配享功臣<u>崔士威</u>一子蔭官:追加].[141)]

[某日, 制曰, "<u>裴玄慶</u>等六功臣, 佐我太祖, 肇開大業, 功德勒于鍾鼎, 其後嗣, □□□□~~至于曾玄~~, □□□□~~男女僧尼~~, 無官者, 授初職, 有官者, 增級":節要·選擧3功臣子孫轉載].[142)]

十一月壬寅朔大盡,壬子, 甲辰3日, 御宣政殿, 御史臺奏, 論時政得失.

[丁巳16日, <u>月食</u>:天文1轉載].[143)]

乙丑24日, 以張廷爲右拾遺.

十二月壬申朔大盡,癸丑, 契丹遣永州刺史耶律士清來, 賀生辰.

甲午23日, [大寒]. 致仕門下侍郎平章事<u>金令器</u>卒, 輟朝三日.[144)]

[是年, 以閤門祗候李頲爲尙書考功員外郎, 尋出知楊州事:追加].[145)]

癸巳[文宗]七年, 契丹重熙二十二年, [宋皇祐五年], [西曆1053年]

1053년 1월 23일(Gre1월 29일)에서 1054년 2월 10일(Gre2월 16일)까지, 13개월 384일

春正月壬寅朔小盡,甲寅, [癸卯2日, 熒惑入氐:天文1轉載].

丙午5日, 白氣貫日, 竟天. [→有白氣二條, 從西北起, 貫日, 其一竟天:五行2轉載].

[辛亥10日, 歲星入月:天文1轉載].

丙辰15日, 太白晝見.

---

141) 이는 다음의 자료에 의거하였다.

· 「崔士威墓誌銘」, "其年十月二十五日, 宣陵祭祀後, 許□□□崔士威一子蔭官者也".

142) ~~添字~~는 지29, 選擧3, 功臣子孫에 의거하였다.

143) 이날은 율리우스력의 1052년 12월 8일이고, 월식 현상이 심했던 때인 前日(15日丙辰)의 世界時는 22시 13분, 食分은 1.65이었다(渡邊敏夫 1979年 472面).

144) 이날은 율리우스曆으로 1053년 1월 15일(그레고리曆 1월 21일)에 해당한다.

145) 이는 「李頲墓誌銘」에 의거하였다.

[己未[18日], 月犯角星:天文1轉載].

二月[辛未朔大盡,乙卯], 乙亥[5日], 彗出庫樓, 入翼, 長丈餘.

丁丑[7日], 東女眞阿夫漢等三十三人來, 獻駿馬, 又贖還沒蕃六人, 職賞有差.

○耽羅國王子殊雲那, 遣其子陪戎校尉古物等來, 獻牛黃·牛角·牛皮·螺肉·榧子·海藻·龜甲等物. 王授王子中虎將軍,[146) 賜公服·銀帶·彩段[段]·藥物.

三月[辛丑朔小盡,丙辰], 戊申[8日], 賜禹相等及第.[147)]

夏四月[庚午朔大盡,丁巳], [戊寅[9日], 月犯大微[太微]·西垣次相:天文1轉載].

[癸未[14日], [月]又入氐星:天文1轉載].

[丙戌[17日], 國師決凝入寂, 年九十, 臘七十八. 贈諡曰圓融, 賻贈異常, 又遣副僧錄惠英等監護葬事:追加].[148)]

丁酉[28日], 親醮于毬庭.[149)]

[五月[庚子朔小盡,戊午], 丙寅[27日], 夏至, 月犯太白:天文1轉載].

[某日, 遣使如契丹, 獻方物:追加].[150)]

六月[己巳朔小盡,己未], [某日, 三司奏, "舊制, 稅米一碩, 收耗米一升, 今十二倉米, 輸納京倉, 累經水陸, 欠耗實多, 輸者, 苦被徵償, 請一斛, 增收耗米七升", 制可:食貨1租稅轉載].[151)]

---

146) 中虎將軍(正四品上)은 唐制의 中武將軍을 改稱한 것으로, 惠宗 武의 이름을 回避[避諱]한 것이다.

147) 이와 관련된 기사로 다음이 있다.

· 지27, 선거1, 科目1, 選場, "[文宗]七年三月, 刑部尙書崔惟善知貢擧, 取進士, 下詔賜乙科禹相等六人·丙科九人·同進士六人·明經二人及第".

148) 이는 「浮石寺圓融國師塔碑」에 의거하였는데, 이날은 율리우스曆으로 1053년 5월 7일(그레고리曆 5월 13일)에 해당한다.

149) 이 기사는 지17, 禮5, 雜祀에도 수록되어 있다.

150) 이는 다음의 자료에 의거하였다.

· 『요사』 권20, 본기20, 興宗3, 重熙 22년 6월, "癸未[15日], 高麗遣使來貢".

151) 이 기사는 『고려사절요』 권4에는 "三司奏, '舊制, 米一碩, 耗米一升, 今十二倉米, 輸納京倉, 累

癸未[15日], 王受菩薩戒於乾德殿.

秋七月[戊戌朔大盡,庚申], [壬子[15日], 立秋, 熒惑犯房:天文1轉載].

甲寅[17日], 流星出牽牛, 入天田, 色赤, 長丈餘:天文1轉載].

戊午[21日], 禮司奏, "謹按'唐書', 玄宗天寶八載閏六月庚寅[~~丙寅~~], 上親謁大淸宮, 册聖祖·玄元皇帝等五尊號, 御含元殿, 受群臣上册, 大赦天下. 乞依此制, 每閏月朔, 御便殿視朝", 制可.[152]

己未[22日], 以李子淵·王寵之△[並]爲門下侍郞平章事[~~門下侍郞同內史門下平章事~~],[153] 金廷俊·朴成傑並△[爲]參知政事.

[□□[~~是時~~], [□□□[~~王寵之~~]上章辭兵馬使, 不允:列傳8王寵之轉載].

辛酉[24日], 東女眞懷化將軍古刀達等三十人來, 獻馬, 幷還沒蕃人, 賜物加等.

閏[七]月[戊辰朔小盡,庚申], 癸未[16日] 東北路文·湧二州大水, 漂沒民戶百餘, 遣使宣慰.

[是月, 重竪金州義安縣鳳林寺眞鏡大師審希塔碑:追加].[154]

八月丁酉□[朔大盡,辛酉], 御史臺上言, "准尙書工部奉制, 羅城東南隅, 高岸者, 所以補都邑之虛缺, 今爲川潦褰壞, 宜徵役夫三四千人修防. 當司勘會其岸傍邊, 皆是田疇, 恐損禾稼, 請待收獲", 從之.[155]

[乙巳[9日], 熒惑犯南斗:天文1轉載].

[乙卯[19日], 雷電·暴風·雨雹:五行1雷震轉載].

經水陸, 欠耗實多, 輸者苦被徵償. 請一斛, 增收耗米七升', 從之"로 되어 있다. 또 이 기사에서 사용된 碩과 斛은 石과 동일한 용적의 다른 표기이다(李宗峯 2016년 128面). 그리고 고려시대의 12漕倉의 整備는 成宗年間(981~997) 또는 靖宗年間(1034~1046)으로 추정되고 있다(尹龍爀 2015년 119面).

152) 이 기사에서 禮司는 禮部의 別稱일 것이고, 庚寅은 丙寅의 오자일 것이다(『구당서』 권9, 본기9, 玄宗下, 天寶 8년 윤6월, 丙寅). 또 이와 같은 기사로 다음이 있다.

· 지21, 禮9, 一月三朝儀, "禮司上言, '乞依唐制, 每閏月朔, 御便殿視朝', 制可".

153) 이때 李子淵은 門下侍郞同內史門下平章事에 임명되었다고 한다(李子淵墓誌銘).

154) 眞鏡大師 審希(855~923)의 塔碑(보물 제363호)는 924년(龍德4, 甲申, 경명왕8) 4월 1일에 건립되었으나 陰記의 末尾에 "□巳閏七月日重竪北刊"으로 되어 있다. 高麗時期의 曆日에서 윤7월이 15回에 걸쳐 설정되어 있었지만, 그 중에서 12支의 第6位인 巳[뱀띠]는 1053년(문종7, 癸巳)이 유일하다(張東翼 2016년b 134面).

155) 丁酉에 朔이 탈락되었다.

九月丁卯朔小盡,壬戌, 甲申18日, 御史臺奏云, "宮城外諸曹侍臣, 夙夜侍從, 寓宿無所. 竊審中朝之制, 諸詞臣同會於舍人院, 今制誥員僚, 請於翰林院寓宿", 制可.

丙戌20日, 幸西京.

庚寅24日, 次安西都護府, 留三日.

辛卯25日, 次海州北嵩山神光寺, 設羅漢齋, 宴諸王·宰樞·侍臣.

癸巳27日, 登都護府南山, 召親王·宰樞·侍臣, 置酒, 至夜而罷.

冬十月丙申朔大盡,癸亥, 日食.[156)]

庚子5日, 駕至大同江, 御樓船, 宴諸王·宰樞.

壬寅7日, 幸興福寺, 遂御大同江樓船, 宴上將軍以上臣僚.

甲辰9日, 饗孝順·義節·鰥寡·孤獨, 賜物有差.

己酉14日, 設八關會, 幸興國寺.

癸丑18日, 宴東班常參以上·西班郎將以上於長樂殿, 賜帛有差.

甲寅19日, [大雪]. 幸重興寺.

乙卯20日, 車駕發西京, 御大同江樓船, 東望江岸, 命將軍鄭曾等八人,[157)] 射. 郎將惟現矢過江, 王嘉奬之, 遂宴諸王·宰樞·侍臣.

丙辰21日, 留守使·戶部尙書王夷甫等, 至生陽驛辭, 各賜公服一襲.

丁巳22日, 次慈悲嶺彌勒院, 行香施衣.[158)] 行過岊嶺, 道有一婦抱兩孩兒. 王憐之, 賜米.

辛酉26日, 至自西京.

[是月, 判制, "樂工, 有三四子者, 以一子繼業, 其餘, 屬注膳·幕士·驅史, 轉陪戎副尉·校尉, 限至曜武校尉耀武校尉": 選擧3限職轉載].[159)]

---

156) 이날 宋·契丹에서도 일식이 있었다(『송사』 권52, 지5, 천문5, 日食 ; 『요사』 권20, 본기20, 興宗 3, 重熙 22년 10월 丙申). 이날은 율리우스력의 1053년 11월 13일이고, 개경에서 일식 현상이 심했던 시간은 14시 52분, 食分은 0.59이었다(渡邊敏夫 1979年 305面).

157) 鄭曾은 『고려사절요』 권4에는 鄭習으로 되어 있다.

158) 慈悲嶺은 岊嶺의 別稱으로 西海道와 平壤府의 境界로서 험준한 峻嶺이며(→성종 10년 윤10월 3일의 脚注), 이곳의 彌勒院에 羅漢堂이 있었다고 한다(『목은문고』 권3, 慈悲嶺羅漢堂記).

159) 曜武校尉는 耀武校尉[昭武校尉의 避諱]로 고쳐야 옳게 될 것이다(→성종 14년 5월 13일의 脚注, 蔡雄錫 2016년).

十一月丙寅朔大盡,甲子，己丑[24日]，制曰，“書云，一人元良，萬邦以貞.[160] 太子國之本也，定立儲副，嫡庶有別，所以重宗統，一民心也. 凡有國家者，惟此爲急，延德宮妃長子烋，可改名勳，立爲太子”.

十二月丙申朔大盡,乙丑，契丹遣利州刺史蕭素來，賀生辰.

[丁未[12日]，月犯北轅:天文1轉載].

[乙卯[20日]，立春. 歲星犯鬼宿:天文1轉載].

{壬戌[27日]，歲星犯中鑕:天文1轉載].

[某日，制曰，“侍中崔冲，累代儒宗，三韓耆德. 今雖請老，未忍允從，宜令所司，稽諸古典，賜几杖視事”:節要轉載].

[→文宗七年，崔冲以年滿七旬，乞退，制曰，“侍中崔冲，累代儒宗，三韓耆德. 今雖請老，未忍允從. 宜令攸司，稽古典，賜几杖視事.” 復加推忠贊道協謀同德致理功臣·開府儀同三司·守太師兼門下侍中·上柱國致仕，尋加內史令，仍令致仕. 冲聞王將遣使就第，賜告身禮物，上章辭曰，“臣立朝以來，未有輔佐，力耗齒衰，敢乞骸骨. 坐尸優俸，已荷殊私. 今又蒙特下明綸，將降使於雲霄，俾及榮於閭里，循涯揆分，情所未安. 招損害盈，臣之所懼. 乞回成命，追寢新恩”，不允，遣內史侍郎平章事金元鼎·同知中樞院事王懋崇，就第賜詔曰，“卿儒宮圭臬，神化丹青. 事累聖以濡毫，文章華國，位三階而調鼎. 功績紀常. 雖在退閑，未忘舊德，更進黃扉之秩，暨榮綠野之堂. 今授卿內史令致仕告身一道，并賜衣帶·銀器·綵段·布貨·鞍馬等物.” 官誥曰，“良臣惟聖，姚皇堯皇擧以八元. 得士者昌，姬室延其四子. 或授之以相位，或委之以宰衡. 探忠懿之謀，丹青帝化，賴挾維之智，黼黻宸謀. 臻於變之期，開無疆之祚. 誰肩往喆? 朕得伊人. 惟卿，順墨存誠，該明稟性. 唐雄首於聖彀，爾鶚立於天庭. 萬丈金山，梁代誰踰於朱异，一枝丹桂，晋臣僉仰於郄詵. 語多能則叔向扶輪，論博物則張華避席. 而自顯應芝詔，擢入槐司，軒夢開祥，允恊吹塵之契，周詩濟美，載揚瞻石之謠. 臺閣規模，衆推如晦，人倫領袖，時許魏舒. 藹馳咸有之稱，總正惟幾之務. 邇者年非耄矣，齒未齯然，早辭當軸之權，歸遂懸輿之願. 賀知章之湖畔，雖恣佳遊，陶弘景之山中，常諮大事. 昔勳爲民槩，今坐作世師，不陞極摯之資，奚表難名之德? 遂中書而冠秩，俾上列以翹榮. 於戲! 量能授職者，君親之常寵

---

160) 이 구절은『書経』권4, 商書, 太甲下第7(僞古文), “一人元良, 萬邦以貞”을 인용한 것이다.

奬, 朕玆無. 論道經邦者, 宰相之務彌綸, 汝所克勤. 茂宣翼亮之猷, 用致肱康之運, 伻齊休於姚皇·姬室, 不專美於四子八元." 後改內史門下省爲中書門下省, 以冲爲中書令致仕. 冲雖居家, 軍國大事, 悉就咨焉. 累加推忠贊道佐理同德弘文懿儒保定康濟功臣號:列傳8崔冲轉載].

[是年, 判[冊], "內外官斛長·廣·高, 方酌定, 米斛則長·廣·高, 各一尺二寸, 稗租斛, 長·廣·高, 各一尺四寸五分, 末醬斛, 長·廣·高, 各一尺三寸九分, 太小豆斛, 長·廣·高, 各一尺九分":刑法1職制轉載].[161)]

甲午[文宗]八年, 契丹重熙二十三年, [宋皇祐6年→3月, 至和元年], [西曆1054年]

1054년 2월 11일(Gre2월 17일)에서 1055년 1월 30일(Gre2월 5일)까지, 354일

春正月丙寅朔[小盡,丙寅], 放朝賀.
壬申[7日], 東女眞中尹英孫等十八人來, 獻名馬.
[某日, 制, "防禦官父母喪, 百日已滿, 以吉服正角, 遙謝赴任":禮6五服制度轉載].

二月[乙未朔大盡,丁卯], 癸卯[9日], 冊勳爲王太子. 其冊曰,[162)] "粤自生民置君, 覽萬機而允理, 立嗣必子, 歷百世以弗磨, 是爲通規, 匪由私愛. 朕謬據元元之首, 思弘永永之休. 國本貞于植寧, 孫謀光于錫羨. 但綴旒而在慮, 方主器以佇賢, 果能蒙祐琁炅, 毓明琅震. 旣亶聰而稔譽, 宜貳體以躋榮. 咨爾長子勳, 汪度包寬, 嶷姿挺秀. 處齠年之列, 不雜群嬉, 昵耆德之流, 樂聞善道, 重海之謳歌胥洽, 盈庭之矚注僉同. 是用, 陟紫殿之副尊, 示靑牆之峻級, 練辰斯吉, 綸霈特豊. 今遣使兼太尉·守門下侍郎[平章事]王寵之, 使副兼司徒·尙書右僕射·[參知政事]朴成傑等, 持節備禮, 冊命爾爲王太子. 於戲, 劉徹之七歲登儲, 信爲美事, 周昌之三朝問豎, 可俟勤誠. 勉乃令圖, 率玆芳烈, 饗高位而彌愓, 服正言之惟師. 俾嘉淑以有彰, 亦撫監而無忽. 敬佩予訓,

161) 이 기사를 바탕으로 하여 1升의 量器는 343.18㎖로 계산되지만 대체로 340㎖ 정도였을 것이라고 한다(李宗峯 2016년 138面).

162) 이 冊書는『동문선』권28, 王太子冊文인데, 兩者 사이에 字句의 出入이 많이 있다. 그 중에서 官職을 달리 표기한 것을 전재하면 ~~添字~~와 같다.

不其偉歟".

丙午12日, 御神鳳樓, 大赦, 凡有職者, 加一級.

癸丑19日, 饗于宗廟·山陵, 宴群臣於乾德殿, 賜幣有差.

三月乙丑朔小盡,戊辰, 甲戌10日, 賜勒留東女眞阿骨等五十九人, 布物有差.

[某日, 制, "凡田品, 不易之地爲上, 一易之地爲中, 再易之地爲下. 其不易山田一結, 准平田一結, 一易田二結, 准再平田一結, 再易田三結, 准平田一結":食貨1經理轉載].[163)]

[是月頃, 遣使如契丹, 獻方物:追加].[164)]

[是月庚辰16日, 宋改皇祐六年爲致和元年:追加].

夏四月甲午朔大盡,己巳, [某日, 制, "文·湧·登三州, 鎭溟縣·長平鎭, 往年被水災, 其發義倉, 賑之, 又移春·交·東等州倉粟, 給種食":食貨3水旱疫癘賑貸之制轉載].[165)]

庚戌17日, 加門下侍郞平章事李子淵□守太傅, [封金氏雞林國大夫人, 賜衣襨:列傳8李子淵轉載].

○制, "赦前見罷員吏, 皆復其官".

壬子19日, 北女眞寧塞將軍高遮等三十九人來, 獻駿馬.[166)]

己未26日, 賜柳善餘等及第.[167)]

---

163) 이 기사는 『고려사절요』 권4에 축약되어 있다.
- "制, 凡田品, 不易之地爲上, 一易之地爲中, 再易之地爲下. 其不易山田一結, 准平田一結, 一易田准二結, 再易田准三結".

164) 이는 다음의 자료에 의거하였는데, 이때 「浮石寺圓融國師塔碑」를 찬한 禮部侍郞·知制誥 高聽이 파견되었던 것 같다.
- 『요사』 권20, 본기20, 興宗3, 重熙 23년 4월, "癸卯10日, 高麗遣使來貢".
- 「浮石寺圓融國師塔碑」, "歲在甲午, 瓘柄之卯月, 臣使松漠, 廻□□□□□□□□□□□國紫水書曰, 故圓融國師, 世界津梁人, 人天眼目, 今逝矣, …". 여기에서 甲午年(문종8, 1054)이고, 卯月은 2월(中原의 古代에서 十二支를 11월부터 起算) 혹은 4월(十二支를 正月부터 헤아림)을 가리키는데, 筆者는 後者를 택하였다.

165) 이 기사는 『고려사절요』 권4에 축약되어 있다.
- "以文·湧·登三州, 鎭溟縣長平鎭, 往年被水災, 發義倉, 賑之. 又移春·交·東等州倉粟, 給種食".

166) 여기에서는 北女眞으로 되어 있으나 靖宗 11년 11월 9일에는 東女眞으로 되어 있다. 당시에 東北界를 北界라고 하였음을 감안하면, 北女眞과 東女眞은 같은 의미로 사용되었을 가능성이 있다.

167) 이와 관련된 기사로 다음이 있다. 이때 柳善餘·崔思齊 등이 급제하였다(朴龍雲 1990년 ; 許興植 2005년).

是月, 遣給事中金良贇如契丹, 告立太子.[168)]

五月[甲子朔小盡,庚午], 己卯[16日], 加國內名山·大川神祇[神祇], 聰正二字功號.

○耽羅國遣使, 賀冊立太子, 加使者十三人職, 梢工·傔從, 賜物有差.

乙酉[22日], 震會慶殿.[169)]

[某日, 制, "諸道州郡民, 多飢歉, 流移失業, 令諸州通判以上官吏, 巡行存問, 發倉賑之":節要·食貨3水旱疫癘賑貸之制轉載].

六月[癸巳朔小盡,辛未], 丁未[15日], 王受菩薩戒於內殿.

秋七月[壬戌朔大盡,壬申], 庚午[9日], 宋商趙受等六十九人來, 獻犀角·象牙.

己丑[28日], 王子生, 賜名顒[熙].

[→王子熙生, 後改顒:節要轉載].[170)]

是月, 契丹始設弓口門欄[弓口門·蘭子]于抱州[保州]城東野.[171)]

八月[壬辰朔小盡,癸酉], 壬子[21日], 以中樞院使金元鼎爲西北面兵馬使.

· 지27, 선거1, 科目1, 選場, "[文宗]八年四月, 知中樞院事金顯知貢擧, 取進士, 賜乙科柳善餘等六人·丙科八人·同進士十一人·明經二人及第".

· 열전8, 崔冲, 思齊, "登文宗八年科".

168) 金良贇는 6월 10일(壬寅) 契丹에 들어가 太子의 官爵을 요청하였던 것 같다.

·『요사』 권20, 본기20, 興宗3, 重熙 23년 6월, "壬寅, 高麗王徽請官其子, 詔加檢校太尉".

·『요사』 권115, 열전45, 二國外記, 高麗, "[重熙]二十三年四月, □□[大黃], □□[六月], 王徽請官其子, 詔加檢校太尉". 여기에서 添字를 추가하여야 本紀의 내용과 부합되는데, 탈락되었을 것이다.

169) 이와 같은 기사가 지7, 五行1, 水, 雷震에도 수록되어 있다.

170) 顒은 肅宗이 1101년(숙종6) 3월 18일에 天祚帝 耶律熙를 避諱하여 改名한 것이기에 熙(雞林公 熙)로 고쳐야 옳게 될 것이다.

171) 弓口門欄은 1055년(문종9) 7월 1일에는 弓口·欄子, 또는 城橋·弓欄·亭舍로 되어 있음을 보아 弓口門·蘭子로 고쳐야 옳게 될 것이다. 이들이 어떠한 防禦施設인지는 알 수 없으나 글자를 통해 볼 때, 弓口門은 城壁의 上層部에 설치된 弓矢를 위한 方形小孔, 外小內大의 造型物(後世의 銃眼)과 같은 것이고, 欄子는 城門의 앞에 설치된 鐵柵의 欄干인 것 같다.

또 保州(現 平安北道 義州郡)는 抱州 또는 把州라고도 하였으며 義州에 설치된 것이다(『동국통감』 권21, 仁宗 4년 9월). 이곳의 위치에 대해서는 1496년(燕山王2) 11월 2일(乙巳)의 經筵에서 李季仝·呂自新이 당시의 義州城이라고 하였다(『연산군일기』 권19, 2년 11월 乙巳).

· 지12, 지리3, 義州, "本高麗龍灣縣, 又名和義. 初, 契丹置城于鴨綠江東岸, 稱保州. 文宗朝, 契丹又設弓口門, 稱抱州[一云把州]".

庚申29日晦, 東路兵馬使奏, "長州地高且險, 城中無井, 乞令設柵南門外平地, 徙民居之, 有急入城", 從之.

[○勅僧統海麟, 移住玄化寺, 麟固辭不得, 就之:追加].[172]

九月辛酉朔大盡,甲戌, 己巳9日, 錄壬辰年文宗6年淄潭驛破賊之功, 賞軍士職, 有差. 賜物優厚.

庚午10日, 宋商黃助等四十八人來.

冬十月辛卯朔小盡,乙亥, 乙未5日, 東女眞柔遠將軍尼多弗等二十八人來, 獻駿馬, 歸我被擄人信金·位奉·遲禮等三人. 且言, "蕃人實彬·鹽漢·比丹·摩里弗等四人, 曾受契丹官爵. 聞王, 惠愛異土之人, 願得入覲, 故謹與俱來". 賜尼多弗·實彬·塩漢·比丹·摩里弗職加等. 其餘, 賜物有差.

甲辰14日, [小雪]. 契丹橫宣使·益州刺史耶律芳來.

十一月庚申朔大盡,丙子, [某日, 東北路兵馬使奏, "文·湧二州, 連年大水, 損傷禾穀, 乞省減賦役", 從之:節要·食貨3災免之制轉載].

甲子5日, 契丹宣諭使·益州刺史耶律幹來.

[甲戌15日, 冬至. 國師鼎賢入寂, 年八十三, 臘七十四. 上聞之震悼, 遣右街僧錄惠英等, 助護葬事, 仍遣左諫議大夫·禮賓卿趙某等賻贈, 贈謚曰慧炤國師:追加].[173]

十二月庚寅□朔大盡,丁丑, 契丹遣復州刺史耶律新來, 賀生辰.[174]

○有司請, 追贈太祖功臣·大匡千明等三千二百人次第職, 從之.[175]

---

172) 이는「原州法泉寺智光國師玄妙塔碑」에 의거하였다.

173) 이는「竹山七長寺慧炤國師塔碑」에 의거하였다. 이날은 율리우스曆으로 1054년 12월 16일(그레고리曆 12월 22일)에 해당한다.

174) 庚寅에 朔이 탈락되었다.

175) 人的事項을 알 수 없는 太祖功臣인 千明을 위시한 3,200餘人은 太祖 王建의 즉위이전부터 그를 隨從하여 建國, 後三國 統一에 참여했던 각종 功臣, 準功臣[原從功臣], 追贈勳爵의 功臣 등을 網羅한 三韓功臣을 指稱하는 것으로 추측된다. 당시 王建을 보좌하여 큰 공적을 세운 臣僚는 다음의 자료와 같이 37人의 太祖功臣과 그에 準하는 戰功을 세운 12人의 將軍이었을 것이다.

·『신증동국여지승람』권52, 永柔縣, 古跡, "高麗太祖影殿, 在米豆山鳳進寺之南. 中安太祖影幀,

辛亥[22日], 命揀東宮侍衛公子及給使.

[→命有司, 選揀三品官之孫·五品以上官之子二十人, 爲東宮侍衛公子, 五品官之孫·七品以上官之子十人, 爲侍衛給使, 永爲定制:節要·百官2東宮官轉載].

[是年, 以將作監商人, 故燒官炭庫, 判決脊杖二十, 鈒面·配島:刑法2禁令轉載].

[○僧昶雲赴王輪寺大選場, 捷獲選, 爲大德:追加].[176)]

乙未[文宗]九年, 契丹重熙二十四年→8月淸寧元年, [宋至和二年], [西曆1055年]

1055년 1월 31일(Gre2월 6일)에서 1056년 1월 19일(Gre1월 25일)까지, 354일

[春正月庚申朔[小盡,戊寅]:追加].

春二月[己丑朔大盡,己卯], 乙巳[17日], 東女眞奉國將軍尼多弗等二十七人來, 獻土物.

戊申[20日], 寒食. 饗宋商葉德寵等八十七人於娛賓館, 黃拯等一百五人於迎賓館, 黃助等四十八人於淸河館, 耽羅國首領高漢等一百五十八人於朝宗館.[177)]

[三月[己未朔大盡,庚辰], 壬申[14日], 宣德鎭新城, 置城隍神祠, 賜號崇威, 春秋致祭:禮5雜祀轉載].[178)]

東西壁畫三十七功臣·十二將軍像. 每忌晨[5月29日]·歲日[元旦]·燃燈·端午·秋夕·冬至·立春, 界首官致祭, 今廢. 遺址尙存".

176) 이는 「開城弘護寺住持等觀僧統墓誌銘」에 의거하였다.

177) 이들 松商과 耽羅의 使節團은 14일, 15일 개최된 燃燈會에 참석하여 帝王에게 賀禮를 드린 후 이날 해당 客館에서 饗宴과 物品을 下賜받았을 것이다. 이에서 열거된 客館 중에서 迎賓館은 會仙館과 함께 1011년(현종11) 4월에 설치되었고, 그 외 娛賓館·淸河館·朝宗館 등은 그 이후에 설치된 것으로 추측된다. 그 이후 12세기 전반에는 增加하는 松商을 위해 작은 客館이 더욱 많이 설치되었던 것 같다(李丙燾 1961년 313面).

·『고려도경』 권27, 館舍, 客館, "… 自南門之外, 及兩廊, 有館凡四, 曰淸州, 曰忠州, 曰四店, 曰利賓, 皆所以待中國之商旅. 然而卑陋草創, 非比順天□[館]也".

178) 이는 1044년(정종10) 11월에 축조된 宣德鎭城(長城의 最東方인 東海岸 都連浦에 隣接)을 改築한 것으로 추측된다. 이와 관련된 자료로 다음이 있다.

·『藥泉集』 권28, 咸興十景圖記, 廣浦, "高麗文宗九年, 始築宣德鎭, 稱德州防禦使, 今其地爲宣德社, 距府五十里, 而中有廣浦, 浦廣十里, 長可三十餘里, 浦心有龍巖, 乃祈雨祭神之所".

夏四月[己丑朔小盡,辛巳], 辛丑[13日], 雨雹·雪.[179]

五月[戊午朔大盡,壬午], 辛酉[4日], 契丹遣耶律革·陳顗來, 册王, 詔曰, "卿嗣立世勳, 茂修文敎, 効珍職篚, 尊奬於皇家, 奕慶藩圭, 撫寧於靑域. 屬玆行禮, 思與同休. 爰特降於册函, 仍優加於賄命, 式昭眷想, 當體恩榮. 今差匡義軍節度使耶律革等, 往彼, 備禮册命. 仍賜車輅·冠服·圭劒等, 及特賜諸物, 具如別錄, 至可領也".

○册曰, "王者, 禮遇群后, 懷和萬邦, 錫以彤旅, 寵价藩之功茂, 賜之膰胙, 表王室之慶成. 順考前規, 允膺休典. 朕甫鍾嘉運, 勉徇鴻名. 緜蕝之儀, 適交修於朝右, 蓼蕭之澤, 宜遐冒於海隅. 妙簡靈辰, 式揚昆命. 匡時·致理·竭節·資忠·奉上功臣·開府儀同三司·守太保[守太傅]兼中書令·上柱國·高麗國王·食邑一萬戶·食實封一千三百戶王徽,[180] 淹融迪裕, 忠肅秉彝. 木德司仁, 旁鍾於醇粹, 珠衡挺異, 逈賦於英標. 而自嗣興乃邦, 纘服前烈, 樹桓 文之遐業, 撫辰卞之全封. 善政其蘇, 驩謠允穆. 賓王請朔, 久堅事大之誠, 候律占風, 克謹守邦之職. 作皇家之外蔽, 壯戎翰之中權, 實寬東顧之憂, 率資北面之力. 存逢邦慶, 永念世勳, 乃臨遣於使騑, 特進加於朝册. 維師陞秩, 奉邑增封, 申昭柔遠之恩, 式協疇庸之典. 今遣使匡義軍節度使·饒州刺史兼御史大夫耶律革, 使副崇祿卿·護軍陳顗, 持節備禮, 册命爾爲守太師·加食邑五千戶·食實封五百戶, 餘如故. 於戲, 鷩冕八章, 異其數, 象輅九旒, 昭其文. 講備物於曲臺, 溢榮暉於列國, 斂膺殊禮, 永懋令圖. 矧當熙盛之期, 益著匡寧之績, 儀形群岳, 貽燕後昆. 寶朕訓言, 膺受繁祉".

○王受册于南郊.

癸亥[6日], □□[契丹]遣利州刺史蕭祿來, 册王太子, 官告曰, "古之諸侯, 厥有世子, 貞列邦而爲重, 守冢社以惟艱. 永念亢宗, 必先立嫡. 近省來奏, 深嘉乃誠. 爰念禀朔尊王, 盖絶專封之禮, 瞻天請命, 固求樹本之恩. 特擧舊章, 懋膺榮典. 匡時·致理·竭節·資忠·奉上功臣·開府儀同三司·守太傅[守太傅]·中書令·上柱國·高麗國王·食邑一萬戶·食實封一千三百戶王徽子勳, 憑積德之厚, 禀貽謀之休. 越在齠年, 鬱爲雅器, 綴胄筵而讓齒, 趨師席以參玄. 而況寶系莫竟, 昌源寖遠. 肯堂肯構, 旣克紹於世風, 拜後拜前, 是併敷於朝典. 顧三韓之右地, 摠百濟之舊名, 榮分父母之邦,

179) 이와 같은 기사가 지7, 五行1, 水, 雨雹에도 수록되어 있다.

180) 守太保는 守太傅의 오자일 것이다. 문종 3년 1월 11일(乙巳) 契丹으로부터 守太保에서 守太傅로 승진하는 책봉을 받았고, 이달 6일(癸亥)의 기사에도 守太傅[守太傅]로 되어 있다.

爵復公侯之始. 示予綏援, 弘爾善祥. 於戲, 當紈綺之齡, 受絲綸之寵, 黑轓異等, 玄袞升華. 所宜崇孝敬以承親顏, 敦信厚而儀公族. 勿驕勿惰, 有初有終, 欽玆惟休, 無忝慈訓. 可特封三韓國公".

○太子迎命于閤門庭.

乙亥[18日], 大雨雹.

[→大雨, 雷電有雹:五行2轉載].

[六月戊子朔[小盡,게美]:追加].

秋七月丁巳朔[小盡,甲申], 都兵馬使奏, "契丹前太后皇帝[聖宗母承天皇太后], 詔賜鴨江以東, 爲我國封境. 然或置城橋, 或置弓口·欄子, 漸踰舊限, 是謂不厭. 今又創立郵亭, 蠶食我疆,[181] 魯史所謂, 無使滋蔓, 蔓難圖也.[182] 宜送國書於東京留守, 陳其不可, 若其不聽, 遣使告奏". 於是, 致書東京留守曰, "當國, 襲箕子之國, 以鴨江爲疆. 矧前太后皇帝, 玉册頒恩, 賜茅裂壤, 亦限其江. 頃者, 上國入我封界, 排置橋壘. 梯航納款, 益勤於朝天, 霤闕抗章, 乞復其舊土, 至今未沐兪允, 方切禱祈. 又被近日來遠城軍夫, 逼邇我城, 移設弓口門, 又欲創亭舍[郵亭], 材石旣峙, 邊民騷駭, 未知何意. 伏冀, 大王親隣軫念, 懷遠宣慈, 善奏黈聽, 還前賜地. 其城橋·弓欄·亭舍, 悉令毁罷".

庚申[4日], 以崔冲爲內史令, 仍令致仕. 李子淵爲門下侍中·判尙書吏部事,[183] 金廷儁爲內史侍郞平章事, 朴成傑爲內史侍郞平章事·上柱國, 金元鼎爲尙書左僕射·參知政事兼太子少保.

○契丹康慶遵等十五人來投, 歸我沒蕃人五十三口.

癸亥[7日], [立秋]. 以[上將軍]智猛△[爲]守司空, 仇勝爲刑部尙書, 金所寶爲戶部尙書, 皇甫延爲工部尙書. 皆以武職, 兼之.

壬申[16日], 東女眞首領耶時老等二十六人來, 獻土物, 職賞有差.

---

181) 蠶食은 글자 그대로 漸進的으로 침입해 들어가는 곳을 가리킨다.
· 『자치통감』 권19, 漢紀11, 武帝元狩 4년(BC119) 春, "是後匈奴遠遁, 以漢南無王庭. 漢渡河自朔方以西至令居, 往往通渠, 置田官, 以卒五六萬人, 稍蠶食匈奴以北[胡三省注, 蠶食, 言如蠶之食葉, 以漸而侵其地也], 然亦以馬少, 不復大出擊匈奴矣".

182) 이 기사에서 魯史는 『春秋左氏傳』을 가리키고, 이 구절은 隱公, 傳, 元年, 夏四月, " … 無使滋蔓, 蔓難圖也"에서 따온 것이다.

183) 이때 李子淵은 門下侍中·判尙書吏部事·監修國史에 임명되었다고 한다(李子淵墓誌銘).

癸酉17日, 制曰, "先妣太后親姊金氏, 當寡人與德宗幼少之時, 保護有勞. 朕欲封崇爵邑, 酬荅答前勞, 宜令中樞院, 准制施行".[184)]

八月丙戌朔大盡,乙酉, 庚寅5日, 慮囚.

己亥14日, 尙書吏部奏, "檢校將作少監庾恭義, 大匡黔弼之曾孫, 前有所犯, 久滯散秩. 曾降制旨, 太祖配享功臣之後, 雖有罪犯, 並須敍用. 今恭義, 宜授肅州防禦使". 門下省奏, "恭義, 曾犯諂諛, 名載罪籍, 不可敍用. 況牧民之寄, 重於製錦, 苟非其人, 必傷其手. 請罷之", 制可.

[某日, 門下侍中李子淵奏, "天地災祥, 每與刑政得失相應, 賞罰不可不愼, 伏見吏部·刑部, 務要辨理, 而日陵月替, 稽留未決者多. 乞令二部員僚, 精覈事理, 考其人吏勤怠而, 褒貶之, 則庶合聖上勤政恤刑之意, 天地休祥可致也", 從之:節要轉載].[185)]

[是月己丑4日, 遼興宗耶律宗眞崩. 耶律洪基卽位, 是爲道宗. 辛丑16日, 改元淸寧:追加].

九月丙辰朔小盡,丙戌, 癸亥8日, [寒露]. 契丹興宗告哀使·鴻臚少卿張嗣復來,[186)] □□□□告興宗喪. 王聞嗣復過鴨綠江, 減常膳, 輟音樂, 禁屠宰, 斷弋獵.[187)]

[○禮司奏, "禮□云, '世子不爲天子服, 又童子不緦',[188)] 乞依此禮, 太子及樂浪·開城·國原候, 並不服, 平壤公以下, 文武常參以上, 服喪", 從之:節要轉載].

乙丑10日, 王服索襴素襴, 率百官, 出昌德門前, 嗣復傳詔. 擧哀, 行服, 輟朝市三日.[189)]

---

184) 여러 판본의 『고려사』에서 荅으로 되어 있는데, 答의 잘못이지만(東亞大學 2008년 3책 404面), 일반적으로 行書에서는 통용되었다(『字學』, 古俗同異).

185) 이 기사는 열전8, 李子淵에도 수록되어 있으나 자구에 출입이 있다.

186) 契丹의 告哀使는 8월 8일(癸巳)에 파견되었다(『요사』 권21, 본기21, 道宗1, 淸寧 1년 8월 癸巳).
·『자치통감』 권241, 唐紀, 57 憲宗元和 15년(820), "九月, 上欲以重陽大宴, … 拾遺李珏帥其同僚上疏曰, … '伏以元朔未改, 園陵尙新, 雖陛下就易月之期, 俯從人欲, 而禮經著三年之制, 猶服心喪. 遵同軌之會始離京, 告遠夷之使未復命[胡三省注, 唐制, 國有大喪, 遣使宣遺詔於四夷, 謂之告哀使]. …".

187) 添字는 지18, 禮6, 上國喪에 의거하였다.

188) 이 구절은 각각 『禮記』, 服問第36章('世子不爲天子服'), 問喪第35章('童子不緦')에 나오는 말이다.

189) 이 기사는 지18, 禮6, 上國喪에도 수록되어 있다. 또 索襴은 素襴의 오자인데, 지18, 禮6, 上國喪에는 옳게 되어 있다.

[某日, 都兵馬使, 准舊制, 請以九月, 遣使, 訓鍊中外軍士, 從之:節要·兵1五軍轉載].

[庚午[15日], 月食:天文1轉載].[190]

辛未[16日], 禮賓省奏, "宋都綱黃忻狀稱, '臣携兒蒲安·世安來投, 而有母年八十二, 在本國, 悲戀不已'. 請遣還長男蒲安供養". 王曰, "越鳥巢南枝, 况於人乎?".[191] 許之.

丙子[21日], 遣知中樞院事崔惟善·工部侍郞李得路, 如契丹, 弔喪會葬.[192]

[癸未[28日], 王子生, 賜名煦:追加].[193]

冬十月乙酉□[~~朔~~大盡,丁亥], 生辰回謝使·戶部侍郞崔宗弼, 還自契丹, 奏, "禮部云, 帝名宗眞, 汝名犯宗字, 宜改之. 臣於表狀, 改稱崔弼". 門下省奏, "宗弼, 宜答以我國不知所諱, 誤犯之, 表章所載, 未敢擅改. 彼若强之, 但減點畫, 庶合於禮, 宗弼擅改表文, 有辱使命, 請科罪". 原之.[194]

丙申[12日], 制曰, "古先帝王, 尊崇釋敎, 載籍可考. 况聖祖以來, 代創佛寺, 以資福慶. 寡人繼統, 不修德政, 灾變屢見. 庶憑法力, 福利邦家. 其令有司, 擇地創寺". 門下省奏, "自古聖帝明王, 無有創起寺塔, 以致大平. 惟崇重法門, 愼省政敎, 不傷民力, 則自然宗社靈長. 昔達摩, 對武帝言, 造寺造塔, 殊無功德. 是尙無爲功德, 不尙有爲功德也. 且聖祖[太祖]創寺者, 一. 以酬統合之志願, 一. 以厭山川之違背耳. 今欲增創新寺, 勞民於不急之役, 怨讟交興, 毁傷山川之氣脉, 災害必生. 神人共怒, 非所以致大平之道□[~~也~~]". 不納.[195]

[是月, 內史門下[~~內史·門下省?~~]奏, "氏族不付者, 勿令赴擧":選擧1科目轉載].[196]

---

190) 이날은 율리우스력의 1055년 10월 8일이고, 월식 현상이 심했던 때의 世界時는 14시 3분, 食分은 0.64이었다(渡邊敏夫 1979年 472面).

191) 越鳥巢南枝는 漢帝國 때 作者 不明인 다음의 詩文에서 따온 것이다.
· 『文選』 권29, 詩己, 雜詩上, 古詩一十九首, "行行重行行, 與君生別離. 相去萬餘里, 各在天一涯. 道路阻且長, 會面安可知? 胡馬依北風, 越鳥巢南枝. 相去日已遠, 衣帶日已緩. 浮雲蔽白日, 遊子不顧反. 思君令人老, 歲月忽已晩. 弃損勿復道, 努力加餐飯(1面左末行)".

192) 이 기사는 지18, 禮6, 上國喪에도 수록되어 있다. 또 이들 고려의 사신은 11월 10일(甲子) 興宗 宗眞(只骨, 夷不菫)을 慶陵에 葬事지낼 때 葬禮에 참여하였다(『요사』 권21, 본기21, 道宗1, 淸寧 1년 11월 甲子).

193) 이는 「大覺國師王煦墓誌銘」·「開城靈通寺大覺國師塔碑」에 의거하였다.

194) 乙酉에 朔이 탈락되었다.

195) ~~添字~~는 『고려사절요』 권4에 의거하였다.

[是月頃, 契丹使來, 賜先帝[興宗]遺物:追加].[197)]

十一月[乙卯朔[小盡,戊子], 雷電以雨:五行1雷震轉載].

[戊午[4日], 雨而雹:五行1雷震轉載].

乙丑[11日], 幸東池, 檢校衛尉少卿崔成節, 無故入至帳殿前,[198)] 王驚命下獄. 法司奏, "闌入御所者, 斬". 王曰, "雖律有正條, 以此加刑, 是爲苛政, 又文筆有用, 可原之". 門下省駁奏, 不納.

○契丹東京回禮使·檢校工部尙書耶律道來.

---

196) 여기에서 內史門下는 內史省[中書省]과 門下省의 兩省을 指稱한다는 3省6部制說(李貞薰 2007년a)에 따르면 內史·門下省의 略稱일 것이고, 2省6部制說에 따르면(朴龍雲 2000년a) 內史門下省에서 省字가 脫落되었을 것이다. 그런데 8세기 전반 唐 玄宗代에 사회의 변화에 따라 中書省과 門下省이 긴밀하게 연결됨에 따라 兩省 宰相의 會議機關[合坐]이었던 政事堂이 中書門下라는 宰相이 政務를 처리하는 常設機構로 독립함에 따라 三省制는 有名無實[名存實亡]하게 되었다(開元11, 723年). 이후 唐代에서 宋代에 걸쳐 사용되었던 官印인 中書門下之印의 존재, 정무처리기관인 5房의 設置, 尙書省의 左·右僕射가 宰相職에서의 排除 등을 통해 3省制의 붕괴를 알 수 있다(劉後濱 2001年 ; 董學增 1984年 ; 周佳 2017年).

그렇다고 하여 이 시기와 이를 계승했던 五代, 宋代에서도 中書門下省이라는 名稱이 찾아지지도 않고, 尙書省이 완전히 폐지된 것도 아니기에 國政이 中書門下라는 기구에 의해 처리되었다고 해도 中書門下를 중심으로 한 2省6部制에 의해 운영되었다고 말하지 않는다. 그런데 高麗初 光宗, 成宗 등이 수용했던 중앙정치제도는 723년 이후의 中書門下 體制가 아니라 3省의 役割과 機能이 唐前期의 3省6部 體制의 그것과 거의 유사하였던 점을 통해 2省6部制說을 首肯하기에 어려움이 있다.

·『자치통감』 권212, 唐紀28, 玄宗 開元 11년(723), "是歲, [兼中書令]張說奏改政事堂曰中書門下, 列五房於其後, 分掌庶政[胡三省注, 舊制, 宰相常於門下省議事, 謂之政事堂. [高宗]永淳元年[~~弘道元年~~], 中書令裴炎以中書執政事筆, 遂移政事堂於中書省, 至是說改政事堂爲中書門下, 其政事印改爲中書門下之印. 五房, 一曰吏房, 二曰樞機房, 三曰兵房, 四曰戶房, 五曰刑禮房]". 여기에서 ~~添~~字와 같이 고쳐야 옳게 될 것이다.

·『자치통감』 권203, 唐紀19, 高宗 弘道 1년(683), "十二月[甲寅朔], 丁巳[4日], 改元, 赦天下. … 甲戌[21日], 以劉仁軌爲左僕射, 裴炎爲中書令. 戊寅[25日], 以劉景先爲侍中. 故事, 宰相於門下省議事, 謂之政事堂, 故長孫無忌爲司空, 房玄齡爲僕射, 魏徵爲太子太師, 皆知門下省事. 及裴炎遷中書令, 始遷政事堂於中書省".

197) 이는 다음의 자료에 의거하였다.

·『요사』 권21, 道宗1, 淸寧 1년 9월, "壬午[27日], 遣使賜高麗·夏國先帝遺物".

198) 帳殿은 들판[野外]에 帳幕[天幕]을 달아 붙여 宮殿[殿閣], 行宮으로 만들 것을 가리킨다.

·『자치통감』 권212, 唐紀28, 玄宗開元 13년(725) 11월, "壬辰[13日], 上御[泰山]帳殿, 受朝覲[胡三省注, 野次連幄以爲殿, 因謂之帳殿], 賜天下, 封泰山神爲天齊王, 禮秩加三公一等[注, 古制, 四岳視三公]".

十二月甲寅朔[~~甲申朔~~大盡,己丑],[199] 契丹遣金州刺史耶律長正來, 賀生辰.

[某日, 制, "景興院主淑妃[顯宗元順淑妃金氏], 依文和大妃[成宗妃金氏]例葬, 除其陵號":列傳1顯宗妃元穆王后徐氏轉載].

[是年, 始築東界宣德城, 爲鎭:轉載].[200]

[○以[知楊州事]李頲爲尙書戶部員外郞:追加].[201]

丙申[文宗]十年, 契丹淸寧二年, [宋至和三年→9月, 嘉祐元年], [西曆1056年]

1056년 1월 20일(Gre1월 26일)에서 1057년 2월 6일(Gre2월 12일)까지, 13개월 384일

春正月[甲寅朔小盡,庚寅], [己巳[16日], 禮官上言, "太廟祭器, 年久破缺, 不堪陳用. 曲禮曰, 祭服弊[敝]則焚之, 祭器弊[敝]則埋之. 其籩篚·玄衣·赤舃, 命御史臺, 焚埋之", 從之:禮3吉禮大祀轉載].[202]

辛未[18日], 隕石于黃州, 聲如雷.

甲戌[21日], 東女眞奉國將軍阿加主等五十人來, 獻駿馬三十二匹.

[□□[是月], 改寧德鎭爲寧德城. 避北朝興宗廟諱, 以鎭字, 從眞也:節要轉載].[203]

[○某等造鴻山縣無量寺瓦:追加].[204]

---

199) 12월은 宋曆·日本曆에서 甲申朔이므로 甲寅朔은 甲申朔의 誤字임을 알 수 있다. 高麗曆에서 12월이 甲申朔이 아니면 北東아시아 3國이 다음 해의 閏3월에 모두 癸未朔이 될 수 없다.

200) 이는 다음의 기사를 전재한 것이지만, 事實의 설명에 문제가 있는 것 같다.(脚注 203)
- 지12, 지리3, 德州, "文宗九年, 始築宣德城, 爲鎭. 後稱德州防禦使".

201) 이는「李頲墓誌銘」에 의거하였다.

202) 이 기사는『고려사절요』권4에도 수록되어 있는데, 弊는 敝의 다른 表記이다. 이 구절은 다음의 자료에서 따 온 것이다.
- 『禮記』, 曲禮上第1, "臨祭不惰, 祭服敝則焚之, 祭器敝則埋之, 龜筴敝則埋之, 牲死則埋之".

203) 이는 帝王의 死後에 避諱한 사례이며 興宗 只骨(夷不董)의 漢字名은 宗眞인데, 帝王의 이름이 二字인 경우는 一字만 避諱(혹은 敬諱)한다고 한다. 또 이와 같은 기사로 다음이 있다.
- 지12, 지리3, 寧德鎭, "文宗十年, 避契丹興宗諱, 改鎭爲城, 以鎭字從眞字也".
- 『說郛』권86, 金國志, "金國, 本名朱里眞, 番語舌音訛爲女眞 , 或曰慮眞. 避契丹興宗名, 又曰女直. …".

204) 이는 忠淸南道 扶餘郡 外山面 萬壽里 無量寺 舊址(문화재자료 제381호)에서 출토된 암키와[瓦]인 刻字에 의거하였는데, ~~添字~~와 같이 고쳐야 옳게 된다. 또 이곳에서 "令史京光孚造納",

二月[癸未朔大盡,辛卯], 甲午[12日], 有司奏, "沒蕃人廉可俌, 軍器丞位之子, 三韓功臣·司徒邢明之孫. 於庚戌年[顯宗1年]中, 充環衛公子軍役, 會丹兵闌入, 京城震驟, 奉二親, 避兵于故鄕峯城縣, 道遇賊, 被虜而去, 清寧元年[文宗9年]正月, 携一子亡來. 請可俌父祖永業田舍, 並令還給". 制曰, "可俌功臣苗裔, 丁年被俘, 棄蕃土妻兒, 惟携一子, 皓首而歸, 深可憐憫. 可給舊業田廬".

癸卯[21日], 始創興王寺于德水縣, [移其縣□[治]於楊川. 知中樞院事崔惟善, 諫曰, "昔唐太宗, 神聖英武, 未有倫比, 不許度人爲僧, 不許創立寺觀, 以遵述高祖之志, 史傳皆美之. 我太祖訓要曰, '國師道詵, 察國內山川順逆, 凡可以創造伽藍之地, 無所不爲. 後世嗣王及公侯·貴戚·后妃·臣僚, 無得爭修願字, 以虧損地德'. 今殿下[~~陛下~~]承祖宗積累之基, 昇平日久, 固宜節用, 而愛民, 能持盈守成, 以傳後嗣. 奈何, 罄民財竭民力, 以供不急之費, 欲危邦本耶? 臣切惑焉". 王優答之. 異日,[205] 入侍閑讌, 王從容慰獎曰, "諫諍是忠, 從好佞". 惟善對曰, "創垂猶易, 守成難":節要轉載].[206]

[→[崔惟善,]文宗時, 累遷知中樞院事. 王命創興王寺于德水縣, 移縣□[治]于楊川, 惟善諫曰, "昔唐太宗, 神聖英武, 千百年以來, 未有倫比, 不許度人爲僧, □□[不許]創立寺觀, 以遵高祖之志, 史傳美之. 我太祖神聖王訓要曰, '國師道詵, 察國內山川順逆, 凡可以創造寺院之地, 無不營建, 後世嗣王及公侯·貴戚·后妃·臣僚, 無得爭修願宇, 虧損地德.' 今陛下, 承祖宗積累之基, 昇平日久, 固宜節用愛人, 持盈守成, 以傳後嗣. 柰何, 罄民財竭民力, 供不急之費, 以危邦本耶?" 王優答之. 異日, 入侍閑讌, 王從容慰獎曰, "諫諍是忠, 從好佞". 惟善對曰, "創垂猶易, 守成難:列傳8崔惟善轉載].

己酉[27日], 耽羅國獻方物.

"丙子年四月日□磴寺", "□□寺住持·重□[大]師庸祥", "壬申年草金□" 등이 刻字된 기와들도 出土되었다고 한다(扶餘郡 2005년 ; 洪榮義 2014년).

· 銘文, "靑寧[~~淸寧~~]丙申正月作』".

205) 異日은 他日과 같은 의미를 지니고 있는 것 같다.

· 『자치통감』 권4, 周紀4, 赧王 36년(BC279), "田單任貂勃於王, … 異日, 王曰, '召相單而來[胡三省注, 異日, 猶言他日也]', 田單免冠, 徒跣, 肉袒而進, 退而請死罪").

206) 이때 興王寺를 德水縣의 治所에 건립하고 縣治를 남쪽으로 옮겼다고 한다. 또 ~~添字~~는 지10, 지리1, 開城府, 德水縣 ; 열전7, 崔惟善에 의거하였는데, 이들 기사 사이에 자구의 출입이 있다.

· 『삼국사기』 권35, 雜志4, 開城郡, 德水縣, "第十一葉文宗代, 創置興王寺於其地, 移其縣於南".

三月[癸丑朔大盡,壬辰], 甲寅[2日], 册子蒸爲國原侯. 王潛御便次, 觀禮訖, 召侍中李子淵·參知政事金元鼎·[守司空·]尙書左僕射智猛等, 置酒達曙.

閏[三]月癸未朔[小盡,壬辰], 告朔于大廟[~~太廟~~].

乙酉[3日], 守司空·尙書右僕射致仕高烈卒.[207] 烈, [黑水人:節要轉載], 善射, 屢立軍功, 爲一時名將. 及沒, 聞者皆惜之, 輟朝三日, 令百官會葬.

夏四月[壬子朔大盡,癸巳], 丙寅[15日], 以智猛△[爲]守司空[~~守司徒~~].[208]

丙子[25日], 御乹德殿覆試, 賜李幹方等及第.[209]

[五月[壬午朔小盡,甲午], 某日, 密城郡管內昌寧郡等十七所, 大水傷禾:節要·五行1水潦轉載].

[是月頃, 遣使如契丹, 獻方物:追加].[210]

[六月[辛亥朔大盡,乙未], 已卯[29日], 制, "今當禾穀垂成, 滛雨[~~霪雨~~]不止,[211] 將來可慮. 其令祈晴于上下神祗[~~神祇~~]":五行2·節要轉載].

[某日, 禮司奏, "王太子鹵簿, 隊仗·鼓吹,[212] 當減大駕之半, 乞令衛尉寺, 分隷

---

207) 이날은 율리우스曆으로 1056년 4월 20일(그레고리曆 4월 26일)에 해당한다.

208) 智猛은 前年(문종9) 7월 7일(癸亥) 守司空에 임명되었으므로 그보다 上位의 三公(이때 일종의 勳職으로 機能했음)인 守司徒에 임명되었을 것이다.

209) 이와 관련된 기사로 다음이 있다. 여기에서 李幹方은 隴西公이라고 불린 李某의 長子로서 壯元及第가 확인되고 있다(隴西李公墓誌銘).
- 지27, 선거1, 科目1, 選場, "[文宗]十年四月, 尙書右僕射李令幹知貢擧, 取進士, 覆試, 賜乙科李幹方等二人·丙科四人·同進士七人·恩賜二人·明經四人及第".

210) 이는 다음의 자료에 의거하였다.
- 『요사』 권21, 본기21, 道宗1, 淸寧 2년 6월, "丁卯[17日], 高麗遣使來貢".

211) 滛雨(제우)는 『고려사절요』 권4에는 霪雨(음우)로 되어 있는데, 後者가 옳을 것이다.

212) 이와 같은 기사가 지26, 輿服, 鹵簿, 王太子鹵簿에도 수록되어 있다. 또 鼓吹는 軍樂으로 12案이 있다고 한다.
- 『세조실록』 권1, 1년 윤6월 庚午[26日], "議政府據禮曹呈啓, '謹按開元禮, 親王·群臣, 皆有鹵簿, 高麗 古今詳定禮, 王太子亦有鹵簿, 我朝王世子, 旣受冕服, 而無鹵簿, 深爲未可. 請參酌世宗朝東宮參決庶務時儀仗, 用靑陽繖·金橫瓜·銀橫瓜·金鼓·金立瓜·銀立瓜·金鐙·銀鐙·熊骨朶子·豹骨朶子·玄鶴旗各一, 靑扇·靑蓋·令字旗·白鶴旗·麒麟旗各二, 雀扇四', 從之".
- 『자치통감』 권189, 唐紀5, 高祖武德 4년(621) 7월, "甲子, 秦王世民至長安. 世民被黃金甲, 齊

詹事府", 從之:節要轉載].

秋七月[辛巳朔小盡,丙申], 丁酉[17日], 以東蕃賊屢侵邊境, 遣東路馬兵貳師[兵馬副使]·侍御史金旦,[213] 往討之. 旦, 誓衆曰, "臨敵忘家, 以身徇國, 分也. 我生死正在今日". 三軍感激奮勵, 勇氣自倍, 破其屯落二十餘所, 賊大潰, 獲兵仗·羊馬無算.

八月[庚戌朔大盡,丁酉], [甲子[15日], 月食:天文1轉載].[214]

戊辰[19日], 以決內外死囚, 避正殿, 素膳停樂.

○西京留守報, "京內進士·明經等諸業擧人, 所業書籍, 率皆傳寫, 字多乖錯. 請分賜秘閣所藏九經·漢·晋·唐書·論語·孝經·子·史·諸家文集·醫·卜·地理·律·算諸書, 置于諸學院". 命有司, 各印一本, 送之.[215]

庚午[21日], 飯僧三萬.

九月[庚辰朔小盡,戊戌], 甲申[5日], [霜降]. 制, "諸州牧·刺史·通判·縣令·尉及長吏, 政績勤慢淸濁, 百姓貧富苦樂, 可遣使按驗.[216] 所司乃以程驛民吏, 勞於迎送, 請停之. 王[制]曰, 朕惟先代, 頻遣使臣, 採訪民瘼, 故諸道宰民者, 悉務淸廉, 以安民庶. 近來, 綱紀弛紊, 且無懲革, 不勤公事, 但謀私利, 要結權豪. 里巷多囊橐之收, 田原罕桑麻之勸. 或地有魚鹽梓漆, 或家有畜產貲財, 皆被侵奪, 若有恡之者, 卽假事, 嚴加

王[世民弟]元吉·李世勣等二十五將從其後, 鐵騎萬匹, 前後鼓吹[胡三省注, 鼓吹, 軍樂也. 漢制, 萬人將軍得之. '司馬法', 軍中有鼓笛, 所以發壯勇. … 張騫使西域得'摩訶兜勒'一曲, 李延年增之, 分爲二十八曲. 梁置鼓吹淸商令二人. 唐又有㭟鼓·金鉦·大鼓·長鳴歌簫·笳·笛, 合爲鼓吹十二案], 俘[鄭皇帝]王世充·竇建德及隋乘輿·御物獻於太廟, 行飮至之禮以饗之".

· 『자치통감』 권190, 唐紀6, 高祖武德 6년(623) 2월 甲寅, "… 平陽昭公主薨. 戊午, 葬公主, 詔加前後部鼓吹, 班劍四十人[胡三省注, 班, 列也, 持劍成列, 夾道二行也], 武賁甲卒[注, 武賁, 虎賁也. 唐諱虎字, 改爲武]. 太常奏, '禮, 婦人無鼓吹'. 上曰, 鼓吹, 軍樂也. 公主親執金鼓, 興疑兵以輔成大業. 豈與常婦人比乎?". 여기에서 平陽昭公主는 唐高祖 李淵의 딸이고, 秦王 李世民의 異腹 姉妹이다.

213) 이 기사에서 馬兵貳師는 兵馬副使의 다른 표기로 추측된다.

214) 이날 宋에서는 皆既月食이었다고 한다(『송사』 권52, 지5, 천문5, 月食). 이날은 율리우스력의 1056년 9월 26일이고, 월식 현상이 심했던 때의 世界時는 13시 41분, 食分은 1.71이었다(渡邊敏夫 1979年 472面).

215) 고려시대의 開京에서 書籍을 소장하였던 것으로 추측되는 秘閣의 기능, 위치 등에 대해서는 분명히 알 수 없으나 秘書省에 설치되어 있었을 가능성이 있다.

216) 이 기사는 지29, 選擧3, 選用監司에도 수록되어 있으나, '文宗十年八月'로 기재되어 있는데 오류일 것이다.

枷杖，傷其性命．懷寃抱痛，無所告陳，間有欲正之者，又因貴要之囑，卒莫能行，蠹民之害，日益月滋．官吏既已如此，小民安得聊生．朕晨夕孳孳，庶幾釋其煩弊，而當軸秉鈞者，不以爲可，論說紛紛，何哉．今以兼侍御史·刑部員外郞李攸績爲山東南忠·慶·尙州三道撫問使，兼御史雜端·兵部郞中金若珍·禮部郞中崔尙，並爲山南晋·羅·全·淸·廣·公·洪州七道撫問使，兼監察御史·試殿中內給事安民甫爲關西·北關內三道撫問使，監察御史閔昌壽爲關內東道撫問使，分道發遣，毋或阻滯".[217]

己丑[10日]，祀太一於壽春宮，以禳火災.[218]

癸巳[14日]，命太子與諸王，置酒東池樓，召秀才崔應·李曙·御室忠，令賦東池尋勝詩，各賜匹段[匹段].

○制曰，"近覽日官所奏，數有天變．此盖寡人德薄，政令不一所致也，䰟䰟以懼，夙夜未遑，自今月，避正殿，減常膳，庶答天譴．凡百卿士，各愼爾位，直言予過，無有所隱".[219]

[甲午[15日]，震惠日重光寺塔，延燒佛閣·經樓：五行1雷震轉載].[220]

丙申[17日]，制曰，"釋迦闡敎，淸淨爲先，遠離垢陋，斷除貪欲．今有避役之徒，托號

---

217) 이때 파견된 撫問使는 戰亂, 災害 등으로 인해 피폐해진 民生을 돌보기 위해 파견된 官人의 官銜인 安撫使의 일시적인 改稱일 것이다. 이 시기에 개칭된 사유는 알 수 없으나 安字에 대한 어떠한 回避[避諱]가 필요하였던 것 같다.

218) 이 기사는 지17, 禮5, 雜祀에도 수록되어 있다. 太一은 宇宙萬物의 根源, 天神名, 北極星 등을 指稱하는데, 이 單語는 『고려사』에서 天神 또는 北極星을 가리키는 것으로 사용되었던 것 같다. 이 기사와 같이 醮祭의 對象이 된 것은 天神일 것이고 이와 관련된 曆이 『太一曆』일 것이다. 또 이를 奉安한 太一殿도 高麗時代이래 조선시대에 걸쳐 首都와 外方에 건립되었던 것 같고, 이 神祀에서 사용되었던 '太一殿'이라고 刻字된 象嵌白磁가 경상도의 어떤 지역에서 출토되었다고 한다(崔淳雨 1964년b).

· 『태종실록』 권24, 12년 10월, "癸酉[21日]，命修通州太一殿，仍施丹雘".

· 『성종실록』 권81, 8년 6월 丙申朔, "禮曹啓, '今據前觀象監正李宗敏啓本，太一殿移建可當坤方，在忠淸道泰安白華山西南高城寺北高平處，距京城三百三十里．請令工曹營建', 從之".

· 『신증동국여지승람』 권25, 義城縣, 古跡, "太一殿，在氷穴傍，每歲上元，降香以祭，成化十四年戊戌[成宗14年]，移忠淸道泰安郡．○辛引孫詩，太淸新殿創氷山，河漢昭回列定環，五色寶光連下土，三台華蓋擁中間，齋心十日趨宮陛，祝壽千年拜帝顔，願使風調仍雨順，藹然和氣滿人寰".

· 『신증동국여지승람』 권19, 泰安郡, 祠廟, "太一殿，在白華山古城內，成宗十年己亥[成化15年]，自慶尙道義城縣移安于此".

219) 이때의 天變은 무엇인지는 알 수 없으나 일본의 교토[京都]에서 이해의 2월 28일에 彗星이 관측되었다고 한다.

· 『中右記』, 長承 1년 9월 6일, "延喜以後彗星見年々，… 天喜四年二月廿八日，…".

220) 原文의 '九月甲午'의 앞에 十年이 탈락되었던 것 같다.

沙門，殖貨營生，耕畜爲業，估販爲風．進違戒律之文，退無清淨之約，袒肩之袍，任爲酒甖之覆，講唄之場，割爲葱蒜之疇．通商買賣，結客醉娛，喧雜花院，穢臭蘭盆．冠俗之冠，服俗之服，憑托修營寺院，以備旗鼓歌吹，出入閭閻，搪揬市井，與人相鬪，以致血傷．朕庶使區分善惡，肅擧紀綱，宜令沙汰中外寺院，其精修戒行者，悉令安住，犯者以法論”．

[是月辛卯12日，宋改致和三年爲嘉祐元年：追加].[221]

冬十月己酉朔大盡,己亥，日本國使·正上位權隷滕原朝臣賴忠等三十人來,[222] 館于金州.[223]

辛亥3日，王太子見于大廟太廟，[三師以下導從，庶子二人爲左右贊者，率更令請拜，注簿告辦．初詣廟時，引樂懸而不作，謁畢，樂作還宮：禮3吉禮大祀轉載].

[戊午10日，有司言，“今月，當禘祫于宗廟，禮，禘祫之月，則停時享．乞依禮制，停冬享”，從之：禮3吉禮大祀轉載].

壬戌14日，親祫于大廟太廟，加上九廟尊號，祭畢，御齋宮，受群臣賀．還御神鳳樓赦．制曰，“朕謬承祖禰之遺芬，統山河而守業，日新一日，雖休勿休．丐懷永於寶圖，竭奉先於宗祏．今者，躬虔祫禮，遹振德音，思與群生，同玆丕慶，可大赦中外”．

[○是時，加諡太祖曰章孝，太祖妃神靜王太后皇甫氏曰慈景.[224] 惠宗曰□□脫落，

---

221) 이는 다음의 자료에 의거하였다.
· 『송사』 12, 본기12, 仁宗4, 嘉祐 1년 9월, “辛卯，恭謝天地于大慶殿，大赦，改元”.

222) ‘正上位權隷滕原朝臣賴忠’은 ‘正□□數字缺上位·權隷□□官職滕原朝臣賴忠’의 誤記일 것이다. 여기에서 正上位는 正□□五品上位와 같은 위계(位階)를, 權隷는 임시 관직[權職]인 權□□官職의 官職을 각각 표기한 것이지만 誤記 또는 脫落이 있었던 것 같다. 또 人名에 붙어 있는 朝臣은 당시의 일본 지배층들이 자신의 이름에 붙이던 하나의 語套이다. 그렇다면 滕原賴忠은 姓氏, 位階, 官職 등을 제대로 갖춘 人物임 점을 통해 볼 때, 일본조정 또는 다자이후에서 파견된 관료일 가능성이 있다. 아니면 官僚를 詐稱한 상인(商人, 조선시대에 ‘日本政府 또는 高官이 파견한 使臣’이라고 倭人답게 거짓말을 일삼던 爲使)과 같은 존재일 것이다.

223) 이때 일본인들이 머문 宿所[客館, 倭館]은 金海都護府 明月山에 위치한 仇良村 見助巖 水站의 인근(현재의 釜山市 江西區 菉山洞)으로 비정되고 있다(具山祐 2018년b).
· 『신증동국여지승람』 권32, 金海都護府, 山川, 明月山, “在府南四十里，山下仇良村，有見助巖水站，以接倭使”.

224) 이때 神靜王太后 皇甫氏에 奉獻된 册文은 다음과 같다.
· 열전1, 후비1, 太祖, 神靜王太后皇甫氏, “鸑石開祥，鳩洲協德，漲家成國．內伸弼贊之勞，翼子謀孫，旁及慈和之訓，嬪風載軆，王化由宣．所以契一儀合配之尊，處百代不遷之廟．但臣因叨慶系，彌注孝思，奉群序以合升，執薄羞而親饋．屬玆龜獻，仍益鴻稱，謹奉册，加上尊諡曰慈景”.

惠宗妃義和王后林氏曰□□脫落, 定宗曰簡敬, 定宗妃文恭王后朴氏曰貞惠, 光宗曰懿孝, 光宗妃大穆王后皇甫氏曰恭平, 景宗曰靖孝, 景宗妃獻肅王后金氏曰懷安, 成宗曰獻明, 成宗妃文德王后劉氏曰元獻, 穆宗曰克英, 穆宗妃宣正王后劉氏曰襄堅, 顯宗曰大孝, 顯宗妃元成太后金氏曰英穆, 德宗曰宣孝, 靖宗曰弘孝, 靖宗妃容信王后韓氏曰定懿:轉載].[225]

十一月己卯朔小盡,庚子, 辛巳3日, 宋商黃拯等二十九人來, 獻土物.

○是日, 初雪, 百官表賀.

壬午4日, 幸內帝釋院, 以僧海麟爲王師. [先是, 下詔麟諮請, 遂差遣工部侍郎張仲英·尙書左丞柳紳·禮部侍郎金良贄等, 備行三反之禮, 續遣□□同知中樞院事異惟忠, 賜錦爾法服·銀黃器用·香茹等, 麟固辭不獲命:追加].[226]

壬辰14日, 設八關會, 幸法王寺.

甲午16日, 東女眞耶賜老等五十人來, 獻土物.

[某日, 侍中李子淵上言, "近因創造興王寺, 移德水縣於楊川. 由是, 百姓營葺廬舍, 未遑寧處, 男負女提, 道路相繼, 貧者, 有擠壑之憂, 富者, 無按堵之所, 請蠲一歲賦役". 制, "特蠲兩年":節要·食貨3恩免之制轉載].[227]

十二月戊申朔大盡,辛丑, 契丹遣永州刺史蕭惟新來, 賀生辰.

丙辰9日, 中外進箋, 賀王太子長興節於壽春宮.

○斬東女眞柔遠將軍沙支何等二人, 以嘗劫掠朔州人物也.

[是月, 判判, "雜路人子孫, 從父祖曾祖, 出身仕路, 外孫許屬南班. 若祖母之父, 係雜路者, 許敍東班":選擧3限職轉載].

是歲, 作長源亭, 於西江禮成江餠嶽之南. [道詵松岳明堂記云, '西江邊, 有君子御馬明堂之地. 自太祖統一丙申之歲太祖19年, 至百二十年, 就此創構, 國業延長'. 至是, 命太史令金宗允等, 相地, 構之:節要轉載].[228]

---

225) 이들 諡號는 世家篇에 수록되어 있는 歷代 帝王의 기사와 열전1, 后妃1, 皇后列傳에서 拔萃한 것이다.

226) 이는 「原州法泉寺智光國師玄妙塔碑」에 의거하였는데, 添字가 추가되어야 옳게 될 것이다.

227) 이 기사는 열전8, 李子淵에도 수록되어 있으나 자구에 출입이 있다.

[○遣告奏使姜源廣如契丹, 請還鴨江東岸爲界. 略曰, "自象輅南馳, 肇裂疆而斯錫, 鴨江西限, 在命册以不刊, 歷及嗣封, 居爲樂境. 豈知間代, 以備外虞, 截流成浮鵠之梁, 連壘入剪鶉之界, 是祈割復, 屢罄判陳, 愈堅就日之誠, 方企廻天之望. 近又添營亭候, 移以遞郵, 廣展柵圍, 踰干劃分, 以至邊鄙, 益聳列城, 嗟早閑晏開. 民食何依千畝, 廢春耕秋穫. 今者幸遭鉅聖, 誕御瑤圖, 方恢無外之風, 均被自新之澤, 願還舊壤, 俾感昌辰":追加].[229]

[○以尙書戶部員外郞李頲爲戶部正郞, 賜緋魚袋:追加].[230]

[○某等改修公州扶餘郡無量寺:追加].[231]

[○僧樂眞赴受具足戒於某寺戒壇:追加].[232]

[仁同人 張東翼 校注, 增補].

---

228) 이와 같은 기사가 지10, 地理1, 開城府, 貞州에도 수록되어 있다. 또 長源亭의 遺址는 현재의 開城市 開豊郡 開豊邑 某里(옛 柳井洞) 殿座山 南麓에 남아 있었다고 한다(李丙燾 1948년 123面·1961년 251面). 이곳은 臨津縣의 長浦라고 불렀고, 長源亭은 牧場, 狩獵地가 있는 호곶(壺串)과 인접해 있었다고 한다. 한편 唐制에서 太史令의 職掌은 다음과 같았는데, 上記의 기사에서 太史令은 자신의 職務와 관련이 없는 作業에 動員된 것 같다.

· 『湖陰雜稿』 권5, 雜記日錄, 長浦廢離宮, "往日畋遊洛表同, 至今行殿壓蛟宮, 石家鹵簿巾皆紫, 隋氏龍舟錦作篷, 松老尙含伶管奏, 楓酣疑駐妓裙紅, 長源·壺串相隣近, 今古荒亡一望中".

· 『자치통감』 권191, 唐紀7, 高祖武德 9년(626) 4월 丁卯, "… 太史令傅奕上疏[注, 唐太史令, 從五品下, 掌觀察天文, 稽定曆數, 凡一月星辰之變, 風雲氣色之異], 請除不法曰, …".

229) 이는 『東人之文四六』 권2 入遼起居表[注, 文宗丙申, 告奏使姜源廣賫去, 崔惟善作], 乞還鴨江東岸爲界狀 ; 『東文選』 권47, 乞還鴨江東岸爲界狀에 의거하였다.

230) 이는 「李頲墓誌銘」에 의거하였다.

231) 이는 忠淸南道 扶餘郡 外山面 萬壽里 96-1 無量寺址에서 출토된 瓦銘 '淸寧丙申正月日作'에 의거하였다(世宗文化財硏究院 編 2015년 303面). 여기에서 탁본을 보면 淸寧이 靑寧으로 되어 있는 것 같지만, 淸을 刻字할 때 氵劃이 깊지 않게 刻印[淺刻]되었던 것 같다.

232) 이는 「陜川般若寺元景王師塔碑」에 의거하였다(보물 제128호, 許興植 1984년 566面 ; 李智冠 2004년 3册 81面).

『高麗史』 卷八 世家卷八

[輔國崇祿大夫·議政府左贊成·知集賢殿經筵春秋館成均事·世子賓客·臣金宗瑞奉教撰]
正憲大夫·工曹判書·集賢殿大提學·知經筵春秋館事兼成均大司成·臣鄭麟趾奉教修

文宗 二

丁酉[文宗]十一年, 契丹清寧三年, [宋嘉祐二年], [西曆1057年]

1057년 2월 7일(Gre2월 13일)에서 1057년 1월 26일(Gre2월 1일)까지, 354일

春正月戊寅朔[小盡,壬寅], 放朝賀.

己丑[12日], 以高維爲右拾遺. 中書省[~~內史省~~]奏, "維, 系出耽羅, 不合諫省, 如惜其才, 請授他官", 從之.

乙未[18日], 隕石于黃州, 聲如雷. [州上其石, 禮司奏曰, "昔, 宋有隕石, 秦有星墜, 晋唐以降, 比比有之, 此常事也, 不關灾祥. 今以爲異而聞奏, 實爲妄擧, 請下有司, 罪之", 制可, 遂還其石:節要轉載].

二月[丁未朔大盡,癸卯], 癸酉[27日], 設消灾道場于乹德殿五日.

三月[丁丑朔大盡,甲辰], 乙酉[9日], 契丹遣蕭繼從·王守拙來, 册王, 詔曰, "卿控臨祖服, 藩屛皇家.薦號龍庭, 方畢推崇之禮, 均休兎域, 宜行册拜之恩. 式示寵頒, 用昭溫睠. 今差天德軍節度使蕭繼從, 左千牛衛大將軍王守拙等, 充封册使·副, 并賜卿冠服·車輅·銀器·匹叚[匹段]·鞍馬·弓箭等, 具如別錄, 至可領也".

○册曰, "我國家, 重蒼睠命, 累聖垂休. 推恩信於萬邦, 寧分中外. 褒功勳於庶位, 詎隔邇遐. 眷三韓閫閾之雄, 限伯禹方隅之表, 其有踐開青社, 遙控紫庭, 紹匡合之覇圖, 修委輸之臣節. 雖日中有子, 曾申錫於王封, 而天下同文, 旋弼成於帝化. 屬均大慶, 思荅[答]洪勳, 爰卜臧辰, 式頒寵典. 咨爾匡時·致理·竭節·資忠·奉上功臣·開府儀同三司·守太師兼中書令·上柱國·高麗國王·食邑一萬五千戶·食實封一千八百戶王徽，精儲龍宿，傑出雞林．博通幼尙於詩書，聰悟生知於禮樂．宏謀秘奧，常探金樻之編，敏思遒妍，已著錦樓之集．粤自襲爵朱蒙之國，宣風玄菟之鄕，以寬猛董雄師，以惠和漸雅俗．膏雨霈一方之澤，景星爲千古之祥．當聖考臨軒，頗盡匡周之禮，追冲人纂業，尤堅奉啓之誠．刻華楮以飛章，匭青茅而入貢，載觀忠義，無替敬恭．近者，迫群輿懇切之詞，推寡昧優崇之號，勉從勤請，遂擧盛儀．方覃象魏之恩，首奬桓　文之略．是用移晋相專車之秩，陞漢臣獨坐之班，兼益戶封，併昭宸奬．今遣使天德軍節度使蕭繼從·使副左千牛衛大將軍王守拙，持節備禮，册命爾，爲兼尙書令，加食邑五千戶·食實封二百戶．於戲，飛龍在運，白馬伸盟，寵錫彤弓，位冠於五侯九伯，榮調玉鉉，權崇於四輔三公．矧乃居先人賜履之邦，襲伯氏揚旍之寄，弼翊可以希於善善，拊循可以慕於優優．宜樹芳猷，別凝茂績，應福謙於神道，契助順於天心，敬戒於玆，長守富貴”．

○王率百官，受册于南郊．

○契丹又遣蕭素·柴德滋來，册王太子，詔曰，“卿，慶鍾王胤，幼標聰悟之名，爵列國公，早被豊優之命．束菀屬行於成禮，編筠思洽於殊休，宜有寵頒，式符眷矚．今差利州管內觀察使蕭素·司農卿柴德滋，充封册使·副，幷賜卿冠服·車輅·銀器·匹叚[西段]·鞍馬·弓箭等，具如別錄，至可領也”．

○册曰，“朕，嗣守丕圖，奄宅緜宇，徇縉紳之抗蹠，束茅絕以陳儀．上奉慈顔，方增於懿號，下褒眇德，亦被於虛稱．載惟延賞之恩，宜擧襲封之典．咨爾匡時·致理·竭節·資忠·奉上功臣·開府儀同三司·守太師兼中書令·上柱國·高麗國王·食邑一萬五千戶·食實封一千八百戶王徽子勳，鵷鸑瑞質，騄駬奇蹤　挺岐嶷之英姿，蘊溫良之妙德．肯堂承訓，允符作室之言，良冶傳芳，期肖爲裘之業．爰自綺紈之歲，已膺綸綍之榮，今屬玉檢推尊，銷金在運，率土皆霑於慶宥，承家宜被於寵靈．特霈筠編，茂均蕭澤．是用，遣使利州管內觀察使蕭素，使副·守司農卿柴德滋，持節備禮，册命爾，爲順義軍節度使·朔武等州觀察處置等使·崇祿大夫·檢校太尉·同中書門下平章事·使持節朔州諸軍事·行朔州刺史·上柱國·三韓國公·食邑三千戶·食實封五百戶．於戲，爵䟽五等，首冠於候封[侯封],[1] 寄重十連，兼提於相印，服是休美，永惟敬哉”．封侯

○太子率宮官·百僚，詣南郊受册，王潛幸觀禮．

1) 여기에서 候封은 封侯를 가리키므로 侯封으로 고쳐야 옳게 될 것이다.

丙申[20日], 吏部奏, "配享功臣·侍中崔肅曾孫懋, 請依丙申年[文宗10年]祫禮赦文, 以蔭, 加戶部令史同正", 從之.

癸卯[27日], 以異惟忠△[爲]同知中樞院事, 任從一爲尙書左僕射[~~尙書右僕射~~], 王懋崇爲御史大夫, 金元晃爲工部尙書.[2)]

[是月頃, 大相·金吾衛大將軍·太子左監門率府率金融範寫成'紺紙金銀字大般若波羅蜜多經':追加].[3)]

夏四月[丁未朔小盡,乙巳], 丙辰[10日], 幸佛日寺, 飯僧.

壬戌[16日], 制曰, "去年遣使, 請罷弓口·門外郵亭, 時未撤毁, 又於松嶺東北, 漸加懇田, 或置庵子, 屯畜人物. 是必將侵我疆也, 當亟請罷之". 中書省[~~內史省~~]奏, "彼朝, 時無擾邊, 且新皇帝[道宗]卽位來, 加册命, 今未回謝. 先言疆場之事, 似爲不可". 王曰, "彼若先置城柵, 則非惟噬臍, 彼必謂我不覺也. 宜於仲秋, 先遣使謝册, 繼行奏請".[4)]

丙寅[20日], 詔曰, "兩行封册使副, 同時偕至, 中外吏民, 疲於支待. 其有錯誤當坐者, 皆放除之, 其所過州縣, 減今年租稅之半. 受册時, 諸執事及升壇陪位官, 常參以上並增級, 鄕職以下加同正職, 掌固·筭士·書手·近仗軍頭, 皆許登仕, 其餘軍卒, 賜物有差".[5)]

癸酉[27日], 賜李畯等及第.[6)]

---

2) 『고려사절요』 권5에는 任從一의 官職인 尙書左僕射가 尙書右僕射로 되어 있는데, 後者가 옳을 것이다(→是年 12월 19일).

3) 이는 『紺紙金銀泥大般若波羅蜜多經』 권175의 末尾 題記에 의거하였는데(三星리움美術館所藏, 보물 제887호, 南權熙 2002년 350面 ; 張忠植 2007년 99面), 書寫 또는 判讀에서 약간의 문제가 있는 것 같다[筆者 未確認].

· 題記, 菩薩戒弟子·南贍部洲高麗國金吾衛大將軍·大相·」太子左監門率府率金融範,」奉爲,」君王万壽,家國一平,及先落祖親,後亡考妣,」 成兄將弟,妻與孥焉,存者樂生,沒者成」 果,金銀字六百般若經也,」時淸寧□[三?]年三月日記』".

4) 여기에서 郵亭은 驛館의 館舍를, 庵子는 작은 집[小草屋]을 指稱하는 것 같다.

· 『자치통감』 권25, 漢紀17, 宣帝元康 3년(BC63) 4월, "… 潁川太守黃霸使郵亭, 鄕官皆畜雞·豚[注, 師古曰, 郵亭, 書舍, 謂傳送文書所止處, 亦如今之館驛矣. 鄕官者, 鄕所治處也. …], 以贍鰥·寡·窮者, …".

· 『한서』 권83, 薛宣傳第53, "宣從臨淮遷至陳留, 過其縣, 橋梁·郵亭不修, …[師古曰, "郵, 行書之舍, 亦如今之驛及行道館舍也. 音尤]".

5) 이와 관련된 기사로 다음이 있다.

· 지34, 食貨3, 恩免之制, "詔曰, 兩行封册, 使副同時偕至, 其所過州縣, 減今年租稅之半".

6) 李畯은 지27, 선거1, 選場에는 李俊으로 되어 있다(『登科錄』, 문종 11년). 또 이와 관련된 기사

五月[丙子朔大盡,丙午], 丁丑[2日], 設消灾道場于壽春宮三日.

戊寅[3日], 禮部奏, "□□□[謹按,今]自孟夏, 雨澤愆期, 又廣州□[~~牧~~]報,[7] 田野乾焦, 殆失歲望. 請於松岳·東神堂·諸神廟·山川·朴淵等五所, 每七日一祈. 又令廣州等州郡, 各行祈雨", 制可.

壬午[7日], 禱雨于諸神廟.

[某日, 參知政事金元鼎奏曰, "今□□[~~尙書~~]兵部請遣軍卒, 以備東·西兩界. 近來軍民, 困於封册使迎送, 又赴興王寺之役, 不得休息, 廩料亦乏. 乞依封册軍例, 賜物以遣", 從之[~~制可~~]:節要·兵1五軍轉載].[8]

[→時兵部請遣兵東·西兩界, 以備邊, [參知政事金]元鼎奏曰, "近因送迎北朝封册使, 士卒已疲, 又赴興王寺役, 不得休息, 資糧殆乏. 乞依封册軍例, 賜物以遣". 乃命侍御史秦仲, 依所奏行之:列傳8金元鼎轉載].

丙戌[11日], 東女眞懷化將軍高都達等二十五人來, 獻土物.

丁亥[12日], [夏至]. 興盛宮妃徐氏卒.[9] [有司奏, "禮, 庶母有子者, 緦麻三月. 興盛宮主無子, 上不宜服", 制可, 輟朝三日. 又制, "興盛宮主火殯訖, 令有司, 瘞骨置陵, 定侍衛員吏及守陵戶, 歲時奉祀". 中書省[~~內史省~~]奏, "伏審, 乙未[文宗9年]十二月判旨[~~制~~], 景興院主貴妃[顯宗元順淑妃金氏], 依文和大妃例葬, 除其陵號. 興盛·景興, 皆是聖考妃, 追孝之禮, 不宜有異. 况興盛無後, 上旣無服, 請除陵號及歲時奉祀". 制從之. 贈謚元穆王后:列傳1顯宗妃元穆王后徐氏轉載].[10]

[○制, "令置陵戶, 定侍衛員吏, 歲時奉祀". 中書省[~~內史省~~]奏, "禮, 庶母有子者, 緦麻三月. 今興盛無後, 上旣無服, 請除陵號及歲時奉祀", 從之:節要轉載].[11]

戊子[13日], 再禱, 乃雨.

로 다음이 있다.

· 지27, 선거1, 科目1, 選場, "[文宗]十一年四月, 左散騎常侍趙覇知貢擧, 取進士, 賜乙科李俊等三人·丙科九人·同進士二人·明經四人及第".

7) ~~添字는~~ 지8, 五行2, 金行에 의거하였다.

8) ~~添字는~~ 지35, 兵1, 五軍에 의거하였다.

9) 이날은 율리우스曆으로 1057년 6월 16일(그레고리曆 6월 22일)에 해당한다.

10) 貴妃는 淑妃의 오류이며, 顯宗의 貴妃는 王可道의 女인 元質貴妃와 貴妃庾氏가 따로 있다.

11) "禮, 庶母有子者, 緦麻三月"은 『周禮』,『禮記』,『儀禮』 등에 의한 것이 아니라 이들의 내용을 정리한 다음의 자료를 인용한 것 같다.

·『通典』 권89, 禮49, 兇 11, 父卒母嫁復還及庶子爲嫡母繼改嫁服議, "又儀禮庶子爲其母, 緦麻三月".

六月[丙午朔小盡,丁未], 丁未[2日], 契丹東京持禮回謝使·檢校工部尙書耶律可行來.

戊辰[23日], 東女眞柔遠將軍要於乃等二十五人來, 獻土物.

秋七月[乙亥朔大盡,戊申], 戊子[14日], [處暑]. 設消灾道場于乾德殿五日.[12)]

壬辰[18日], 命有司, 試宋投化人張琬所業遁甲三奇法·六壬占, 授太史監候.

甲午[20日], 饗年八十以上男女及孝順·義節·鰥寡·孤獨·廢疾者於毬庭, 賜物有差.

辛丑[27日], 御宣政殿, 聽斷中外重刑.

八月[乙巳朔小盡,己酉], 丁未[3日], 宋商葉德寵等二十五人來, 獻土物.

[某日, 賜侍中李子淵, 衣服·銀器·鞍馬·布帛·米穀:節要轉載].

[→王以子淵功高任重, 又賜衣襨·銀器·鞍馬·穀帛:列傳8李子淵轉載].

丙寅[22日], 以秘書省校勘慶鼎相△[爲]權知直翰林院. 中書省[內史省]言, "鼎相, 鐵匠之裔, 不宜淸要職, 請削之". 王曰, "采葑采菲, 無以下體, 盖貴其可用者耳. 鼎相, 才識有可採用, 豈宜論其世系", 不允.

丁卯[23日], 宋商郭滿等三十三人來, 獻土物.

辛未[27日], 幸西京, 命侍中李子淵·[門下侍郞]平章事王寵之等留守上都.

九月[甲戌朔大盡,庚戌], 甲申[11日], 遣王夷甫·崔爰俊如契丹, 謝賜册命.[13)]

[是月頃, 又遣使如契丹, 謝毁罷鴨江前面亭子, 略曰, "守土瑣臣部, 慺襟而仰訴, 當陽琦聖, 傾聽黈以俯從, 載荷寵矜, 采深感抃.伏念臣識非經遠寄重分條, 亮功殊乏於定□[缺落], 率職空勤於肆險, 伏遇皇帝龍飛御極, 羽舞敷文, 巍化大同, 休論於表裏, 遠人咸格, 遍至於熙寧. 但緣往歲之間, 守邊之將, 跨臣弊境, 構以候亭, 遂致細民未獲樵蘇之便, 謾令隘域如懷侵削之虞, 是敢昨貢封章, 式蘄毁坼, 鳳檢特頒於兪旨, 雄藩寔奉以施行. 方聽吉音, 畢諧私願, 認乾臨於無外, 生兌說以積中, 報效罔由, 祝勤徒切":追加].[14)]

---

12) 이 기사에서는 乹德殿의 乹을 乾과 비슷하게 刻字하였다(亞細亞文化社本).

13) 이들 사신은 11월 28일(庚子) 契丹에 도착하여 貢物을 바쳤던 것 같다(『요사』 권21, 본기21, 道宗1, 淸寧 3년 11월 庚子).

14) 이는 『東人之文四六』 권2 謝毁罷鴨江前面亭子表[注, [文宗]丁酉, 前人[崔惟善作]] ; 『東文選』 권33, 謝毁罷鴨江前面亭子表에 의거하였다.

冬十月甲辰朔小盡,辛亥, 丁巳14日, 設八關會, 幸長慶寺.

癸亥20日, 契丹橫宣使·泰州刺史耶律宏來.

十一月癸酉朔大盡,壬子, 丙子4日, 至自西京.

丁丑5日, 以內史侍郎平章事金廷俊爲門下侍郎同內史門下平章事.

十二月癸卯朔小盡,癸丑, 契丹遣右諫議大夫王宗亮來, 賀生辰.

丁未5日, 遣尙書戶部侍郎安民甫如契丹, 賀太皇太后生辰.

己酉7日, 遣尙書工部侍郎崔繼游△△△如契丹,[15] 賀天安節.

辛亥9日, 守司空·左僕射智猛, 以老乞退, 優詔不允. 中書省內史省奏曰, "七十而致仕, 禮也, 請許之". 制曰, "予嘗以智猛之先, 有功於國, 故未及請老, 已許數年侍朝, 繼賜几杖. 今因所奏, 遽改前言, 恐猛, 謂朕爲戱耳". 中書省內史省又奏曰, "伏審禮制, 凡老臣, 知天地之事者, 則賜之几杖, 今猛, 徒籍門蔭, 而不知天地之事, 又無矢石之勞. 其餘政事, 無所諮訪. 若念先臣功勞, 則賜一年侍朝可矣, 若加以數年, 又賜几杖, 恐恩禮太過. 請收成命", 從之.

辛酉19日, 以金元鼎爲內史侍郞同內史門下平章事, 金顯爲尙書左僕射·參知政事,[16] 韓功敍爲尙書右僕射. 御史臺奏, "按官制, 左·右僕射各一人, 今任從一已授右僕射, 而功敍又爲之, 增一右僕射, 不合舊制. 請罷功敍", 不允.

[是年, 靖宗女□□公主卒, 諡悼哀:列傳4靖宗公主轉載].[17]

[○判制, "事審官, 歸鄕作弊者, 按廉使·監倉使推送京師, 科罪, 仍令事審主掌使, 啓達遞差":選擧3事審官轉載].

[○下旨下制, "內外街路, 曝露骸骨, 京內, 東西大悲院, 外方, 各領界官, 考察收拾埋瘞. 又新羅·高麗·百濟先王塚廟, 及古賢聖廟近處, 禁耕稼侵毁":刑法1職制轉載].[18]

---

15) 如契丹은 앞의 구절에서 언급되었기에 생략하였던 것 같다.

16) 이때 金顯은 朝儀朝議大夫·尙書左僕射·參知政事·柱國兼太子少保에 임명되었던 것 같다(竹山七長寺慧炤國師塔碑).

17) 이 기사는 다음의 기사를 전재하여 적절히 變改하였다.
· 열전4, 靖宗公主, 悼哀公主, "悼哀公主, 容穆王后李氏所生. 文宗十一年卒, 諡悼哀".

18) 下旨는 下宣旨 또는 下制로 고쳐야 옳게 될 것이다.

[○以戶部正郎李頲爲衛尉少卿·知閤門事:追加].[19]

[○加王師海麟法號曰'融炤':追加].[20]

戊戌[文宗]十二年, 契丹淸寧四年, [宋嘉祐三年], [西曆1058年]

1058년 1월 27일(Gre2월 2일)에서 1059년 2월 15일(Gre2월 21일)까지, 13개월 385일

[春正月壬申朔大盡,甲寅:追加].

春二月壬寅朔小盡,乙卯, 辛亥10日, 都兵馬使奏, "□□□□□~~安西都護府~~界內鐵貢,[21] 舊充兵器, 近創興王寺, 又令加賦, 民不堪苦. 請減鹽·海·安三州, 丁酉文宗11年·戊戌12年二年軍器貢鐵, 專供興王之用, 以紓勞弊", 從之. 識者曰, "唐史稱, 列刹盈衢, 無救危亡之禍, 緇衣滿路蔽路, 豈益勤王之師.[22] 國家此擧, 豈非謬甚?".

[丁亥16日, 月食:天文1轉載].[23]

戊午 17日, 內史舍人·知東宮侍讀事崔尙奏, "昨, 伴送丹使王宗亮, 夜至金郊驛, 宗亮見列炬曰, 郊餞被酒, 所以犯夜, 燃炬徒隷, 衣單可悶, 後宜侵早啓行. 嘗聞貴朝引見客使, 勸酒至夜, 今觀禮樂, 一似中華, 歎美不已. 然, 三詣王府, 宴必張燈. 我朝之法, 惟昏夕, 許用花燭, 人臣會客, 雖至侵夜, 不得燃燭. 臣亦念, 王者向明

---

19) 이는「李頲墓誌銘」에 의거하였다.

20) 이는「原州法泉寺智光國師玄妙塔碑」에 의거하였다.

21) ~~添字~~는『고려사절요』권5에 의거하였다.

22) 이 구절은 다음의 자료를 인용한 것으로 추측되므로, 滿路(만로)는 蔽路(폐로)로 고쳐야 옳게 될 것이다 .

· 『구당서』 권89, 열전39, 狄仁傑, "則天又將造大像, 用功數百萬, 令天下僧尼, 每日人出一錢, 以造成之. 仁傑上疏諫曰, … 及其三淮沸浪, 五嶺騰煙. 列刹盈衢, 無救危亡之禍, 緇衣蔽路, 豈有勤王之師".

· 『구당서』 권178, 열전128, 李蔚, "天后時, 曾營大像, 功費百萬, 狄仁傑諫曰, … 及乎三淮沸浪, 五嶺騰烟. 列刹盈衢, 無救危亡之禍, 緇衣蔽路, 豈益勤王之師".

· 『자치통감』 권207, 唐紀23, 則天皇后 久視 1년(700) 7월 庚申, "太后欲造大像, 使天下僧尼, 日出一錢, 以助其功. 中書令狄仁傑上疏諫, 其略曰, … 及三淮沸浪, 五嶺騰煙. 列刹盈衢, 無救危亡之禍, 緇衣蔽路, 豈有勤王之師".

23) 이날은 율리우스력의 1058년 2월 11일인데, 월식에 관련된 각종의 정보가 없다(渡邊敏夫 1979年 472面).

而治，宜於大昕，接見賓客．況燈燭，亦民膏血，費用太多，恐虧儉德．昔，陳敬仲[陳完]飮桓公酒，辭公火繼之命曰，臣卜其晝，未卜其夜.[24] 乞自今，宴好之禮，止令卜晝，辭歸之禮，宜用會朝時"，從之.

辛酉[20日]，[春分]．契丹遣檢校尙書右僕射蕭禧來，告太皇太后喪.[25] 王以玄冠素服，迎之.

[三月辛未朔[大盡,丙辰]:追加].

夏四月[辛丑朔小盡,丁巳]，[某日，加崔冲，內史令致仕，賜衣帶·銀器·綵匹·布貨·鞍馬等物:節要轉載].

[→[崔]冲聞王將遣使就第，賜告身·禮物，上章辭曰，"臣立朝以來，未有輔佐，力耗齒衰，敢乞骸骨．坐尸優俸，已荷殊私．今又蒙特下明綸，將降使於雲霄，俾及榮於閭里，循涯揆分，情所未安．招損害盈，臣之所懼，乞回成命，追寢新恩"，不允，遣內史侍郎平章事金元鼎·同知中樞院事王懋崇，就第賜詔曰，"卿儒宮圭臬，神化丹青．事累聖以濡毫，文章華國，位三階而調鼎．功績紀常．雖在退閑，未忘舊德，更進黃扉之秩，暨榮綠野之堂．今授卿內史令致仕告身一道，幷賜衣帶·銀器·綵段·布貨·鞍馬等物"．○官誥曰，"良臣惟聖，姚皇擧以八元．得士者昌，姬室延其四子．或授之以相位，或委之以宰衡．採忠懿之謀，丹青帝化，賴挾維之智，黼黻宸謀．臻於變之期，開無疆之祚．誰肩往喆．朕得伊人．惟卿，順墨存誠，該明稟性．唐雄首於聖轂，爾鶚立於天庭．萬丈金山，梁代誰踰於朱异．一枝丹桂，晋臣僉仰於郄詵．語多能則叔向扶輪，論博物則張華避席．而自顯應芝詔，擢入槐司，軒夢開祥，允恊吹塵之契，周詩濟美，載揚瞻石之謠．臺閣規模，衆推如晦，人倫領袖，時許魏舒．藹馳咸有之稱，總正惟幾之務．邇者年非耄矣，齒未齯然，早辭當軸之權，歸遂懸輿之

24) 이 구절은 다음의 자료를 인용한 것이다.
· 『춘추좌씨전』 傳，莊公 22년 春，"陳人殺其太子御寇，陳公子完與顓孫奔齊，顓孫自齊來奔，齊侯使敬仲爲卿．… 飮桓公酒，樂．公曰，以火繼之，辭曰，臣卜其晝，未卜其夜，不敢".

25) 契丹의 太皇太后(聖宗妃 欽哀皇后蕭氏)는 前年 12월 27일(己巳)에 逝去하였고，使臣은 是年 1월 1일(壬申)에 파견이 결정되었다.
· 『요사』 권21，본기21，道宗1，淸寧 4년 1월，"壬申朔，遣使報哀又宋·夏·□□[高麗]"．여기에서 高麗가 탈락되었다.
· 『요사』 권115，열전45，二國外記，高麗，"[淸寧]四年春，遣使報太皇太后哀".

願. 賀知章之湖畔, 雖恣佳遊, 陶弘景之山中, 常諮大事. 昔動爲民檠, 今坐作世師, 不隉極摯之資, 奚表難名之德. 遂中書而冠秩, 俾上列以翹榮. 於戲! 量能授職者, 君親之常寵奬, 朕玆無. 論道經邦者, 宰相之務彌綸, 汝所克勤. 茂宣翼亮之猷, 用致肱康之運, 伻齊休於姚皇·姬室, 不專美於四子八元":列傳8崔冲轉載].

壬子12日, 地震.

丙辰16日, 東女眞柔遠將軍多老等來, 獻良馬.

[某日, 禮司奏, "伏准制旨, 御服備禮之時, 當服紅黃色, 其餘色可服者, 博考前典, 以奏. 今按律曆志, 黃者, 中之色, 君之服也.26) 唐史云, 天子服用赤黃, 遂禁士庶, 不得以三黃爲服.27) 又云曰,28) 絳紗衣, 朔日受朝則服之.29) 開元禮云, 皇帝祈穀圓丘,30) 服絳紗袍.31) 古史云, 一染謂之絳縓[注,縓,紅也].32) 然則, 帝王之服, 備禮, 則黃·赭·絳三色, 如宴饗小會, 取其便宜. 今所服紅·黃外, 更無餘色":節要·輿服1轉載].

[是月頃, 遣使如契丹, 陳慰會葬:追加].33)

五月庚午朔大盡,戊午, [某日, 制, "工部尙書庾逵子仲卿, 降等授蔭職". 門下侍中李子淵等駁曰, "仲卿母, 是門下侍郎平章事李龔, 奸兄女所生, 仲卿, 不宜齒於朝列". 內史侍郎平章事金元鼎等議, "此乃李龔之罪, 非仲卿父子, 所犯. 且功臣黔弼之裔, 不宜防

---

26) 이는『한서』권21上, 律曆志1上에서 따온 것이다.

27) 이는 다음의 자료를 인용한 것이다.

·『구당서』권45, 지25, 輿服, 武德令, 讌服, "武德初, 因隋舊制, 天子讌服, 亦名常服, 唯以黃袍及衫. 後漸用赤黃, 遂禁士庶不得以赤黃爲衣服雜飾".

28) ~~添字~~는 지26, 輿服에서 달리 표기된 것이다.

29) 이는 다음의 자료를 인용한 것이다.

·『구당서』권45, 지25, 輿服, 武德令, 弁服, "弁以鹿皮爲之, 犀簪導, 組纓, 玉琪九, 絳紗衣, 素裳, 革帶, 鞶囊, 小綬, 雙珮, 白襪, 烏皮履, 朔望及視事, 則兼服之".

30) 祈穀은『고려사절요』권5에는 祈谷으로 되어 있는데, 後者는 오자일 것이다. 한편 현재의 中國에서 穀은 谷으로 대체하여 사용한다[簡字].

31) 이는『大唐開元禮』권110, 嘉禮, 皇太子加元服, 臨軒命賓贊, 冠에서 따온 것이다.

32) 여기에서 古史는 어떠한 책인지 알 수 없으나 다음의 자료와 관련이 있는 것 같다. 이에 의하면 上記 記事의 一染謂之絳은 一染謂之縓으로 고쳐야 옳게 될 것이다.

·『爾雅注疏』권5, 釋器第6, "一染謂之縓[注, 縓者, 此述染絳法也. 一染一入色, 名縓, 今之紅也]. 再染名赬[注, 卽淺赤也]. 三染名纁[注, 纁, 絳也]".

33) 이는 다음의 자료에 의거하였다.

·『요사』권21, 본기21, 道宗1, 淸寧 4년 5월, "癸酉, 葬慶陵. 夏國·高麗遣使來會".

·『요사』권115, 열전45, 二國外記, 高麗, "淸寧四年五月, 使來會葬".

塞仕塗, 請依前制, 降授蔭職". 王從元鼎等議:節要轉載].

[→庾仲卿, 工部尙書逵之子也, 制降等授蔭職, 式目都監使·侍中李子淵等十一人駁曰, "仲卿舅, 平章李襲奸兄少卿蒙女, 生仲卿母, 仲卿不宜齒朝列". 元鼎等四人議曰, "此乃李襲之罪, 非仲卿父子所犯. 且功臣黔弼之裔, 不宜塞仕途. 請依前制, 降授蔭職". 王從元鼎等議:列傳8金元鼎轉載].

[○子淵等又奏, "製述業康師厚, 十擧不中, 例依甲午年文宗8年赦, 當脫麻, 然師厚, 儒林郎·堂引上貴之曾孫, 堂引是驅史之官, 戊子年文宗2年制旨, 電吏·所由·注膳·幕士·驅史·門僕子孫, 工於製述·明經·律·書·算·醫·卜·地理學業登科, 或兵陣之下, 成大功者, 許陞朝行. 又准丙申年文宗10年別制, 上項人子孫, 蒙恩入仕者, 合依父祖仕路, 量授. 今, 師厚不宜脫麻". 參知政事金顯等奏, "師厚曾祖上貴, 職雖堂引, 得兼儒林郎, 父序, 應擧十度, 亦得脫麻, 入仕. 師厚, 十載螢雪之功, 不可不念, 伏望, 亦許脫麻". 從子淵等議:節要轉載].[34]

庚辰11日, 東女眞歸德將軍霜昆等三十三人來, 獻良馬, 賜衣服·器皿, 有差.

戊子19日, 王如奉恩寺, 册海麟爲國師, 爛圓爲王師.[35]

壬辰23日, 制曰, "時當盛農, 雨澤愆期, 恐有寃獄, 以致天災. 遂放輕繫".

[→以旱, 放輕繫:節要轉載].

[是月, 判冊, "嫁大功親所產, 禁仕路":選擧3限職轉載].

[○驪州某寺, 爲祝聖之願, 鑄成金鍾一口, 入重一百五十斤:追加].[36]

六月庚子朔小盡,己未, 壬寅3日, 契丹遣左領軍衛上將軍蕭佋來, 致太后遺物.

戊申9日, [小暑]. 中書門下省~~內史門下省~~奏,[37] "伏審制旨, 太史監候李神貺, 察風雲水旱之候, 罔有差違, 勿拘考績, 擢授八品. 神貺, 未知世系, 初入朝行, 再被論奏,

34) 이 기사는 열전8, 李子淵에도 수록되어 있고, 이를 축약한 것으로 다음이 있다. 여기에서 門下侍中李子淵이 式目都監奏라고 改書되어 있는데, 이는 당시에 李子淵이 門下侍中兼式目都監使였기 때문일 것이다.

· 지29, 選擧3, 限職, "文宗十二年五月, 式目都監奏, '製述業康師厚, 十擧不中, 例當脫麻, 然是堂引上貴曾孫, 堂引是驅史之官. 伏審戊子年制, 電吏·所由·注膳·幕士·驅史·門僕子孫, 登製述·明經, 及雜科, 或成軍功者, 許升朝行. 又丙申年制, 雜路人子孫, 蒙恩入仕者, 合依父祖仕路. 今師厚, 不宜脫麻', 從之".

35) 이때의 형편은 「原州法泉寺智光國師玄妙塔碑」에 보다 구체적으로 서술되어 있다.

36) 이는 「淸寧四年銘金鍾」의 銘文에 의거하였다(許興植 編 1984년 484面).

37) 이 구절은 『고려사절요』 권5에는 門下省奏로 되어 있다.

且候察, 乃其職也, 不宜超授". 制曰, "精於其術, 未有如神貺者, 可依前制".

癸丑14日, 東女眞正朝分大等二十三人來, 獻土物, 賜物有差.

甲寅15日, 王受菩薩戒於乾德殿.

[某日, 尙書禮部奏, "順惠宗·安定宗·憲光宗三陵, 聖祖之兄弟也, 稱孫以祭, 似未合義. 按<u>唐書</u>, 宣宗, 饗穆宗室文, 稱皇兄, 太常博士閔慶之奏曰, 夫禮有<u>尊卑</u>~~尊尊~~, 而不叙親親, 祝文稱<u>謂</u>~~弟~~未當, 請改爲嗣皇帝, <u>從之</u>.[38] 穆宗·宣宗, 同父異母也. 宣宗之祀穆宗, 稱皇兄, 未合於禮, 故改稱嗣皇帝臣某, 明告于某宗. 今順·安·憲三廟祝文, 宜稱嗣王臣某, 明告于某宗", 從之 : 禮3吉禮大祀轉載].

秋七月己巳朔大盡,庚申, [丙子8日, 震興王寺門柱 : 五行1雷震轉載].

己卯11日, <u>中書門下省</u>~~內史門下省~~奏,[39] "伏准制旨, 以景昌院所屬田柴, 移屬興王寺, 其魚梁·舟楫·奴婢, 悉令還官. 夫宮院□者,[40] 先王所以優賜田民, 貽厥子孫, 傳於萬世, 無有匱乏者也. 今宗枝彌繁, 若欲各賜宮院, 猶恐不足, 況收一宮田柴, 屬于佛寺, 歸重三寶, 雖云美矣, 有國有家之本, 不可忘也. 請田民·魚梁·舟楫, 仍舊還賜". 制曰, "田柴, 已納三寶, 難可追還, 宜以公田, 依元數給之, 餘從所奏".

庚寅22日, 制曰, "數年以來, 水旱不調, 灾變屢見, 是皆刑政所失. 怨憤所招. 若欲仰答天譴, 俯慰人望, 宜宥罪寬刑, 反身修德. 其兩京文武南班員吏, 有犯當降黜者及諸州·府·郡·鎭長吏·將校, 有罪受黜者, 主司酌其輕重, 依舊敍用. 其諂曲奸邪, 再犯私罪者, 不在此例, 公徒私杖以下, 原之".

八月己亥朔大盡,辛酉, 乙巳7日, 宋商黃文景等來, 獻土物.

○王欲於耽羅及靈巖, 伐材造大船, 將通於宋. 內史門下省上言, "國家結好北朝, 邊無警急, 民樂其生, 以此保邦上策也. 昔庚戌之歲顯宗1年, 契丹問罪書云, '東結構於女眞, 西往來於宋國, 是欲何謀?'. 又尙書<u>柳參</u>奉使之日,[41] 東京留守問南朝通使

---

38) 이 구절은 다음의 자료를 인용한 것이기에 ~~添字~~와 같이 글자를 修正하여야 옳게 될 것이다.
· 『구당서』 권18하, 본기18하, 宣宗, 會昌 6년 11월, "有司享太廟, 其穆宗室文曰, 皇兄, 太常博士<u>閔慶之</u>奏, '夫禮有尊尊, 而不叙親親, 祝文稱弟未當, 請改爲嗣皇帝', 從之"(이는 『玉溪生詩詳注』 권2, 鄠杜馬上念漢書에도 수록되어 있다).

39) 이 구절은 『고려사절요』 권5에는 門下省奏로 되어 있다.

40) ~~添字~~는 『고려사절요』 권5에 의거하였다.

41) 柳參은 1042년(정종8) 判衛尉寺事로 契丹에 파견되었다(→靖宗 8년 是歲).

之事, 似有嫌猜, 若泄此事, 必生釁隙. 且耽羅地瘠民貧, 惟以海產, 乘木道, 經紀謀生. 往年秋, 伐材過海, 新創佛寺, 勞弊已多, 今又重困, 恐生他變. 况我國文物禮樂, 興行已久, 商舶絡繹, 珍寶日至, 其於中國, 實無所資. 如非永絶契丹, 不宜通使宋朝", 從之.[42]

九月己巳朔[小盡,壬戌], 忠州牧進'新雕黃帝八十一難經'·'川玉集'·'傷寒論~~傷寒雜病論~~'·'本草括要'·'小兒巢氏病源'·'小兒藥證病源一十八論'·'張仲卿~~張仲景~~五臟論'九十九板,[43] 詔置秘閣.[44]

乙亥[7日], 契丹東京回禮使·檢校左散騎常侍耶律延寧來.

[冬十月[戊戌朔大盡,癸亥], 某日, 賜東路邊軍衣袴:節要轉載].

冬十一月[戊辰朔小盡,甲子], 庚午[3日], 制, "以靖宗魂堂金銀器及北朝弔祭禮物繒綵, 化成藏經, 追福靖宗".

乙酉[18日], 東女眞柔遠將軍多老等二十二人來, 獻土物.

---

42) 耽羅의 窮乏함은 조선 후기의 사례를 통해서도 유추할 수 있다.
- 『北軒集』 권2, 詠濟州, "地多風, 雖儒生, 必氈笠而出, 妓甚貧, 不能恒着綾羅, 忤歌與驅牛馬之聲, 皆絶異於陸".

43) 五臟에 대한 설명으로 다음이 있다.
- 『여유당전서』 권25, 小學紺珠, 五之類, "五臟者, 血氣之所藏也[注, 臟藏也], 肝通於目, 心通於舌, 脾通於口, 肺通於鼻, 腎通於耳, 此之謂五臟也. 五臟之名, 出~~黃帝素問~~".

44) ~~添字~~와 같이 고쳐야 옳게 될 것이다. 張仲景(略150~219 推定, 後漢 南陽 涅陽縣人, 名은 機, 字는 仲景)의 『傷寒雜病論』은 失傳된 醫書인데, 이의 一部分이 晋代 王叔의 『傷寒論』에 傷寒部分의 逸文이, 宋代 王洙·林亿[임억]·孫奇 등의 『金匭要略』에 雜病 부분이 각각 정리되어 있다. 이들 册子를 통해 『傷寒雜病論』은 秦漢이래의 醫藥 理論을 集大成한 實踐的인 醫療書로 추측된다고 한다. 이 책의 題名인 傷寒은 현재적인 意味가 아니라 外部로부터의 感染되는 疾病(현재의 腸티푸스, typhoid로서 파라티푸스와 함께 經口感染性 질병)을 指稱하는데, 이의 症狀을 歸納的으로 6個의 症候群으로 나누어 人體의 屬性[太陽·少陽·陽明·太陰·少陰·厥陽의 六經]에 따른 疾病의 進展에 따른 여러 유형의 變化[陽陰·表裏·寒熱·虛實의 八綱] 등을 臨床的인 측면에서 정리한 것이라고 한다(藪內 淸 等編 1967年 125面).
또 著者 不明의 『川玉集』은 北宋代에 이미 逸失되었다고 하며, 『通志略』에는 『穿玉集』으로 表記하였다고 하며, 張仲景의 『五臟論』 1권도 현존하지 않는다고 한다.
- 『崇文總目』 권7, 醫書類, "川玉集一卷, 闕".
- 『崇文總目輯釋』 권3, 醫書類, "川玉集一卷, 宋志不著撰人, 侗按通志略川玉, 作穿玉, 亦不著撰人".

十二月丁酉朔大盡,乙丑, 契丹遣筵州刺史郭在貴來, 賀生辰.

○東女眞懷化將軍尼冬火等二十六人來, 獻土物, 各增爵·賜物, 有差.

[甲子28日, 內史門下省火, 延燒會慶殿東南廊:五行1火災轉載].

閏[十二]月丁卯朔大盡,乙丑, 丙子10日, 東女眞寧塞將軍古刀達等五十人來, 獻駿馬.

[辛巳15日, 立春. 月食:天文1轉載].[45]

丙申30日, 晦, 日食.[46]

[是年, 判 制, "四面奇光軍, 以年十五以上, 六十以下, 無疾病者, 爲之":兵1五軍轉載].

[○開城牧監直員李啓, "私遣人, 捕府軍金祚, 祚乃投河而死". 刑部奏, "當脊杖配島". 制, 除名收田":刑法1殺傷轉載].

[→開城監牧直李啓, "以事私遣旗頭李仁·驅史加達, 捕府軍金祚, 祚投河死". 尙書刑部奏, "啓罪應律畏懼致死, 宜以鬪殺論. 准今制旨, 杖脊配有人島, 仁及加達, 以從, 流三千里". 門下侍中兼式目都監使李子淵議, 亦與刑部同. 門下侍郎平章事王寵之等以爲, "畏懼致死者, 謂如臨水履嶮, 因恐迫致死也. 今祚自溺, 與此不同. 當以仁爲首, 減絞罪, 半加達爲從, 啓以事理重論". 制曰, "以畏懼致死論啓, 恐非正條. 可除名收田, 餘依所奏":列傳8王寵之轉載].

---

45) 이날 宋에서도 월식이 있었다(『송사』 권52, 지5, 천문5, 月食). 이날은 율리우스력의 1059년 1월 31일이고, 월식 현상이 심했던 때의 世界時는 11시 54분, 食分은 0.82이었다(渡邊敏夫 1979年 472面).

46) 宋曆·日本曆에서는 是年 12월은 小盡이고, 丙申은 다음 해(1059, 문종13) 1월의 朔日이다. 宋과 日本에서는 明年 正旦(丙申朔)에 日食이 있었다(『송사』 권52, 지5, 천문5, 日食). 이날은 율리우스력의 1059년 2월 15일이고, 개경에서 일식 현상이 심했던 시간은 14시 10분, 食分은 0.25이었다(渡邊敏夫 1979年 305面).

·『扶桑略記』 29, 康平 2년, "正月一日, 日蝕".

己亥[文宗]十三年, 契丹淸寧五年, [宋嘉祐四年], [西曆1059年]

1059년 2월 16일(Gre2월 22일)에서 1060년 2월 4일(Gre2월 10일)까지, 354일

春正月丁酉朔[小盡,丙寅],[47] 御乹德殿, 受朝賀, 仍宴諸王·輔臣. 命平章事[門下侍郞同內史門下平章事]致仕金廷俊赴之, 夜艾而罷, 各賜廐馬一匹.

乙巳[9日], 東女眞正位沒於金等十八人來, 獻駿馬.

丁未[11日], 東女眞中尹耶施老等三十五人來, 獻良馬.

二月[丙寅朔小盡,丁卯], [某日[丙寅朔?], 戶部奏, "楊州界內見州, 置邑, 已百五年, 州民田畝, 累經水旱, 膏瘠不同, 請遣使均定", 制可:節要·食貨1經理轉載].[48]

丁卯[2日], [春分]. 東女眞正甫吳史等二十二人來, 獻駿馬.

[辛未[6日], 檢校軍器少監李某卒, 年八十二:追加].[49]

甲戌[9日], 安西都護府使·都官員外郞異善貞等進新雕'肘後方'七十三板·'疑獄集'一十一板·'川玉集'一十板. 知京山府事·殿中內給事李成美進新雕'隋書'六百八十板. 詔置秘閣, 各賜衣襨.[50]

○遣告奏使·尙書工部員外郞崔奭珍[崔奭]如契丹, [請抽毁鴨江城橋弓口狀, 略曰, "叨司侯牧, 旣衆慼以胥同, 欲叫帝閽, 迺遐封而罔越, 是憑露奏, 妄黷霆威. 竊念當國, 肇自稱藩, 勤斯述職, 敢謂賜圻之內, 致興成壘之虞, 比及近來, 以圖深入, 展

---

47) 이해의 1월은 宋曆·日本曆에서는 丙申이 朔日이고 大盡이었지만, 高麗曆은 小盡이었던 것 같다.

48) 이 기사에 의하면, 이때(문종13)부터 104년 전에 見州가 郡縣으로 재편되었다고 한다. 그때는 955년(광종6)에 해당하지만, 그해의 기사가 워낙 소략하여 확인되지 않지만, 아래의 기사에 의해 그때쯤 견주가 고려의 군현으로 정착하였을 가능성이 있을 것이다. 또 買省郡(매성군)과 賣肖縣(매초현)은 羅·唐戰爭 때의 격전지였던 買肖城(現 京畿道 楊州郡 州內面 古邑里에 있던 城郭으로 比定됨)이 있었던 買肖郡 혹은 買肖縣의 오자일 것을 추측된다.

- 지10, 지리1, 楊州牧, 見州, "見州, 本高句麗買省郡[註, 一云昌化郡], 新羅景德王改爲來蘇郡. 高麗初更今名. 顯宗九年來屬".
- 『세종실록』 권148, 지리지, 楊州都護府, "見州, 本高句麗賣肖縣, 新羅改爲來蘇郡, 高麗改爲見州. 顯宗戊午, 屬楊州任內, 後置監務[註, 別號昌化, 淳化所定]".
- 『동국여지승람』 권11, 楊州牧 建置沿革, "本高句麗買省郡[註, 一云昌化郡], 新羅景德王改來蘇, 高麗初陞□[爲]見州, 顯宗九年屬楊州".

49) 이는 「隴西公李某墓誌銘」에 의거하였다.

50) 李成美는 2년 후인 1061년(문종15)에 將仕郞·尙書刑部員外郞·知制誥로 在職하였다(李子淵墓誌銘).

鋪形而籠野, 踰界限以峙郵, 疆削漸多, 堵安奚暇. 今所幸者, 鏡河啓聖, 寰宇流恩, 天下爲家, 方忻於廣運, 日中不彗, 恐失於良時. 故於往年, 託單个之徑馳, 部數條之邊願. 然垂優詔, 止撤小亭, 猶警候以未蠲, 實農樵之爲慮, 十年老將, 及瓜之約難期, 一境疲民, 仰穀之情莫遂, 爭零血泣, 仰告聰聞. 雖再瀆之彌兢, 盖群情之所迫, 倘得諧願, 同慮貢忠. 伏乞睿慈, 矜繭尒之區, 示霈然之允, 復舊壤無遺隙地, 表昌朝不遠異方, 永令丕冒之中, 恪奉率賓之志":追加].[51]

乙亥10日, 東女眞寧塞將軍居多弗來, 獻方物.

○御乹德殿覆試, 賜楊信麟等及第.[52]

三月乙未朔大盡,戊辰, [某日, 命有司, 訓練禁衛軍士:節要·兵1五軍轉載].

[某日, 西北面兵馬使奏, "安北都護□府及龜·泰·靈·渭等州·通海縣民田, 量給已久, 肥瘠不同, 請遣使均定", 從之:節要·食貨1經理轉載].

壬戌28日, 命起居注李攸績·監察御史李秉陽·金吾□衛將軍邦賢檢囚, 放輕繫六十三人.

夏四月乙丑朔小盡,己巳, 丙子12日, 親禘于大廟太廟. 宋商蕭宗明等, 乞就街路, 瞻望法駕, 許之.

○是日, 肆赦.

庚辰16日, 知南原府事·試禮部員外郞李靖恭進新雕'三禮圖'五十四板·'孫卿子書'九十一板.[53] 詔置秘閣, 仍賜衣襨.

五月甲午朔小盡,庚午, 乙未2日, 盜入顯陵太祖廟室, 下陵室侍衛大將軍殷貞等獄, 罪之.

---

51) 이는『東人之文四六』권2, 乞抽毁鴨江城橋·弓口狀[注, 文宗己亥, 告奏使崔奭賫去], 前人崔惟善作 ; 『동문선』권47, 乞抽毁鴨江城橋·弓口狀에 의거하였다. 또 上記 記事의 崔奭珍은 崔錫의 改名인 崔奭의 오류일 가능성이 있다(→문종 5년 4월 1일).

52) 이와 관련된 기사로 다음이 있다.

· 지27, 선거1, 科目1, 選場, "文宗十三年二月, 翰林學士金化崇知貢擧, 取進士, 覆試, 賜丙科楊信麟等八人·同進士九人·明經四人·恩賜四人及第".

53) 亞細亞文化社本에는 '孫卿子書九十一板'으로 되어 있으나, 延世大學本과 東亞大學本에는 '九十二板'으로 되어 있다(東亞大學 2008년 3책 418面). 또 孫卿子는 荀子(荀卿, 改名 孫卿)를 가리키므로 상기의 책자는『荀子』의 別稱일 것이다.

丙辰[23日], 制, “兩京百寮樵蘇地, 限馬首嶺, 樹禁標, 違者痛理”.

六月[癸亥朔大盡,辛未], [戊寅[16日], 月食:天文1轉載].[54)]

乙酉[23日], “制, 靖宗宮人韓氏·小韓氏·韋氏, 歲給內莊宅粳米三十石”.[55)]

[秋七月癸巳朔[大盡,壬申]:追加].

秋八月[癸亥朔大盡,癸酉], 戊辰[6日], 宋泉州商黃文景·蕭宗明, 醫人江朝東等將還, 制, 許留宗明·朝東等三人.

癸酉[11日], 宴年八十以上, 工部尙書洪揩·上將軍何興休~~河興休~~于閤門[閤門], 王親勸花酒, 歡宴盡日, 仍賜衣服. 又賜酺庶老及篤癈疾男女·孝順·義節一千二百八十人于毬庭廊下. 西京及諸州郡, 亦同日賜酺.

乙酉[23日], 宋商傅男等來, 獻方物.

丁亥[25日], 制, “兩京及東南州·府·郡·縣, 一家有三子者, 許一子年十五, 剃髮爲僧”.

九月[癸巳朔小盡,甲戌], 丙申[4日], 契丹東京回謝使·檢校右散騎常侍耶律延寧來.

[某日, 賜東北邊戍卒, 冬衣:節要·兵1五軍轉載].

冬十月[壬戌朔大盡,乙亥], [某日, 訓練近仗諸軍於東郊:節要·兵1五軍轉載].

[己巳[8日], 奉迎國師海麟, 赴內殿, 爲百座會第一說主:追加].[56)]

甲申[23日], 契丹多于伊·男于陵等二人來投.

十一月[壬辰朔小盡,丙子], 乙巳[14日], 設八關會, 幸法王寺.

甲寅[23日], 東女眞歸德將軍毛下等二十四人·正甫高史等二十三人來, 獻駿馬.

---

54) 이날 宋에서도 월식이 있었다(『송사』 권52, 지5, 천문5, 月食). 이날은 율리우스력의 1059년 7월 27일이고, 월식 현상이 심했던 때의 世界時는 14시 42분, 食分은 1.16이었다(渡邊敏夫 1979年 472面).

55) 이 기사에서 靖宗宮人 韓氏는 容懿王后韓氏로 추측되지만, 小韓氏와 韋氏는 后妃列傳에서 설명이 없다(열전1, 后妃1, 靖宗).

56) 이는 다음의 자료에 의거하였다.

·「原州法泉寺智光國師玄妙塔碑」, “[淸寧]五秊陽月八日, 師赴內殿, 爲百座會第一說主”.

十二月辛酉朔[大盡,丁丑], 日食.[57)]
○契丹遣檢校司徒耶律德來, 賀生辰.
○慮囚.
[乙亥[15日], 月食:天文1轉載].[58)]

[是年, 以僧爛圓爲王師:追加].[59)]
[○以[衛尉少卿·知閤門事]李頲爲尙書右丞:追加].[60)]

庚子[文宗]十四年, 契丹淸寧六年, [宋嘉祐五年], [西曆1060年]

1060년 2월 5일(Gre2월 11일)에서 1061년 1월 23일(Gr1e월 29일)까지, 354일

春正月辛卯朔[小盡,戊寅], 放朝賀.
癸丑[23日], 設天帝釋道場于文德殿七日.[61)]

二月[庚申朔大盡,己卯], 癸亥[4日], 幸長源亭.
甲戌[15日], 燃燈, 王如奉恩寺.

三月[庚寅朔小盡,庚辰], [某日, 內史門下□[省?]奏, "今以司宰卿崔有孚爲西京副留守. 其父沆, 以淸節直道, 匡扶社稷, 國家追念厥功. 嘗於玄化寺置忌齋寶, 每歲, 遣有孚行香, 今弟永孚出守天安府, 時未考滿[考未滿?], 有孚, 今又往守留都, 深恐忌祭上塚,

57) 12월은 宋曆에서는 壬戌朔이지만 高麗曆·日本曆에서는 辛酉朔이다. 이날(율리우스력의 1060년 1월 6일)의 일식은 『송사』에서는 관측이 기록되어 있지 않았는데, 북동아시아 3국이 일식의 中心食帶에서 벗어나 있었기에 관측될 수 없었다(渡邊敏夫 1979年 305面).

58) 이날 宋에서는 皆旣月食이었다고 한다(『송사』 권52, 지5, 천문5, 月食). 이날은 율리우스력의 1060년 1월 20일이고, 월식 현상이 심했던 때의 世界時는 12시 15분, 食分은 1.53이었다(渡邊敏夫 1979年 472面).

59) 이는 「景德國師爛圓墓誌銘」에 의거하였다

60) 이는 「李頲墓誌銘」에 의거하였다.

61) 天帝釋은 印度語[梵名]로 Sakra-devanam-Indra인데, 漢字로 釋迦提桓因陀羅 또는 天帝釋·帝釋·天主 등으로 音譯하는데 불교에서 忉利天의 主管者이다. 『고려사』에서는 帝釋道場이 天帝釋道場·帝釋齋 등과 함께 併用되어 기록되었다.

時享之禮, 將闕. 請授有孚三品職, 勿令補外", 從之:節要].[62]

丁巳[28日], [立夏]. 以[禮部員外郎]李靖恭爲侍御史.

夏四月己未□[~~朔~~小盡,辛巳], 以[門下侍郎平章事]王寵之△[爲]守太尉, 金元鼎△[爲]守司徒, 金顯△[爲]守司空.[63]

五月[戊子朔大盡,壬午], 甲午[7日], 親醮于毬庭.[64]

六月[戊午朔小盡,癸未], 庚午[13日], 以金義珍△[爲]知尙書吏部事, 楊國楨△[爲]知御史臺事.

秋七月[丁亥朔大盡,甲申], 乙巳[19日], 宋商黃助等三十六人來, 獻土物.

癸丑[27日], 東南海船兵都部署奏, "對馬島歸我飄風人禮成江民位孝男". 王賜使者禮物優厚.

八月[丁巳朔大盡,乙酉], 戊午[2日], 制曰, "自夏涉秋, 霪雨不止, 慮有寃枉, 以傷和氣, 令御史中承[~~御史中丞~~]朴忠·左副承宣姜源廣·左拾遺崔錫·神虎衛大將軍曹玉, 慮囚".

癸亥[7日], 宋商徐意等三十九人來, 獻土物.

乙亥[19日], 宋商黃元載等四十九人來, 獻土物.

九月[丁亥朔小盡,丙戌], 戊戌[12日], 東女眞懷化將軍阿藺等十九人來, 獻土物.

癸卯[17日], 以宋進士盧寅, 有文才, 授秘書省校書郞.

乙巳[19日], [霜降]. 以異惟忠爲中樞院使.

癸丑[27日], 慮囚.

---

62) 이와 같은 기사로 다음이 있으나 자구에 출입이 있다. 또 上記 記事의 未考滿은 考未滿의 指稱하는 것 같은데, 『조선왕조실록』에서도 兩者가 竝用되어 있으나 적절한 表記라고 말하기 어렵다.
· 열전6, 崔沆, "文宗十四年, 有孚以司宰卿, 出爲西京副留守, 內史門下□[省]?奏, '其父沆, 在聖考朝, 以淸節直道, 匡扶社稷. 國家追念厥功, 嘗於玄化寺納財, 以供忌齋之費, 歲遣有孚, 詣寺燒香. 其弟永孚, 嘗守天安, 今有孚又守西都, 則深恐忌祭上塚之禮將闕, 殆忘其功也. 請授有孚三品職, 勿令補外', 從之".

63) 己未에 朔이 탈락되었다.

64) 이 기사는 지17, 禮5, 雜祀에도 수록되어 있다.

[冬十月丙辰朔大盡,丁亥:追加].

冬十一月丙戌朔大盡,戊子, 庚寅5日, [大雪]. 契丹宣賜使·高州管內觀察使蕭奥來.
戊戌13日, 設八關會, 幸法王寺.
○東女眞歸德大將軍阿家主等三十七人來, 獻土物.

十二月丙辰朔小盡,己丑, 契丹遣永州管內觀察使耶律烈來, 賀生辰.
甲子9日, 內史門下省火, 延燒會慶殿東南廊.
[庚午15日, 月食:天文1轉載].[65]

[是年, 遣告奏使金仁存如契丹, 再請抽毁鴨江城橋·弓口, 略曰, "以至尊之所, 顧再黷以非宜, 司牧之權, 亦群情之莫拒, 敢披素蘊, 虔聒黈聽. 當國竊自前皇太后聖宗母承天皇太后陛下, 劃以鴨江, 錫爲鶉分, 旣丁寧於告策, 爰保界於山河, 祇事當陽, 未渝啫雨. 故海域之貢琛傳遞, 與天朝之飛節往來, 相接送於灘頭, 無敢踰於境尾, 詎圖閒代, 忽過賜封, 置堡守以彌嚴, 展鋪形而深入. 况從近歲, 直抵關門, 設弓口以連羅, 奪被邊之闢殖, 遂使耕夫釋耒, 殊乖狎野之心, 戍卒登埤, 未免防秋之苦. 是蕲割復, 屢罄剡陳, 然蒙溫綍之降來, 止許小郵之撤去, 諸餘勤請, 猶阻曰兪, 益使疲氓, 轉嗟失望. 伏審去丙申年文宗10年所奉詔書節文, '擅於近境, 刱立小亭, 然未侵漁, 卽令抽毁, 自餘瑣事, 俾守恒規者'. 仰觀論旨, 深合先猷, 豈意玆辰, 似違治命. 且前太后聖帝聖宗母承天皇太后, 誕母臨於諸夏, 方子育於群黎, 存恤小邦, 俾稱藩而有永, 弛張遠筭, 晝定制以不刊, 絲綸耀于千霜, 帶礪傳之萬葉. 何此中興之盛際, 徒令外閉以孤城? 存之豈益於至仁, 毁亦何傷於巍化? 方今惟新庶政, 懋闡重熙, 統寰宇爲一家, 混車書乎八表, 亘冰天而飮化, 竟用于賓, 籠桂海以占風, 咸勤率俾, 聖運忻逢於卷甲, 含生共樂於由庚. 唯玆弊邑之區區, 迺有斯民之鬱鬱, 輿情所迫, 闇叫難緘. 伏乞皇帝陛下, 斷自宸衷, 纘其舊服, 倘念剪桐之命, 不是戲言, 却還標

65) 宋과 일본에서도 14일(己巳) 월식이 있었다고 한다(『송사』 권52, 지5, 천문5, 月食. 三國의 曆이 同一). 또 이날(庚午)은 율리우스력의 1061년 1월 9일이고, 월식 현상이 심했던 때인 前日(14日 己巳)의 世界時는 18시 57분, 食分은 0.31이었다(渡邊敏夫 1979年 472面).
· 『朝野群載』 권15, 天文道, "謹奏,」今月十四日己丑, 夜丑時, 月蝕, 十五分之五, 謹檢天文要錄, … 康平三年十二月十六日, …」 正六位上·行權天文博士安倍朝臣親宗』, 從五位上·行陰陽頭兼天文博士□□』".

柱之功, 終存大信. 苟諧得請, 益礪盡忠":追加].[66)]

[○以尙書右丞李頲爲尙書吏部侍郞, 賜紫金魚袋:追加].[67)]

[○陪戎校尉裴可成·大匠李孟等立竹山七長寺慧炤國師鼎賢塔碑:追加].[68)]

辛丑[文宗]十五年, 契丹淸寧七年, [宋嘉祐六年], [西曆1061年]

1061년 1월 24일(Gre1월 30일)에서 1062년 2월 11일(Gre2월 17일)까지, 13개월 384일

春正月乙酉朔大盡,庚寅, 戊子4日, 太白晝見.

[辛丑17日, 晡時, 有流星, 大如木瓜, 向乾而滅:天文1轉載].

癸丑29日, 以中樞院使異惟忠爲刑部尙書, 金化崇爲翰林學士, 王懋崇爲戶部尙書·判御史臺事, 金元晃爲兵部尙書.

[某日, 浿西道撫問使·尙書考功員外郞韓丁翊奏, "管內龍泉驛, 曩被水灾, 公館民居, 並皆漂沒, 今方遷徙, 創造館宇, 民力勞匱, 請減今明兩年租稅", 從之:食貨3災免之制轉載].[69)]

二月乙卯朔小盡,辛卯, [某日, 西海□道按察使奏, "黃·鳳二州, 去年大水, 漂沒田疇, 居民飢乏, 請發義倉, 賑之", 從之:節要·食貨3水旱疫癘賑貸之制轉載].

辛酉7日, 以任從一爲尙書左僕射·中樞使~~中樞院使~~.

[某日, 有司奏, "密城管內, 昌寧等九郡, 去年, 暴水損稼, 請減今年夏稅", 從之:食貨3災免之制轉載].[70)]

---

66) 이는『東人之文四六』권2, 再乞狀[注, 文宗庚子, 告奏使金仁□存賫去], 吳學麟作 ;『동문선』권487, 再乞抽毁鴨江城橋弓口狀, 吳學麟作에 의거하였는데, 金仁存은 先行硏究의 推定에 의거하였다(한국사연구회 2003년 65面 ; 李美智 2018년 221面).

67) 이는「李頲墓誌銘」에 의거하였다.

68) 이는「竹山七長寺慧炤國師塔碑」에 의거하였다.

69) 이 기사는『고려사절요』권5에는 官職이 축약되어 있다.
· "浿西道撫問使韓丁翊奏, '管內龍泉驛, 曩被水灾, 公館民居, 並皆漂沒. 令方遷徙, 創造館宇, 民力勞匱, 請減今明兩年租稅', 從之".

70) 이 기사는『고려사절요』권5에는 축약되어 있다("以密城管內昌寧等九郡, 去年, 暴水損稼, 減今年夏稅").

癸未[29日], 制曰, “刑政, 王化所先, 峻則民殘, 寬則民慢. 刑得其中, 陰陽和而風雨順, 法失其宜, 怨氣積而災眚作. 虐臣酷吏, 世常有之, 朕遹追訓誥, 篤愼典刑, 每慮臣虐吏酷, 不得其中. 自今秋部員吏, 精擇委任, 使無寃獄”.[71]

三月[甲申朔大盡,壬辰], 壬辰[9日], [清明]. 以崔順漢爲戶部尙書, 鄭層△[爲]攝工部尙書.

丁酉[14日], 以去年門下省直宿日, 有火災, 降參知政事金顯爲左僕射, 右散騎常侍崔爰俊△[爲]判少府監事.

己酉[26日], 賜羅繼含等及第.[72]

[某日, 謁文宣王廟:追加].[73]

夏四月[甲寅朔小盡,癸巳], 丙辰[3日], 契丹東京回禮使·檢校工部尙書蕭嗽思來.

甲戌[21日], 以張仲英爲工部尙書.

[五月癸未朔[小盡,甲午]:追加].

六月[壬子朔大盡,乙未], 癸丑[2日], 王如奉恩寺, 遂詣國子監, 謂侍臣曰, “仲尼, 百王之師, 敢不致敬”. 遂再拜.

[某日, 改內史·門下省爲中書·門下省:節要轉載].[74]

[→改□□□□□[稱內史令爲]中書令:百官1判門下□□[~~府事~~]轉載].

丁巳[6日], 以宋進士陳渭爲秘書□[省]校書郞, 蕭鼎·蕭遷爲閤門承旨, 葉盛爲殿前丞

---

71) 秋部는 『고려사절요』 권에는 刑部으로 되어 있다(盧明鎬 等編 146面).

72) 이와 관련된 기사로 다음이 있다.

· 지27, 선거1, 科目1, 選場, “[文宗]十五年三月, 翰林學士崔惟善知貢擧, 取進士, 賜乙科羅繼含等六人·丙科八人·同進士六人·明經二人及第”.

73) 이는 『익재난고』 권9상, 忠憲王世家, “[文宗]十五年三月, 謁文宣王廟”에 의거하였다.

74) 이는 『고려사절요』 권5, 문종 15년 6월 ; 지30, 백관1, 門下府에서 전재한 것이다. 이때 內史·門下省이 中書·門下省으로 바뀐 날짜는 알 수 없는데, 이날은 王弟 基의 職銜이 바뀐 날짜보다 앞설 것이다.

고려시대의 중앙정치제도는 中書省(初期의 內史省)과 門下省이 中書門下省이라는 하나의 官府[單一省]를 형성하여 二省制[兩省六部制]로 운영되었다는 說(朴龍雲 2000년a)과 中書省과 門下省이 독립된 두 개[兩個]의 省으로 尙書省과 함께 三省制로 운영되었다는 說(李貞薰 2007년a)이 있다. 그래서 이 구절의 해석이 三省制에 대한 논쟁 해결의 중요한 열쇠가 될 수 있다(→문종 9년 10월 是月의 脚注).

旨. 渭, 有文藝, 鼎等三人, 曉音律.

己卯28日, [大暑]. 以弟內史令基改爲中書令, 其餘嘗爲內史者, 皆改中書.

[→後改內史·門下省爲中書門下省, 以冲爲中書令致仕. 冲雖居家, 軍國大事, 悉就咨焉. 累加推忠贊道佐理同德弘文懿儒保定康濟功臣號:列傳8崔冲轉載].

[秋七月壬午朔小盡,丙申:追加].

秋八月辛亥朔大盡,丁酉, 壬子2日, 東路兵馬使奏, "定州別將耿甫率二十餘人偵賊, 忽遇賊魁阿下賚等二百餘人, 與戰敗之, 斬十數級. 請賞其功", 從之.

○以金行瓊爲翰林學士.

戊辰18日, 以參知政事?崔惟善△爲判尙書禮部事.

丙子26日, 宋商郭滿等來, 獻土物.

[庚辰30日, <u>秋分</u>. 推誠佐世保社功臣·開府儀同三司·守太師兼中書令·監修國史·上柱國·慶源郡開國公·~~食邑二千戶~~門下侍中<u>李子淵</u>卒:追加],[75] [年五十九. 贈守太師·中書令, 諡<u>章和</u>:列傳8李子淵轉載].[76]

閏[八]月辛巳朔小盡,丁酉, 告朔于<u>大廟</u>太廟.

九月庚戌朔大盡,戊戌, [某日, 有司奏, "去年, 大水損禾, 都人阻飢, 請發倉賑之", 從之:節要·食貨3水旱疫癘賑貸之制轉載].

丁卯18日, 都兵馬使奏, "賊酋阿羅弗等犯境, 劫掠邊民, 平虜鎭兵馬錄事康瑩·西北面兵馬錄事高慶仁率兵, 追及降魔鎭, 敗之, 斬獲數十級, 多收兵仗, 合示褒賞", 從之.

戊寅29日, 以尙書左僕射·中樞院使任從一△爲參知政事, 王懋崇△爲知中樞院事.

---

75) 이날은 율리우스曆으로 1061년 9월 16일(그레고리曆 9월 22일)에 해당한다.

76) 이는 「李子淵墓誌銘」에 의거하였고, ~~添字~~는 열전8, 李子淵에 의거하였다. 또 여기에서 李子淵의 시호가 章和는 자료에 따라 昌和, 文和로도 달리 표기되어 있다고 한다. 이는 內外의 帝王에 대한 避諱[혹은 敬諱, 國諱], 개인적 사정에 의한 避諱[私諱], 同音字의 使用, 傳寫·刻字에서 발생한 誤謬 등과 같은 事由에 발생한 것이다. 곧 a 「李子淵墓誌銘」; 『東人之文五七』 권8, 李藏用에는 그의 열전과 같이 章和公으로, b 「李資元女李氏墓誌銘」; 『보한집』 권상("慶元李氏, 自國初, 世爲大官, 至<u>昌和公</u>子淵, …")에는 昌和公으로, c 『파한집』 권중("<u>昌華公</u>李子淵, 杖節南朝, …")에는 昌華公으로, d 「金山寺懷德王師眞應塔碑」에는 文和公으로 되어 있다고 한다(鄭墡謨 2019년).

冬十月庚辰朔大盡,己亥, 丁未28日, 以韓功敍△爲檢校司空·守尙書左僕射.

十一月庚戌朔大盡,庚子, 以前西京副留守崔有孚·金陽爲太子左·右庶子, 崔尙·李攸績爲左·右諭德, 朴忠爲中允, 鄭功志·黃抗之爲左·右贊善大夫.

辛未22日, 以崔惟善△爲參知政事·權判翰林院事.

十二月庚辰朔小盡,辛丑, 契丹遣檢校太傅·寧州刺史蕭述來, 賀生辰.

丙申17日, 以王寵之爲門下侍中·判尙書吏部事, 金元鼎爲門下侍郎同中書門下平章事[·上柱國兼太子太保:列傳8金元鼎轉載], 崔惟善爲中書侍郎同中書門下平章事[·權吏部尙書事:列傳8崔惟善轉載], 異惟忠△爲參知政事·柱國, 金元晃爲中樞院事使,[77] 金義珍爲左散騎常侍·同知中樞院事, 金良贄爲御史大夫.

丙午27日, 以宋人蕭宗明△爲權知閤門祗候.

[是年, 始築永興鎭城堡:轉載].[78]

[○判冊, "東·西界防戍軍徵發時, 一領內百人以上, 一隊三人以上有闕者, 將軍領隊正罷職, 一校尉領七人, 一別將·指諭領十五人, 一郎將領三十人, 所領內有闕, 罷領軍職, 參以上申奏, 參外直罷":兵1五軍轉載]

[○以吏部侍郎李頲爲殿中監·知尙書吏部事:追加].[79]

[○僧韶顯赴王輪寺大選場, 一捷爲大德:追加].[80]

---

77) 『고려사절요』 권5에는 옳게 되어 있다.

78) 이는 다음의 기사를 전재한 것이다.
· 지12, 지리3, 永興鎭, "古稱闕防戍. 文宗十五年, 始築城堡".

79) 이는 「李頲墓誌銘」에 의거하였다.

80) 이는 「金堤金山寺慧德王師眞應塔碑」에 의거하였다(보물 제24호, 許興植 1984년 540面 ; 李智冠 2004년 3冊 36面).

壬寅[文宗]十六年, 契丹清寧八年, [宋嘉祐七年], [西曆1062年]

1062년 2월 12일(Gre2월 18일)에서 1063년 1월 31일(Gre2월 6일)까지, 354일

春正月[己酉朔大盡,壬寅], 壬戌[14日], □[遼]東京回禮使·檢校尙書右僕射耶律章來.[81)]

○罷[門下侍郞同中書門下平章事]金元鼎出爲西京留守使. [元鼎, 嘗遙領西京, 奏事忤旨:節要轉載], [未幾召還:列傳8金元鼎轉載].

二月[己卯朔小盡,癸卯], [癸巳[15日], 歙谷縣災:五行1火災轉載].

己亥[21日], 册子燾爲檢校尙書令·守司徒[·朝鮮侯:節要轉載].

[→册□□[子燾]爲崇仁廣義功臣·開府儀同三司·檢校尙書令·守司徒·上柱國·朝鮮侯·食邑二千戶:列傳3文宗王子朝鮮公燾轉載].[82)]

乙巳[27日], 耽羅高叶等來, 獻土物.

[某日, 制曰, "刑政者, 民命攸繫, 古先哲王, 惟刑是恤. 朕遹追古訓, 愼選刑官, 猶懼不得其人, 以致冤枉. 自今, 必備三員以上, 然後訊鞫囚徒, 以爲定制":節要·刑法2恤刑轉載].[83)]

[三月[戊申朔大盡,甲辰], 某日, 命國子司業黃抗之, 考試國學諸生, 署科甚濫. 時議紛然, 乃命中書舍人鄭惟產, 覆試, 惟產請行封彌之法. 貢闈封彌. 自此始:節要·選擧志1轉載].[84)]

[是月, 判[冊], "各州縣鄕吏爲僧者直子, 禁副戶長·戶長職, 孫以下許通":選擧3鄕

81) ~~添字~~는 『고려사절요』 권5에 의거하였다.

82) 이 기사의 冒頭에 文宗十五年으로 되어 있으나 十六年의 오류일 것이다.

83) 이와 같은 기사가 지38, 刑法1, 職制에도 수록되어 있으나 冒頭에 二月이 脫落되었다. 또 이 기사에서 3人 以上의 官員을 具備하여 罪囚를 審問하라는 命令이 주목되는데, 이러한 律令은 현존하는 唐代의 獄官令에서는 찾아지지 않는다고 한다(韓用根 1999년 145面). 漢代에 宰相을 審問할 때 刺史級[二千石]以上의 관료 5인 이상으로 하여금 詰責하게 하였다는 사례가 찾아진다.
· 『자치통감』 권31, 漢紀23, 成帝永始 2년(BC15) 11월, "… 會丞相薛宣得罪, 與[御史翟]方進相連, 上使五二千石雜問丞相·御史[注, 晋灼曰, 大臣獄重, 故以秩二千石者五人詰責之], [少府陳]咸詰責方進, 冀得其處, 方進心恨".

84) 封彌法은 唐代의 糊名法을 宋代에 改稱한 것이다. 이 規則은 1011년(현종2) 禮部試[東堂試]에서 이미 실시되었기에 國子監에서 행해진 考藝試에도 糊名이 확대된 措置라고 한다(현종 2년 是歲의 脚注, 朴龍雲 1990년 259面).

職轉載].

[夏四月戊寅朔[小盡,乙巳]:追加].

[夏五月[丁未朔小盡,丙午], 某日, 朱草叢生于重光殿庭, 命詞臣賦詩:節要·五行志1轉載].

夏六月丙子朔[大盡,丁未], 東女眞歸德將軍分大等來朝.

[丁丑[2日], 定州灾:五行1火災轉載].

乙巳[30日], 以禮賓卿·知御史臺事崔賞[崔尙]△[爲]知西北面秋冬番兵馬事,[85] 禮部侍郎·左諫議大夫洪德威爲東北面秋冬番兵馬副使.

秋七月[丙午朔小盡,戊申], 庚申[15日], 中樞□[院]使·兵部尙書金元晃卒.[86] [□□[元晃], 本新羅宗室:列傳10金景庸轉載], 謚[諡]毅敬, 官其一子.

壬申[27日], 東女眞毛乃等來朝.

八月[乙亥朔大盡,己酉], 戊寅[4日], 東女眞勒於乙·亐毛乃等來朝.

乙酉[11日], [秋分]. 幸興王寺, 制曰, "是寺, 鳩孱已久, 巨構將成. 今親觀厥功, 特申異數, 應內外重刑, 並降從流配, 公徒私杖以下, 咸赦除之. 董役官吏, 並加爵賞".

壬寅[28日], 開城侯暟卒.[87]

[九月乙巳朔[小盡,庚戌]:追加].

冬十月[甲戌朔大盡,辛亥], 己卯[6日], 耽羅星主高逸來, 獻方物.

庚子[27日], 東女眞歸德大將軍摩里害·阿加主來朝.

[十一月甲辰朔[大盡,壬子]:追加].

---

85) 禮賓卿·知御史臺事 崔賞은 전후의 사실로 유추해 볼 때 崔尙의 오자로 추측된다.

86) 이날은 율리우스曆으로 1062년 8월 22일(그레고리曆 8월 28일)에 해당한다.

87) 이 기사는 열전3, 靖宗王子, 開城侯暟에도 수록되어 있다. 이날은 율리우스曆으로 1062년 10월 3일(그레고리曆 10월 9일)에 해당한다.

十二月甲戌朔小盡,癸丑, 契丹遣泰州管內觀察使高守正來, 賀生辰.

[是年, 復開城縣令爲知開城府事, 都省所掌十一縣, 皆屬焉. 又割西海道平州任內牛峯郡·貞州·德水縣·江陰縣·長湍縣·臨江縣·兎山縣·臨津縣·松林縣·麻田縣·積城縣·波平縣, 以隷之. 又復稱西京留守官, 置京畿四道:轉載].[88]

[○判冊, "僧人之子, 仕路禁錮, 至孫方許通":選擧3限職轉載].

[○契丹慾置賣買院, 於鴨綠江東保州宣義軍之南, 仍中止:追加].[89]

癸卯[文宗]十七年, 契丹淸寧九年, [宋嘉祐八年], [西曆1063年]

1063년 2월 1일(Gre2월 7일)에서 1064년 1월 20일(Gre1월 26일)까지, 354일

春正月癸卯朔大盡,甲寅, 宴群臣于乾德殿, 賜帛有差.

戊申6日, 三司奏, "翼嶺縣及西北面成州篗田場地產黃金, 請附貢籍".

二月癸酉朔大盡,乙卯, 甲戌2日, 以刑部侍郎·右諫議大夫李攸績爲西北面春夏番兵馬副使, 少府少監李得路爲東北面春夏番兵馬副使.[90]

丁丑5日, 東女眞歸德將軍懷化等來, 獻駿馬.

己丑17日, 東女眞歸德將軍霜昆等來, 獻良馬.

庚寅18日, 以蔣英爲侍御史, 尹祚明爲殿中侍御史.

---

88) 이는 다음의 자료를 전재하였는데, 그 중에서 開城府가 宮城에서 서쪽으로 40里에 있다는 것이 주목된다.

· 지10, 지리1, 王京開城府, "文宗十六年, 復知開城府事, 都省所掌十一縣, 皆屬焉. 又割西海道平州任內牛峯郡, 以隷之".

· 지30, 百官1, 開城府, "文宗復稱開城府, 置知府事"

· 지12, 地理3, 西京留守官平壤府, "文宗十六年, 復稱西京留守官, 置京畿四道".

·『고려도경』 권16, 官府, 臺省, "又有開成府, 拒城四十里, 凡民庶婚田鬪訟之事, 悉摠之".

·『삼국사기』 권35, 잡지4, 지리2, 新羅, "開城郡, 本高句麗冬比忽, 景德王改名. 今開城府. 領縣二. 德水縣, 本高句麗德勿縣, 景德王改名. 今因之. 第十一葉文宗代, 創置興王寺於其地, 移其縣於南. 臨津縣, 本高句麗津臨城, 景德王改名. 今因之".

89) 이는 세가10, 宣宗 5년 9월 ;『동인지문사륙』 권3 :『동문선』 권48, 入遼乞罷榷場狀, 朴寅亮作에 의거하였다.

90) 李攸績(李軌의 父)은 淸州人으로 禮部侍郎에 이르렀다고 한다(열전10, 李軌).

[某日, 諸州鎭兵, 已點戰馬二科以上神騎, 及曾經戰事步班, 並蠲苦役, 只許情願役事, 將戰馬隨例調習者, 亦免苦役:兵1五軍轉載].

三月癸卯朔小盡,丙辰, 丙午4日, 契丹送大藏經, 王備法駕, 迎于西郊.

辛亥9日, 耽羅新星主豆良來朝, 特授明威將軍.

[是月辛未29日, 宋仁宗趙禎崩:追加].[91]

夏四月[壬申朔大盡,丁巳, 乾巽方, 白氣, 相衝亘天:五行2轉載].[92]

乙亥4日, 賜太子秘閣九經及史·傳·百家書.

辛丑30日, 以李璜爲戶部尙書, 朴希仲△爲攝工部尙書.

[是月壬申朔, 宋趙曙卽位, 是爲英宗, 不改元追加].[93]

五月壬寅朔小盡,戊午, 甲辰3日, [芒種]. 御文德殿覆試, 賜洪器等及第.[94]

[庚戌9日, 有星, 出大角, 孛于氐:天文1轉載].

[六月辛未朔小盡,己未:追加].

秋七月庚子朔大盡,庚申, 庚申21日, [處暑]. 以太僕卿閔昌素△爲知西北面秋冬番兵馬事, 尙書右承右丞金錫祚爲東北面秋冬番兵馬副使.[95]

[乙丑26日, 有星, 尾長數尺, 出坎孛于氐, 大如斗:天文1轉載].

---

91) 이는 다음의 자료에 의거하였다.

· 『송사』 권12, 본기12, 仁宗4, 嘉祐 8년 3월, "辛未, 帝崩于福寧殿, 遺制皇子卽皇帝位, 皇后爲皇太后, 喪服以日易月, 山陵制度務從儉約".

92) 壬申에 朔이 탈락되었다.

93) 이는 다음의 자료에 의거하였다.

· 『송사』 권13, 본기13, 英宗 卽位年, "嘉祐八年, 仁宗崩. 夏四月壬申朔, 皇后傳遺詔, 命帝嗣皇帝位. 百官入, 哭盡哀. 同中書門下平章事韓琦宣遺制. 帝御東楹見百官".

94) 이와 관련된 기사로 다음이 있다. 이때 進士洪器·崔思諏(崔思諏墓誌銘) 등이 급제하였다(朴龍雲 1990년 ; 許興植 2005년).

· 지27, 선거1, 科目1, 選場, "文宗十七年五月, 翰林學士金行瓊知貢擧, 取進士, 覆試, 下詔賜乙科洪器等四人·丙科十四人·同進士十二人·明經一人·恩賜五人及第".

95) 여러 판본의 『고려사』에서 右承으로 되어 있으나 右丞의 오자일 것이다.

戊辰[29日], 以金元鼎△[爲]守太尉·門下侍中, 尋卒.[96)]

八月[庚午朔小盡,辛酉], 辛卯[22日], 以王懋崇爲東北面行營兵馬使, [參知政事]異惟忠△[爲]判三司事·西北面中軍兵馬使, 王夷甫兼西京留守使.

[某日, 制曰, "國子監諸生, 近多廢業, 訓導不至, 責在學官. 自今, 精加勉勵, 至年終, 當校[較]臧否, 定去留, 儒生在監九年, 律生六年, 荒昧無成者, 並令屛黜": 節要轉載].[97)]

九月[己亥朔[小盡,壬戌], 熒惑躔鬼, 西行而沒: 天文1轉載].

庚子[2日], 制曰, "今歲, 雨澤不降, 西成未期, 其令州郡, 預備救荒".

壬寅[4日], 宋商郭滿等來, 獻土物.

庚戌[12日], 加朴成傑△[爲]檢校太尉·門下侍中, 任從一△[爲]中書侍郞平章事·柱國, 並依舊致仕.

冬十月[戊辰朔大盡,癸亥], [己巳[2日], 有星, 出天市, 抵尾·箕, 大如斗: 天文1轉載].

庚午[3日], 宋商林寧·黃文景來, 獻土物.

[甲申[癸未16日?], 月食: 天文1轉載].[98)]

壬辰[25日], 幸長源亭.

十一月[戊戌朔大盡,甲子], 癸卯[6日], 契丹遣益州刺史蕭格來聘.

甲子[27日], 東女眞歸德將軍摩離害·綏遠將軍多老大等來朝.[99)]

十二月戊辰朔[小盡,乙丑], 契丹遣右諫議大夫李日肅來, 賀生辰.

---

96) 이날 金元鼎이 逝去하였다면, 율리우스曆으로 1063년 8월 25일(그레고리曆 8월 31일)에 해당한다.

97) 校는 지28, 선거2, 學校에는 較로 되어 있는데, 어느 글자를 써도 無妨할 것이다.

98) 10월 甲申은 17일이며, 월식은 일반적으로 陰曆 15일에 행해지지만, 간혹 14일, 16일에도 행해진 경우도 있었다. 이는 당시의 曆이 부정확했기 때문이다. 이때 宋에서는 癸未(16일) 皆旣月食이 이루어졌기에(『송사』 권52, 지5, 천문5, 月食), 『고려사』의 편찬과정에서 날짜[日辰]의 정리에 실패했을 가능성도 있을 것으로 추측된다. 또 이날(16日癸未)은 율리우스력의 1063년 11월 8일이고, 월식 현상이 심했던 때의 世界時는 23시 21분, 食分은 1.62이었다(渡邊敏夫 1979年 472面).

99) 摩離害는 前年 10월 27일(庚子)의 歸德將軍 摩里害와 同一人物의 다른 표기로 추측된다.

丙戌[19日], 以兵部侍郎鄭同祚充西京副留守, <u>大府少卿</u>[~~大府少卿~~]朴臣厚充東京副留守.

甲辰[文宗]十八年, 契丹淸寧十年, [宋治平元年], [西曆1064年]

1064년 1월 21일(Gre1월 27일)에서 1065년 2월 7일(Gre2월 13일)까지, 13개월 384일

春正月丁酉朔[大盡,丙寅], 放朝賀.

辛酉[25日], 西北路兵馬使奏, "去壬寅年[文宗16年], 蒙浦村賊謀侵我疆, 潛入平虜鎭, 設伏折衝·降魔兩戍間, 有<u>化內番長</u>[~~化內蕃長~~]齊俊那知之來, 告鎭將. 先伏兵草莽以待之, 賊果突入. 我兵齊發, 俘斬甚多. 請厚賞俊那金帛", 從之.[100]

[癸亥[27日], 都官廨舍火, 延燒淸河館:五行1火災轉載].

[是月丁酉朔, 宋改元治平:追加].

<u>二月</u>[丁卯朔大盡,丁卯,101)], 癸酉[7日], 制曰, "准舊例, 發遣春秋外山祭告使一十餘道, 使命煩多, 驛路凋弊. 自今, 東北兩界監倉使·浿西道按察使, 皆兼祭告使, 其山南諸道, 依舊遣使, 以爲恒式".

[某日, 以禮成江船一百七艘, 一年六次, 漕轉龍門倉米于麟·龍·鐵·宣·郭等州及威遠鎭, 以充軍粮:節要·兵2屯田轉載].

三月[丁酉朔大盡,戊辰], [某日, 制曰, "去歲, 水潦暴溢, 損害秋稼, 言念黎元, 宜急救恤, 其令太僕卿閔昌素, 自今月, 至五月, 於開國寺南, 設食, 以施窮民":節要·食貨3水旱疫癘賑貸之制轉載].

甲寅[18日], 設仁王道場于會慶殿三日, 飯僧一萬於毬庭.

夏四月[丁卯朔小盡,己巳], 庚午[4日], 制, "大雲寺, 先王始創, 以福邦家. 其所給公田, 地瘠稅少, 齋供不周, 加賜良田一百頃".

---

100) 化內番長은 化內蕃長의 다른 표기 또는 오자일 것이고, 이는 高麗의 政令과 敎化가 미치는 지역에 거주하던 女眞酋長을 指稱한 것 같다.

101) 延世大學本과 東亞大學本에는 三月로 되어 있으나, 二月의 오자일 것이다(東亞大學 2008년 3책 427面).

[甲戌8日, 有司奏, "自春亢旱, 焦禾損麥, 請移市肆, 禁傘扇", 從之:五行2轉載].

[→以亢旱, 移市肆, 禁傘扇:節要轉載].[102)]

庚寅24日, 制, "自五月十五日, 至七月十五日, 於臨津普通院, 設粥水蔬菜, 以施行旅".[103)]

五月丙申朔大盡,庚午, 乙巳10日, 命參知政事異惟忠, 饗西女眞寧遠將軍高之知等十三人于禮賓寺禮賓省, 賜例物.[104)]

[己未24日, 親醮本命星宿于內殿:禮5雜祀轉載].

閏[五]月丙寅朔小盡,庚午, 戊辰3日, 東女眞賊首麻叱盖等百餘人, 航海寇平海郡南浦, 燒民家, 擄男女九人.

辛未6日, 兵部奏, "軍班氏族, 成籍旣久, 蠹損朽爛朽爛,[105)] 由此, 軍額不明, 請依舊式, 改成帳籍", 從之.[106)]

六月乙未朔小盡,辛未, [某日, 宮城使奏, "宮闕守衛軍士, 不衣紫·不持兵仗者, 請罷黜", 從之:節要轉載].

[→宮城使奏, "宮闕守衛軍士, 當衣紫帶劒, 今有衣皂, 不持兵仗者, 請罷職", 從之:兵2宿衛轉載].

辛丑7日, 都兵馬使奏, "賊首麻叱盖等入寇平海, 守邊員將, 不能追捕, 請令憲司御史臺斷罪", 從之.[107)]

秋七月甲子朔大盡,壬申, 丁卯4日, 東北面兵馬使奏, "豢猳縣, 曾於戊子年文宗2年, 被東

---

102) 亢旱은 오랫동안 비가 내리지 않은 것[大旱]을 의미한다. 또 宋에서는 이달의 28일(甲午)에 相國寺·天淸寺, 醴泉觀에서 비를 빌었다(『송사』 권13, 본기13, 영종, 治平 1년 4월 甲午).
· 『후한서』 권54, 楊震列傳第44, "夫女謁行則讒夫昌, 讒夫昌則苞苴通, 故殷湯以之自戒, 終濟亢旱之灾. '說苑'曰, 湯自伐桀後, 大旱七年, …".

103) 이 기사는 지34, 食貨3, 水旱疫癘賑貸之制에도 수록되어 있다.

104) 禮賓寺는 禮賓省의 오류인데, 後者는 大元蒙古國의 壓制下에서 改變된 名稱이다.

105) 여러 판본의 『고려사』에서 杇爛(오란)으로 되어 있으나, 『고려사절요』 권5에는 朽爛(후란)으로 되어 있는데, 후자가 옳을 것이다(東亞大學 2008년 3책 427面).

106) 이 기사는 지35, 兵1, 五軍에도 수록되어 있다.

107) 憲司는 御史臺의 略稱이다.

藩海賊攻劫, 殺傷男女百餘人, 今春又有山火, 延燒城堡·倉庫及民居, 再經禍亂, 民不安居. 請徙城之, 以扼海賊之衝". 詔, 移于陽村, 在舊城南二千餘步.[108]

丙戌[23日], 宋商陳鞏等來, 獻土物.

庚寅[27日], 太僕寺奏, "請依舊例, 遣六道選馬使", 從之.

八月甲午朔[小盡,癸酉], 宋商林寧等來, 獻珍寶.

[丁未[14日], 震內帝釋院堂柱:五行1雷震轉載].

[某日, 以綿袍·綿袴·毛冠, 各一千, 賜西北面守邊軍士貧乏者:節要·兵1五軍轉載].

[九月癸亥朔[小盡,甲戌]:追加].

冬十月[壬辰朔大盡,乙亥], 丙辰[25日], 契丹遣檢校右散騎常侍耶律亘來, 詔曰, "朕荷累聖之鴻休, 纘一寧之嘉祚, 勵精求理, 寅畏居懷, 十稔于玆, 四方大定. 圓極祐曆, 繼薦瑞於昌期, 群辟拜章, 議推功於眇德. 勤請彌切, 牢讓靡遑, 俯徇輿情, 勉應徽號, 已定次年元日行禮. 卿稱藩作翰, 事上輸忠, 聞究盛儀, 諒增同慶. 今差禮賓使耶律亘賚詔, 往彼示諭, 想宜知悉".

十一月[壬戌朔大盡,丙子], [甲子[3日], 雷, 震民家栗樹:五行1雷震轉載].

己卯[18日], 以太子納妃, 告景靈殿.

壬午[21日], 戶部奏, "廣州牧, 自春至秋, 久旱不雨, 重以雨雹, 闔境禾穀, 一無所收. 又鳳州, 曾於庚子年[文宗14年]大水, 廬舍禾稼, 漂蕩幾盡, 民無定居. 請停兩官轄下, 發使量田", 從之.[109]

十二月壬辰朔[小盡,丁丑], 契丹遣司農卿胡仲來, 賀生辰.

○契丹高奴等三人·黑水包棄等八人來投.

[某日, 命出征袍庫, 綿衣袴·毛冠及靴, 賜邊卒[兵卒]貧乏者:節要·兵1五軍轉載].[110]

108) 參猳縣置의 移動과 관련된 기사로 다음이 있다,
· 지12, 지리3, 參猳縣, "文宗朝, 移縣治于陽村, 以扼海賊之衝".

109) 이와 같은 기사가 지32, 食貨1, 經理에도 수록되어 있다.

110) 添字는 兵1, 五軍에서 달리 표기된 것이다. 또 이 기사에 의거하여 梁誠之가 1464년(세조1) 8

[是年, 以慶尙道按察使, 兼東南海船兵都部署使:轉載].[111]

[○第五次重成黃龍寺九層塔:追加].[112]

[○以殿中監·知吏部事李頲爲同知中樞院事兼三司使:追加].[113]

[○僧學一受具足戒於某寺戒壇, 年十三:追加].[114]

乙巳[文宗]十九年, 契丹咸雍元年, [宋治平二年], [西曆1065年]

1065년 2월 8일(Gre2월 14일)에서 1066년 1월 28일(Gre2월 3일)까지, 355일

春正月辛酉朔大盡,戊寅, 放朝賀.

甲申24日, 東女眞尼之達等十六人來, 獻駿馬.

[是月辛酉朔, 遼改元咸雍:追加].

二月辛卯朔大盡,己卯,[115] 東女眞首領霜昆等二十二人來, 獻土物.

월과 1471년(성종2) 12월의 2차에 걸쳐 征袍都監을 擧名하였던 것 같다.

· 『세조실록』 권34, 10년 8월 壬午朔, "同知中樞院事梁誠之上書曰, … 且平安道軍士有才力而無騎馬者, 以本道牧場馬抄給, 且勤謹戍守而寒無衣者, 依前朝征袍都監例, 以下三道監司營所儲布帛量給之".

· 『訥齋集』 권4, 便宜三十二事[注, 辛卯成宗2年十二月初四日, 以知中樞府事上], "… 一. 恤軍士, 盖士卒, 國之爪牙, 平時則勤苦宿衛, 有事則忘身殉國, 所當憫恤者也. 按高麗置征袍都監, 賜錦袴于戍邊將卒, 或賜毛冠, 又設軍廚, 以內侍句當, …".

111) 이는 다음의 기사를 바탕으로 학계의 연구 성과를 더하여 적절히 變改하였다(邊太燮 1971년 156~157面 ; 金南奎 1989년 74~75面 ; 朴龍雲 2009년 675面). 이때 按察使의 職制는 1064년(문종18) 都部署使로 改稱되었다가 1113년(예종8) 다시 還元되었다고 하지만(a), 1112년(예종7, 壬辰年) 還元되었다고 되어 있다(b).
추측컨대 예종 7년은 고려시기의 紀年으로 예종 8년에 해당하므로 같은 내용을 다르게 표기한 것으로 보이며, 그중에서도 慶尙道按察使 職制의 환원은 1112년(예종7, 壬辰年)일 가능성이 높다. 이 점은 西海道按察使가 1093년(선종10) 7월 8일과 1102년(숙종7) 7월 29일에 나타남을 통해 알 수 있다.

· a 지31, 백관2, 外職, 按廉使, "後置按察使, 文宗十八年, 改爲都部署, 睿宗八年, 復改爲按察使".

· b 『경상도영주제명기』, "是年睿宗壬辰, 改都部署使爲按察使".

112) 이는 다음의 자료에 의거하였다.

· 『삼국유사』 권3, 탑상4, 黃龍寺九層塔, "… 又文宗甲辰年, 第五重成".

113) 이는 「李頲墓誌銘」에 의거하였다.

114) 이는 「淸道雲門寺圓應國師塔碑」에 의거하였다.

辛丑[11日], 東女眞將軍阿符漢·吳火文等二十七人來, 獻良馬.

甲寅[24日], 册子熙, 爲守仁·保義功臣·開府儀同三司·守司空兼尙書令·上柱國·雞林侯·食邑一千戶.

己未[29日], 契丹東京留守牒報, "册上皇太后尊號慈懿·仁和·文惠·孝敬·顯聖·昭德·廣愛·宗天皇太后, 加上皇帝[道宗]尊號聖文·神武·全功·大略·□□[廣智]·聰仁·睿孝·天祐皇帝".[116]

[三月辛酉朔[小盡,庚辰]:追加].

[是月, 大師·戒持寺主智觀造成金鍾一副, 入重百五十斤:追加].[117]

夏四月[庚寅朔大盡,辛巳], 癸巳[4日], 契丹遣耶律寧·丁文通來, 册王, 詔曰, "卿忠勤奉上, 凞洽逢辰. 展縟憲於曲臺, 旣增殊號, 霈鴻恩於遐域, 式表同休. 往陳册拜之儀, 優示頒宣之命, 用昭溫眷, 當体至懷. 今差寧遠軍節度使耶律寧·益州管內觀察使丁文通, 充封册使副, 幷賜卿冠服·車輅·銀器·匹叚[匹段]·鞍馬·弓箭·酒等, 具如別錄, 至可領也".

○册曰, "朕誕膺駿命, 愼守丕圖, 上則荷累聖之貽謀, 罙昌運祚, 下則親諸侯而立國, 廣樹藩維. 其有嗣爵朱蒙, 申疆玄菟, 延世大開於王社, 納忠遐奬於帝宸. 適逢凞洽之期, 載益庬鴻之號, 縟儀東菀, 方薄浹於殊休, 懿册編瓊, 宜先加於異數. 咨爾匡時·致理·竭節·資忠·奉上功臣·開府儀同三司·守太師·中書令兼尙書令·上柱國·高麗國王·食邑二萬戶·食實封二千戶王[王徽],[118] 慶鍾奕葉, 道冠生民. 維岳降神,

---

115) 延世大學本과 東亞大學本에는 三月로 되어 있으나, 二月의 오자이다(東亞大學 2008년 3책 429面).

116) 契丹에서 百僚가 皇太后와 皇帝에게 尊號를 올린 것은 1월 1일(辛酉)이었다(『요사』 권22, 본기22, 道宗2, 咸雍 1년·권71, 열전1, 后妃, 興宗仁懿皇后蕭氏). 添字는 『요사』에서 더 찾아지는 글자이고, 이날 황태후에게 덧붙여진[加上] 尊號는 顯聖·昭德이다. 또 天祐는 當時에 天佑로도 표기되었다(陳述 編, 『全遼文』 권9, 王輔臣造經題記, 劉珣造經題記, 권10, 道宗哀册).

117) 이는 다음의 자료에 의거하였다(福岡縣 福岡市 博多區 博多驛前 1丁目 承天寺 所藏, 坪井良平 1974年a 95面 ; 許興植 1984년 498面).
· 「戒持寺鍾銘」, "維淸寧十一年[咸雍1年]乙巳三月日,」 戒持寺金鍾鑄成,入」 重百五十斤, 棟梁[棟樑]」 寺主·大師智觀,」 大匠金水,副大匠□□[保只?]·未亭』". 여기에서 咸雍元年을 淸寧十一年으로 표기한 것은 是年 1월 1일 契丹에서 改元된 사실이 高麗에서 널리 전파되지 않았던 결과일 것이다.

118) 亞細亞文化社本에는 王으로, 延世大學本과 東亞大學本에는 玉으로 되어 있으나, 王徽의 오자일 것이다(東亞大學 2008년 3책 429面).

素推於雄傑，自天生德，夙富於溫仁．而自表海襲封，帶河傳誓．化敷辰卞，洽宣綏撫之功，業茂桓文，妙盡修輸之節．任土述賓王之職，守方遵請朔之文．爰尙周勤，靡忘欽顧．乃者，勉從群請，增上諱稱，載惟匡合之謀，特降褒崇之命．旣念功而錫號，仍與邑以疏封．是用，遣使寧遠軍節度使耶律寧·副使益州管內觀察使丁文通等，持節備禮册命，加爾守正·保義四字功臣，食邑三千戶·食實封三百戶，餘如故．於戱，高而愈卑，持盈之格訓，小則事大，保國之令猷．王其表率一方，儀刑群岳，勿爽愼終之道，勿愆効順之誠，繼汝先風，爲予外蔽．寶是勅戒，永孚于休".

庚子11日，王受册于南郊．其賜物，則九旒冠·九章服·玉圭·玉册·象輅·衣襨·匹叚匹段·弓箭·鞍馬等物.[119]

○又遣耶律迪·麻晏如，册王太子，詔曰，"卿鑿楹稟 訓，早居世子之榮，紲組分封，爰列上公之爵．束蕝屬行於盛禮，編筠思洽於洪恩，兼示頒霈，用昭眷矚．今差利州管內觀察使耶律迪·衛尉卿麻晏如等，充封册使副，賜卿冠服·車輅·銀器·匹叚段·鞍馬·弓箭·酒等，具如別錄，至可領也".

○册曰，"朕奉圓靈之休命，承列聖之慶謀，內則懷帝室之茂親，方深雍睦，外則眷王藩之令胄，更厚撫綏．其有玉蔓延華，珠躔挺粹，然毓躬於震域，諒馳懇於宸庭．會逢乂靖之期，增峻厖鴻之號，宜加異數，用浹殊休．咨爾順義軍節度□使·朔武等州觀察處置等使·崇祿大夫·檢校大尉檢校太尉·同中書門下平章事·使持節朔州諸軍事·行朔州刺史·上柱國·三韓國公·食邑三千戶·食實封五百戶王勳，國棟奇材，天球偉器．挹淸猷而照俗，包茂略以經時，識君臣父子之儀，知禮樂詩書之敎．矧夙推於令譽，嘗優被於恩章，進秩國公，協親藩后．碧幢按部，操節制之雄權，黃閣調元，領平章之鉅任，而能寬以涵物，原而律身．載量英敏之才．爰降寵嘉之典，榮飛鳳綍，貴珥貂緌，兼益崇階，併昭盛紀．是用，遣使利州管內觀察使耶律迪·副使守衛尉卿麻晏如，持節備禮，册命爾，爲兼侍中，加特進，餘如故．於戱，一時之遇，千古所稀．念繼世之勳，予不忘於獎邵，懋匡邦之志，爾宜盡於勤能．無恃寵以驕人，勉竭忠而奉主.服是丕訓，永保休貞".

癸卯14日，太子受册于南郊，其賜物，則九旒冠·九章服·牙笏·竹册·革輅·衣襨·匹叚匹段·鞍馬·弓箭·酒等物.[120]

---

119) 九章服은 아홉 가지 繡를 놓은 官服으로 親王이 着用하고, 皇帝는 12章의 官服을 착용한다.

120) 革輅는 帝王의 五輅인 玉輅·金輅·象輅·革輅·木輅 중의 하나이다. 또 革輅는 붉은 軺軒을 가리키는데, 後代에 작은 輦[小馬輦]을 가리키는 것으로 의미가 바뀌었다고 한다.

五月[庚申朔小盡,壬午], 癸酉[14日], 御景靈殿, 召王師爛圓, 祝子煦髮爲僧, [上再拜之, 許隨圓出居靈通寺, 時煦年十一:追加].[121)]

[→大覺國師煦, 字義天, 避宋哲宗諱, 以字行. 文宗一日謂諸子曰, "孰能爲僧, 作福田利益耶". 煦起曰, "臣有出世志, 惟上所命". 王曰, "善". 遂隨師出居靈通寺. 煦, 性聰慧嗜學, 始業華嚴, 便通五教. 旁涉儒術, 莫不精識:列傳3文宗王子大覺國師轉載].

己卯[20日], 幸靈通寺.

六月[己丑朔大盡,癸未], 甲午[6日], 御文德殿覆試. 侍御史盧旦奏事忤旨, 王怒不設科, 惟取十上不第者, 賜李元長等恩賜及第.

[→御文德殿覆試進士. 侍御史盧旦奏事忤旨, 王怒使人曳出, 脫公襴, 將縛之. [中書侍郞]平章事崔惟善, 前奏曰, "人臣有罪, 當付憲司[御史臺]". 王怒稍霽, 然竟罷試, 惟取十上不第者, 賜李元長等五人恩賜出身, 又賜明經二人及第:節要轉載].

[→侍御史[盧]旦, 奏事不稱旨, 王怒, 謂左右曰, "此非忠蹇之臣". 命曳出, 脫公襴縛之. 惟善奏, "人臣有犯, 當付憲司[御史臺]". 王意解:列傳8崔惟善轉載]

[翌日[乙未7日], 貶授[盧]旦都官員外郞:節要轉載].

辛亥[23日], 東女眞懷化將軍仍蔚等十七人來, 獻駿馬.

[乙卯[27日], 有客星, 大如燈:天文1轉載].[122)]

· 『용비어천가』 권5, 32章, "周禮, 王□[之]五輅, 玉輅, 以祀不以封, 爲最貴. 金輅, 以封同姓, 爲次之. 象輅, 以封異姓, 爲又次之. 革輅, 以封四衛, 爲又次之. 木輅, 以封蕃國, 爲最賤". 이는 『周禮』 권32, 夏官, 大馭에 나오는 것이 아니라 『書經集傳』에 있는 것이 아닐까한다.

· 『書經集傳』 권6, 顧命, "… 大輅在賓階面, 綴輅在阼階面, 先輅在左塾之前, 次輅在右塾之前[注, 大輅, 玉輅也, 綴輅, 金輅也. 先輅, 木輅也. 次輅象輅·革輅也. 王之五輅, 玉輅, 以祀不以封, 爲最貴. 金輅, 以封同姓, 爲次之. 象輅, 以封異姓, 爲又次之. 革輅, 以封四衛, 爲又次之. 木輅, 以封蕃國, 爲最賤. …"[四庫全書本12左6行].

· 『한서』 권40, 張良傳10, "蘇林曰, 革者, 兵車, 革輅軒者, 朱軒也".

· 『여유당전서』 권25, 小學紺珠, 五之類, "五輅者, 天子之法駕也. 一曰玉路[注, 祭所乘], 二曰金路[封同姓], 三曰象路[封異姓], 四曰革路[封四衛], 五曰木路[封蕃國], 此之謂五輅也. 五輅之名, 出'周禮'[巾車文. 又重翟·厭翟·安車·翟車·輦車, 爲王后五輅]".

121) 이는 「開城靈通寺大覺國師碑」; 「仁同僊鳳寺大覺國師碑」에 의거하였다(後者, 보물 제251호, 許興植 1984년 593面 ; 李智冠 2004년 3冊 189面).

122) 契丹에서는 8월 9일(丙申) 長蛇座(Hydra)와 唧筒座(Antlia) 사이에 新星[客星]이 출현하였다고 한다(席澤宗 2002年 39面).

· 『요사』 권15, 본기15, 道宗2, 咸雍 1년, "八月丙申, 客星犯天廟".

秋七月己未朔小盡,甲申, 自春涉夏, 雨澤未洽, 至是, 甘霖霈然, 命近臣, 賦喜雨詩.[123)]
乙亥17日, 幸東池, 御龍船, 置酒. 太子·宗室侍宴, 夜分乃罷.

八月[戊子朔大盡,乙酉, 歲星·熒惑, 失度, 設醮毬庭, 以禳之:天文1轉載].
[→戊子朔, 木·火二星失度, 醮于毬庭, 以禳之:禮5雜祀轉載].[124)]
丙午19日, 遣尙書右僕射金良贄·殿中少監徐靖, 如契丹, 謝册命.

九月戊午朔小盡,丙戌, 癸未26日, 宋商郭滿·黃宗等來, 獻土物.
○遣禮部尙書崔尙·將作少監金成漸, 如契丹, 謝太子册命.

[冬十月丁亥朔大盡,丁亥, 己丑3日, 流星出營室, 入天將軍, 大如木瓜:天文1轉載].
[乙巳19日, 日重暈, 赤氣貫日, 又有兩珥:天文1轉載].
[是月, 靈通寺居僧煦受具足戒於佛日寺戒壇. 煦年十一:追加].[125)]

[十一月丁巳朔小盡,戊子, 甲申28日, 雷雨:五行2轉載].

冬十二月丙戌朔大盡,己丑, 契丹遣左諫議大夫傅平來, 賀生辰.
[甲辰19日, 有星出奎, 過東壁東壁, 入羽林, 大如木瓜, 色白:天文1轉載].

---

123) 宋에서는 봄에 비가 오지 않았다고 하며(『송사』 권66, 지19, 오행4), 日本에서는 4월에서 6월에 걸쳐 全國에서 旱魃이 있었다고 한다(中央氣象臺 1941年 2册 529面).
· 『扶桑略記』 29, 康平 8년 5월, "十二日辛未, 於禁中被修大般若御讀經, 今年當三合之厄運, 天下怖災, 然間自去四月賀茂祭日以來, 雨澤不降, 旱澇最酷, 仍所被行也. 十七日丙子, 廿一寺奉幣, 依同災也".
· 『歷代皇記』, "康平八年, 此年, 天下旱魃, 自六月十五日, 於神泉苑祈雨".
124) 이들 두 자료의 비교를 통해 歲星이 木星(Jupiter)이고, 熒惑이 火星(Mars)임을 쉽게 알 수 있다.
125) 이는 「開城靈通寺大覺國師碑」에 의거하였다(金石總覽 305面 ; 李智冠 2004년 3册 109面).

丙午[文宗]二十年, 契丹咸雍二年, [宋治平三年], [西曆1066年]

1066년 1월 29일(Gre2월 4일)에서 1067년 1월 17일(Gre1월 23일)까지, 354일

春正月丙辰朔小盡,庚寅, 放朝賀.

乙亥20日, 制, "自今年限三年, 禁中外屠殺".

己卯24日, 以金良儉爲春夏番知西北面兵馬事.

二月乙酉朔大盡,辛卯, [某日, 三司奏, "門下侍中金元鼎卒已四年, 猶闕恤典, 請加賻贈". 制, "賜穀一百三十碩":節要轉載].

[→後三司奏, "□金元鼎卒已四年, 猶闕賻贈. 謹按工部尙書鄭層之喪, 既經大祥, 制責有司稽緩, 卽加追贈. 請從前制賻贈", 從之, 賜穀一百三十石:列傳8金元鼎轉載].

[甲午10日, 虎鬪死于宮城北:五行2轉載].

[乙未11日, 雨土:五行3轉載].

己亥15日, 雲興倉灾.[126]

[庚子16日, 月食:天文1轉載].[127]

辛亥27日, 制曰, "雲興倉之灾, 官失其守. 以積年之所畜, 棄一夜之橫灾, 可不痛哉. 此後, 凡倉稟·府庫, 別置禁火員吏, 御史臺以時点檢, 闕日直者, 勿論官品, 先禁後聞".

三月乙卯朔小盡,壬辰, 戊午4日, [淸明]. 親醮于毬庭.[128]

丁丑23日, 有星出乾方, 大如月, 俄變爲彗孛.[129]

---

126) 이와 같은 기사가 지7, 五行1, 火, 火災에도 수록되어 있다.

127) 이날은 율리우스력의 1066년 3월 14일이고, 월식 현상이 심했던 때의 世界時는 14시 28분, 食分은 0.95이었다(渡邊敏夫 1979年 472面).

128) 이 기사는 지17, 禮5, 雜祀에도 수록되어 있다.

129) 宋에서는 3월 5일(己未) 彗星이 관측되었고(『송사』 권56, 지9, 천문9, 彗孛, 彗星), 일본에서는 3월 6일(庚申) 새벽에 혜성이 출현하였다고 한다(『扶桑略記』 29, 治曆 2년 ; 『百練抄』 第4, 治曆 2년, 三國의 曆日이 同一). 또 이 彗星은 핼리혜성(1p/Halley, Halley's comet)으로 추측된다(→성종 8년 9월 16일의 脚注).
·『中右記』, 長承 1년 9월 6일, "延喜以後彗星見年々, … 治曆二年三月六日, …".

○契丹復國號曰大遼.

[→契丹東京留守牒, 報復國號曰大遼:節要轉載].[130)]

夏四月甲申朔大盡,癸巳, [己丑6日, 日旁, 有氣如虹:天文1轉載].

庚寅7日, 京城地震.

癸巳10日, 再雩.

壬寅19日, 制, "以近侍爲京城左·右倉及龍門·雲興倉別監".

癸卯20日, 禘于大廟太廟及別廟.

○賜高仲臣等及第[131)].

[○制曰, "書曰, 食哉惟時, 一夫不耕, 必有受其飢者.[132)] 郡牧之職, 農桑爲急, 諸道外官之長, 皆令帶勸農使":節要·食貨2農桑轉載].

甲辰21日, [小滿]. 遣司宰卿高復昌如遼, 賀改國號.

丙午23日, 攝太僕卿李聰顯, 以踈慵不勤, 免.

五月甲寅朔大盡,甲午, 乙卯2日, 制, "改國原侯名烝爲祁".

○禱雨于川上.

[六月甲申朔小盡,乙未:追加].

---

130) 契丹[Kitai, Kitan]이 國號를 大遼로 바꾼 것은 是年 1월 18일(癸酉)이므로(『송사』 권13, 본기13, 英宗 治平 3년 1월 癸酉), 이때는 고려에 通報해 온 시기일 것이다.
契丹은 원래의 國號가 哈喇契丹 또는 契丹인데, 947년(大同1) 2월 1일 大遼로 改稱하였다고 하며(『요사』 권4, 본기4, 太宗下, 大同 1년 2월 丁巳朔), 각종 자료에 의하면 이후 몇 차례에 걸쳐 國號를 바꾸었다고 한다. 곧 漢文國號는 916년~937년 大契丹, 938년~982년 大遼(燕雲16州의 漢地)·大契丹(契丹故地), 983년~1065년 大契丹, 1066년~1125년 大遼였으며, 契丹文字와 女眞文字로 쓰여진 자료에는 모두 哈喇契丹 또는 契丹로 되어 있다고 한다(劉浦江 2001年).

131) 이와 관련된 기사로 다음이 있는데, 高仲臣은 高令臣으로 改名하였다고 한다(『登科錄』).
· 지27, 선거1, 科目1, 選場, "文宗二十年四月, 起居舍人盧寅知貢擧, 取進士, 下詔賜乙科高仲臣等三人·丙科七人·同進士四人·明經二人及第".

132) 이는 다음의 자료를 合成한 것이므로 上記의 文章은 "書曰, 食哉, 惟時柔遠能邇, 惇德允元, 而難任人, 蠻夷率服. 漢書曰, 一夫不耕, 必有受其飢者" 또는 이의 축약으로 고쳐야 옳게 될 것이다.
·『書經』, 堯典, "食哉, 惟時柔遠能邇, 惇德允元, 而難任人, 蠻夷率服".
·『한서』 권24上, 食貨志第4上, "筦子曰 … 古之人言, 一夫不耕, 或受其飢, 一婦不織, 或受之寒".

秋七月[癸丑朔大盡,丙申], 甲寅[2日], 詔曰, "孟秋之月, 成熟之時, 餘陽用事, 旱氣猶深, 此必刑罰有失, 寃抑所致. 朕霄旰思慮, 未獲寧居, 凡中外百司, 審刑察獄, 罔有寃濫".[133)]

[某日, 制, "諸官人歸鄕者, 充常戶, 諸因畏懼致死者, 以絞論, 有乖於義, 皆除之":節要·刑法2恤刑轉載].

[是月, 梁州管內東平縣戶長得意·周伯等鑄成仙岳寺銅鍾一軀:追加].[134)]

[八月癸未朔[小盡,丁酉]:追加].

九月[壬子朔大盡,戊戌], 乙丑[14日], 幸王輪寺.

庚辰[29日], 幸妙通寺, 設摩利支天道場.

[十月[壬午朔小盡,己亥], 己丑[8日], 王師爛圓入寂, 年六十八, 臘五十七. 命官庀葬事, 贈諡景德國師:追加].[135)] [是後, 爛圓之弟子靈通寺居僧煦繼法:追加].[136)]

冬十一月[辛亥朔大盡,庚子], 壬子[2日], 遼橫賜使·歸州刺史耶律賀來.[137)]

---

133) 契丹에서는 이달의 15일(丁卯)에 旱魃로 인해 굶주리고 있는 山後(太行山의 北部인 현재의 山西省과 河北省의 長城이 있는 地域)의 貧民을 救濟하게 하였다고 한다.

· 『요사』 권22, 본기22, 道宗2, 咸雍 2년 7월 丁卯, "以歲旱, 遣使振山後貧民".

134) 이는 「仙岳寺鍾銘」에 의거하였다(大阪市 地域의 個人 所藏, 坪井良平 1974年a 96面 ; 黃壽永 1978년 301面 許興植 1984년 501面).

135) 이는 「開城興福寺景德國師墓誌銘」에 의거하였는데, 이날은 율리우스曆으로 1066년 10월 29일(그레고리曆 11월 4일)에 해당한다(金龍善 2006年 24面).

136) 이는 「陜川般若寺元景王師塔碑」, "… 丙午歲景德門遷化, 大覺傳繼法師, …"에 의거하였다.

137) 耶律賀가 관할하던 歸州는 1011년(統和29, 현종2) 1월 철수하던 거란군에 의해 서북지역에서 피로된 고려인[발해유민]로 만들어진 州縣라고 한다. 또 歸州는 耶律賀가 다스리던 시기에는 觀察使州가 아니라 刺史州였던 것 같다. 그리고 歸州의 위치는 어느 곳인 알 수 없으나 東京[遼陽府]의 관할인 것을 보아 현재의 遼寧省 지역에 있었을 것이다.

여기에서 ~~添字~~와 같이 고쳐야 옳게 될 것이다. 일반적으로 前近代社會의 記錄者들은 隣近 國家의 名稱을 當代의 것을 이용하지만, 自身이 典故에 該博하다는 것을 誇示하기 위해 前代의 名稱으로 바꾸어 기록하는 경우도 있었다. 그래서 고려를 三韓, 高句麗, 新羅로 표기하였는데, 이를 제대로 理解하지 못한 현재의 學者들은 時間을 제대로 계산하지 못해 엉뚱한 所見을 제시하고 있다.

· 『요사』 권38, 지8, 지11, 지리2, 東京道 歸州, "觀察, 太祖平渤海, 以降戶置, 後廢, 統和二十九年伐高麗, 以所俘渤海戶復置".

· 『요사』 권15, 본기15, 開泰 1년 12월 1일(甲申), "歸州言, 其居民本新羅[高麗]所遷, 未習文字, 請

十二月辛巳朔[小盡,辛丑], 遼遣崇祿卿王去惑來, 賀生辰.

丁未[文宗]二十一年, 契丹咸雍三年, [宋治平四年], [西曆1067年]

1067년 1월 18일(Gre1월 24일)에서 1068년 2월 5일(Gre2월 11일)까지, 13개월 384일

春正月庚戌朔[大盡,壬寅], 放朝賀.

庚申[11日], 興王寺成, 凡二千八百間, 十二年而功畢. 王欲設齋以落之, 諸方緇流, 坌集無算. 命兵部尙書金陽·右街僧錄道元等, 擇有戒行者一千赴會, 仍令常住.[138)]

戊辰[19日], 特設燃燈大會於興王寺, 五晝夜. 勑令百司及安西都護·開城府, 廣·水·楊·東·樹五州, 江華·長湍二縣, 自闕庭至寺門, 結綵棚, 櫛比鱗次, 連亘相屬, 輦路左右. 又作燈山·火樹, 光照如晝. 是日, 王備鹵簿率百官, 行香. 施納財襯, 佛事之盛, 曠古未有.

辛未[22日], 御帳殿于神鳳樓東, 宴群臣.

丙子[27日], 謁昌陵[世祖], 賜執事者, 爵一級, 侍從軍士, 賜物有差.

[是月丁巳[8日], 宋英宗卒, 趙頊即位, 是爲神宗, 仍用治平年號:追加].

閏[正]月[庚辰朔小盡,癸卯, 139)], 丁亥[8日], 東女眞懷化將軍仍蔚等二十二人來, 獻土物.

[是月, 鸛·雀巢□[于]廣化·閶闔二門鴟吻:五行1轉載].

[○虎屢入京城:五行2轉載].

二月己酉朔[大盡,甲辰], 御神鳳樓, 以興王寺成, 肆赦.

庚午[22日], 制, "自今諸州縣, 勿貢魚脯".

三月[己卯朔小盡,甲辰], 己丑[11日], 中書令致仕王寵之卒.[140)] [輟朝三日, 謚景肅:列傳8王

設學以敎之, 詔允所請".

138) 興王寺의 현재 개성시 개풍군에 있고(옛 開豊郡 鳳東面 興旺里 久村洞, 開城驛에서 동남쪽으로 30里), 1948년 11월 말에 地表調査가 행해졌다(黃壽永 1994년).

139) 이해는 閏年으로 宋曆·契丹曆에서는 閏③월이지만, 高麗曆·日本曆에서는 閏①월이다. 이로 인해 月次에 차이가 있지만, 大小에는 차이가 없어 日辰에 변동이 없다.

寵之轉載].

癸巳[15日], 制, "故門下侍中崔沆·姜邯贊·參知政事金猛, 淸節直道, 歷輔累朝, 功在方策. 今四方樂康, 民受其賜, 皆諸公之力也, 可贈沆·邯贊守太師兼中書令, 猛太子太師·門下侍中".[141)]

戊戌[20日], 幸長源亭.

乙巳[27日], 制, "漕運雜穀四萬九千四百石于朔北諸州郡[諸州], 以給邊民".[142)]

[夏四月[戊申朔大盡,乙巳], 某日, "制, 關內·浿西道, 往歲, 禾稼不登, 民飢乏, 發[西海道長淵縣]安瀾倉, 賑之": 食貨3水旱疫癘賑貸之制轉載].[143)]

夏五月[戊寅朔小盡,丙午], 戊戌[21日], 宴國老於閤門, 賜衣物.

六月[丁未朔大盡,丁未], 辛酉[15日], 王受普薩戒[菩薩戒]于乾德殿.

[某日, 制, "諸州郡, 歲貢牛皮·筋·角, 以平布折納": 節要轉載].[144)]

[某日, 制, "漕運[西海道長淵縣]安瀾倉米, 二萬七千六百九十碩于朔北, 以充軍資": 節要·兵2屯田轉載].

[是月, 大德成念造成雲門寺甘露尊, 入重三十斤: 追加].[145)]

秋七月[丁丑朔大盡,戊申], [辛巳[5日], 流星出墓·歷·危, 疾行, 入織女, 分爲六七, 如紅纓貫白玉, 其前者, 大如木瓜, 後者, 如雞卵, 有聲如雷, 良久乃止: 天文1轉載].

[乙酉[9日], 以王子·靈通寺居僧煦爲祐世僧統: 追加].[146)]

---

140) 이날은 율리우스曆으로 1067년 4월 27일(그레고리曆 5월 3일)에 해당한다.

141) 崔沆에 대한 내용은 그의 열전에도 수록되어 있다(열전6, 崔沆).

142) 諸州郡은 『고려사절요』 권5에는 諸州로 되어 있다. 邊境地帶[兩界]에는 郡이 설치되지 않았으므로 後者가 옳을 것이다.

143) 이 기사는 『고려사절요』 권5에 축약되어 있다("以關內浿西道饑, 發安瀾倉, 賑之"). 또 安瀾倉은 1064년(문종18)~1067년(문종21) 사이에 創立되었다고 한다(韓禎訓 2004년).

144) 이와 관련된 기사로 다음이 있는데, 二十年은 二十一年에서 脫字가 있었던 것 같다
· 지32, 식화1, 貢賦, "文宗二十年~~二十一年~~六月, 判[制], 諸州縣, 每年常貢, 牛皮筋角, 以平布, 折價代納".

145) 이는 「雲門寺青銅甘露尊銘」에 의거하였다(雲門寺 所藏, 許興植 1984년 501面).

146) 이는 다음의 두 자료에 의거하였는데, 紀年이 前者보다 소략하게 처리된 後者의 경우 刻字 또는 碑文의 判讀에서 어떤 착오가 있었던 것 같다.

癸巳17日, 太白晝見.

[八月乙未朔小盡,己酉:追加].

九月丙子朔大盡,庚戌, 乙酉~~10日~~, 幸松岳亭置酒, 命詞臣賦詩. [中書侍郎平章事崔惟善應製警絶, 賜馬一匹:節要轉載].

[→王以重九~~甲申9日~~, 宴松嶽亭, 命詞臣賦詩. 覽惟善詩, 稱奬不已, 賜尙乘馬:列傳8崔惟善轉載].[147]

[○□□~~先是~~, 惟善爲□~~攝~~中書令, 弟惟吉守司空·攝尙書令, 父沖, 年高尙無恙. 一日, 王賜國老宴, 惟善·惟吉, 扶以入赴. 時稱盛事, 翰林學士金行瓊, 作詩賀曰, "尙書令侍中書令, 乙狀元扶甲狀元"列傳8崔沖轉載].[148]

丁酉22日, 國師海麟請老還山. 王親餞于玄化寺, 賜茶·藥·金銀器皿·綵叚綵段·寶物.[149]

[庚子25日, 月犯熒惑及大微~~太微~~扉星:天文1轉載].

[冬十月丙午朔小盡,辛亥, 黑霧四塞:五行1黑眚黑祥轉載].

[十一月乙亥朔大盡,壬子, 壬午8日, 日南至冬至, 大雷雨:五行2轉載].

冬十二月乙巳朔小盡,癸丑, 遼遣寧川~~寧州~~管內觀察使胡平來, 賀生辰.

[癸丑9日, 月犯畢奕星:天文1轉載].

[□□~~是歲~~, 改楊州爲南京留守官, 徙旁郡民, 實之:節要轉載].[150]

· 「開城靈通寺大覺國師塔碑」, "… 丁未文宗21年七月乙酉, 教書褒爲祐世僧統, …".

· 「仁同僊鳳寺大覺國師碑」, "… 及文祖二十三年~~二十二年~~, 賜號祐世, 授職爲僧統, …". 여기에서 ~~添字~~는 筆者가 당시의 紀年方式으로 改書한 것이다.

147) 이 기사는 위의 기사와 1일의 차이가 있다.

148) 原文의 惟善後爲中書令을 惟善爲中書令으로 改書하였고, 또 이때 최유선이 中書侍郞平章事이므로 ~~添字~~를 추가하여야 옳게 될 것이다. 여기에서 인용된 金行瓊의 시는 『동문선』 권18, 賀崔中令~~中書令~~赴內宴이다.

149) 이때의 형편은 「原州法泉寺智光國師玄妙塔碑」에 구체적으로 서술되어 있다.

150) 이와 같은 기사가 지10, 地理1, 南京留守官楊州에도 수록되어 있다.

[○城德州六百四十二閒, 門四:兵2城堡轉載].

戊申[文宗]二十二年, 契丹咸雍四年, [宋熙寧元年], [西曆1068年]

1068년 2월 6일(Gre2월 12일)에서 1069년 1월 25일(Gre1월 31일)까지, 355일

春正月甲戌朔[大盡,甲寅], 日食.[151)]

丁丑[4日], 東女眞歸德將軍霜緐等來朝.

癸巳[20日], 幸興王寺, 設慶成會, 信宿乃還.

丁酉[24日], 以[中書侍郎平章事]崔惟善△[爲]判尙書吏部事, [中書侍郎平章事]王懋崇△[爲]判尙書刑部事, [中書侍郎平章事]金義珍△[爲]判尙書兵部事, 餘並如故.

戊戌[25日], 以金行瓊爲兵部尙書, 李頲爲右散騎常侍.[152)]

[是月甲戌朔, 宋改元熙寧:追加].

二月[甲辰朔小盡,乙卯], 辛亥[8日], 以將作監全錫祚△[爲]知西北面春夏番兵馬事, 太府少卿李徵望爲東北面春夏番兵馬副使.

[三月:削除], 丁卯[24日], 耽羅星主·游擊將軍加也仍來, 獻土物.[153)]

[某日, 制, “凡人, 無後者, 無兄弟之子, 則收他人三歲前棄兒, 養以爲子, 卽從其姓, 繼戶付籍[繼後付籍], 已有成法. 其有子孫及兄弟之子, 而收養異姓者, 一禁”:節要·刑法1戶婚轉載].[154)]

---

151) 이날 宋·契丹에서도 日食이 있었다(『송사』 권52, 지5, 천문5, 日食 ; 『요사』 권22, 본기22, 道宗2, 咸雍 4년 1월 甲戌). 또 일본의 교토[京都]에서도 일식이 있었다(高麗曆과 同一). 이날은 율리우스력의 1068년 2월 6일이고, 開京에서 일식 현상이 심했던 시간은 13시 27분, 食分은 0.65이었다(渡邊敏夫 1979年 305面).

·『扶桑略記』 29, 治曆 4년, “正月朔, 日蝕”.

152) 이때 李頲은 44歲로 右散騎常侍에 임명되었는데, 그의 묘지명의 기록과 일치한다(李頲墓誌銘).

153) 이 기사는 “三月丁卯, 耽羅星主游擊將軍加也仍來, 獻土物”로 되어 있으나, 3월에는 丁卯가 없다. 그런데 『고려사절요』 권5에는 2월로 되어 있으므로 2월 丁卯(24日)에 일어난 일임을 알 수 있다(東亞大學 2008년 3책 436面). 그래서 三月丁卯에서 三月을 削除하고 2月에 編入시켰다[校正事由].

154) 添字는 지38, 刑法1, 戶婚에서 달리 표기된 것인데(蔡雄錫 2009년 338面), 후자가 옳을 것이다. 곧 組版할 때 定稿本의 ‘繼后付籍[繼後付籍]’을 ‘繼戶付籍’으로 잘못 集字하였을 가능성이

[三月[癸酉朔小盡,丙辰], 某日, 制, “去歲, 京北郡縣, 秋稼不登, 民多飢乏, 遣國子司業李成美, 發倉賑之”: 食貨3水旱疫癘賑貸之制轉載].[155]

夏四月[壬寅朔大盡,丁巳], [乙卯[14日], 月行陰道, 躔左執法又犯軫星: 天文1轉載].
甲子[23日], 以崔尙△[爲]同知中樞院事.
丙寅[25日], 御文德殿覆試, 賜崔騆等及第.[156]

五月[壬申朔小盡,戊午], 甲午[23日], 制曰, “自春徂夏, 時雨愆期, 驕陽肆威, 稼穡焦槁. 此盖寡人凉德, 致玆咎徵, 思欲側身, 用答天譴. 自今日以前, 內外雜犯公流·私徒以下罪, 皆原之”.[157]

六月[辛丑朔大盡,己未], 壬寅[2日], 東女眞歸德將軍安矩等來朝.
庚申[20日], 東界兵馬使奏, “判官任希悅·錄事鄭申·將軍巨興等乘戰艦, 巡行椒島, 遇賊船十艘, 與戰敗之, 獲七艘, 俘斬甚多”. 王嘉之, 賜希悅等便服一襲·金鍍銀帶一腰, 諸有戰功者, 悉加爵賞.
[某日, 制, “禁以伯叔及孫子行者爲養子”: 節要·刑法1戶婚轉載].[158]

秋七月[辛未朔大盡,庚申], 辛巳[11日], 宋人黃愼來見, 言, “皇帝[神宗]召江淮兩浙荊湖南北路都大制置發運使羅拯曰, 高麗, 古稱君子之國, 自祖宗之世, 輸款甚勤, 暨後, 阻絶久矣. 今聞其國主賢王也, 可遣人諭之. 於是, 拯奏遣愼等來, 傳天子之意”. 王悅, 館待優厚.[159]

있다. 또 原文에서 이 기사의 冒頭에 二月이 생략되었다.

155) 이 기사는 『고려사절요』 권5에 축약되어 있다(“制, 去歲, 京北郡縣, 秋稼不登, 民多飢乏, 其發倉賑之”).

156) 이와 관련된 기사로 다음이 있다.
· 지27, 선거1, 科目1, 選場, “[文宗]二十二年四月, [同知中樞院事]崔尙知貢擧, 取進士, 覆試, 下詔賜乙科崔騆等二人·丙科五人·同進士十人·明經二人·恩賜一人及第”.

157) 宋에서는 이해의 1월 이래 비가 내리지 않아 罪囚를 赦免하고, 宰臣으로 하여금 비를 빌게 하였다(『송사』 권14, 본기14, 神宗1, 熙寧 1년 1월 丁丑, 4월 戊申).

158) 지38, 刑法1, 戶婚의 冒頭에서는 六月이 생략되었다.

159) 黃愼은 『송사』 권331, 열전90, 羅拯에는 泉州商人 黃謹으로 되어 있고, 『송사』 권487, 열전246, 外國3, 高麗에는 黃眞으로 되어 있다.

○宋商林寧等來, 獻土物.

丁酉[27日], 東界兵馬使奏, "判官任希悅·都部署副使裴行之·元興鎭副使石秀珪等, 又巡椒島, 夜至闍羅浦, 遇賊船八艘, 擊破三艘. 餘賊, 登岸奔潰, 追斬三十餘級". 王厚加爵賞.

[是月乙酉[15日], 任訪開板'唐賢詩範':追加].[160)]

八月[辛丑朔小盡,辛酉], 丁巳[17日], 命太子, 召宋進士愼修[愼脩]·陳潛古·儲元賓等, 試詩賦於玉燭亭.[161)]

己未[19日], 以姜源廣爲御史大夫.

庚申[20日], 以衛尉卿文揚烈△[爲]知西北面秋冬番兵馬事, 刑部侍郎洪德威爲東北面秋冬番兵馬副使.

九月[庚午朔大盡,壬戌], 甲申[15日], 守太師·中書令致仕崔冲卒.[162)] [冲, 海州大寧郡人, 風姿瑰偉, 性操堅貞. 少好學, 善屬文, 穆宗朝, 擢甲科第一. 歷仕四朝, 資兼文武, 出入將相, 年至七旬, 乞退. 王重違其志, 特允之, 然軍國大事, 悉就咨焉. 累加推忠·贊道·佐理·同德·弘文·懿儒·保定·康濟功臣號. 自顯廟中興, 干戈纔息, 未遑文敎, 冲收召後進, 敎誨不倦, 諸生塡溢門巷, 遂分九齋, 曰樂聖·大中·誠明·敬業·造道·率性·進德·大和·待聘. 謂之侍中崔公徒, a凡應擧者, 必先隷徒中, 學焉. 每歲暑月, 借歸法寺僧房, 爲夏課, 擇徒中及第, 學優未官者, 爲敎導, 授以九經三史. 間或先進來過, 乃刻燭賦詩, 牓其次第, 呼名而入, 設小酌, 童冠列左右, 奉樽俎, 進退有儀, 長幼有序, 竟日酬唱, 觀者, 莫不嘉嘆. 及卒, 遣太醫監李鹽, 賫詔弔慰, 諡文憲, 配享靖宗廟庭. b自後擧子, 亦皆隷名九齋籍中, 謂之文憲公徒. 又有儒臣立徒者十一, 世稱十二徒, 冲徒, 爲最盛. 東方學校之興, 蓋由冲始, 時謂海東孔子:節要轉載].[163)]

---

160) 이는 다음의 자료에 의거하였다(鄭容秀 2016년).
·『唐賢詩範』序文, "唐賢詩範序, … 時熙寧改元七月望日樂安任訪".

161) 愼修는 여타의 기록에서는 모두 愼脩(宋 開封府人, 愼安之의 父)로 표기되어 있는 것을 보아(→문종 29년 12월 20일, 숙종 6년 2월 15일 ; 열전10, 劉載, 愼安之) 後者의 다른 표기일 것이다.

162) 이날은 율리우스曆으로 1068년 10월 13일(그레고리曆 10월 19일)에 해당한다.

163) 이에서 밑줄 친 부분의 내용은 입학 자격을 설명한 것인데,『익재난고』권9상, 忠憲王世家에는 '自公卿適庶[嫡庶], 下知州縣擧子'로 달리 표기되어 있다(a, b 모두 해당됨).

[→[文宗]二十二年卒, 王遣太醫監李塩, 下詔弔其子惟善等曰, "卿父, 人中威鳳, 朝右元龜. 抱夔齊至魯之文章, 夙登大輔, 振咀業呑嚓之謀畫, 歷贊昌辰, 懿厥績, 庸光于編册. 迨其蟬瑨, 遺慶附諸冠子冕孫. 鳩杖退閑, 樂乃琴壎笙典. 臥扶宸極, 蔚爲干木之偃藩, 坐奠夢楹, 忽感宣尼之摧棟. 顧百身而難贖, 傾萬乘以荐悲. 卿等, 橫遘家艱, 尤深宅恤. 宜勉孝追之禮, 莫興過毁之哀". ○顯宗以後, 干戈纔息, 未遑文敎. 冲收召後進, 敎誨不倦, 學徒坌集, 塡溢街巷. 遂分九齋, 曰樂聖·大中·誠明·敬業·造道·率性·進德·大和·待聘, 謂之侍中崔公徒. 凡應擧子弟, 必先隷徒中學焉. 每歲暑月, 借歸法寺僧房, 爲夏課, 擇徒中及第學優未官者, 爲敎導, 授以九經·三史. 間或先進來過, 刻燭賦詩, 牓其次第, 唱名以入, 設小酌. 童冠列左右奉樽俎, 進退有儀, 長幼有序. 相與酬唱, 及日暮, 皆作洛生詠以罷, 觀者莫不嘉歎. ○及卒, 諡[諡]文憲. ○後凡赴擧者, 亦皆隷名九齋籍中, 謂之文憲公徒. 又有儒臣立徒者十一, 弘文公徒, 侍中鄭倍傑, 一稱熊川徒, 匡憲公徒, 叅政盧旦, 南山徒, 祭酒金尙賓, 西園徒, 僕射金無滯, 文忠公徒, 侍郎殷鼎, 良愼公徒, 平章金義珍, 一云郞中朴明保, 貞敬公徒, 平章黃瑩, 忠平公徒, 柳監, 貞憲公徒, 侍中文正, 徐侍郞徒, 徐碩, 龜山徒, 未知爲何人. 世稱十二徒, 冲徒爲最盛. 東方學校之興, 盖由冲始, 時謂海東孔子. ○宣宗三年□□[~~三月~~], 配享靖宗廟庭. ○子惟善·惟吉. 惟吉, 官至尙書令, 子思諏, 自有傳. 冲子孫, 以文行登宰輔者, 數十人: 列傳8崔冲轉載].[164]

[→文宗朝, 大師[~~守太師~~]·中書令崔冲收召後進, 敎誨不倦, 靑衿白布, 塡溢門巷. 遂分九齋, 曰樂聖·大中·誠明·敬業·造道·率性·進德·大和·待聘, 謂之侍中崔公徒. 衣

---

164) 崔冲에 관한 기록으로 다음이 있는데, 그 중에서 金行瓊의 글은 『동문선』 권18, 賀崔中令[~~中書令~~]赴內宴과 동일하다. 또 여기의 연대표기는 고려시기의 卽位年稱元法에 의거한 것이거나 誤謬가 있으므로 ~~添字~~와 같이 理解하는 것이 좋을 것이다.

· 『보한집』 序, "崔文憲公冲, 命世興儒, 吾道大行. 至於文廟時, 聲名文物, 粲然大備".

· 『보한집』 권상, "崔文憲公冲有二子, 常戒之曰, '士以勢力進, 鮮克有終, 以文行達, 乃爾有慶. 吾幸以文行顯, 誓以淸愼終于世'. 乃作訓子孫文, 傳之. 中葉不謹, 失其本, 有二詩. 其一曰, '家世無長物, 唯傳至寶藏. 文章爲錦繡, 德行是珪璋. 今日相分付, 他年莫散忘. 好支[好枝]廊廟用, 世世益興昌'. 文憲公之孫, 中書令思諏, 作訓儉文, 遺子平章□[事]溱, 溱之孫持示予. 今已三十餘年, 但記'吾祖令公, 常用木器'八字, 忘其餘. 不知其卷子, 今誰傳之. 文憲公於成宗在位二十五年[~~穆宗八年~~]乙巳, 擢第春官, 爲甲科第一, 位至內史令. 其子文和公惟善, 當顯宗二十二年[~~二十一年~~]庚午, 爲御試乙科獨元. 文宗七年[~~十五年~~]辛丑, 改內史爲中書, 父子皆拜爲中書令. 次子惟吉, 以門蔭累遷, 守司空·左僕射·攝尙書令. 及二十二年[~~二十一年~~]丁未, 上賜宴國老, 文和公兄弟扶持文憲公入赴, 當時以爲盛事. 翰林學士金行瓊, 作詩賀之曰, 紫綬金章子及孫, 共陪鳩枕醉皇恩. 尙書令侍中書令, 乙狀元扶甲狀元. 曠代唯聞四人到, 一門今有兩公存. 家傳冢宰猶爲罕, 世襲魁科最可尊. 幾日搢紳相藉藉, 今朝街路更喧喧. 聯翩功業流靑史, 雖禿千毫不足言".

冠子弟, 凡應擧者, 必先肄徒中, 而學焉. 每歲暑月, 借僧房, 結夏課, 擇徒中及第, 學優才贍, 而未官者, 爲敎導. 其學則九經三史也, 間或先進來過, 乃刻燭賦詩, 榜其次第, 呼名而入, 仍設酌. 童冠列左右, 奉樽俎, 進退有儀, 長幼有序, 竟日酬唱, 觀者莫不嘉嘆. 自後, 凡赴擧者, 亦皆肄名九齋籍中, 謂之文憲公徒. 又有儒臣立徒者十一. 曰弘文公徒, 侍中[~~中樞使·禮部尙書·贈門下侍中~~]鄭倍傑, 一稱熊川徒. 曰匡憲公徒, 參政[~~參知政事~~]盧旦, 曰南山徒, □□[~~國子~~]祭酒[·翰林侍講學士]金尙賓, 曰西園徒, 僕射金無滯, 曰文忠公徒, 侍中[~~贈門下侍中~~?]殷鼎. 曰良愼公徒, 平章[~~中書侍郞平章事~~]金義珍, 一云郎中朴明保. 曰貞敬公徒, 平章[~~贈平章事~~?]黃瑩, 曰忠平公徒, 柳監, 曰貞憲公徒, 侍中[門下侍中致仕]文正, 曰徐侍郎徒, 徐碩, 曰龜山徒, 未詳. 幷文憲公冲徒, 世稱十二徒, 然冲徒最盛 : 選擧2私學轉載].[165)]

[壬辰[23日], 月犯軒轅 : 天文1轉載].

冬十月[庚子朔大盡,癸亥], 乙卯[16日], 東女眞懷化將軍阿隣等來朝.

[某日, 制, "嫁母之喪, 前式無服. 然人子不服其喪, 似忘劬勞膝下之恩. 自今, 行百日服後, 以吉服正角出仕" : 禮6五服制度轉載].

[十一月庚午朔[小盡,甲子] : 追加].

十二月己亥朔[大盡,乙丑], 遼遣益州管內觀察使魏成來, 賀生辰.

戊申[10日], 尙書左僕射王顯三上章, 乞退.

是歲, 創新宮于南京.

[○置太子太師·太傅·太保, 各一人, [並]從一品. 少師·少傅·少保, 各一人, [並]從二

165) 이 기사는 열전8, 崔冲에도 수록되어 있으나 자구에 출입이 있다. 또 이들 私學 12徒의 창설자는 文宗, 宣宗代에 활약하던 인물인데, 生沒年을 알 수 있는 사람은 鄭倍傑(?~1051), 崔冲(984~1068), 金義珍(?~1070), 盧旦(?~1091), 文正(?~1093)이다. 그리고 金尙賓의 館職인 翰林侍講學士는 그의 外孫인 閔瑛의 묘지명에 의거하였다. 한편 이와 같은 12徒는 주로 禮部試[科業]를 준비하던 지배층 자제들을 대상으로 한 교육과정이었을 것이고, 그 이하의 庶民과 그 자제들은 주로 寺觀, 私塾 등에서 素養敎育을 받았던 것 같다.

· 『고려도경』 권40, 儒學, "… 下而閭閻陋巷間, 經館書社, 三兩相望. 其民之子弟未昏者, 則群居而從師授經, 旣稍長則擇友, 各以其類, 講習于寺觀. 下逮卒伍·童稚, 亦從鄕先生學. 於虖盛哉".

品. 賓客四人, 正三品. ○~~太子春坊,~~ 左·右庶子, 各一人, 正四品. 左·右諭德, 各一人, 正四品. 侍講學士·侍讀學士, 各一人, 從四品. 左·右贊善大夫, 各一人, 中舍人一人, 中允一人, 並正五品. 洗馬一人, 典內一人, 並從五品. 文學一人, 司議郞一人, 並正六品. 侍讀事一人. ○~~太子~~詹事府, 知府事一人, 詹事一人, 正三品. 少詹事一人, 從三品. 丞一人, 正六品. 司直一人. 正七品. 注簿一人, 從七品. 錄事一人, 正九品. 又置家□□~~令寺~~, 令一人, 從四品. 僕一人, 從五品. 內直郞一人, 從六品. 宮門郞, 從六品. ○<u>率更寺事</u>太子~~率更寺~~,[166] 率更令, 從五品. 率更士二人, 藥藏郞一人, 正六品, 藥藏丞, 正八品. ○~~太子~~左右司禦率府, 率·副率, ~~太子~~左·右監門率府, 率·副率, ~~太子~~左·右淸道率府, 率·副率, ~~太子~~左·右內率府, 率·副率. ○又有侍衛上·大將軍. 吏屬, 令史二人, 書令史一人, 書藝二人, 計史一人, 記官二人, 書手二人, 書者四人: 百官2東宮官轉載].[167]

[○春州道監倉使<u>李顗</u>造成普賢院, 於春州淸平山白巖寺舊址:追加].[168]

[○僧<u>樂眞</u>赴大選場, 捷獲選, 受大德:追加].[169]

己酉[文宗]二十三年, 契丹咸雍五年, [宋熙寧二年], [西曆1069年]

1069년 1월 26일(Gre2월 1일)에서 1070년 2월 13일(Gre2월 19일)까지, 13개월 384일

春正月己巳朔小盡,丙寅, 戊子20日, 東女眞懷化將軍沙於賀來朝.

[是月, 以楊廣道漢陽·沙川·交河·高峯·豊讓·深岳·幸州·海等州, 見州·抱州·峯城·金浦·陽川·富平·童城·石泉·荒調·黃魚·富原·果州·仁州·安山·衿州·南陽·守安·交州道永興·兎山·安峽·僧嶺·朔嶺·鐵原·西海道延安·白州·平州·俠州·新恩·牛

166) 率更寺事에서 事는 잘못 들어간 글자[衍字]로 추측된다.

167) ~~添字~~는 東宮官屬의 典範인 唐制를 염두에 두고(『구당서』 권44, 지24, 職官3, 東宮官屬), 고려시대에 임명된 事例를 통해 筆者가 追加하였는데, 詹事의 경우 後日 左·右詹事로 分化되었던 것 같다.

168) 이는 다음의 자료에 의거하였는데, ~~添字~~는 踰年稱元法을 사용한 『고려사』의 編年方式에 의거한 것이다.

· 『동문선』 권64, 淸平山文殊院記(金富轍 作), "… 至文廟<u>二十三年</u>~~二十二年~~, 歲在戊申, 故左散騎常侍·知樞密院事李公顗, 爲春州道監倉使, 愛慶雲勝境, 乃卽白巖之舊址, 置寺曰普賢院, 時熙寧元年也".

169) 이는 「陜川般若寺元景王師塔碑」에 의거하였다.

峯·通津·安州·鳳州·瑞興等州縣, 屬京畿:地理1開城府轉載].[170)]

二月戊戌朔大盡,丁卯, 戊午21日, 以太僕卿河周呂△爲知東北面春夏番兵馬事, 大府太府少卿朴陽旦~~朴楊旦~~爲西北面春夏番兵馬副使.[171)]

三月戊辰朔小盡,戊辰, 己巳2日, 幸興王寺, 登南峯禊飮, 製'上巳詩', 命侍臣和進.

[丁亥20日, 貞州海中, 沙土忽堆, 積如島嶼, 舟船阻碍. 命有司, 禳之, 乃滅:五行3轉載].

[是月, 判制, "諸州一品別將, 則以副戶長以上, 校尉, 則以兵·倉正·戶正·食祿正·公須正, 隊正, 則以副兵倉正, 副戶正·諸壇正, 試選弓科, 而差充":兵1五軍轉載].[172)]

夏四月丁酉朔小盡,己巳, □□是月, 旱.[173)]

癸卯7日, 幸眞觀寺.

五月丙寅朔大盡,庚午, 庚辰15日, 幸長源亭, 得瑞文石于亭下淵中, 命文臣, 進謌詩.[174)]

甲申19日, 禱雨.[175)]

癸巳28日, 以鄭惟產爲尙書左丞·右諫議大夫, 楊稚春爲侍御史, 韓億·李德昇並爲殿中侍御史, 孫冠爲左補闕, 趙倫簡·沈周贊並爲監察御史.

---

170) 이때 開城府의 管內인 指稱하는 京畿가 크게 확장된 것을 大京畿制라고 하는데, 이의 實行에 대해 贊反의 두 見解가 있다(尹京鎭 2008년c).

171) 朴陽旦은 朴楊旦(혹은 朴揚旦)의 오자로 추측된다. 1092년(선종9) 1월 6일(己丑)에는 朴揚旦으로, 「朴璜墓誌銘」에는 朴楊旦으로 되어 있는데, 楊과 揚은 行書로 쓰면 같은 글자로 보인다.

172) 이와 같은 기사로 다음이 있다.

· 지29, 選擧3, 鄕職, "判制, 別將則副戶長以上, 校尉則兵·倉正·戶正·食祿正, 隊正則副兵倉正·副戶正·諸壇正, 並弓科試選, 兼差".

173) 宋에서는 3월 이래 旱魃이 심하여 재상에게 명하여 비를 빌게 하고 罪囚를 赦免하였다(『송사』 권66, 지19, 오행4, 권14, 본기14, 신종1, 熙寧 2년 3월 丙戌, 乙未, 4월 戊申).

174) 이날 일본의 京都에서 맑았다고 한다(『土右記』, 延久 1년 5월, "十五日庚辰, 晴").

175) 이때 일본의 京都에서도 봄부터 비가 내리지 않았던 것 같고, 5월 26일부터 降雨가 있었던 것 같다.

· 『土右記』, 延久 1년 5월, "十七日壬午, 晴, … 今年自春不雩雨, 華夏之愁尤愁云々, … 十八日癸未, 快晴, … 十九日甲申, 晴, … 廿日乙酉, 晴, … 廿六日辛卯, 甚雨, … 廿七日壬辰, 朝雨, 辰以後雨".

六月[丙申朔小盡,辛未], 壬寅[7日], 宋商楊從盛等來, 獻土物.
[丙辰[21日], 京城東北山鳴, 聲如鼓, 旬日而止:五行1轉載].[176]

秋七月乙丑朔[大盡,壬申], 日食.[177]
丁丑[13日], 宋商王寧來, 獻土物.
癸巳[29日], 以尙書左丞·右諫議大夫鄭惟産爲西北面秋冬番兵馬副使, 兵部侍郞李澄望爲東北面秋冬番兵馬副使.

[八月乙未朔[小盡,癸酉]:追加].

[九月甲子朔[大盡,甲戌]:追加].

[冬十月[甲午朔大盡,乙亥], 某日, 以繡質九弓弩, 習射于北郊:節要·兵1五軍轉載].
[是月, 判[冊], "軍人年老身病者, 許令子孫親族代之. 無子孫親族者, 年滿七十, 間屬監門衛, 七十後, 只給口分田五結, 收餘田, 至於海軍, 亦依此例":食貨1田柴科·兵1五軍轉載].

[十一月甲子朔[大盡,丙子]:追加].

冬閏十一月[甲午朔小盡,丙子], 丁酉[4日], 王弟平壤公基卒.[178]
[戊申[15日], 小寒. 月食:天文1轉載].[179]

---

176) 이날 일본의 京都에서 맑았다고 하고, 이후 21일에서 27일까지 계속 맑았으나 23일은 흐렸다[陰]고 한다(『土右記』, 延久 1년 5월).

177) 이날 宋에서도 일식이 예측되었으나 구름으로 인해 관측되지 못했다고 하며(『송사』 권52, 지5, 천문5, 日食), 契丹과 日本에서는 일식이 있었다고 한다(『요사』 권22, 본기22, 道宗2, 咸雍 5년 7월 乙丑朔, 北東아시아 四國의 曆日이 同一함). 이날은 율리우스력의 1069년 7월 21일이고, 開京에서 일식 현상이 심했던 시간은 8시 31분, 食分은 0.83이었다(渡邊敏夫 1979年 305面).
·『扶桑略記』 29, 年久 1년, "七月朔, 日蝕".

178) 이 기사는 열전3, 顯宗王子, 平壤公基에도 수록되어 있다. 이날은 율리우스曆으로 1069년 12월 31일(그레고리曆 1070년 1월 6일)에 해당한다.

179) 宋에서도 1일전인 14일(丁未)에 월식이 있었다고 한다(『송사』 권52, 지5, 천문5, 月食). 또 이날(15日丙申)은 율리우스력의 1069년 12월 31일이고, 월식 현상이 심했던 때인 前日(14日丁未)

十二月癸亥朔[大盡,丁丑], [大寒]. 遼遣御史中丞高聳來, 賀生辰.

○遼東京回禮使·檢校右僕射耶律極里哥來.

[是年, 禮賓省移牒福建轉運使羅拯, 願再開國交:追加].[180]

[○定量田步數. 田一結,[181] 方三十三步[六寸爲一分, 十分爲一尺[十分爲六尺], 六尺爲一步]. 二結, 方四十七步, 三結, 方五十七步三分, 四結, 方六十六步, 五結, 方七十三步八分, 六結, 方八十步八分, 七結, 方八十七步四分, 八結, 方九十步七分, 九結, 方九十九步, 十結, 方一百四步三分:食貨1經理轉載].[182]

의 世界時는 16시 49분, 食分은 0.84이었다(渡邊敏夫 1979年 472面).

180) 이는 다음의 자료에 의거하였다.

· 『송사』 권487, 열전246, 外國3, 高麗, "熙寧二年, 其國禮賓省移牒福建轉運使羅拯云, 本朝商人黃眞·洪萬來稱, 運使奉密旨, 令招接通好. 奉國王旨意, 形于部述. 當國僻居暘谷, 邈戀天朝, 頃從祖禰以來, 素願梯航相繼. 蕞爾平壤, 邇于大遼, 附之則爲睦鄰, 疏之則爲勍敵. 慮邊騷之弗息, 蓄陸讋以靡遑. 久困羈縻, 難圖攜貳, 故違述職, 致有積年. 外雲祥, 雖美聖辰於中國, 空知日遠, 如迷舊路于長安. 運屬垂鴻, 禮稽展慶. 大朝化覃無外, 度豁包荒, 山不謝乎纖埃, 海不辭於支派. 謹當遵尋通道, 遄赴槀街, 但玆千里之傳聞, 恐匪重霄之紆眷. 今以公狀附眞·萬西還, 俟得報音, 卽備禮朝貢. 徽又自言嘗夢至中華, 作詩紀其事".

· 『寶慶四明志』 권6, 敍賦下, 市舶, "熙寧二年, 前福建路轉運使羅拯言, 據泉州□[商]人黃眞[黃愼][本名犯孝宗廟諱]所具狀, [愼]嘗以商至高麗, 高麗舍之禮賓省, 見其情意, 欣慕聖化, 兼云 祖禰以來, 貢奉朝廷, 天聖遣使之後, 久違述職, 便欲遣人, 與眞[愼]同至, 恐非儀例, 未敢發遣, 兼得禮賓省文字, 具在乞詳酌行. 時拯已除發運使, 詔拯諭眞[愼]許之. 高麗欲因眞[愼] 由泉州路入貢, 詔就明潤州發來. 自是, 王徽·王運·王熙, 修職貢尤謹, 朝廷遣使, 亦密往來, 率道于明, 來乘南風, 去乘北風, 風便不踰[逾]五日, 卽抵岸, 明州始困供頓". 여기에서 添字는 판본에 따라 달리 표기된 것이다.

· 『石林詩話』, "高麗, 自太宗後, 久不入貢, 至元豊初, 始遣使來朝. 神宗, 以張誠一館伴, 令問其復朝之意, 云'其國與契丹爲鄰[隣], 每因契丹誅求, 藉不能堪, 國主王徽, 常誦華嚴經, 祈生[至]中國, 一夕忽夢至京師, 備見城邑宮闕之盛, 覺而慕之, 乃爲詩, 以記曰, 惡業因緣近契丹, 一年朝貢幾多般, 移身忽到中華裏[地], 可惜中宵漏滴殘'. 余大觀間, 館伴△[高]麗人, 常見誠一語錄, 備載此事". 여기에서 添字는 版本에 따라 달리 表記된 것이다. 張誠一은 眞宗代의 官僚 張耆의 아들이다(『송사』 권290, 열전49, 張耆).

이들 자료와 유사한 기록이 『文昌雜錄』 권5, 元豊 7년 1월 5일 ; 『文獻通考』 권325, 四裔考2, 高句麗에도 수록되어 있다.

181) 一結은 延世大學本과 東亞大學本에서 二結로 되어 있으나 오자일 것이다.

182) 이들 數値의 計算에서 十分爲一尺은 十分爲六尺이 適合하며, 各結의 步數도 적절한 計算이 아니라고 한다(李宗峯 2001년 236面 ; 東亞大學 2011년 18책 307面). 또 고려의 어느 시기에 指尺을 量田尺으로 사용하다가 고려 말에 周尺이 도입되어 世宗代에 校定되었다고 한다(李宗峯 2016년 104面).

· 『세종실록』 권49, 12년 8월 戊寅[10日], "… 摠制河演以爲, … 自前朝只以上中下三等定制, 將農

[○定田稅, 以十負, 出米七合五勺, 積至一結, 米七升五合, 二十結, 米一碩:食貨1租稅轉載].[183)]

[○判[制], "外官之妻, 在京身病者, 給暇三十日. 又外官身病者, 限百日給暇, 父母病, 三子俱爲外任者, 從父母願, 一子, 給暇二百日, 其餘子, 各給暇五十日, 其限滿者, 幷解官":刑法1官吏給暇轉載].

[○以[大師]韶顯爲重大師:追加].[184)]

庚戌[文宗]二十四年, 契丹咸雍六年, [宋熙寧三年], [西曆1070年]

1070년 2월 14일(Gre2월 20일)에서 1071년 2월 2일(Gre2월 8일)까지, 354일

春正月癸巳朔[小盡,戊寅], 放朝賀.

[丁酉[5日], 月入天庭, 犯左執法, 熒惑犯房北右弼, 歲星行陰道, 守天江:天文1轉載].

庚子[8日], 星隕于大丘縣, 化爲石.

己酉[17日], [驚蟄]. 以金良鑑爲尙書右丞·左諫議大夫, 李靖恭爲翰林學士, 金拱爲右副承宣, 朴德英爲右補闕, 康安庶爲殿中侍御史, 金銳·金上琦爲左·右補闕.

二月[壬戌朔大盡,己卯], 丙寅[5日], 幸興王寺, 以新創慈氏殿, 設慶成大會, 經宿而還.

壬申[11日], 燃燈, 王如奉恩寺.

癸酉[12日], 大會, 王與太子·諸王·侍臣, 宴于重光殿, 至曉乃罷. 以寒食在十五日, 國忌在十三日, 乃用十二日, 爲燈夕.

三月[壬辰朔小盡,庚辰], 己未[28日], 以金德符爲太子賓客.

夫手二指計十爲上田尺, 二指計五, 三指計五爲中田尺, 三指計十爲下田尺, 六尺爲一步, 以三步三寸, 四方周廻爲一負, 二十五步爲一結而打量, 其收租則皆取三十斗, 三等之田, 差等不遠".

183) 이 기사에 의하면 田稅는 토지 20結에 1石(150升)을 부과하는 셈이고, 이에 의해 1石이 15斗임을 알 수 있다고 한다. 그렇지만 고려시대에는 통일신라, 조선왕조와 마찬가지로 비공식적으로 1석=20두도 존재하고 있었다고 한다(李宗峯 2016년 130面).

184) 이는「金堤金山寺慧德王師眞應塔碑」에 의거하였다.

夏四月辛酉朔[小盡,辛巳], 王曲宴于賞春亭, 令太子·諸王·侍臣, 各賦賞花詩.

辛未[11日], 禱雨于川上.

壬申[12日], 以兵部侍郎·左諫議大夫文正爲西北路兵馬副使, 秘書少監高維爲東北路兵馬副使.

丙子[16日], 御文德殿覆試, 賜崔翼臣等及第.[185)]

五月[庚寅朔大盡,壬午], 壬寅[13日], 王出子竀于玄化寺, 剃髮爲僧.

[→命□□[子竀]祝髮, 後住俗離寺：列傳3文宗王子道生[~~導生~~]僧統竀轉載].[186)]

六月[庚申朔小盡,癸未], [某日], 城興王寺.

秋七月[己丑朔小盡,甲申], 乙未[7日], 以尙書右丞·□[左]諫議大夫金良鑑爲西北路兵馬副使,[187)] 戶部侍郎金若珍爲東北路兵馬副使.

八月[戊午朔大盡,乙酉], 辛未[14日], [中書侍郎]平章事致仕金義珍卒.[188)] [謚良愼：追加].

己卯[22日], 御史大夫姜源廣卒.[189)]

○宋湖南荊湖兩浙發運使羅拯復遣黃愼來.

○制, 西女眞酋長懷德父尼亏弗, 自先朝有邊功, 授懷德奉國將軍.

---

185) 이와 관련된 기사로 다음이 있다. 이때 [進士]崔翼臣·[進士]任懿(丙科, 任懿墓誌銘) 등이 급제하였다 (朴龍雲 1990년 ; 許興植 2005년).

· 지27, 선거1, 科目1, 選場, "[文宗]二十四年四月, 尙書左僕射金行瓊知貢擧, 取進士, 覆試, 下詔賜乙科崔翼臣等三人·丙科七人·同進士十一人·恩賜二人·明經一人及第".

186) 이와 관련된 자료로 다음이 있다.

·「原州法泉寺智光國師玄妙塔碑」, "師[海麟]下山後三□[年]」仲夏之月, 聖上以延德宮第六王子[竀], 許令祝髮, 棲息于玄化寺, 舊住奉天院, 特授首座者, 斯緣類肖國師之邊幅也".

·「金堤金山寺慧德王師眞應塔碑」, "… 洎乎[咸雍]六年夏五月, 文宗, 金輪系統, 玉扆凝休, … 延德宮第六王子[竀], 投師門而出家, 卽今俗離山法住寺住持, 導生僧統, 是也".

187) ~~添字~~는 明年(문종25) 1월 15일(辛丑) 金良鑑이 尙書左丞·知御史臺事에 임명될 때, 그의 후임자인 盧寅이 尙書右丞·左諫議大夫에 임명되었음을 통해 유추할 수 있다.

188) 金義珍의 최종 관직은 中書侍郎平章事이고(皇甫讓妻金氏墓誌銘), 謚號는 열전8, 崔沖 ; 열전15, 金仁鏡에 의거하였다. 이날은 율리우스曆으로 1070년 9월 20일(그레고리曆 9월 26일)에 해당한다.

189) 이날은 율리우스曆으로 1070년 9월 28일(그레고리曆 10월 4일)에 해당한다.

[→制, 以西女眞酋長懷德, 授奉國將軍. 其父尼于弗, 自先朝, 有邊功, 故有是命:節要轉載].

九月戊子朔大盡,丙戌, 丙申9日, 王宴于賞春亭, 命近臣賦詩, 夜分乃罷.

冬十月戊午朔大盡,丁亥, 庚午13日, 王如玄化寺.[190)]

[庚辰23日, 國師海麟入寂, 年八十七, 臘七十二.[191)] 上震悼, 遣左街僧錄崇演·保章正全參蘭等, 監護葬事. 仍遣使致祭, 贈諡曰智光, 併賜茶香·油燭及原州倉穀, 以充拔薦法會之資:追加].[192)]

十一月戊子朔小盡,戊子, 甲午7日, 置固守炭鐵庫于京城四面.

十二月丁巳朔大盡,己丑, 遼遣衛尉卿和勗來, 賀生辰.

[是年, 某等改修洪州保寧縣聖住寺:追加].[193)]

[增補].[194)]

190) 이와 같은 내용이 다음의 자료에도 수록되어 있는데, 是日의 日辰은 庚午(13일)가 아니라 14일(辛未)로 되어 있다. 『고려사』를 편찬할 때 底本인 『고려실록』을 縮約하면서 日辰을 잘못 기록한 사례가 있음을 보아 後者가 옳을 가능성이 있다.
· 「金堤金山寺慧德王師眞應塔碑」, "… 是年十月十四日, 上幸師韶顯之所隷玄化寺, 齋佛僧以慶之, 仍賜磨衲袈裟䕃脊".

191) 이날은 율리우스曆으로 1070년 11월 28일(그레고리曆 12월 4일)에 해당한다.

192) 이는 「原州法泉寺智光國師玄妙塔碑」에 의거하였다.

193) 이는 충청남도 保寧市 聖住面 聖住里 72 聖住寺址에서 출토된 瓦銘, '聖咸雍', '聖住寺」咸雍六年」', '聖住寺」咸雍六年造」'에 의거하였다(世宗文化財研究院 編 2015년 330~333面).

194) 이해에 宋의 福建轉運使 羅拯이 高麗가 국교를 재개하기를 요청한다고 보고하였다. 또 이해에 고려가 來貢하였다고 하지만(『玉海』 권154, 朝貢, 獻方物, 建隆高麗來貢 ; 『皇宋通鑑長編紀事本末』 권89, 通使, 高麗), 이는 고려가 공식적으로 사신을 파견하여 朝貢한 것이 아니라 福建轉運使 羅拯이 商人 黃愼을 통해 고려에 통교를 타진할 때 禮賓省이 牒을 보낸 것을 잘못 기록[誤記]한 것이다.
· 『송사』 권487, 열전246, 外國3, 高麗, "熙寧三年, 羅拯以聞, 朝廷議者亦謂可結之, 以謀契丹, 神宗許焉, 命拯諭以供擬腆厚之意".

辛亥[文宗]二十五年, 契丹咸雍七年, [宋熙寧四年], [西曆1071年]

1071년 2월 3일(Gre2월 9일)에서 1072년 1월 22일(Gre1월 28일)까지, 354일

春正月丁亥朔大盡,庚寅, 放朝賀.

己亥13日, [雨水]. 以金行瓊爲尙書左僕射·判尙書刑部事, 崔有孚爲尙書右僕射, 洪德威爲兵部尙書, 鄭惟產爲翰林學士.

辛丑15日, 以金良鑑爲尙書左丞·知御史臺事, 盧寅爲尙書右丞·左諫議大夫.

壬寅16日, 以子琇爲檢校尙書令·守司空[·平壤侯:節要轉載], 中書侍郎平章事崔惟善△爲守司徒, 參知政事異惟忠△爲[特進·:節要轉載]守司空.

[→授□□琇爲開府儀同三司·檢校尙書令·守司空·上柱國·平壤侯·食邑一千戶:列傳3文宗王子常安公琇轉載].

壬子26日, 以金行瓊△爲參知政事.

癸丑27日, 西女眞懷化將軍紛泰等來, 獻土物.

二月丁巳朔小盡,辛卯, 辛未15日, 燃燈, 王如奉恩寺.

戊寅22日, 特設燃燈會, 謁景靈殿.

三月丙戌朔大盡,壬辰, 庚寅5日, 遣民官侍郎~~戶部侍郎~~金悌,[195] 奉表禮物如宋.

○初, 黃愼之還, 移牒福建, 請備禮朝貢. 至是, 遣悌, 由登州入貢.[196]

---

195) 民官侍郎 金悌는 戶部侍郎 金悌인데, 宋의 戶部를 避하기 위해 國初의 名稱인 民官으로 바꾸어 파견하였던 것으로 추측된다.

196) 이후 金悌의 宋에서의 사정은 다음과 같다.

· 5월 22일(丙午), 通州(現 江蘇省 南通市)에서 高麗使臣 民官侍郎 金悌 등 118人이 入貢하여 海門縣(現 江蘇省 啓東 동쪽 海門)에 이르렀다고 보고하자 集賢校理 陸經을 知制誥로 假受하여 館伴使로, 左藏庫副使 張誠一을 副使로 삼았다(『속자치통감장편』 권223 ; 『송사』 권15 ; 『문헌통고』 권325, 四裔考2, 高句麗). 이때 고려 사신단은 明州 四明縣에 上陸하려 하였으나, 바람에 의해 표류하여 通州의 海門縣 新港에 到着하였다고 한다(『方輿勝覽』 권45, 通州, 山川大海 ; 『澠水燕談錄』 권9, 雜錄). 또 이때 朴寅亮·裴某·李縫孫·盧柳·金化珍 等이 同行하여 途中에서 詩文 70餘編을 唱和하여 『西上雜詠』이라 하고 李縫孫이 序文을 지었다고 한다(『嘉定鎭江志2』 권1, 雜錄文事 ; 『郡齋讀書志後志』 권2, 別集類, 高麗詩三卷 ; 『文獻通考』 권248, 經籍考75, 集 ; 『永樂大典』 권908, 詩, 諸家詩目4).
이때 고려 사신단은 北斗星(斗極)을 지표로 하여 航海하였다고 한다(『澠水燕談錄』 권9, 雜錄). 또 이들은 宋의 年號를 사용하지 않고 干支[甲子]만을 사용한 글을 杭州에 傳하다가 通

戊戌[13日], 追贈[前御史大夫]姜源廣△[爲]太子太師.

辛丑[16日], 東女眞歸德將軍霜昆等二十二人, 購還我被虜人.

戊申[23日], 幸大安寺.

夏四月[丙辰朔小盡,癸巳], 壬戌[7日], 雩.

丁卯[12日], 西女眞酋長奴亐達等十人來, 獻土物, 各賜職.

癸酉[18日], 親醮于毬庭.[197]

戊寅[23日], 幸王輪寺.

壬午[27日], 西女眞酋長麻胡達等十八人來, 獻土物, 加歸德將軍, 賜例物.

五月乙酉□[朔小盡,甲午], 以王懋崇爲中書侍郎同中書門下平章事·判尙書兵部事.[198]

丁亥[3日], 禱雨于川上.

癸巳[9日], 西女眞褒演等來朝, 優加職賞.

判 蘇軾에 의해 拒否되기도 하였다고 한다(『方輿勝覽』 권1, 臨安府, 名宦, 蘇軾 ; 『欒城後集』 권22, 蘇軾墓誌銘 ; 『蘇東坡全集』, 前附 ; 『三朝名臣言行錄』 권9-3, 內翰蘇文忠公: 四部叢刊本 ; 『宋名臣言行錄後集』 권9. 蘇軾: 四庫全書本 ; 『송사』 권338, 蘇軾 ; 『東都事略』 권93上, 蘇軾 ; 『石林燕語』 권4).

또 이때 蘇軾은 고려의 사신이 禮物을 가지고 와서 사사로이 面會하자 이를 拒絶하면서 書狀을 보내 忠告하기도 하였다(『梁谿漫志』 권4, 東坡用事對偶精切).

· 8월 1일(癸丑), 高麗使臣 民官侍郞 金悌가 通州(現 江蘇省 南通市)에서 京師에 도착하였다(『속자치통감장편』 권226 ; 『송사』 권15 ; 『皇朝編年綱目備要』 권19).

이때 金悌가 御衣·腰帶·金器·弓刀·鞍轡馬·銅器·布紗·紙·墨·人蔘[大蔘]·硫黃·松子·香油 등을 바쳤다.(『송회요집고』 199册, 蕃夷7, 歷代朝貢). 高麗王 徽(文宗)가 民官侍郞 金悌 등 110人을 보내오자 夏國의 使臣團과 同等한 待遇를 하게 하였다(『송사』 권487, 高麗).

· 8월 14일(丙寅), 閤門이 高麗使臣이 入見할 때 夏國의 例에 따라 紫宸殿에서 立班하고, 東朶殿에서 饗宴할 것을 請하자 허락하였다(『속자치통감장편』 권226). 이날 高麗 使臣團을 文德殿에서 引見하였다(『옥해』 권154, 朝貢, 獻方物, 建隆高麗來貢 ; 『皇宋十朝綱要』 권9 ; 『皇朝編年綱目備要』 권19).

· 10월 12일(癸亥), 知制誥 王益柔가 高麗國答詔를 잘 짓지 못하여 兼直學士院에서 면직되고, 知制誥 曾布가 대신 임명되었다(『속자치통감장편』 권227 ; 『皇宋通鑑長編紀事本末』 권89, 通使高麗).

· 이해에 杭州通判 蘇軾이 고려 사신단을 迎接하는 과정에서 正使와 副使에게 여러 書狀을 보냈던 것 같다(『蘇東坡全集續集』 권10, 高麗大使遠迎啓·副使啓·謝大使土物啓·謝管設大使啓·副使啓·謝副使啓).

197) 이 기사는 지17, 禮5, 雜祀에도 수록되어 있다.

198) 乙酉에 朔이 탈락되었다.

戊戌[14日], 憲司[~~御史臺~~]奏, "宋人·禮賓省注簿周沆, 本以文藝見用, 今犯贓, 請收職田, 遣還", 制可.

辛亥[27日], 王如玄化寺.

六月[甲寅朔大盡,乙未], [某日, 制曰, "近聞諸衛軍人, 亡命者甚多, 是由執事不公, 富强者, 托勢以免, 貧窮者, 獨受其勞, 衣食乏絶, 而略無休息. 雖每降恩詔減省, 而有司, 營作不已. 近年以來, 軍民, 頗興咨, 以爲朕, 不之恤也. 自今, 宜除不急之役, 其各處監巡點檢之卒, 減前數之半, 所隷官司及其軍將, 勿得擅自驅使, 違者罪之, 宜令兵部·選軍別監, 准制行之":節要·兵1五軍轉載].

庚申[7日], 以鞍工宋由, 乃三韓功臣·太傅蘇格達玄孫, 特免其役, 許入仕.

甲子[11日], 禱雨于川上.

秋七月甲申□[~~朔~~小盡,丙申], 幸王輪寺.[199]

八月[癸丑朔小盡,丁酉], 辛酉[9日], 東女眞歸德將軍高舍等十五人來, 獻土物.

丙子[24日], □□□[~~東女眞~~]懷化將軍沙於賀等二十人來, 獻良馬.[200]

丁丑[25日], 宋商郭滿等三十三人來, 獻土物.

九月[壬午朔大盡,戊戌], 乙酉[4日], 宋商元積等三十六人來, 獻土物.

庚寅[9日], 王以重陽, 御賞春亭, 宴太子及雞林候[~~侯~~]·平壤候[~~侯~~]·宰相[中書侍郎平章事]異惟忠·[中書侍郎平章事]王懋崇等,[201] 各賜馬一匹.

丁酉[16日], 宋商王華等三十人來, 獻土物.

冬十月[壬子朔大盡,己亥], 乙卯[4日], 宋商許滿等六十一人來, 獻土物.

[是月, 秘書少監高維, □□□□□[掌國子監試], 取七十五人:選擧2國子試額轉載].[202]

---

199) 甲申에 朔이 탈락되었다.

200) 沙於賀는 東女眞의 酋長이다(→문종 23년 1월 20일, 26년 12월 16일).

201) 여러 판본의 『고려사』에서 候로 되어 있으나, 『고려사절요』 권5에는 侯로 되어 있는데, 후자가 옳다(東亞大學 2008년 3책 443面).

202) 高維(耽羅人, 高兆基의 父)는 後日 尙書右僕射에 이르렀다고 한다(열전11, 高兆基).

[是月頃, 遣使如契丹, 獻方物:追加].[203]

十一月[壬午朔小盡,庚子], 乙未[14日], 設八關會, 幸法王寺.

[丙申[15日], 月食, 不見:天文1轉載].[204]

辛丑[20日], 西女眞酋長漫頭弗等率衆來投, 職賞有差.

壬寅[21日], 西女眞酋長紉主等十人·東女眞酋長多盧昆·霜緜等五十八人來, 獻土物.[205]

丙午[25日], 守司徒庾高滿卒.[206]

十二月辛亥朔[大盡,辛丑], 遼遣益州刺史高元吉來, 賀生辰.

丙子[26日], 以柳洪爲給事中·左承宣, 殷鼎爲秘書少監·右副承宣.

[□□[~~是丹~~], 發玄德宮米五百碩, 設食於西普通院,[207] 施窮民:節要·食貨3水旱疫癘賑貸之制轉載].[208]

[□□[~~是年~~], □□□□□□[改國子監試式], 只試六韻·十韻詩:選擧2國子監試轉載].

[○判[~~刪~~], "島陸馬畜, 不能監養致死者, 勾當島吏, 科罪. 又州鎭官馬齒老及亡失者, 以公須屯田所收, 買立":兵2馬政轉載].

[是年初, 重大師韶顯, 自玄化寺移去城西鳳鳴山海安寺:追加].[209]

[仁同人 張東翼 校注, 增補].

---

203) 이는 다음의 자료에 의거하였다.
· 『요사』 권22, 본기22, 道宗2, 咸雍 7년 11월, "丙午[25日], 高麗遣使來貢".

204) 宋에서는 이날 월식이 행하여졌으나 『宋史』(中華書局, 活字本)에서 날짜[日辰]을 丙戌(5일)로 잘못 기술하였다(권52, 지5, 천문5, 月食). 이날은 율리우스력의 1071년 12월 9일이고, 월식 현상이 심했던 때의 世界時는 22시 39분, 食分은 042.이었다(渡邊敏夫 1979年 473面).

205) 紉主(인주)와 霜緜(상곤)은 『고려사절요』 권5에는 紐主(누주)와 霜絃(상곤)으로 되어 있다(盧明鎬 等編 2016년 153面).

206) 이날은 율리우스曆으로 1071년 12월 19일(그레고리曆 12월 25일)에 해당한다.

207) 西普通院은 中原의 使節을 迎送하던 迎賓館(혹은 迎恩館, 順天館)과 함께 開京의 서쪽인 永平門 밖에 위치해 있었고, 이곳은 西北地域을 往來하는 賓客을 迎送하는 驛館이었던 것 같다.
· 『신증동국여지승람』 권4, 개성부상, 驛院, "迎賓館, … 以舊都大府賓客之繁, 迎送之際, 必于此地, 則藉草野, 開帳幕, 其轉輸之勞不貲, 或値雨雪, 賓主遑遑, 無以爲禮. 況府西則有迎賓·普通之院, 而東獨無有, 豈非一欠? …".

208) 지34, 食貨3, 水旱疫癘賑貸之制에는 이 기사의 冒頭에 '[文宗]二十五年十二月'이 있다.

209) 이는 「金堤金山寺慧德王師眞應塔碑」, "… [咸雍]七年初, 住海安寺, …"에 의거하였다.

『高麗史』 卷九 世家卷九

[輔國崇祿大夫·議政府左贊成·知集賢殿經筵春秋館成均事·世子賓客·臣金宗瑞奉教撰]
正憲大夫·工曹判書·集賢殿大提學·知經筵春秋館事兼成均大司成·臣鄭麟趾奉教修

文宗 三

壬子[文宗]二十六年, 契丹咸雍八年, [宋熙寧五年], [西暦1072年]

1072년 1월 23일(Gre1월 29일)에서 1073년 2월 9일(Gre2월 15일)까지, 13개월 384일

[春正月辛巳朔[大盡,壬寅]:追加].

春二月辛亥朔[大盡,癸卯], 詔禮部, 重定禮服制度.
[甲寅[4日], 流星出亢入房, 大如月:天文1轉載].
丁巳[7日], 幸興王寺.
丙寅[16日], 以兵部侍郎文正爲西北面兵馬副使, 戶部侍郎閔昌壽爲東北面兵馬副使.
壬申[22日], 東女眞麽豆漢等二十五人來投.
甲戌[24日], 特設燃燈會於重光殿.

三月[辛巳朔小盡,甲辰], 癸巳[13日], 以金德符爲尙書右僕射, 李聰顯爲禮部尙書, [前兵部尙書]金陽爲工部尙書.
甲午[14日], 幸眞觀寺.
庚子[20日], 御文德殿覆試, 賜朴維恪等及第.[1)]

---

1) 이와 관련된 기사로 다음이 있다. 이때 [進士]朴維恪·鄭穆(丙科, 鄭穆墓誌銘) 등이 급제하였다(朴龍雲 1990년 ; 許興植 2005년).
· 지27, 선거1, 科目1, 選場, "[文宗]二十六年三月, 秘書監李成美知貢擧, 取進士, 覆試, 下詔賜乙科朴維恪等二人·丙科十一人·同進士九人·明經二人及第".
·「鄭穆墓誌銘」, "… 越咸雍七年[文宗25年]辛亥, [檢校將作監~~高益恭~~]以一女處之. 明年[26年]春, 聖考文宗親較于廣殿[重光殿?], 賜題曰, '止水鑑形 '詩·'仲尼爲百王師' 賦, 上先自親製是詩云, '晝窺天子日, 夜孕庶民

夏四月[庚戌朔大盡,乙巳], 甲子[15日], 大<u>雨雹</u>.[2)]

己巳[20日], 中書侍郞平章事<u>異惟忠</u>卒.[3)]

五月[庚辰朔小盡,丙午], 丙申[17日], 西女眞歸德將軍麽舍乃等來, 獻土物.

[是月頃, 遣使如契丹, 獻方物:追加].[4)]

六月[己酉朔小盡,丁未], 庚戌[2日], 宋遣醫官王愉·徐先來.

甲戌[26日], <u>金悌</u>還自宋, 帝附勑五道.

"其一曰, 卿繼奕世而有邦, 以勤王爲可願. 百名修貢, 旣申琛贄之儀, 累幅摛辭, 更致燠寒之問, 其勤至矣, 何慰如之.

其二曰, 卿世綏三韓, 雄視諸部, 而能謹事大之節, 堅面內之誠, 乃心朝廷, 寔發<u>寤</u>[寤]寐.[5)] 有嘉侯庶, 克紹先猷, 省閱以還, 褒嘆良至.

其三曰, 忠孝之純, 雖遠而應, 往來之尙, 無德不酬. 載嘉述職之勤, 宜有解衣之錫. 今人使金悌廻, 賜國信物色, 別賜衣帶錦綺等, 具如別幅, 至可領也.

其四曰, 人使金悌至, 省所進奉,

御衣二領, 黃罽衫一領, 銷金紅羅裌複. 紅罽便服一領, 銷金紅羅裌複. 共用銀鈒鏤裝烏漆箱盛, 金鍍銀鏁鑰封全, 紅梅花羅裌帕外冪.

金腰帶一條重四十兩, 紅羅繡裌袋, 銀鈒鏤匣重八十兩, 紅羅繡裌複封全, 紅梅花羅裌帕外冪.

金束帶一條重三十兩, 紅羅繡裌袋, 銀鈒鏤匣重六十兩·紅羅繡裌複封全, 紅梅花羅裌帕外冪.

金合二副, 共重六十兩, 各副盛罽勒帛二條·罽裌袋子二枚, 銷金紅梅花羅裌複封

星'. <u>公</u>[鄭穆]與英髦偕赴, 其進呈與御製一句相合, 上尤歎之, 賜公以丙第, 拜秘書省校書郎同正. …"(金龍善 2006년 34面).

2) 이와 같은 기사가 지7, 五行1, 水, 雨雹에도 수록되어 있다. 일본에서는 4월 19일 교토[京都]에서 降雹이 있었다고 한다(中央氣象臺 1941年 2冊 617面).

·『如是院年代記』, 延久 4년, "四月十九日未時, 雹降, 大如李實".

3) 이날은 율리우스曆으로 1072년 5월 10일(그레고리曆 5월 16일)에 해당한다.

4) 이는 다음의 자료에 의거하였다.

·『요사』 권23, 본기23, 道宗3, 咸雍 8년 6월, "丁丑[29日], 高麗遣使來貢".

5) 여러 판본의 『고려사』에서 寤로 되어 있으나 寤의 오자일 것이다(東亞大學 2008년 3책 447面).

全, 共用紅梅花羅裌帕外冪.

金盤盞二副, 共重四十兩, 紅梅花羅裌複封全, 共用紅梅花羅裌帕外冪.

金注子一副, 重六十五兩, 紅梅花羅裌複封全, 紅梅花羅裌帕外冪.

金鏩鑼一隻, 重一百五十兩, 紅梅花羅裌複封全, 紅梅花羅裌帕外冪.

紅罽倚背六隻, 紅梅花羅裌複.

黃罽倚背四隻, 紅梅花羅裌複.

紅罽褥六隻, 紅梅花羅裌複.

黃罽褥四隻, 紅梅花羅裌複, 共用銀鈒裝烏漆箱二副盛, 銀鏁鑰封全, 紅梅花羅裌帕外冪.

細弓四張, 共用紅梅花羅裌袋盛.

哮子箭二十四隻.

細鏃箭八十隻.

金鍍銀裝罽器仗二副, 紅錦裌袋封全.

白銀裝黑皮器仗一副, 紅錦裌袋封全.

金鍍銀裝白皮器仗一副, 紅錦裌袋封全, 共用紅梅花羅裌帕外冪.

銀裝長刀二十隻, 銀鈒鏤裝烏漆鞘綵條全, 白錦外袋十箇封全, 青錦外袋十箇封全, 共用紅梅花羅裌帕外冪.

細馬四匹.

鞍二副, 金鍍銀橋瓦鉸具, 罽大小韂韀, 紅羅鞍褥等全, 紅羅繡裌帕外冪. 鞍二副, 銀鈒鏤橋瓦鉸具, 黑皮大韂·紅羅小韂, 紅羅鞍褥等全, 紅羅繡裌帕外冪.

香油二十缸.

松子二千二百斤.

人參大參一千斤.

生中布二千匹.

生平布二千匹事.[6)]

具悉. 卿世撫遼東, 寔冠帶禮義之國, 心存闕下, 希文物聲明之風. 爰遣使人, 遐

6) 이와 관련된 자료로 다음이 있다. 이 기록을 통해 볼 때 『고려사』의 기사에서 銅器·紗·紙墨·硫黃의 4種의 品目이 탈락되었음을 알 수 있다(池田 溫 1979年).

· 『송회요집고』 199책, 蕃夷7, 歷代朝貢, "熙寧4年八月一日, 高麗國遣使金悌奉表, 貢御衣·腰帶·金器·弓刀·鞍轡·馬·銅器·布·紗·紙墨·人參·硫黃·松子·香油".

將貢篚, 承考惟孝, 事大則忠, 發於至誠, 轃是雙美, 覽閱之際, 嘉嘆良多. 今使回, 賜卿銀器等, 具如別幅, 至可領也.

其五曰, 省人使金悌奏, 於普炤王寺等處, 納附銀設齋, 祝聖壽事. 箕子啓封, 肇於遼左, 僧伽演教, 迫在泗濱. 會使指之 來斯致齋, 修而勤甚, 載披善祝, 益炤端誠".

○帝[神宗]以本國尙文, 每賜書詔, 必選詞臣著撰, 而擇其善者, 所遣使者. 其書狀官, 必召赴中書□[省], 試以文, 乃遣之.

[某日, 判[制], "諸州縣, 每年常貢, 牛皮筋角, 以平布, 折價代納:": 食貨1貢賦轉載].[7)]

秋七月[戊寅朔大盡,戊申], [戊子[11日], 熒惑入羽林: 天文1轉載].

癸巳[16日], 以翰林學士·國子祭酒鄭惟產△[爲]知西北面秋冬番兵馬事, 兵部侍郞李碩爲東北面秋冬番兵馬副使.

丙午[29日], 校尉巨身謀逆, 伏誅.

[→兵士張善, 上變, 告校尉巨身與其黨千餘, 謀廢王, 立王弟平壤公基. 命捕之. 巨身伏誅, 夷其族,[8)] 基已死, 流基子璡于南海縣, 琝于安東府, 並尋死, 季子瑛以幼, 免. 擢張善爲將軍, 兄弟·子孫, 各賜爵一級: 節要轉載].

[→初, 校尉巨身謀廢王, 立基, 兵士張善上, 變告. 命誅巨身, 夷其族, 基已死, 乃流璡于海南, 瑛以幼免. 又以平章□[事]王懋崇·長寧宮主李氏·遂安宅主李氏與其謀, 乃放懋崇及其子琝于安東, 長寧宮主·遂安宅主于谷州. 擢善爲將軍, 子孫各賜職一級. 璡尋卒: 列傳3顯宗王子平壤公基轉載].

閏[七]月[戊申朔小盡,戊申], [某日, 放[中書侍郞]平章事王懋崇于安東府, 長寧宮主李氏·遂安宅主李氏于谷州, 亦與巨身之謀也: 節要轉載].

---

7) 折價代納은 實物의 價格을 계산하여 同等한 價値로 다른 物品, 錢貨, 田土, 家舍 등으로 바꾸어 納付하는 것을 가리킨다(『숙종실록』 권47, 35년 6월 己酉[1日]).

8) 여기에서 夷其族은 夷其三族으로 추측되는데, 三族의 範圍는 다음과 같은 見解가 있다.

· 『자치통감』 권6, 秦紀1, 始皇帝 9년(BC238) 4월, "初, 王即位, 年少, 太后時與文信侯[呂不韋]私通. 王益壯, 文信侯恐事覺, 禍及己, 乃詐以舍人嫪毐爲宦者, 進於太后, 太后幸之, … 秋九月, 夷毐三族[胡三省注, 秦有夷三族之罪. 張晏曰, 三族, 父母·兄弟·妻子也. 如淳曰, 父族·母族·妻族也. 師古曰, 如說是, 所謂參夷之誅也], 黨與皆車裂滅宗, …".

· 『여유당전서』 권25, 小學紺珠, 三之類, "三族者, 門內之親也[注, 族, 聚也]. 父族曰諸父[父及其昆弟], 己族曰昆弟[昆, 兄也], 子族曰諸子[己子及昆弟之子], 此之謂三族也. 三族之名, 出'周禮'[春官小宗伯, 掌三族之別. 鄭玄云'三族謂父·子·孫. 或以本族·母族·妻族, 爲三族', 非也".

甲寅7日, 以崔有孚△爲判尙書刑部事.
[庚申13日, 月犯熒惑:天文1轉載].

[八月丁丑朔小盡,己酉:追加].

九月[丙午朔大盡,庚戌, 有星如火, 犯營室:天文1轉載].[9]
[丙辰11日, 羽林入月:天文1轉載].
甲子19日, 東女眞霜昆等來, 獻駿馬.

[冬十月丙子朔大盡,辛亥:追加].
[是月, 建景德國師爛圓塔碑於九龍山興福寺乾方:追加].[10]

冬十一月丙午朔小盡,壬子, 遼遣永州剌史耶律直來, 行三年一次聘禮.

十二月乙亥朔大盡,癸丑, 遼遣檢校太尉張日華來, 賀生辰.
[丙子2日, 白氣, 自乾抵巽連坤, 變爲赤氣:五行2轉載].
庚寅16日, 東女眞□□□□懷化將軍沙於賀等來, 獻土物.[11]
戊戌24日, 以李徵望爲兵部尙書.

癸丑[文宗]二十七年, 契丹咸雍九年, [宋熙寧六年], [西曆1073年]

1073년 2월 10일(Gre2월 16일)에서 1073년 1월 29일(Gre2월 4일)까지, 354일

春正月乙巳朔大盡,甲寅, 放朝賀.

---

9) 丙午에 朔이 탈락되었다.

10) 이는 다음의 자료에 의거하였다(李智冠 2004년 2册 336面 ; 金龍善 2006年 24面).
·「開城興福寺景德國師墓誌銘」, "… 權窆于五龍山南崗, 更取□壬子十月, 竪碑塔□于九龍山興福寺乾隅, …".

11) 沙於賀가 高麗朝廷으로부터 받은 異民族에게 주어진 武散階는 懷化將軍일 것이다(→문종 23년 1월 20일, 25년 8월 24일).

○地震.

[己酉5日, 流星出大角, 入北斗魁中:天文1轉載].

[某日, 有司奏, "謹按令典, 工商家, 執技事上, 專其業, 不得入仕與士齒. 軍器注簿崔忠幸·良醞令同正梁惲, 並工人外孫, 別將羅禮·隊正禮順, 亦皆工人嫡孫, 自慕九流,[12] 去其所業, 已登朝行, 不可復充工匠, 乞各限時職, 不許遷除". 制曰可, 依辛亥年文宗25年, 郎將忠孟, 限大將軍例, 許通任用. 中書省駁奏, "忠幸等無大功, 能掩匿世累, 冒入流品, 不宜與忠孟, 邊功例論". 制曰, "除淸要·理民職外, 一如前制":節要·選擧3限職轉載].

戊辰24日, 王如普濟寺.

[癸酉29日, 流星出大陵, 入婁·胃南:天文1轉載].

[某日, 判冊, "無子人功蔭田, 傳給女壻·親姪·養子·義子":食貨1功蔭田柴轉載].

[是月頃, 契丹遣使來, 賜佛經一藏:追加].[13]

二月乙亥朔小盡,乙卯, 命有司, 作亭于平理驛, 以爲行幸駐蹕之所.

[○敎坊奏, "女弟子眞卿等十三人所傳踏沙行歌舞, 請用於燃燈會". 制, 從之:樂志2轉載].[14]

戊寅4日, 以鄭惟產△爲攝刑部尙書, 盧寅爲殿中監, 柳洪爲兵部侍郎·中樞院知奏事.

甲申10日, 幸興王寺.

---

12) 九流는 두 가지의 의미가 있는데, 하나는 a九等級의 流品 곧 品官의 九品 官僚를 指稱하는 것이고, 다른 하나는 b『한서』 권30, 藝文志第10에서 諸子百家를 분류하였던 儒家·道家·陰陽家·法家·名家·墨家·縱橫家·雜家·農家 등을 지칭하는 것이다. 上記 記事에서는 前者를 가리킬 것이다(蔡雄錫敎授의 敎示).

· a『大唐六典』 권2, 尙書吏部, 吏部尙書, 侍郞, "… 凡銓注擬訖, 皆當銓團甲以過左·右丞相, 若中銓·東銓, 則亦先過尙書訖, 乃上門下省. 給事中讀, 黃門侍郞省, 侍中審, 然後進甲以聞. 凡大選從季春之月. 所以定九流之品格, 補萬方之闕政, 官人之道備焉".

· b『六臣註文選』 권47, 東方朔畵贊, "漢書曰九流, 有儒家流·道家流·陰陽家流·法家流·名家流·墨家流·縱橫家流·雜家流·農家流".

13) 이는 다음의 자료에 의거하였는데, 道宗 耶律洪基(耶律查剌, 耶律涅隣)이 佛經을 하사한 시기가 前年 12월 16일(庚寅)이므로 이때 고려에 도착하였을 것이다.

·『요사』 권23, 본기23, 道宗3, 咸雍 8년 12월, "庚寅16日, 賜高麗佛經一藏".

·『요사』 권105, 열전45, 二國外記, 高麗, "咸雍八年十二月, 以佛經一藏賜徽文宗".

14) 이는 다음의 기사를 전재한 것이다.

· 지25, 樂2, 用俗樂節度, "文宗二十七年二月乙亥, 敎坊奏, 女弟子眞卿等十三人所傳踏沙行歌舞, 請用於燃燈會. 制, 從之".

[甲午20日, 月犯南斗:天文1轉載].

[○行天祥祭, 以禳災變:禮5雜祀轉載].

乙未21日, [淸明], 東女眞歸順州都領大常大相古刀化·副都領古舍·益昌州都領歸德將軍高舍·都領黔夫·氈城州都領奉國將軍耶好·歸德將軍吳沙弗·恭州都領奉國將軍多老·番長番長巴訶弗·恩服州都領元甫阿忽·都領那居首·溫州都領三彬·阿老大·誠州都領尼多弗等,[15] 率衆內附, 乞爲郡縣. 賜古刀化名孫保塞·高舍名張誓忠, 各授懷化大將軍. 耶好名邊最·多老名劉咸賓, 各授奉國大將軍. 吳沙弗名魏蕃, 授懷化將軍, 阿忽名揚東茂, 授歸德將軍. 古舍名文格民, 黔夫名康績, 巴阿弗名盧守, 那居首名張帶垣, 三彬名韓方鎭, 阿老大名高從化, 尼多弗名趙長衛, 各授大常大相, 仍賜物有差.

○城州都領·奉國大將軍蘇德等十四人來, 獻名馬.

[○夜, 白氣竟天, 若道路, 南流而滅:五行2轉載].

丁酉23日, 王如奉恩寺, 特設燃燈會, 慶讚新造佛像. 街衢點燈, 兩夜各三萬盞, 重光殿及百司, 各置綵樓燈山, 作樂.

戊戌24日, 御□□重光殿[16], 觀燈置酒. 太子及宰樞·臺省·侍臣·知制誥侍宴, 夜分乃罷.

三月甲辰朔大盡,丙辰, 己酉6日, 設般若經道場于會慶殿五日, 以禳灾變.

丁巳14日, 幸開國寺.

[戊午15日, 月食:天文1轉載].[17]

丁卯24日, 幸弘化寺, 遂如玄化寺, 置酒蓬萊亭, 夜分乃還.

[某日, 命州鎭入居軍人, 例給本貫養戶二人:兵1五軍轉載].

夏四月甲戌朔小盡,丁巳, 日食.[18]

---

15) 大常은 고려의 鄕職인 大相(4品上)의 오자일 것이다.

16) 이때의 御殿은 御重光殿을 가리킨다.

17) 이날 宋과 일본에서도 월식이 있었을 것이지만(『송사』 권52, 지5, 천문 5, 月食), 일본의 기록은 확인되지 않는다. 이날은 율리우스력의 1073년 4월 24일이고, 월식 현상이 심했던 때의 世界時는 14시 48분, 食分은 0.66이었다(渡邊敏夫 1979年 473面).

18) 이날 宋에서 일식이 예측되었으나 구름으로 인해 관측되지 못했다고 하고(『송사』 권52, 지5, 천문 5, 日食), 일본에서는 일식이 관측되었다(三國의 曆日이 同一). 이날은 율리우스력의 1073년 5월 10일이고, 개경에서 일식 현상이 심했던 시간은 6시 32분, 食分은 0.88이었다(渡邊敏夫 1979

丙子3日, 制曰, "東北邊十五州外蕃人, 相繼歸附, 願置郡縣, 于今不絶. 此, 實賴宗廟社稷之靈. 其令宰臣, 先告事由, 待遠近, 畢納款, 拓定州縣而後, 親行恭謝. 其行禮及太子攝事之儀, 有司詳議以聞".

[○有氣如烟, 生于廣化門左右鴟尾, 長丈餘:五行2轉載].

壬辰19日, 幸龜山寺, 遂置酒于龜臺. 太子·諸王·宰樞·侍宴, 夜半乃還.

丁酉24日, 幸外帝釋院.

[某日, 西北路兵馬使奏, "長城外, 墾田一萬一千四百九十四頃, 請待秋收獲, 以資軍儲", 制可:節要·兵2屯田轉載].

五月癸卯朔大盡,戊午, 丁未5日, 西北面兵馬使奏, "西女眞酋長曼豆弗等諸蕃,[19] 請依東蕃例, 分置州郡, 永爲蕃翰, 不敢與契丹蕃人交通". 制, "許來朝. 因命後有投化者, 可招諭而來".

○又奏, 平虜鎭近境蕃帥·柔遠將軍骨於夫及覓害村要結等告云, '我等曾居伊齊村, 爲契丹大完[職名]. 邇者, 再蒙招諭, 於己酉年文宗23年十一月赴朝, 厚承恩賚, 且受官職, 不勝感戴. 顧所居去此四百里, 往復爲難. 請與狄耶好等五戶, 引契丹化內蕃人, 內徙覓害村附籍, 永爲藩屛'. 於是, 檢得戶三十五, 口二百五十二, 請載版圖. 蕃帥又言, '三山村谷海邊分居蕃賊, 殺掠往來人物, 爲我仇讎. 今欲報讎, 告諭化內三山村中尹夜西老等三十徒酋長[東蕃黑水人, 其種三十, 號曰三十徒], 亦皆響應, 各率蕃軍, 方將進討, 請遣鄕人觀戰'. 於是, 遣定州郎將文選及將校譯語等, 著蕃服, 與那復其村都領霜昆下蕃軍同發. 文選等馳報, '骨面等村都領各將兵, 到三山阿方浦, 探候賊穴, 凡三所, 一爲由戰村, 一爲海邊山頭, 一爲羅竭村, 賊一百五十戶, 築石城於川邊, 置老小男女財產于城中, 以步騎五百餘人逆戰. 我蕃軍大呼急擊, 彼衆大潰, 斬二百二十級, 餘衆走保其城. 我蕃軍乘勝追擊, 攻城縱火, 生擒三百三十二人, 在城拒戰者, 皆燒死. 又進攻由戰村場, 適有大雨粮少, 引還居數日. 文選等復與蕃兵二千三十人, 進屯由戰村石城下, 賊閉城固守, 以城險, 竟不得攻, 粮盡引還'. 羅竭村之役, 都領·大完多於皆·阿半尼等蕃軍將六百八十餘人力戰破賊, 文選等十五人監戰有功, 請行恩賞, 以示勸懲.[20]

年 305面).
·『扶桑略記』30, 延久 5년, "四月朔日甲戌, 戊辰時, 日蝕".
19) 曼豆弗은 『고려사절요』 권5에는 漫豆佛로 되어 있다(盧明鎬 等編 2016년 154面.)

○門下侍中崔惟善等十三人議奏, "三山村賊, 本非犯邊之寇也, 今蕃軍等, 不因朝旨, 專伩閫威, 以報私讎, 請勿行賞", 從之.

己酉7日, 醮百神於毬庭, □~~以~~禳灾變.[21]

庚午28日, 王如玄化寺.

六月癸酉朔小盡,己未, 甲戌2日, 王如奉恩寺.

戊寅6日, 東北面兵馬使奏, "三山·大蘭·支櫛等九村及所乙浦村蕃長鹽漢, 小支櫛前里蕃長阿反伊, 大支櫛與羅其那烏, 安撫夷州骨阿伊蕃長所隱豆等一千二百三十八戶來, 請附籍. 自大支櫛, 至小支櫛裹應浦海邊長城, 凡七百里, 今諸蕃, 絡繹歸順, 不可遮設關防. 宜令有司, 奏定州號, 且賜朱記", 從之.

己卯7日, 西京將軍柳涉, 防守鴨綠, 船兵有契丹人來投, 其追捕者, 越入長城, 逼靜州, 涉, 不能守禦. 制令免官.

乙未23日, 東路兵馬使奏, "東蕃大齊·者古·河舍等十二村蕃長昆豆·魁拔等一千九百七十戶, 請依霜昆例內附, 又豆龍·骨伊·餘波漢等部落蕃長阿老漢等, 亦願爲州縣. 此輩所處遼遠, 在古未嘗朝覲, 今皆歸服. 若定封疆, 設關防, 則餘波漢嶺外齊遮古·大史伊·稱見·昆俊·丹俊·無乙比·化豆等, 壤地無際, 蕃戶連居, 不可窮塞設險, 請待領外諸蕃, 盡爲州縣, 然後漸至遠蕃". 許之.

丙申24日, □□~~東路~~兵馬使奏, "東蕃海賊, 寇東京轄下波潛部曲, 奪掠民口, 元興鎭都部署軍將, 率戰艦數十艘, 出椒島與戰, 斬十二級, 奪俘十六人". 王喜, 賜知兵馬事·秘書監李成美·領軍都部署將軍廉漢等, 銀藥合各一事, 其餘有功將吏, 職賞有差.

庚子28日, 祈晴于川上.

秋七月壬寅朔大盡,庚申, 有司言, "東北面兵馬使所奏, 支櫛村·那發村·裹臥立村·大信村·西好村·無主其村等, 部落蕃長, 請□□~~內附~~, 貢方物·名馬". 制從之.[22]

丙午5日, 制曰, "黑水譯語加西老諭東蕃, 爲州縣, 可授監門衛散員, 賜名高孟".[23]

○東南海都部署奏, "日本國人王則貞·松永年等四十二人來, 請進螺鈿鞍橋·刀·

---

20) 大完은 契丹이 女眞의 酋長들에게 부여한 職名으로 太彎으로도 표기되었다.

21) 이 기사는 지17, 禮5, 雜祀에도 수록되어 있는데, ~~添字~~는 이에 의거하였다.

22) ~~添字~~는 『고려사절요』 권5에 의거하였다.

23) 加西老는 『고려사절요』 권5에는 高加西老로 되어 있다(盧明鎬 等編 2016년 154面.)

鏡匣·硯箱·櫛書案·畵屛·香爐·弓箭·水銀·螺甲等物".[24)]

○壹岐島勾當官遣藤井安國等三十三人, 亦請獻方物□^於^東宮及諸令公府. 制, 許由海道, 至京.

[○流星出王良, 入河鼓:天文1轉載].

[辛亥10日, 月犯南斗魁:天文1轉載].

[丁巳16日, 月入羽林:天文1轉載].

[戊午17日, 松岳祠東南大石頹:五行3轉載].

八月壬申朔小盡,辛酉, 丁丑6日, 太白晝見.

[○客星見于東壁星東壁星南:天文1轉載].[25)]

丁亥16日, 遣太僕卿金良鑑·中書舍人盧旦如宋, 謝恩兼獻方物.[26)]

○宋醫王愉·徐先等還.

九月辛丑朔小盡,壬戌, 甲辰4日, 翰林院奏, "東女眞大蘭等十一村內附者, 請爲濱·利·福·恒·舒·濕·閩·戴·敬·付·宛十一州, 各賜朱記, 仍隷歸順州", 從之.

[庚戌10日, 夜, 天苑星南天裂廣可五六寸, 中有赤色:天文1轉載].

[辛亥11日, 月入羽林:天文1轉載].

[乙卯15日, 月食, 密雲不見:天文1轉載].[27)]

---

24) 王則貞은 하카다[博多]에 거주하다가 日本에 귀화한 宋商人으로 추측되기도 한다(森 克己 1975年 263面).

25) 이는 新星[客星]이 飛馬座(Pegasus, 東壁星)에 출현한 것이다(席澤宗 2002年 115面).

26) 이들 사신단이 宋에 들어간 전후의 일정은 다음과 같다.

· 10월 23일(壬辰), 明州(현 浙江省 寧波市)에서 高麗가 入貢한다고 보고하자, 神宗이 ① (사신단의 入港路가 登州에서 明州로 옮겨졌기에) 明州로 하여금 海道를 인도하게 하고, 轉運司委官에게 새로 만든 接待規則으로 영접하게 하고, ② 사신단에 따른 제반 경비를 마련하기 위한 規則을 만들게 하고, ③ 交易에 있어 華言에 能하지 못한 使臣團을 속이지 못하게 하고, ④ 引伴 禮賓副使 王謹初 등으로 하여금 知明州 李綖訪과 함께 使臣團 중에 (宋의 事情을 偵探할 素地가 있는 契丹의 領域 내에 居住하는 漢人인) 燕人의 有無를 조사하여 보고하게 하였다(『속자치통감장편』 권247).

· 11월 3일(壬寅), 고려 사신단의 京師로의 上京을 위해 汴口를 봉쇄하지 못하게 하였다. 이후 고려 사신이 入貢하면 汴河를 통해 赴闕하게 하였다(『자치통감장편』 권248 ; 『송사』 권93, 汴河).

· 이해의 宏辭科의 科題는 「代高麗修貢表」 이었다(『송회요집고』 112책, 選擧12, 宏詞科).

27) 이날 宋에서도 월식이 있었다(『송사』 권52, 지5, 천문5, 月食). 이날은 율리우스력의 1073년 10월 18일이고, 월식 현상이 심했던 때의 世界時는 21시 43분, 食分은 0.58이었다(渡邊敏夫 1979年

戊辰[28日]，設消灾道場于會慶殿五日.

[己巳[29日晦]，太白犯南斗魁第三星：天文1轉載].

冬十月[庚午朔大盡,癸亥]，[癸酉[4日]，月入南斗魁：天文1轉載].

[甲戌[5日]，有流星，出柳入軒轅，大如鉢：天文1轉載].

壬午[13日]，冊封平壤侯琇，綵棚·樂部·供張甚盛. 王率宮嬪·太子·諸王，潛幸觀禮.[28)]

[→王遣中書侍郞□□□[平章事]金行瓊·衛尉卿李靖恭于尙書省，行□□□□□[子平壤侯琇]冊禮，幷賜印綬·衣帶·鞍馬·匹段·銀器·布貨等物. 冊曰，"周開五等之封，增恢茂業，漢置七王之輔，永耀丕圖. 伊制理之惟艱，必宗蕃而是賴. 宜遵矩矱，益闡芬猷. 咨爾王子琇，天縱藝能，生知仁孝. 劉睦之謙，恭育性，孚体至和，始興之淸，素飭躬，雅符僉矚，克膺德懋，高映戚流. 乃推敦睦之懷，俾示旌庸之眷，授之大邑，進以崇資. 今遣使某官某等，持節備禮，冊爲開府儀同三司·檢校尙書令·守司空·上柱國·平壤侯，食邑一千戶. 於戲，朕則擧不由私，致加於公望，爾則動無違禮，勉奉於官，常保以恩榮，愼厥終始"：列傳3文宗王子常安公琇轉載].

[○雷：五行1雷震轉載].

[某日，以翰林學士鄭惟產，爲明年知貢擧：選擧1選場轉載].[29)]

[是月，僧慶眞造成瓊巖寺盤子一口，入重五十五斤：追加].[30)]

十一月[庚子朔大盡,甲子]，辛亥[12日]，設八關會，御神鳳樓觀樂. [敎坊女弟子楚英，奏新傳抛毬樂·九張機別伎. 抛毬樂，弟子十三人，九張機，弟子十人：樂志2轉載].[31)]

翼日[壬子13日]，大會，大宋·黑水·耽羅·日本等諸國人，各獻禮物·名馬.

[丙寅[27日]，夜，文昌西天裂，長十五尺，廣三尺，色靑赤：天文1轉載].

473面).

28) 文宗의 아들인 琇가 平壤侯에 임명된 것은 1071년(문종25) 1월 16일(壬寅)이다.

29) 이는 지27, 선거1, 科目1, 選場에서 전재하였다.

30) 이는「瓊巖寺盤子銘」에 의거하였는데, 瓊巖寺는 位置不明이다(國立中央博物館 所藏, 崔應天 1988년 ; 文明大 1994년 4책 276面).

· 銘文, "咸雍九年癸丑十月 日, 瓊巖寺盤子入重伍十五斤,棟梁僧慶眞".

31) 이는 다음의 기사를 전재한 것이다.

· 지25, 樂2, 用俗樂節度, "[文宗27年]十一月辛亥, 設八關會, 御神鳳樓觀樂, 敎坊女弟子楚英奏, 新傳抛毬樂·九張機別伎. 抛毬樂, 弟子十三人, 九張機, 弟子十人".

[是月頃, 遣使如契丹, 獻方物:追加].[32)]

十二月庚午朔[小盡,乙丑],[33)] 遼遣寧州刺史大澤來, 賀生辰.
丙申[27日], 以鄭惟產爲禮部尙書, 崔惟吉爲戶部尙書, 閔昌壽爲刑部尙書.

[是年秋, 契丹人馬亂入保州, 蹂躪田野:追加].[34)]

甲寅[文宗]二十八年, 契丹咸雍十年, [宋熙寧七年], [西曆1074年]

1074년 1월 30일(Gre2월 5일)에서 1075년 1월 19일(Gre1월 25일)까지, 355일

[春正月[己亥朔大盡,丙寅], 壬戌[24日], 月入南斗魁:天文1轉載].
[癸亥[25日], □[月]又犯第二星:天文1轉載].
[是月乙丑[27日], 高麗國進奉使金良鑑·副使盧旦, 見於垂拱殿:追加].[35)]
[是時, 高麗使進奉於帝[神宗],
金器五事, 共重一百六十五兩.
　合二副, 一副盛紅罽藥袋二枚, 紅羅銷金畫複裹.
　一副盛紅羅罽腰二副, 紅羅銷金畫複裹, 共用紅紋羅裌複封全, 紅紋羅裌外複二條.
　　盤琖二副, 紅紋羅裌複封全, 共用紅紋羅外複二條.
　　注子一副. 紅紋羅裌複封全, 紅紋羅裌外複一條.

---

32) 이는 다음의 자료에 의거하였다.
　·『요사』 권23, 본기23, 道宗3, 咸雍 9년 12월, "壬辰[24日], 高麗·夏國並遣使來貢".
33) 12월의 삭일은 宋曆에서는 己巳이지만, 高麗曆·日本曆에서는 庚午(宋曆의 12월 2일)이다.
34) 이는『동문선』권39, 上大遼皇帝告奏表에 의거하였다.
35) 이는 다음의 자료에 의거하였다.
　·『속자치통감장편』 권249, 熙寧 7년 1월, "乙丑27[日], 高麗國進奉使金良鑑·副使盧旦, 見於垂拱殿". 여기에서 垂拱殿은 紫宸殿, 皇儀殿과 함께 北宋 禁中의 前殿에 해당한다(至順本『事林廣記』後集, 宮室類, 京闕之圖, 藤本 猛 2007年).
　·『송회요집고』199책, 蕃夷7, 歷代朝貢, "熙寧七年正月二十六日, 高麗國遣使金良鑑·盧旦奉表來, 貢御衣·腰帶·金器·紅罽裀褥·鞍·馬·紙墨·弓刀·幞頭·紗·色羅·生中布·人參·松子·香油". 여기에서는 1월 26일로 되어 있어 위의 자료와 1일의 차이가 있다.

紅罽倚背一十隻, 紅紋羅裌複封全.

紅罽褥二隻, 紅紋羅裌複封全, 共用銀鈒裝烏漆箱二副盛, 銀銷鑰封全, 紅紋羅裌外複二條.

銀裝長刀二十隻, 銀鈒鏤裝烏漆鞘綵條全, 紅羅纈袋十筒封全, 緋羅纈袋十筒封全, 共用黃羅裌外複二條.

生中布二千疋.

生平布二千疋.

人參一千斤.

松子二千二百斤.

香油一百二十斤.

鞍二副, 金鍍銀橋瓦鈒具[鈒具], 罽大小韂韉, 紅羅鞍褥等全, 紅羅繡裌鞍複二條.

細馬二疋:追加].[36]

[○又進奉於太皇太后[仁宗妃]·皇太后[英宗妃],

金器各五事, 共重三百二十兩,

合各二副, 二副盛橄欖繫腰各一條, 各紅羅銷畫複裹.

二副盛紅罽藥袋各二格[校], 各紅羅銷金畫複裹, 共用紅紋羅裌複封全, 紅紋羅裌外複各二條.

盤琖各二副, 各紅紋羅裌複封全.

[注子各一副. 紅紋羅裌複封全:補正].[37]

紅黃罽倚背各一十隻, 各紅紋羅裌複封全.

紅黃罽褥各二隻, 各紅紋羅裌複封全, 共用銀鈒裝烏漆箱各三副盛, 銀銷鑰封全, 紅紋羅裌外複各一條.

生中布各二千疋.

生平布各二千疋.

---

36) 이는 다음의 자료에 의거하였다.

· 『宋大詔令集』 권237, 政事90, 四裔10, 高麗, 賜進奉回書, "勅云云, 所進奉金器五事, 共重一百六十五兩合二副, … 細馬二疋事, 具悉. 卿夙馳國使, 來造王朝, 累牘摛詞, 喜書文之道被. 方舟底貢, 顧庭寡之旅陳, 載想恪恭, 良增褒尙, 特加寵錫, 姑示至懷. 今回賜卿衣著·銀器等, 具如別錄, 至可領也. 故玆示諭, 想宜知悉, 春暄, 卿比平安好, 遣書指不多".

37) 原文에는 이 구절이 없으나 '金器各五事'에 걸맞게 추가되어야 할 것이다(校正事由, 池田 溫 1979年).

人參各一千斤.

松子各二千二百斤.

香油各三千三百斤, 鞍各二副, 金鍍銀橋瓦~~鋑具~~鈒具, 闕大小韂韉, 紅羅繡裌鞍複各三條.

細馬各二疋:追加].[38]

[○又謝恩進奉,

進奉御衣二領,

黃羅絹金畵大袖衣一領, 紅羅綉裌複裏.

紅羅銷金畵窄袖衣<u>二領</u>一領,[39] 紅羅裌複裏, 共用銀鞍裝烏漆箱, 盛銀鎖鑰封全, 紅紋羅裌外複一條.

金腰帶二條, 共重七十兩.

龍銙一條, 紅羅繡錦袋盛, 金鍍銀匣二副盛, 共重二百兩, 紅羅綉裌複封全, 紅紋羅裌外複二條.

金器二事, 共重二百兩.

餅二隻, 紅紋羅裌複封全, 紅紋羅裌外複二條.

銀器一十二事, 共重一千兩.

金花厮羅二隻, 緋羅裌複封全, 紅紋羅裌外複二條.

金花合一十副, 紅紋羅裌複封全, 紅紋羅裌外複二條.

色羅一百疋.

色綾一百疋.

生羅一百疋.

生綾一百疋, 共用土藤箱四副盛, 黃羅裌複封全, 黃羅裌外複四條.

幞頭紗四十枚, 共用烏藤函二副盛, 黃羅裌複封全, 黃羅裌外複二條.

畵龍帳二對, 共用土藤箱盛, 黃羅裌複封全, 黃羅裌外複一條.

大紙二<u>十</u>千副.[40]

---

38) 이는 다음의 자료에 의거하였다.

· 『宋大詔令集』 권237, 政事90, 四裔10, 高麗, 賜進奉太皇太后·皇太后物回書, "勅云云 所進奉太皇太后·皇太后, 金器各五事, … 細馬各二疋事, 具悉. 卿以朕尊臨萬國, 順事兩宮, 越因信使之來, 特致玆闈之問, 詞章重複, 物幣腆豊, 維是忠嘉, 不忘奬厲. 爰申龍賚, 宜體眷私, 今回賜卿衣著·銀器等, 具如別錄, 至可領也. 故玆示諭, 想宜知悉, 春暄, 卿比平安好, 遣書指不多及".

39) 二領은 一領으로 고쳐야 옳게 될 것이다.

墨四百鋋[挻], 共用金漆櫃二副盛, 黃羅裌複封全, 黃羅裌外複二條.[41]

金鍍銀裝鬩器仗二副, 紅繡袋盛, 黃羅裌外複二條.

金鍍銀裝靑皮器仗一副, 紅錦袋盛, 黃羅裌外複一條.

金鍍銀裝緋皮器仗一副, 紅錦袋盛, 黃羅裌外複一條.

細弓四張, 紅紋羅袋盛.

哮二箭[~~哮子箭~~]二十四隻.[42]

細箭八十隻.

鞍二副, 螻細銀裝呉鋑具[鉸具], 紅紋羅鞍褥等全, 紅羅繡裌鞍複二條.

馬一匹:追加].[43]

[○又金良鑑奏, "高麗欲遠契丹, 乞改道由明州詣闕", 從之:追加].[44]

二月[己巳朔小盡,丁卯], 庚午[2日], [驚蟄]. 日本國船頭重利等三十九人來, 獻土物.[45]

[戊寅[10日], 流星出參西行, 大如木瓜:天文1轉載].

[乙酉[17日], 春分. 月暈, 光芒如彗, 長三十餘尺:天文1轉載].

甲午[26日], 册封長女爲公主.

[丙申[28日], 顯德鎭民家九十一戶灾:五行1火災轉載].[46]

---

40) 十은 千의 오자로 추측된다(문종 34년 7월 2일, 池田 溫 1979年).

41) 鋋은 挻의 오자로 추측된다(문종 34년 7월 2일, 池田 溫 1979年).

42) 哮二箭은 哮子箭의 오자로 추측된다(→문종 26년 6월 26일, 34년 7월 2일, 池田 溫 1979年).

43) 이는 다음의 자료에 의거하였다.

· 『송대조령집』 권237, 政事90, 四裔10, 高麗, 賜謝恩進奉回書, "勅, 權知高麗國王事王徽, 人使金良鑑等至, 省所謝恩, 進奉御衣二領, … 馬一匹事, 具悉. 卿乃者遠馳使指, 來獻方奇, 因其還歸, 厥有賜予, 覽奏封之荐至, 貢報禮以彌勤, 申味情辭, 有嘉誠節. 故玆示諭, 想宜知悉, 春暄, 卿比平安好, 遣書指不多及".

44) 이는 다음의 자료에 의거하였다. 여기에서 密州(現 山東省 諸城市)-京東路-汴京으로 이어지는 行路가 주목되는데, 京東路에 대한 검토가 있다(日比野丈夫 1974年).

· 『송사』 권487, 열전246, 外國3, 高麗, "往時, 高麗人往反[返], 皆自登州, [熙寧]七年, 遣其臣金良鑑來言, 欲遠契丹, 乞改塗[道]由明州詣闕, 從之".

· 『萍洲可談』 권3, "京師置都亭驛待遼人, 都亭西驛待夏人, 同文館待高麗, 懷遠驛待南蠻. 元豊待高麗最厚, 沿路亭傳, 皆名高麗亭, 高麗人泛海而至明州, 則由二浙遡汴, 至都下, 謂之南路, 或至密州, 則由京東陸行至京師, 謂之東路. 二路亭傳一新, 常由南路, 未有由東路者, 高麗人便於舟楫, 多齎輜重故爾".

45) 延世大學本과 東亞大學本에는 上物로 되어 있으나 土物의 誤字이다(東亞大學 2008년 3책 454面).

46) 顯德鎭은 이때부터(문종 28년 2월)부터 1075년(문종29)사이에 耀德鎭으로 改稱되었던 것 같다.

[增補].[47]

[三月[戊戌朔大盡,戊辰], 庚子[3日], 清明. 靜邊鎭城廡·軍營及民家一百十三戶灾:五行1火災轉載].

[丙辰[19日], 穀雨. 鎭溟縣城廡及民家八十二戶灾:五行1火災轉載].

夏四月戊辰朔[大盡,己巳], 以旱徙市.[48]

甲戌[7日], 大雨, 百官表賀.

乙酉[18日], 設百高座於內殿, 講仁王經三日.[49]

甲午[27日], 命太子覆試, 賜李嘏等及第.[50]

· 『신증동국여지승람』 권48, 永興大都護府, 古跡, "耀德鎭, 在府西一百二十里. 本顯德鎭, 高麗顯宗十四年築城, 恭愍王改爲縣. 已上今廢爲社. 社, 猶言里也. 本道人凡稱里皆爲社".

47) 이달에 송에 파견된 사신단의 행적은 다음과 같다.

· 2월 5일(癸酉), 知高麗國事 王徽(文宗)가 書狀·土物을 中書省·樞密院에 보내왔으므로 神宗이 市易務로 하여금 斥賣하여 綾·羅·紗 등을 購買하여 2府(中書省·樞密院)로 하여금 各各 書狀과 함께 對答하게 하였다(『속자치통감장편』 권250 ; 『송사』 권487, 高麗 ; 『문헌통고』 권325, 四裔考2, 高句麗). 이때 高麗使臣團을 통해 權知高麗國王事 王徽(文宗)에게 起居·進奉物 등에 대한 答書를 보냈다(『宋大詔令集』 권237, 政事90, 四裔10, 高麗, 賜權知高麗國王事王徽起居回書·賜進奉回書·賜進奉太皇太后皇太后物回書·賜謝恩進奉回書·賜國信幷別賜書·賜謝回賜銀器衣着等書·賜設齋祝聖回書·賜示諭書).

· 2월 15일(癸未), 權知高麗事 王徽(文宗)가 表를 올려 高麗國人을 가르치기 위한 醫·藥·畵·塑 4種의 工匠을 요청하자, 江淮發運使 羅拯에게 命하여 四色人 중에서 自願하는 者 2~3人을 뽑아 먼저 赴闕하게 하도록 하였다(『속자치통감장편』 권250 ; 『송사』 권487, 高麗 ; 『皇宋通鑑長編紀事本末』 권89, 通使高麗 ; 『문헌통고』 권325, 四裔考2, 高句麗).

· 2월 22일(庚寅), 國子監에게 命하여 九經·子史의 諸書를 購買하여 高麗國 使臣團에게 주게 하였다(『속자치통감장편』 권250 ; 『群書考索後集』 권30, 士門蕃學 ; 『宋史全文續資治通鑑』 권12上).

· 이해에 高麗가 貢物을 바쳤다[入貢](『송사』 권5).

· 이해에 고려사신 金良鑑이 中國의 圖畵를 購買하였다(『圖畵見聞誌』 권6, 近事, 高麗國).

48) 契丹에서도 이달에 旱魃이 있었다고 한다(『요사』 권23, 본기23, 道宗3, 咸雍 10년 4월).

49) 百高座는 『仁王護國般若波羅蜜経』 (略稱 仁王経)의 5品, 護國品에 의거하여 百人의 法師를 초청하여 百個의 높은 椅子[高座]에 모시고 百燈을 켜고 百和香을 피우면서 1日에 2시간 정도씩 『仁王經』을 講經하게 하여 각종 災難을 消滅하게 하는 法會라고 한다.

50) 이와 관련된 기사로 다음이 있다. 이때 李嘏·尹瓘 등이 급제하였다(許興植 2005년).

· 지27, 선거1, 科目1, 選場, "[文宗]二十七年十月, 以翰林學士鄭惟産, 爲明年知貢擧, 二十八年四月, 命太子, 覆試惟産所取進士, 下詔賜乙科李嘏等二人·丙科十人·同進士十四人·明經二人及第".

[五月戊戌朔小盡,庚午:追加].

六月丁卯朔大盡,辛未, 癸酉7日, 東女眞懷化將軍祖仰仁等來, 獻馬.

丙子10日, 宋<u>楊州</u>~~揚州~~醫助敎<u>馬世安</u>等八人□~~來~~.[51)]

[辛巳15日, 震行人于興王寺南路:五行1雷震轉載].

秋七月丁酉朔小盡,壬申, 己亥3日, 以李徵望爲尙書右僕射, 金若珍爲左散騎常侍, 盧旦爲尙書禮部侍郞·右諫議大夫.

庚子4日, 設文豆婁道場於東京四天王寺, 二十七日, 以禳蕃兵.

[庚申24日, 客星見<u>東壁星</u>~~東壁星~~南, 大如木瓜:天文1轉載].

八月丙寅朔大盡,癸酉, 壬申7日, 東女眞歸德將軍所羅等二十八人來, 獻名馬, 賜物有差.

辛卯26日, 以中樞院使·戶部尙書李頲△爲<u>權西京留守使</u>.[52)]

九月丙申□~~朔~~小盡,甲戌, 錄文昌侯崔致遠五代孫<u>善之</u>, 爲都染署史.[53)]

[辛丑6日, 月犯南斗魁中第一星:天文1轉載].

[丁未12日, 雷, 震昌德門直軍:五行1雷震轉載].

[己酉14日, <u>月食</u>:天文1轉載].[54)]

---

51) 近代 이전 한국 측의 자료에서 中國의 揚州(現 江蘇省 揚州市)는 대체로 楊州로 표기되었다. 또 여러 판본의 『고려사』에서 □에 글자가 없는데, 來가 탈락되었음을 『고려사절요』 권5를 통해 알 수 있다(東亞大學 2008년 3책 454面).
이때 고려에 온 馬世安은 귀국하면서 『東觀漢記』를 가지고 갔다고 한다.
·『文昌雜錄』 권6, 元豊 8年 7月 16日, "熙寧中, <u>王徽</u>病, 詔醫官<u>馬世長</u>往治之, 歸得東觀漢記七冊, 彼亦自無完本, 然俗好經書, 至於庶賤之家, 各於衢路造大屋, 謂之<u>局</u>扃堂, 子弟晝夜誦讀云".
여기에서 馬世長은 馬世安의 다른 표기인 것 같다. 또 이때 宋에 전해진 『東觀漢記』 7책은 이 자료에서와 같이 完本이 아니어서, 1091년(元祐6, 선종8) 宋이 고려에 서적을 대량으로 요구할 때의 求書目錄에 『東觀漢記』 127권이 포함되어 있었던 것 같다.
그리고 馬世安은 1080년(문종34, 元豊3) 7월 다시 고려에 왔고, 다음 해 3월까지 고려에 있었는데, 宋으로의 귀국 시기는 알 수 없다(→문종 34년 7월 6일).

52) 이때 李頲(李子淵의 子)은 46歲로 戶部尙書·中樞使·權西京留守使에 임명되었다(李頲墓誌銘).

53) 丙申에 朔이 탈락되었다.

54) 이날 宋에서는 皆旣月蝕이었다고 한다(『송사』 권52, 지5, 천문5, 月食). 이날은 율리우스력의 1074년 10월 7일이고, 월식 현상이 심했던 때의 世界時는 21시 18분, 食分은 1.79이었다(渡邊敏夫 1979年 473面).

乙卯[20日], 西女眞歸德將軍古守等十人來, 獻馬.

[冬十月[乙丑朔大盡,乙亥], 是月頃, 遣使如契丹, 獻方物:追加].[55)]

[十一月[乙未朔小盡,丙子], 己亥[5日], 流星出文昌, 抵西北而沒, 大如鉢:天文1轉載].

冬十二月甲子朔[大盡,丁丑], 遼遣崇祿卿賈詠來, 賀生辰.
[丁亥[24日], 月入氐星:天文1轉載].

[是年, 修元興鎭·龍州·渭州城, 共一千九百三十餘間:兵2城堡轉載].
[○以[重大師]韶顯爲三重大師:追加].[56)]
[○契丹置探戍庵於鴨綠江東定戎城北方:追加].[57)]
[是年頃, 宋帝使郭熙寫成秋景·烟嵐水墨山水畵二点, 賜之高麗王王徽:追加].[58)]

乙卯[文宗]二十九年, 契丹大康元年[高麗稱咸雍11年],[59)]
[宋熙寧八年], [西曆1075年]

1075년 1월 20일(Gre1월 26일)에서 1076년 2월 7일(Gre2월 13일)까지, 13개월 384일

春正月甲午朔[小盡,戊寅], 放朝賀.
壬寅[9日], 推忠贊化康靖綏濟功臣·開府儀同三司·守太師·~~上柱國~~·門下侍中崔惟善卒.[60)] [惟善, 繼世儒宗, 傳家相業, 匡輔兩朝, 雖無赫赫之稱, 人皆重之. 謚文和, 後配享王廟:節要轉載].[61)]

---

55) 이는 다음의 자료에 의거하였다.
·『요사』 권23, 본기23, 道宗3, 咸雍 10년 11월, "戊午[24日], 高麗遣使來貢".
56) 이는 「金堤金山寺慧德王師眞應塔碑」에 의거하였다.
57) 이는 세가10, 宣宗 5년 9월 ; 『동인지문사륙』 권3(『동문선』 권48), 入遼乞罷榷場狀에 의거하였다.
58) 이는 다음의 자료에 의거하였는데, 郭熙(11세기 중반 이후에 활약한 北宋代의 人物)가 二圖를 제작한 시기는 1074년(熙寧7)으로 추정되고 있다(塚本麿充 2016年 406面).
·『林泉高致集』, 畵記, "… 又作秋景·烟嵐二, 賜高麗, 又作四時·山水各二, …".
59) 이해의 11월에도 咸雍 11년을 사용한 사례가 있다(崔士威墓誌銘).
60) 이날은 율리우스曆으로 1075년 1월 28일(그레고리曆 2월 3일)에 해당한다.

丙午13日, 以守司空李徵望爲尙書左僕射·判兵曹事~~判兵部事~~,[62] 鄭惟產△爲參知政事·監修國史, 柳洪爲中樞□院副使.

[是月, 前進士赫連挺撰'均如傳'後序:追加].[63]

[二月癸亥朔大盡,己卯:追加].

三月癸巳朔小盡,庚辰, [戊申16日 雪:五行1轉載].

己未27日, 以參知政事鄭惟產爲太子少師, 崔惟吉爲太子賓客.

夏四月壬戌朔大盡,辛巳, 丙寅5日, 遣刑部侍郎崔奭如遼, 賀天安節, 殿中內給事全咸正, 賀坤寧節, 都官員外郎趙惟阜, 賀正,[64] 殿中侍御史許忠, 進方物.

[庚午9日, 雨土:五行3轉載].

[戊寅17日, 流星出角入井鬼間:天文1轉載].

丙戌25日, 以旱, 放諸處土木役夫.[65]

閏[四]月壬辰朔小盡,辛巳, 丙申5日, 日本商人大江□□~~某某~~等十八人來, 獻土物.

五月辛酉朔大盡,壬午, [夏至]. 太史奏, "自春至夏, 亢陽不雨, 恐傷稼穡, 請禱于丘陵川瀆", 制可.

乙酉25日, 宋商王舜滿等三十九人來, 獻土物.

六月辛卯朔大盡,癸未, 壬子22日, 日本人朝元時經等十二人來, 獻土物.

---

61) ~~添字~~는 열전8, 崔惟善에 의거하였다.

62) 判兵曹事는 判兵部事의 오자이다.『고려사절요』권5에는 옳게 되어 있다. 또 이때 李徵望은 尙書左僕射로서 六部判事를 兼職할 자격이 있는 守司空을 띠고 있었을 것이다(張東翼 2013년a).

63) 이는『均如傳』序文과 後序에 의거하였다(淸州古印刷博物館 2010년 59面).

· 後序, "聖人之所以異於人者, 以其導惑敎愚, 作大利益故也. 赫連挺』伏審吾師之行狀, 其聖人也歟, … 咸雍十一年正月日後序』".

64) 趙惟阜는 2년 후인 1077년(문종31) 5월에서 10월 사이에 文林郞·守尙書禮部員外郞으로 在職하였다(李頲墓誌銘).

65) 宋에서는 이달에 眞定府(現 河北省 正定縣)에서 큰 가뭄[大旱]이 있었다고 한다(『송사』권66, 지19, 오행4).

丙辰[26日], 宋商林寧等三十五人來, 獻土物.

秋七月[辛酉朔小盡,甲申], 乙丑[5日], 遼東京兵馬都部署牒告, 改咸雍十一年, 爲大康元年.[66)]
庚午[10日], 日本商五十九人來.
癸酉[13日], 遼東京兵馬都部署, 奉樞密院箚子移牒, 請治鴨江以東疆域.
[○流星出南斗, 疾行至尾而散, 長丈餘:天文1轉載].
己卯[19日], 遣知中樞院事柳洪·尙書右丞李唐鑑, 同遼使, 審定地分, 未定而還.
庚辰[20日], 以李顋爲中書侍郎同中書門下平章事·上柱國, [參知政事]鄭惟産爲吏部尙書, 金若珍爲戶部尙書·參知政事·權判三司事兼太子少保, 文正爲刑部尙書·知中樞院事, 金悌爲禮賓卿·同知中樞院事, 崔惟吉爲尙書右僕射, [衛尉卿?]李靖恭爲禮部尙書·太子賓客, 洪德成爲秘書監·左諫議大夫兼太子少詹事.[67)]
[○月犯昴:天文1轉載].

八月庚寅朔[大盡,乙酉], 日食.[68)]
甲寅[25日], 以盧旦爲翰林學士, 方吳桂爲戶部尙書, 曹爲一△[爲]攝工部尙書.

[九月[庚申朔小盡,丙戌], 辛巳[22日], 流星入天樞, 大如木瓜:天文1轉載].
[壬午[23日], 流星出天津, 入河鼓, 大如杯:天文1轉載].
[丁亥[28日], 流星出下台東北, 入軒轅:天文1轉載].
[戊子[29日晦], 流星入華盖, 大如燈:天文1轉載].

冬十月[己丑朔大盡,丁亥], [癸巳[5日], 小雪. 流星出天南, 入軫, 大如木瓜:天文1轉載].
丙申[8日], 彗見于軫星, 長七尺餘.[69)]

---

66) 契丹이 年號를 大康으로 바꾸고 大赦를 내린 것은 前年 12월 18일(辛巳)이다.

67) 이때 李顋(李子淵의 子)은 51歲로 中大夫·中書侍郎同中書門下平章事·判尙書兵部事·上柱國에 임명되었다(李顋墓誌銘).

68) 이날 宋에서도 일식이 예측되었으나 구름으로 인해 관측되지 못했다고 하고(『송사』 권52, 지5, 천문5, 日食), 契丹과 日本에서는 일식이 있었다고 한다(『요사』 권23, 본기23, 道宗3, 大康 1년 8월 庚寅 ; 『扶桑略記』 권30, 承保 2년, "八月朔庚寅, 日蝕"). 이날은 율리우스력의 1075년 9월 13일이고, 개경에서 일식 현상이 심했던 시간은 11시 0분, 食分은 0.66이었다(渡邊敏夫 1979年 305面).

[庚子[12日], 霧塞:五行3轉載].

十一月[己未朔小盡,戊子], 乙亥[17日], 遼遣橫宣使·益州管內觀察使耶律甫來.

十二月戊子朔[大盡,己丑], 遼遣太傅武達來, 賀生辰.

丁未[20日], 以[中書侍郞平章事]李頲△[爲]判西北面兵馬事, [參知政事]金若珍△[爲]判東北面兵馬事, 崔惟吉·金陽爲尙書左·右僕射, 柳得韶爲工部尙書·判司天太史局事, 盧寅·金良鑑爲左·右散騎常侍. 崔奭爲殿中監·知御史臺事, 愼脩·盧師象並爲侍御史, 金上琦·陳潛古爲左·右補闕, 李晙爲左拾遺, 黃師覇·洪奭竝爲殿中侍御史.

[是年, 遣使如契丹, 請罷鴨綠江船橋及保州城:追加].[70]

[○判[冊], "征防軍人, 有疾病, 必使醫藥療治, 身死者, 給棺槨, 令隊典護屍遞傳, 幷其資財, 付諸妻子, 官給葬時所需":兵1五軍轉載].

丙辰[文宗]三十年, 契丹大康二年, [宋熙寧九年], [西曆1076年]

1076년 2월 8일(Gre2월 14일)에서 1077년 1월 26일(Gre2월 1일)까지, 354일

春正月[戊午朔小盡,庚寅], 戊辰[11日], 東女眞歸德將軍張向等十九人來, 獻駿馬.

己巳[12日], 以儲元賓爲右拾遺.

甲戌[17日], 東女眞歸德將軍開老等十人來, 獻名馬.

[某日, 命有司, 量給袍袴于赴防軍士貧乏者:節要·兵1五軍轉載].

---

69) 宋에서는 혜성이 10월 7일(乙未)에 관측되었고, 19일(丁未) 이후에 보이지 않았다고 한다(『송사』 권56, 지9, 천문9, 彗星).

70) 이는 다음의 자료에 의거하였다.

· 열전8, 朴寅亮, "遼嘗欲過鴨綠江爲界, 設船橋, 越東岸, 置保州城. 顯宗以來, 屢請罷, 不聽. [文宗]二十九年, 遣使請之, 寅亮修陳情表曰, '普天之下, 旣莫非王土王臣, 尺地之餘, 何必曰我疆我理'. 又曰, '歸汶陽之舊田, 撫綏弊邑, 回長沙之拙袖, 抃舞昌辰'. 遼主[道宗]覽之, 寢其事".

·『동문선』 권39, 上大遼皇帝告奏表, "原文 省略".

·『역옹패설』 後集권2, "原文 省略".

二月丁亥朔[小盡,辛卯], 日食.[71]

庚戌[24日], [淸明]. 東女眞可封等二十人來, 獻土物.

三月[丙辰朔大盡,壬辰], 壬申[17日], 御文德殿覆試, 賜李昱等及第.[72]

夏四月[丙戌朔大盡,癸巳], [某日, 有司奏, "黃州牧管內鳳州, 比因水灾, 遷徙, 新創公廨民廬, 民業未復, 請蠲今年租稅·徭役", 從之:食貨3災免之制轉載].[73]

丁未[22日], 遼遣永州管內觀察使蕭惟康來, 告皇太后喪.[74] 詔曰, "昊天不憖, 大行皇太后上僊,[75] 慈顔永訣, 眇質疇依. 攀戀所深, 悲號無措. 卿踈封王社, 作翰皇家, 聞報訃音, 諒增哀懇".

己酉[24日], 王素襴, 率百官, 出閣門[閣門]前, 迎詔擧哀.

○遣戶部尙書王錫·刑部侍郎李子威如遼, 奉慰會葬.[76]

[五月丙辰朔[小盡,甲午]:追加].

六月[乙酉朔大盡,乙未], 己亥[15日], 王受菩薩戒于內殿.

[某日, 制, "先亡有後之妻, 及同居妻父母服制, 依式給暇":禮6五服制度轉載].

[→制, "先亡有後之妻, 及同居妻父母忌日, 依制給暇":禮6百官忌暇轉載].

---

71) 이날(율리우스력의 1076년 3월 8일)의 일식은 북동아시아 3국에서 관측되지 않는 것이라고 한다(渡邊敏夫 1979年 305面).

72) 이와 관련된 기사로 다음이 있다.
· 지27, 선거1, 科目1, 選場, "[文宗]三十年三月, 禮部尙書李靖恭知貢擧, 取進士, 覆試, 賜乙科李昱等二人·丙科七人·同進士二十一人·明經二人及第".

73) 이 기사는『고려사절요』권5에도 수록되어 있다.
·"有司奏, '鳳州, 比因水灾遷徙, 新創公廨, 民業未復, 請蠲今年租稅徭役', 從之".

74) 契丹의 皇太后(興宗妃 仁懿皇后蕭氏)는 3월 6일(辛酉)에 逝去하였고, 8일(癸亥)에 高麗와 西夏에 使臣을 보내 通告하였다(『요사』권23, 본기3, 道宗3, 大康 2년 3월 辛酉, 癸亥).

75) 大行皇太后의 大行은 '돌아오지 못하는[不反, 不返]', '멀리 간[遠行, 逝去]의 意味를 지니고 있는 것 같다.
·『자치통감』권32, 漢紀24, 成帝綏和 2년(BC7) 3월, "丙戌, 帝崩於未央宮. … 是日, [左將軍]孔光於大行前拜受丞相·博山侯印綬[胡三省注, 大行前, 謂大行皇帝樞前. 韋昭曰, 大行者, 不反之辭]".

76) 이들 고려의 사신은 6월 4일(戊子) 宋·西夏의 사신과 함께 弔祭하였다(『요사』권23, 본기3, 道宗3, 大康 2년 6월 戊子).

[秋七月乙卯朔小盡,丙申:追加].

秋八月甲申朔大盡,丁酉, 丁亥4日, 遣工部侍郎崔思諒如宋, 謝恩兼獻方物.77)

庚戌27日, 有司奏, "北朝契丹於定戎鎭關外, 設置庵子. 請遣使告奏毁撤", 從之.

九月甲寅朔大盡,戊戌, 甲子11日, 以禮部尙書李靖恭爲兵部尙書, 文晃爲御史中丞, 梁侯紹爲監察御史.

[某日, 有司請依前例, 習射繡質九弓弩於南郊, 從之:節要·兵1五軍轉載].

[增補].78)

冬十月甲申朔小盡,己亥, 己丑6日, 以朴寅亮爲右副承宣.

戊戌15日, 有司奏, "日本國僧俗二十五人到靈光郡, 告曰, 爲祝國王壽, 雕成佛像, 請赴京以獻". 制許之.

[增補].79)

---

77) 崔思諒은 중국 측의 자료에는 崔思訓으로 기록되어 있는데, 1078년(문종32) 5월 27일(庚子)에서 1081년(문종35) 12월 28일(庚辰) 사이에 일시 後者로 改名하였던 것 같다.

78) 이 시기에 고려인이 송에 漂着하였던 것 같다.

· 9월 2일(乙卯), 權發遣兩浙轉運副使 蘇澥가 高麗 金隄郡의 水軍 幸忠 등 20人이 秀州 華亭縣에 漂流해 왔다고 보고하자 事實與否를 調査하여 事實이면 접대하여 高麗 使臣團의 入朝를 기다리게 하라고 命하였다. 그 후 王徽(文宗)의 사신단이 이르자 이들에게 帛을 下賜하여 歸還시켰다(『續資治通鑑長編』 권277).

79) 宋에 도착한 고려 사신단의 10월의 형편은 다음과 같다.

· 10월 1일(甲申), 神宗이 明州(현 浙江省 寧波市)에 도착한 고려 사신단이 行路에서 遲滯하여 汴口가 閉鎖되기 전까지 京師에 이르지 못할 것을 염려하여 速行을 命하였다(『속자치통감장편』 권278).

· 10월 13일(丙申), 宣徽南院使·判應天府 張方平이 高麗使臣의 赴闕儀制에 의하면 經過하는 京·府·州·軍의 知州 및 通判이 出城하여 迎接하게 되어 있는데, 이는 契丹使臣의 경우 通判·攝少尹이 迎接하는 것에 비해 過分한 措置라고 하였다. 또 自身은 宣徽使로서 班秩이 2府(中書省·樞密院)와 같아 出城하여 接送하기 곤란하다고 건의하자, 神宗이 通判으로 하여금 接送하게 하고 鎭江節度使·判揚州事 陳升之에게도 이를 準用하여 迎接하게 하였다(『속자치통감장편』 권278 ; 『송사』 권318, 張方平 ; 『樂全集』 권27, 論高麗使人相見儀式事·附錄張方平行狀 ; 『蘇東坡全集後集』 권17, 張方平墓誌: 『東坡全集』 권88, 張文定公墓誌銘 ; 『三朝名臣言行錄』 권3-4, 參政張文定公 ; 『石林燕語』 권3 ; 『聞見近錄』 권 ; 『梁谿漫志』 권2, 外夷使入朝 ; 『說郛』 권50下). 이때 張方平은 고려 사신이 明州에 도착한 이후 開封府에 이르는 路程에서의 諜報行爲·迎送에 따른 經費 등의 문제점을 지적하면서, 開封府에서 使臣團과 宋人과의 交遊를 막을 것을 建議하였다(『樂全集』 권27, 論高麗使人相見儀式事·附錄張方平行狀).

十一月癸丑朔大盡,庚子, 庚午18日, 日長至~~日短至~~.[80] 制略曰下制略曰, "一陽布氣, 萬物懷生, 宜加舍養, 期致遂性. 其令州府郡縣, 禁人漁獵, 違者罪之".[81]

○遼遣崇祿卿石宗回來, 致大行皇后遺留衣服·綵叚~~綵段~~·銀器, 詔曰, "昊穹不弔, 慈壺纏憂, 痛極彌留, 無所追及. 爰遵遺命, 式示寵頒".

[增補].[82]

十二月癸未朔小盡,辛丑, 遼遣崇祿卿郭善利來, 賀生辰.

[某日, 命制, 凡科擧, 或三十年, 或四五十年, 闕榜州縣人, 若登製述·明經科, 給田十七結, 或百年後, 登第者, 給田二十結, 奴婢各一口, 雜業登科者, 亦給田有差: 節要轉載].[→判制, 凡州縣闕榜, 至三十年, 或四五十年, 登製述·明經科者, 給田十七結, 百年後登者, 給田二十結, 奴婢各一口: 選擧2崇奬轉載]

[→判制, 國制, 製述·明經·明法·明書·算業出身, 初年, 給田甲科二十結, 其餘十七結, 何論業出身, 義理通曉者, 第二年給田, 其他手品雜事出身者, 亦於四年後給田. 唯醫·卜·地理業, 未有定法, 亦依明法·書·算例, 給田: 選擧2崇奬轉載].[83]

[增補].[84]

---

80) 이날은 율리우스曆으로 1076년 12월 16일(그레고리曆 12월 22일)에 해당한다. 冬至[日短至]는 北半部에서 낮[白晝]가 가장 짧고, 밤[黑夜]가 가장 긴 날[日]인데, 그레고리曆으로 12월 21, 22日이 해당되고 간혹 23日일 수도 있다. 그런데 중국에서 이날[是日]보다 1일 전인 11월 17일(己巳, 그레고리력으로 12월 21일)이 冬至였다고 한다(王雙懷 等編 2006年 2909面→공민왕 21년 11월 18일의 脚注).

81) 日長至는 夏至를 指稱하므로 冬至(율리우스曆으로 11월 中氣, 그레고리曆으로 12월 21日頃)인 日短至 또는 日南至를 指稱할 것이다. 또 冬至의 別稱이 長至이기에 이를 長至節이라고 하므로 위의 日長至는 長至라고 表記하면 적합할 것이다. 또 '制略曰'은 '制書를 내려 말씀하셨는데, 이를 줄여서 말하면[下制略曰]'로 이해하는 것이 좋을 것이다[讀]. 또 延世大學本과 東亞大學本은 一陽布氣가 二陽布氣로 되어 있으나 오자일 것이다.
· 『事林廣記』 권4, 節令記載門下, 冬至, "自冬至後, 日又漸長, 故謂之長至節"(日本版, 1684年).

82) 宋에 체재하고 있던 고려 사신단의 11월의 형편은 다음과 같다.
· 11월 21일(癸酉), 고려 사신단의 工部侍郎 崔思諒崔思訓이 와서 御衣·腰帶·金器·色羅綾·幞頭紗·鞍轡馬·弓刀·紅罽褥·紙·墨·銅器·生中布·人參~~大蔘~~·松實·香油·黃涑·藥物을 바쳤다(『송회요집고』 199책, 蕃夷7, 歷代朝貢 ; 『玉海』 권154, 朝貢, 獻方物建隆高麗來貢).

83) 以上의 記事에서 命과 判은 모두 制로 고쳐야 옳게 되는데, 원래 『문종실록』에서는 制로 되어 있었을 것이다.

84) 송에 머물고 있던 고려 사신단의 12월의 고려 사신단의 형편은 다음과 같다.
· 12월 6일(戊子), 神宗이 杭州 天竺寺에 머물고 있는 高麗僧 3人을 赴闕시키도록 命하였다(『속자치통감장편』 권279 ; 『咸淳臨安志』 권40, 詔令1, 神宗皇帝).

是歲，改官制.

[→更定兩班田柴科，又改官制，定百官班次及祿科:節要轉載].

[○中書令一人，秩從一品. 定門下侍中一人，秩從一品. 門下侍郎平章事·中書侍郎<u>平章事</u>，各一人，並秩正二品. 參知政事一人，秩從二品，□□□□□[後增二人]. 政堂文學一人，秩從二品. 知門下省事一人，秩從二品. 左·右<u>散騎常侍</u>，左·右各一人，秩正三品. <u>直門下</u>□□[省事]一人，秩從三品. 左·右諫議大夫，左·右各一人，秩正四品. 給事中一人，秩從四品. 改內書舍人，爲中書舍人，定一人，秩從四品. 起居注一人，秩從五品，起居郎一人，秩從五品，起居舍人一人，秩從五品，左·右<u>補闕</u>，各一人，秩正六品，改左·右<u>拾遺</u>，各一人，秩從六品. 門下錄事一人，秩從七品. 改內史注書，爲內書注書，定一人，秩從七品. <u>掾屬</u>，主事六人，令史六人，書令史六人，注寶三人，待詔二人，書藝二人，試書藝二人，記官二十人，書手二十六人，直省八人[唐·鄕各四人]，電吏百八十人，門僕十人:百官1門下府:轉載].[85)]

· 이해에 고려가 崔思諒(崔思訓)을 보내오자 近侍[中貴人]에게 명하여 都亭西驛(都亭驛은 開封府의 內城의 外廓인 汴河 隣近에 位置)의 例에 따라 宿所를 마련하여 厚하게 待接하게 하였다(『송사』 권487, 高麗).
이때의 고려 사신단[進奉使]은 正使만 있고 副使는 없었다고 한다(『元豊類藁』 권35, 明州擬辭高麗送遣狀). 또 이때 崔思諒은 知杭州 蘇頌와 相見하였고, 畵工 數人을 대동하여 와서 相國寺의 壁畵를 模寫하여 귀국하였다고 한다(『丞相魏公譚訓』 권2, 家世 ; 『圖畵見聞誌』 권6, 近事, 高麗國).

85) 1061년(문종15)의 官制整備에서 지30, 百官1의 門下府에 관한 기사는 다음과 같은 문제점이 있다.
· 平章事의 경우, 百官1, 門下府에 "文宗, 定門下侍郎平章事, 中書侍郎平章事各一人. 又於中書·門下□[省], 各置平章事, 秩正二品"(添字는 省略 또는 缺字일 것이다)으로 되어 있다. 이에 의하면 중서성과 문하성에 각각 中書平章事, 門下平章事가 별도로 설치되어 있는 셈이고, 이를 현재의 학자들도 그대로 수긍하고 있다. 그렇지만 『고려사』에 나타나는 中書平章事와 門下平章事를 事實의 前後, 다른 編目, 列傳, 墓誌銘, 文集 등의 자료와 비교하여 보면 모두 중서시랑평장사, 문하시랑평장사, 곧 중서시랑동중서문하평장사, 문하시랑동중서문하평장사의 略稱임을 알 수 있다(張東翼 2013년a).
· 參知政事는 시대의 진전에 따라 2~3人으로 증가하였다(朴龍雲 2009년 85面).
· 左·右散騎常侍는 1275년(충렬왕1) 10월의 官制改革 以前에 略稱인 左·右常侍 또는 左·右散騎로 表記되는 경우도 있었다(→明宗 11년 12월 28일).
· 百官1, 門下府에 直門下省事의 略稱인 直門下省과 直門下 중에서 後者를 사용하였다(正式事例 ; 直門下省事 盧旦·宋松禮).
· 左·右補闕의 경우, 百官1, 門下府에 "穆宗時, 有左·右補闕, 睿宗改左·右司諫, 各一人, 秩正六品"으로 되어 있다. 文宗代의 제도정비에 대한 기록이 나타나지 않으나 당시에도 左·右補闕이 존재하고 있었고, 이는 1111년(예종6) 4월 18일(庚戌)에서 1115년(예종10) 8월 8일(乙巳) 사이에 左·右司諫으로 改稱되었다.
· 左·右拾遺의 경우, 百官1, 門下府에 "穆宗時, 有左·右拾遺, <u>睿宗十一年</u>, 改左·右正言, 各一人,

[○定三師·三公各一人, 皆正一品:百官1三師·三公轉載].

[○尙書省, 尙書令一人, 秩從一品, 左·右僕射, 各一人, 正二品, 知省事一人, 從二品, 左·右丞各一人, 從三品, 左·右司郞中, 各一人, 正五品, 左·右司員外郞, 各一人, 正六品, 都事二人, 從七品. 掾屬, 主事四人, 令史六人, 書令史六人, 記官二十人, 筭士一人, 直省二人:百官1尙書省轉載].[86)]

[○三司, 判事一人, 宰臣[宰相]兼之, 使二人正三品, 知司事一人, □□□□[~~他官兼之~~], 副使二人從四品, 判官四人□□□[~~從五品~~]. 吏屬, 置主事六人, 令史十一人, 書令史二人, 記官二十五人, 重監二人, 計史二人, 筭士四人[吏屬, 文宗前後史闕, 未攷, 諸司倣此]:百官1三司轉載].[87)]

[○中樞院, 判院事一人, 院使二人, 知院事一人, 同知院事一人, 秩並從二品. 副使二人, 簽書院事一人, 直學士一人, 並正三品. 知奏事一人, 左·右承宣各一人, 左·右副承宣各一人, 亦正三品. 堂後官二人正七品. 吏屬, 別駕十人, 主事十人, 試別駕二人, 令史二人, 記官八人, 通引四人:百官1密直司轉載].

[○尙書六部, 判事一人, 宰臣兼之, 尙書一人, 秩正三品, 知部事一人, 他官兼之, 侍郞一人正四品, 郞中一人正五品, 員外郞一人正六品. 吏屬, ○吏部, 主事二人, 令史二人, 書令史二人, 記官六人. ○兵部, 主事二人, 令史二人, 書令史二人, 記官十二人. ○戶部, 主事六人, 令史六人, 書令史十人, 計史一人, 記官二十五人, 筭士一人. ○刑部, 主事二人, 令史六人, 書令史四人, 計史一人, 記官六人, 筭士二人, 杖首二十六人. ○禮部, 主事二人, 令史四人, 書令史二人, 記官六人, 篆書書者二人. ○工部, 主事二人, 令史四人, 書令史四人, 計史一人, 記官八人:百官1六曹轉載].[88)]

秩從六品"으로 되어 있다. 文宗代의 제도정비에 대한 기록이 나타나지 않으나 당시에도 左·右拾遺가 존재하고 있었고, 이는 위의 기사와 같이 1116년(예종11) 改稱된 것이 아니라 1111년(예종6) 12월 18일(丙午)에서 1113년(예종8) 3월 某日 사이에 左·右正言으로 改稱되 었다.
또 中書·門下省과 尙書省에서 掾吏를 掾屬으로 표기하고 餘他의 모든 官府에서는 吏屬으로 표기한 점이 特異하다.

86) 掾吏[掾屬] 중에서 令史와 書令史는 각종 文書를 擔當한던 下級官僚를 가리킨다.
·『구당서』 권43, 지23, 職官2, 尙書省, "凡令史掌案文簿".

87) 여기에서 宰臣은 宰相의 오자일 가능성이 있는데, 이는 高麗前期의 判三司事는 中書門下省의 宰臣, 守司徒·守司空을 띤 尙書左·右僕射, 그리고 樞密院의 樞密 등의 宰相이 兼職하였음을 통해 알 수 있다(東亞大學 2012년 18책 48面). 또 添字가 탈락되었을 것이다.

88) 隋代의 開皇 3年令(583년)에 의한 6部는 左僕射 管轄下의 吏部·禮部·兵部(左行), 右僕射 관

[○考功司, 郎中二人, 秩正五品, 員外郎二人正六品. 吏屬, 主事二人, 令史四人, 書令史四人, 計史一人, 記官二人, 筭士一人 : 百官1考功司轉載].

[○都官, 郎中二人正五品, 員外郎二人正六品. 吏屬, 主事六人, 令史六人, 書令史六人, 計史一人, 記官五人, 筭士一人 : 百官1都官轉載].

[○御史臺, 判事一人·大夫一人, 秩正三品, 知事一人·中丞一人, 從四品, 雜端一人·侍御史二人, 並從五品, 殿中侍御史二人正六品, 監察御史十人從六品[文·吏, 各五人]. 吏屬, 錄事三人, 令史四人, 書令史六人, 計史一人, 知班二人, 記官六人, 筭士一人, 記事十人, 所由五十人 : 百官1司憲府轉載].[89)]

[○翰林院, 判院事, 宰臣兼之, 學士承旨一人正三品, 學士二人正四品, 侍讀學士一人, 侍講學士一人, 直院四人, 其二權務, 醫官二人. 吏屬, 錄事二人, 承事郎二人, 待詔二人, 記官一人, 書手一人 : 百官1藝文館轉載].

[○春秋館, 監修國史, 侍中兼之[宰臣兼之], 修國史·同修國史, 二品以上兼之, 脩撰官, 翰林院三品以下兼之. 直史館四人, 其二權務, 後[高宗7年以前]陞直館爲八品. 吏屬, 書藝四人, 記官一人 : 百官1春秋館轉載].[90)]

[○同文院, 以同文院爲丙科權務官, 使一人三品兼之, 副使一人五品兼之, 錄事四人, □[其]二兼官 : 百官1寶文閣轉載].

[○諸殿大學士秩從二品, 學士正四品 : 百官1諸館殿學士轉載].[91)]

[○國子監, 提擧·同提擧·管勾, 各二人, 判事一人, 皆兼官, 祭酒一人, 秩從三

할하의 都官(刑部)·度支(民部)·工部였고(右行), 唐代의 武德 7年令(624년)에 의한 6部는 吏部·戶部·禮部, 兵部·刑官·工部로서 各部의 順序와 名稱이 달랐다. 그 후 貞觀年間에는 吏·禮·民, 兵·刑·工部로, 684년(光宅1) 9월에는 周禮에 의거하여 朝鮮時代의 6典組織과 같은 順序로 바뀌었다(中村裕一 2014年 126, 135面). 이에 비해 고려시대의 경우는 『고려사』의 撰者가 統屬과 序列이 어떠하였는지를 분명하게 밝히지 못하였다.

89) 知班은 百官의 班列에 대한 儀式을 맡은 御史臺의 掾吏를 가리킨다.
- 『鐵圍山叢談』 권1, "昔哲廟惡百官班聯不肅, 而後臺吏號知班者, 必贊言端笏立定".
- 『孔氏談苑』 권2, "王汾嘲劉攽云, 常朝多喚子, 盖常朝知班吏多云班班, 謂之喚班. 攽應聲云, 寒食每尋君, 盖呼汾爲墳耳".
- 『武林舊事』 권1, 四孟駕出, "車駕所經, 諸司百官, 皆結綵門迎駕起居. 俟駕頭將至, 知班行門喝, 班到排立, 次唱, 躬身拜, 再拜".

90) 이 기사에서 侍中兼之는 宰臣兼之로 고쳐야 옳게 될 것이다. 고려시대의 監修國史는 일반적으로 製述業及第者 出身의 首相[冢宰]이 兼職하였으나 그렇지 않은 경우에는 副首相[亞宰], 三宰 등의 中書·門下省의 宰相[宰臣]이 겸직하였다(朴龍雲 2009년 220面). 또 東亞大學本에는 陞이 陛와 비슷하게 刻字되었다(朴龍雲 2009년 221面).

91) 大學士의 설치는 이보다 後世인 1106년(예종1) 前後일 것으로 추측되었다(朴龍雲 2009년 235面).

品, 司業一人從四品, 丞從六品, 國子博士二人正七品, 大學博士二人從七品, 注簿從七品, 四門博士正八品, 學正二人, 學錄二人, 並正九品, 學諭四人, 直學二人, 書學博士二人, 算學博士二人, 並從九品. 吏屬, 書史二人, 記官二人:百官1成均館轉載].

[○秘書省, 判事□□一人秩正三品, 監一人從三品, 少監一人從四品, 丞二人從五品, 郎一人從六品, 校書郎二人正九品, 正字二人從九品, 校勘二人. 吏屬, 主事一人, 令史一人, 書藝十人, 記官二人, 書手十五人:百官1典校寺轉載].

[○御書院, 判院事, 知院事, 副知院事, 兼押院二人, 檢計官檢討官二人, 留院官二人, □□□□校勘四人, □□吏屬, 知書二人, 書手二十五人:百官1典校寺轉載].[92]

[○閣門閤門, 判事秩正三品, 知事兼官, 使正五品, 引進使二人正五品, 引進副使從五品, 閣門閤門副使正六品, 通事舍人四人·祇候四人正七品, 權知祇候六人. 吏屬, 承旨四人, 聽頭二十人, 記官一人:百官1通禮門轉載].[93]

[○以太常府, 爲丙科權務官. 使一人三品兼之, 副使一人五品兼之, 錄事四人亦兼官. 吏屬, 記事□□~~某人~~, 書者□□~~某人~~:百官1典儀寺轉載].[94]

[○殿中監, 判事秩正三品, 監一人從三品, 少監一人從四品, 丞二人從五品, 內給事一人從六品. 吏屬, 主事四人, 令史四人, 書令史四人, 記官四人, 筭士一人:百官1宗簿寺轉載].

[○衛尉寺, 判事秩正三品, 卿一人從三品, 少卿一人從四品, 丞二人從六品, 注簿二人從七品. 吏屬, 書史六人, 記官□□~~某人~~:百官1衛尉寺轉載].[95]

[○太僕寺, 判事□□一人秩正三品, 卿一人從三品, 少卿一人從四品, 丞一人從六品, 注簿二人從七品. 吏屬, 書史四人, 記官一人:百官1司僕寺轉載].

[○禮賓省, 判事□□一人秩正三品, 卿一人從三品, 少卿一人從四品, 丞二人從六品, 注簿二人從七品. 吏屬, 書史八人, 令史八人, 記官四人, 筭士一人, 承旨四人, 孔目十五人, 都衙十五人:百官1禮賓寺轉載].

---

92) 原文에는 "知院事, 副知院事, 判院兼押院二人"으로 되어 있으나 板刻 過程에서 오류가 있었던 것 같다. 또 檢計官은 檢討官의 오자이고, 添字가 탈락되었을 것이다(朴龍雲 2009년 227面, 258面).

93) 이 기사에서 閣門으로 되어 있는데, 이는 閤門과 通用되지만, 일반적으로 후자를 더 많이 사용하였다(→덕종 2년 12월 某日의 脚注).

94) 이에서 記事와 書者의 人數가 탈락되었다.

95) 이에서 記官의 人數가 탈락되었다.

[○大府寺~~太府寺~~, 判事□□一人秩正三品, 卿一人從三品, 少卿二人從四品, 知事兼官, 丞二人從六品, 注簿四人從七品. 吏屬, 書史十二人, 計史一人, 記官六人, 筭士一人:百官1內府寺轉載].[96)]

[○少府寺, 判事□□一人秩從三品, 監一人正四品, 少監一人從四品, 丞二人從六品, 注簿二人從七品. 吏屬, 監史六人, 記官四人, 筭士一人:百官1少府寺轉載].

[○繕工寺, 判事秩從三品, 監一人正四品, 少監一人從四品, 丞二人從六品, 注簿二人從七品. 吏屬, 監作六人, 記官三人, 筭士一人:百官1繕工寺轉載].[97)]

[○司宰寺, 判事秩正三品, 卿一人從三品, 少卿一人從四品, 丞二人從六品, 注簿二人從七品. 吏屬, 書史六人, 記官二人, 筭士二人:百官1司宰寺轉載].

[○軍器寺, 判事秩從三品, 監一人正四品, 少監一人從五品, 丞二人正七品, 注簿四人正八品. 吏屬, 監史八人, 記官四人, 筭士二人:百官1軍器寺轉載].

[○司天臺, 判事秩正三品, 監一人從三品, 少監二人從四品, 春官正·夏官正·秋官正·冬官正各一人從五品, 丞二人從六品, 注簿二人從七品, 卜正一人, 卜博士一人, 並從九品:百官1書雲觀轉載].

[○太史局, 判事一人, 知局事一人, 令一人從五品, 丞一人從七品, 靈臺郎二人正八品, 保章正一人, 挈壺正二人, 並從八品, 司辰二人正九品, 司曆二人, 監候二人, 並從九品:百官1書雲觀轉載].

[○太醫監, 判事秩從三品, 監一人正四品, 少監二人從五品, 博士二人, 丞二人, 並從八品, 醫正二人, 助教一人, 呪噤博士一人, 並從九品, 醫針史一人, 注藥二人, 藥童二人, 呪噤師二人, 呪噤工二人:百官1典醫寺轉載].

[○大廟署太廟署, 令一人秩從五品, 丞二人正七品. 吏屬, 史四人, 記官二人:百官2寢園署轉載].

96) 大府寺는 太府寺가 옳을 것이다. 『고려사』에서 太가 大로 되어 있는 경우가 많은데, 이것이 刻字를 할 때 발생한 오류인지, 아니면 인쇄할 때 발생한 오류인지는 알 수 없다.

97) 監作은 각종 技術者[工匠]를 거느리고 營繕·修理·製作 등을 담당하던 掾吏를 가리킨다.
· 『후한서』 권78, 宦者列傳第68, 蔡倫, "永元九年, 監作祕劒及諸器械, 莫不精工堅密, 爲後世法".
· 『隋書』 권28, 지23, 百官下, 將作寺, "大匠一人, 丞·主簿·錄事, 各二人. 統左·右校署令, 各二人, 丞, 左校四人, 右校三人, 各有監作, 左校十二人, 右校八人, 等員".
· 『구당서』 권44, 지24, 職官3, 內官, 掖廷局, "令二人, 從七品下, … 監作四人, 從九品下, … 監作, 掌監當雜作".

[○諸陵署, 令一人秩從五品, 丞二人從七品. 吏屬, 史六人, 記官二人:百官2諸陵署轉載].

[○良醞署, 令二人秩正八品, 丞二人正九品. 吏屬, 文宗置史六人記官二人. 後肅宗3年以前改爲掌醴署:百官2司醞署轉載].

[○尙食局, 奉御一人秩正六品, 直長二人正七品, 食醫二人正九品. 吏屬, 書令史四人, 記官二人, 筭士一人, 雜路八人:百官2司膳署轉載].

[○尙藥局, 奉御一人秩正六品, 侍醫~~侍御醫~~二人從六品, 直長二人正七品, 醫佐二人正九品, 醫針史二人, 藥童二人. 吏屬, 書令史二人, 筭士二人:百官2奉醫署轉載].[98)]

[○尙衣局, 奉御一人, 秩正六品, 直長一人正七品. 吏屬, 書令史四人, 記官二人, 注衣一人:百官2掌服署轉載].[99)]

[○尙舍局, 奉御一人, 秩正六品, 直長二人正七品. 吏屬, 書令史四人, 記官二人, 幕士四十人:百官2司設署轉載].

[○尙乘局, 奉御一人正六品, 直長二人正七品. 吏屬, 書令史四人, 承旨五十人:百官2奉車署轉載].

[○中尙署, 令一人秩正六品, 丞二人正八品. 吏屬, 史六人, 記官二人, 算士一人:百官2供造署轉載].

[○京市署, 令一人秩正七品, 丞二人正八品. 吏屬, 史三人, 記官二人:百官2京市署轉載].

[○大官署, 令二人秩從七品, 丞四人從八品. 吏屬, 史六人, 記官二人, 算士一人:百官2膳官署轉載].

[○掌冶署, 令二人秩從七品, 丞二人正八品. 吏屬, 史四人, 記官二人, 算士一

---

98) 侍醫는 侍御醫의 略語이다(朴龍雲 2009년 373面). 또 尙藥局이라는 銘文이 새겨진 고려시대에 제작된 「靑磁陰刻雲龍文'尙藥局'銘盒」(보물 제1023호)이 國立中央博物館과 나라시[奈良市] 大和文華館에 소장되어 있다고 한다(後者, 12세기, 높이 6.1cm, 藥合, 長谷部樂爾 1977年 107面).
· 『구당서』 권44, 지24, 職官3, 尙藥局, "奉御二人正五品下, 直長四人正七品上, 書吏四人·侍御醫四人從六品上, …".

99) 注衣는 唐代에는 主衣라고 하였던 것 같다(朴龍雲 2009년 377面).
· 『구당서』 권44, 지24, 職官3, 尙衣局, "奉御二人, 從五品上, 直長四人正七品下. 書令史三人, 書吏四人, 主衣十六人, 掌固四人".

人:百官2掌冶署轉載].

[○都校署, 令二人秩從八品, 丞四人正九品. 吏屬, 監作四人, 書令史四人, 記官二人:百官2都校署轉載].

[○大樂署, 令一人秩從七品, 丞二人從八品. 吏屬, 史六人, 記官二人:百官2典樂署轉載].

[○內園署, 令二人秩從七品, 丞二人從八品. 吏屬, 史四人, 記官二人, 算士一人:百官2內園署轉載].

[○供譯署, 令二人秩從七品, 丞二人從八品. 吏屬, 史四人, 記官二人, 幕士四十人:百官2供驛署轉載].

[○典廐署, 令一人秩從七品, 丞二人從八品. 吏屬, 史三人, 記官二人, 算士一人:百官2典廐署轉載].

[○掌牲署, 令一人秩從八品, 丞二人正九品. 吏屬, 史三人, 記官二人:百官2掌牲署轉載].

[○都染署, 令一人秩正八品, 丞二人正九品. 吏屬, 史四人, 記官二人:百官2都染署轉載].

[○雜織署, 令二人秩正八品, 丞二人正九品. 吏屬, 史四人, 記官二人:百官2雜織署轉載].

[○司儀署, 令一人秩正八品, 丞二人正九品. 吏屬, 史四人, 記官二人:百官2司儀署轉載].

[○守宮署, 令二人秩正八品, 丞二人正九品. 吏屬, 史六人, 記官三人, 幕士五十人:百官2守宮署轉載].

[○復改大理寺, 爲典獄署, 置令一人秩正八品, 丞二人正九品. 吏屬, 史二人, 記官三人:百官2典獄署轉載].

[○太倉署, 令二人秩從七品, 丞四人從八品. 吏屬, 史五人, 記官四人, 算士二人:百官2<u>大倉署</u>太倉署 轉載].[100)]

---

100) 大倉署는 太倉署로 고쳐야 옳게 될 것이다.

[○大盈署, 令一人秩從七品, 丞二人. 吏屬, 史三人, 記官二人, 算士一人:百官2大盈署轉載].

[○置左·右倉於京城, 以近侍爲別監:百官2豊儲倉轉載].[101)]

[○內庫, 使一人秩從六品, 副使二人正八品. 吏屬, 史四人, 承旨二十人:百官2內庫轉載].

[○開城府, 府尹一人, 三品理想, 少尹一人, 四品以上, 判官一人, 六品以上, 司錄兼參軍事·掌書記, 各一人, 七品以上, 法曹一人, 八品以上:追加].[102)]

[○開城府五部, 使一人, 四品以上, 副使一人, 五品以上, 錄事各二人, 甲科權務. 後五部錄事陞八品:百官2五部轉載].

[○延慶宮, 使一人, 副使一人, 錄事二人, 丙科權務. 吏屬, 記事二人, 記官二人, 史二十人:百官2延慶宮提擧司轉載].

[○掖庭局, 內謁者監一人正六品, 內侍伯一人正七品, 內謁者從八品, 監作一人, 書令史·記官·給使三人. 又南班之職本限七品, 職事員凡三十六人. 內殿崇班四人正七品, 東·西頭供奉官, 各四人從七品, 左·右侍禁, 各四人正八品, 左·右班殿直, 各四人從八品, 殿前承旨八人正九品. 又有殿前副承旨·尙乘內承旨·副內承旨, 爲南班初入仕路:百官2掖庭局轉載].

[○貴妃·淑妃·德妃·賢妃並正一品[外命婦, 公主·大長公主正一品, 國大夫人正三品, 郡大夫人·郡君正四品, 縣君正六品]:百官2內職轉載].

[○府置左·右詹事·少詹事·注簿·錄事, 各一人. □□[吏屬], 令史·書令史·書藝, 各一人, 記官二人, 殿置通事舍人二人, 給事二十人:百官2諸妃主府轉載].

[○諸王府, 典籤一人從八品, 錄事一人從九品. □□[吏屬], 書藝一人. □[又]妃父及尙公主者, 亦立府, 置典籤·錄事:百官2諸王子府轉載].

[○都兵馬使, 判事以侍中·平章事·參知政事·政堂文學·知門下省事爲之, 使以

---

101) 이는 다음의 기사를 전재하여 적절히 變改하였다.
· 지31, 百官2, 豊儲倉, "文宗時, 京城有左·右倉, 以近侍爲別監".

102) 이는 開京과 함께 三京을 구성했던 西京과 東京의 職制를 참조하여 추가하였다(邊太燮 1971년 244面 ; 朴龍雲 1996년 66面). 또 이때 開城府의 治所는 개경에서 서쪽으로 20里정도 離隔된 開城縣(現 開城市 開豊郡 開豊邑)에 위치하였다고 한다(末松保和 1996年 7面 ; 朴龍雲 1996년 70面).

六樞密及職事三品以上爲之. 副使六人, 正四品以上卿·監·侍郎爲之, 判官六人, 少卿以下爲之, 錄事八人, 甲科權務. 吏屬有記事十二人·記官八人·書者四人·算士一人:百官2都評議使司轉載].[103)]

[○式目都監, 使二人, 省宰, 副使四人, 正三品以上, 判官六人, 五品以上, 錄事八人, 甲科權務:百官2式目都監轉載].

[○會議都監, 員額無定, 以諳練事務者, 充之:百官2會議都監轉載].

[○迎送都監, 判事三人, 副使四人, 判官四人, 錄事四人, 乙科權務. 吏屬, 記事四人, 記官二人, 書者四人, 算士一人:百官2迎送都監轉載].

[○四面都監, 使各二人, 職事三品以上, 副使各四人, 判官各四人, 甲科權務:百官2四面都監轉載].

[○刪定都監, 判官四人, 甲科權務. 吏屬, 記事六人, 記官一人, 算士一人:百官2刪定都監轉載].

[○典牧司, 判事, 以省宰爲之, 使二人, 樞密及六尙書爲之, 副使二人正四品以上, 判官二人參上, 錄事四人, 乙科權務. 吏屬, 記官·記事·書者, 並二人:百官2典牧司轉載].

[○八關寶, 使一人四品以上, 副使二人五品以上, 判官四人, 甲科權務. 吏屬, 記事二人, 記官一人, 算士一人:百官2八關寶轉載].

[○勾覆院, 判官七人, 重監二人, 甲科權務. 吏屬, 記事六人, 記官六人:百官2勾覆院轉載].

[○內莊宅, 使一人三品以上, 副使五品以上, 判官二人, 甲科權務. 吏屬, 記事四人, 記官一人, 算士一人:百官2內莊宅轉載].[104)]

[○都齋庫, 使一人四品以上, 副使三人六品以上, 判官二人, 乙科權務. 吏屬,

---

103) 이 기사에서만 吏屬의 다음에 有字가 있는 것이 특이하다.

104) 內莊宅(충렬왕 1년 10월 이후 料物庫로 改稱)은 王室의 財政的 基盤인 內田莊(혹은 田庄)을 관리하던 관서인데, 이곳의 예하에는 360여개의 莊·處가 있었던 것 같다.

· 『신증동국여지승람』 권7, 驪州牧, 古跡, 登神莊, "高麗時, 又有稱所者, 有金所·銀所·銅所·鐵所·絲所·紬所·紙所·瓦所·炭所·鹽所·墨所·藿所·甕器所·魚梁所·薑所之別, 而各貢其物. 又有稱莊者, 分隸于各宮殿·寺院及內莊宅, 以輸其稅".

· 지32, 식화1, 祿科田, 창왕 즉위년 6월 敎書, "… 其料物庫屬三百六十莊·處之田, 先代施納寺院者, 悉還其庫 …".

· 지32, 식화1, 祿科田, 창왕 즉위년 7월 趙仁沃의 上書, "… 祖宗分田之制, 躬耕籍田, 所以奉天地宗廟之祀也, 三百六十莊·處之田, 所以奉供上也 …".

記事四人, 記官一人, 給使二人:百官2都齋庫轉載].

[○都祭庫, 有副使·判官, 甲科權務:百官2都祭庫轉載].

[○內弓箭庫, 判官二人, 乙科權務. 吏屬, 記事二人, 記官二人:百官2內弓箭庫轉載].

[○倉庫都監, 使一人, 三品兼之, 副使一人, 五品兼之, 判官二人, 乙科權務. 吏屬, 有記事·記官:百官2倉庫都監轉載].

[○行廊都監, 使一人, 三品兼之, 副使一人, 五品兼之, 判官二人, 乙科權務. 吏屬, 有記事·記官:百官2行廊都監轉載].

[○幞頭店, 錄事二人, 乙科權務. 吏屬, 記事一人, 記官一人, 書者二人:百官2幞頭店轉載].

[○聚仙店, 錄事二人, 乙科權務. 吏屬, 記事一人, 記官一人, 書者二人:百官2聚仙店轉載].

[○慶仙店, 錄事二人, 乙科權務. 吏屬, 記事一人, 記官一人, 書者二人:百官2聚仙店轉載].

[○書籍店, 錄事二人, 丙科權務. 吏屬, 記事二人, 記官二人, 書者二人:百官2書籍店轉載].

[○給田都監, 錄事二人, 丙科權務. 吏屬, 記事四人, 記官一人:百官2給田都監轉載].

[○祭器都監, 使二人, 三品兼之, 副使, 五品兼之, 判官六人, 丙科權務. 吏屬, 記事二人, 記官二人, 書者二人:百官2祭器都監轉載].

[○鹵簿都監, 使二人, 三品兼之, 副使, 五品兼之, 判官二人, 丙科權務. 吏屬, 記事二人, 記官一人, 書者二人:百官2鹵簿都監轉載].

[○都塩院, 錄事二人, 丙科權務. 吏屬, 記事二人:百官2都塩院轉載].

[○東西大悲院, 使各一人, 副使各一人, 錄事各一人, 丙科權務. 吏屬, 記事二人, 以醫吏差之, 書者二人:百官2東西大悲院轉載].

[○濟危寶, 副使一人, 七品以上, 錄事一人, 丙科權務:百官2濟危寶轉載].

[○東西材場, 判官各二人, 丙科權務. 吏屬, 記事各二人:百官2東西材場轉載].

[○諸宮殿官, 權務. 置使·副使·判官, 或置使·副使·錄事, 或只置直, 或只置錄事:百官2諸宮殿官轉載].

[○諸陵職, 雜權務. 諸眞殿直, 雜權務. 諸館直, 雜權務. 諸壇直, 雜權務. 諸神廟

直, 雜權務. 諸牧監直, 丙科權務. 諸窯直, 丙科權務. 諸亭·院直, 權務: 百官2轉載].

[○鷹揚軍, 一領, 軍置上將軍一人正三品, 大將軍一人從三品, 領置將軍一人正四品, 中郞將二人正五品, 郞將二人正六品, 別將二人正七品, 散員三人正八品, 尉二十人正九品, 隊正四十人[注, 鷹揚龍虎二軍, 上·大將軍稱近仗上·大將軍, 將軍稱親從將軍, 中郞將以下, 亦稱近仗. 又鷹揚軍上將軍, 兼軍簿典書者, 稱班主]: 百官2西班轉載].

[○龍虎軍, 二領, 軍置上將軍一人正三品, 大將軍一人從三品. 每領置將軍各一人正四品, 中郞將各二人正五品, 郞將各五人正六品, 別將各五人正七品, 散員各五人正八品, 尉各二十人正九品, 隊正各四十人: 百官2西班轉載].

[○左右衛, 保勝十領, 精勇三領. 衛置上將軍一人正三品, 大將軍一人從三品, 每領置將軍各一人正四品, 中郞將各二人正五品, 郞將各五人正六品, 別將各五人正七品, 散員各五人正八品, 尉各二十人正九品, 隊正各四十人[注, 中郞將以下, 皆有攝, 並各品之從, 諸衛同]: 百官2西班轉載].

[○神虎衛, 保勝五領, 精勇二領. 衛置上將軍一人正三品, 大將軍一人從三品. 每領置將軍各一人正四品, 中郞將各二人正五品, 郞將各五人正六品, 別將各五人正七品, 散員各五人正八品, 尉各二十人正九品, 隊正各四十人: 百官2西班轉載].

[○興威衛, 保勝七領, 精勇五領. 衛置上將軍一人正三品, 大將軍一人從三品, 每領置將軍各一人正四品, 中郞將各二人正五品, 郞將各五人正六品, 別將各五人正七品, 散員各五人正八品, 尉各二十人正九品, 隊正各四十人: 百官2西班轉載].

[○金吾衛, 精勇六領, 役領一領. 衛置上將軍一人正三品, 大將軍一人從三品. 每領置將軍各一人正四品, 中郞將各二人正五品, 郞將各五人正六品, 別將各五人正七品, 散員各五人正八品, 尉各二十人正九品, 隊正各四十人: 百官2西班轉載].

[○千牛衛, 常領一領, 海領一領. 衛置上將軍一人正三品, 大將軍一人從三品. 每領置將軍各一人正四品, 中郞將各二人正五品, 郞將各五人正六品, 別將各五人正七品, 散員各五人正八品, 尉各二十人正九品, 隊正各四十人: 百官2西班轉載].

[○監門衛, 一領. 衛置上將軍一人正三品, 大將軍一人從三品, 領置將軍一人正四品, 中郞將二人正五品, 郞將五人正六品, 別將五人正七品, 散員五人正八品, 尉二十人正九品, 隊正四十人: 百官2西班轉載].

[○六衛, 長史各一人從六品[恭愍以後, 罷之], 錄事各二人正八品. 掌衛中諸務, 吏屬, 有史三人, 記官二人: 百官2西班轉載].

[○都府外, 中郞將一人, 郞將三人, 別將二人, 散員三人, 尉隊正數闕:百官2西班轉載].

[○儀仗府, 一領. 郞將一人, 別將一人, 散員二人, 尉五人, 隊正十人:百官2西班轉載].

[○堅銳府, 一領. 別將一人, 尉二人, 隊正四人:百官2西班轉載].

[○大都護府, 使一人三品以上, 副使一人四品以上, 判官一人六品以上, 司錄兼掌書記一人七品以上, 法曹一人八品以上, 醫師一人, 文師一人, 並九品. 諸牧及大都督府, 員吏品秩, 同大都護□府:百官2外職轉載].

[○中都護府, 使一人四品以上, 副使一人五品以上, 判官兼掌書記一人六品以上, 法曹一人八品以上. 後只置使·司錄, 或置使·法曹:百官2外職轉載].

[○防禦鎭, 使一人五品以上, 副使一人六品以上, 判官一人七品, 法曹一人八品以上. 或加置文學一人, 以任講學, 醫學一人, 以任療病. 知州郡, 員吏品秩同防禦鎭. 後只置知事·判官, 或只置知事:百官2外職轉載].

[○諸縣, 令一人七品以上, 尉一人八品:百官2外職轉載].

[○諸鎭, 將一人七品以上, 副將一人八品:百官2外職轉載].

[○勳階, 上柱國正二品, 柱國從二品:百官2勳轉載].[105]

[○爵五等, 公·侯國公, 食邑三千戶正二品, 郡公食邑二千戶從二品, 縣侯食邑一千戶, 縣伯七百戶, 開國子五百戶, 並正五品, 縣男三百戶從五品:百官2爵轉載].

[○改官制, 文散階凡二十九. 從一品曰開府儀同三司, 正二品曰特進, 從二品曰金紫光祿大夫, 正三品曰銀靑光祿大夫, 從三品曰光祿大夫, 正四品上曰正議大夫, 下曰通議大夫, 從四品上曰大中大夫, 下曰中大夫, 正五品上曰中散大夫, 下曰朝議大夫, 從五品上曰朝請大夫, 下曰朝散大夫, 正六品上曰朝議郞, 下曰承議郞, 從六品上曰奉議郞, 下曰通直郞, 正七品上曰朝請郞, 下曰宣德郞, 從七品上曰宣議郞, 下曰朝散郞, 正八品上曰給事郞, 下曰徵事郞, 從八品上曰承奉郞, 下曰承務郞, 正九品上曰儒林郞, 下曰登仕郞, 從九品上曰文林郞, 下曰將仕郞:百官2文散階轉載].[106]

---

105) 이와 관련하여 지31, 百官2, 勳階[勳]에는 "勳, 二階, 有上柱國·柱國. 文宗定, 上柱國正二品, 柱國從二品, 忠烈王以後, 廢之"로 되어 있지만, 당시의 사실을 제대로 반영하지 못하였다. 國初 이래로 唐의 勳階制度를 수용하여 실시하고 있었던 사례가 찾아지는데(朴龍雲 2009년 738面), 향후 이의 복원을 위한 연구가 필요하다(→현종 3년 3월 某日의 脚注).

106) 이때의 文散階에 대한 개편은 995년(성종9) 거란의 太宗 耶律德光을 避諱하여 光祿大夫를 興祿大夫로 改稱했던 것을 唐制와 같이 還元시킨 것일 뿐이다(張東翼 2012년a).

[○置宮闕都監:百官2宮闕都監轉載].

[○置管絃房:百官2管絃房轉載].

[○置街衢所:百官2街衢所轉載].

[○更定兩班田柴科.

第一科, 田一百結, 柴五十結[中書令, 尙書令, 門下侍中].

第二科, 田九十結, 柴四十五結[門下侍郞, 中書侍郞].

第三科, 田八十五結, 柴四十結[參知政事, 左右僕射, 上將軍].

第四科, 田八十結, 柴三十五結[六尙書, 御史大夫, 左右常侍, 太子詹事, 太子賓客, 大將軍].

第五科, 田七十五結, 柴三十結[七寺卿, 秘書·殿中監, 國子祭酒, 尙書左右丞, 司天監, 太子少詹事, 諸衛將軍, 右少詹事].

第六科, 田七十結, 柴二十七結[吏部諸曹侍郞, 將作·少府·軍器·太醫監, 左右庶子, 左右諭德, 諸中郞將].

第七科, 田六十五結, 柴二十四結[七寺少卿, 秘書·殿中·將作·少府·司天少監, 給事中, 中書舍人, 御史中丞, 國子司業, 太子僕, 太子率更令, 太子家令].

第八科, 田六十結, 柴二十一結[諸郞中, 太醫·軍器少監, 內常侍, 閤門引進使, 太子左右贊善大夫, 太子中允, 太子中舍人, 閤門使, 國子博士, 諸郞將].

第九科, 田五十五結, 柴十八結[秘書·殿中丞, 閤門副使].

第十科, 田五十結, 柴十五結[諸員外郞, 起居郞, 起居舍人, 侍御史, 六局奉御, 殿中內給事, 太史令, 諸陵·太廟令, 內謁者監, 太學博士, 中尙令, 四官正, 太子藥藏郞, 典膳郞, 太子洗馬].

第十一科, 田四十五結, 柴十二結[通事舍人, 左右補闕, 殿中侍御史, 七寺·三監丞, 司天丞, 秘書郞, 六衛長史, 國子助敎, 京市令, 內直·典設郞, 宮門監, 侍御醫, 諸別將].

第十二科, 田四十結, 柴十結[監察御史, 左右拾遺, 閤門祗候, 門下錄事, 中書注書, 軍器丞, 六局直長, 四門博士, 詹事府司直, 內侍伯, 內殿崇班, 諸散員, 大相, 左丞].

第十三科, 田三十五結, 柴八結[尙書都事, 七寺·三監主簿, 大學助敎, 大官·大樂·大盈·典廐令, 內園·供驛·掌冶令, 太史丞, 諸陵·太廟丞, 司天主簿, 東西頭供奉官, 諸校尉, 元甫, 正朝].

第十四科, 田三十結, 柴五結[六衛錄事, 軍器主簿, 四門助敎, 京市·中尙·武庫·大樂·大盈·太倉·大官·典廐丞, 內園·供驛·掌冶丞, 秘書校書郞, 良醞令, 司儀·守宮·典獄·都染·雜織·都校·掌牲令, 太醫博士, 太醫丞, 挈壺·保章正, 律學博士, 左右侍禁, 左右班殿直, 諸隊正, 元尹].

第十五科, 田二十五結[都染·雜織·都校·掌牲·守宮·司儀·典獄·良醞丞, 司廩, 司庫, 太史司辰·司曆·監候, 尙食食醫, 律學助敎, 書學·筭學·司天博士, 太醫醫正, 司天卜正, 秘書正字, 諸主事,御史臺錄事, 中樞院別駕, 門下待詔, 文林郞, 將仕郞, 殿前承旨, 都知, 船頭, 典丘官, 司引, 馬軍].

第十六科, 田二十二結[諸令史, 書史, 主事, 中書·秘書·史館·太史書藝, 醫計師, 司天卜師·卜助教, 副殿前承旨, 禮賓·閤門承旨, 獸醫博士, 當印, 堂直, 監膳, 典食, 典設, 役步軍].

第十七科, 田二十結[諸書令史, 諸史, 尙乘內承旨·副內承旨, 太史典史, 注藥, 藥童, 通引, 直省, 知班, 呪禁師, 供膳, 酒食, 供設, 掌設, 堂從, 追仗, 引謁, 計史, 試計史, 試書藝, 監門軍].

第十八科, 田十七結[閑人, 雜類].

△武散階[田柴科:追加].

[第一科] 田三十五結, 柴八結[冠軍大將軍, 雲麾將軍~~軍摩大將軍~~].

[第二科] 田三十結[□□□□~~忠武將軍~~, 掌武將軍~~將武將軍~~, 宣威將軍, 明威將軍].

[第三科] 田二十五結[寧遠將軍, 定遠將軍, 遊騎將軍, 遊擊將軍].

[第四科] 田二十二結[耀武校尉, 同副尉, 振威校尉, 同副尉, 致果校尉, 同副尉, 翊麾校尉, 同副尉].

[第五科] 田二十結[宣折校尉~~宣節校尉~~, 同副尉, 禦侮校尉, 同副尉, 仁勇校尉, 同副尉, 陪戎校尉, 同副尉]. [第六科] 田十七結[大匠, 副匠, 雜匠人, 御前部樂件樂人, 地理業僧人].

△別賜田[柴科:追加].

[第一科] 四十結·柴十結[大德].

[第二科] 田三十五結, 柴八結[大通].

[第三科] 田三十結[副通].

[第四科] 田二十五結[地理師].

[第五科] 田二十結[地理博士].

[第六科] 田十七結[地理生, 地理正].

△柴地.

一日程, 開城·貞州·白州·塩州·幸州·江陰·免山·臨江·新恩·麻田·積城·坡平·見州昌化[107]·見州·沙川·峯城·臨津·長湍·交河·童城·高峯·松林·通津·德水.

二日程, 安州·洞州·鳳州·樹州·抱州·楊州·東州·遂安·土山·唐城·仁州·金浦·梁骨·洞陰·荒坪·僧旨·黃先·道尺·阿等岬·安俠·守安·孔岩:食貨1田柴科轉載].

[○又整備祿俸之制, 內而妃主·宗室·百官, 外而三京·州府·郡·縣, 莫不有祿,

---

107) 昌化는 見州의 別號인 점을 보아 見州管內의 驛이었던 것 같다(→문종 13년 2월 1일의 脚注, 韓禎訓 2013년 131面).

以養廉恥. 而以至雜職·胥史·工匠, 凡有職役者, 亦皆有常俸, 以代其耕, 謂之別賜. 以左倉歲入米粟麥, 摠十三萬九千七百三十六石十三斗, 隨科准給. 西京官祿, 以西京太倉, 歲輸西海道稅粮一萬七千七百二十二石十三斗, 給之. 外官祿, 半給於左倉, 半給於外邑:食貨2祿俸序文轉載].[108)]

△**妃主祿**

[第一科] 二百三十三石[諸院主].

[第二科] 二百石[貴·淑妃, 諸公主, 宮主].

△**宗室祿**

[第一科] 四百六十石十斗[公].

[第二科] 四百石[侯].

[第三科] 三百五十石[尙書令].

[第四科] 三百石[守太尉侯].

[第五科] 二百四十石[守司徒·司空伯].

[第六科] 二百二十石[□守司空].

△**文武班祿**

[第一科] 四百石[中書·尙書令, 門下侍中].

[第二科] 三百六十六石十斗[中書·門下侍郞□□□~~平章事~~]

[第三科] 三百五十三石五斗[諸殿太學士, 參知政事, 中樞院使, 同知院事].

[第四科] 三百三十三石五斗[左·右僕射].

[第五科] 三百石[六部尙書, 左·右□□~~散騎~~常侍, 御史大夫, 中樞院副使, 簽書院事, 翰林學士承旨, 三司使, 中樞院直學士, 判閤門事, 上將軍].

[第六科] 二百八十石[試六尙書·左右□□~~散騎~~常侍].

[第七科] 二百四十六石十斗[判禮賓·衛尉·大府·司宰·大僕事].

[第八科] 二百三十三石五斗[六卿, 秘書·殿中監, 尙書左·右丞, 國子祭酒, 判將作·少府事, 大將軍].

---

108) 이는 다음의 기사를 전재하여 적절히 變改하였고, 그 다음의 녹봉에 대한 내용은 모두 지34, 食貨3, 祿俸을 전재하였다.

· 지33, 食貨2, 祿俸, 序文, "高麗祿俸之制, 至文宗大備. 以左倉歲入米粟麥, 摠十三萬九千七百三十六石十三斗, 隨科准給, 內而妃主·宗室·百官, 外而三京·州府·郡·縣, 莫不有祿, 以養廉恥. 而以至雜職·胥史·工匠, 凡有職役者, 亦皆有常俸, 以代其耕, 謂之別賜, 西京官祿, 以西京太倉, 歲輸西海道稅粮一萬七千七百二十二石十三斗, 給之, 外官祿, 半給於左倉, 半給於外邑".

[第九科] 二百十三石五斗[試六卿·秘書·殿中監·尙書左右丞·國子祭酒].

[第十科] 二百石[直門下□□[省事], 判司天·太醫事, 吏部諸曹侍郞, 給事中, 中書舍人, 御史中丞, 將軍].

[第十一科] 一百八十石[試諸侍郞·給事中·中書舍人·御史中丞].

[第十二科] 一百七十三石五斗[司天監, 左·右諫議□□[大夫], 將作·少府·軍器監].

[第十三科] 一百六十石[□□[閤門]引進使, 試諫議·將作·少府·軍器監].

[第十四科] 一百五十三石五斗[太醫監, 六少卿, 國子司業, 秘書·殿中·將作·少府少監, 內常侍, 閤門使, 試□□[閤門]引進使].

[第十五科] 一百四十石[試太醫監·六少卿·國子司業·秘書·殿中·將作·少府少監].

[第十六科] 一百二十石[司天·軍器少監, 左右司·吏部諸曹郞中, 御史雜端, 秘書·殿中丞, 起居郞, 起居舍人, 閤門副使, 中郞將].

[第十七科] 一百石[起居注, 試司天·軍器少監·左右司·吏部諸曹郞中·御史雜端·秘書·殿中丞].

[第十八科] 九十三石五斗[侍御史].

[第十九科] 八十六石十斗[左右司·吏部諸曹員外郞, 左·右補闕, 殿中侍御史, 六局奉御, 郞將].

[第二十科] 八十六石四斗[大醫少監].

[第二十一科] 八十三石五斗[試起居郞·起居舍人].

[第二十二科] 八十石[□□[閤門]引進副使, 太史令].

[第二十三科] 七十三石五斗[試太醫少監·左右司·吏部諸曹員外郞·六局奉御].

[第二十四科] 六十六石十斗[司天四官正, 殿中內給事, 左·右拾遺, 六衛長史, 七寺丞, 侍御醫, 試□□[閤門]引進副使·太史令, 太初·春德門·重光殿侍衛].

[第二十五科] 六十三石五斗[閤門祗候].

[第二十六科] 六十石[諸陵·太廟令, 試四官正].

[第二十七科] 五十三石五斗[秘書郞, 國子·大府·將作丞, 內庫使, 試諸陵·太廟令].

[第二十八科] 四十六石十斗[門下錄事, 中書注書, 六局直長, 軍器丞, 別將, 試秘書郞·國子·大府·將作丞·內庫使].

[第二十九科] 四十六石[內殿崇班].

[第三十科] 四十石五斗[司天丞].

[第三十一科] 四十石[尙書都事, 七寺主簿, 少府·將作·國子主簿, 試軍器丞·門下錄事·中書注書].

[第三十二科] 三十六石十斗[試尙書都事·七寺主簿·少府·將作·國子主簿].

[第三十三科] 三十三石五斗[掖庭內侍伯, 散員].

[第三十四科] 三十三石[試司天丞].

[第三十五科] 三十石[國子博士, 東西頭供奉官].

[第三十六科] 二十七石[太學博士, 試國子博士].

[第三十七科] 二十六石十斗[太師, 太傅, 太保, 太尉, 司空, 司徒, 中尙·大倉·大官·大盈·大樂·掌冶·供驛·內園·典廏令, 大史丞, 司天主簿, 左·右侍禁].

[第三十八科] 二十五石[試大學博士].

[第三十九科] 二十三石十斗[試掖庭內侍伯].

[第四十科] 二十三石五斗[左右班殿直, 校尉, 試中尙·大倉·大官·大盈·大樂·掌冶·供驛·內園·典廏令].

[第四十一科] 二十二石五斗[諸陵·太廟丞].

[第四十二科] 二十石[四門博士, 武學博士, 六衛錄事, 中尙·京市丞, 軍器主簿, 都染·雜織·良醞·司儀·典獄·守宮令, 內庫副使, 靈臺郞, 保章正, 秘書·校書郞, 殿前承旨, 試諸陵·太廟丞].

[第四十三科] 十八石[正陽殿侍衛].

[第四十四科] 十六石十斗[諸殿學士, 大倉·大官·大盈·大樂·掌冶·供驛·內園·典廏丞, 都校·掌牲令, 諸王府典籤, 內謁者, 翰林醫官, 大醫博士丞, 律學博士, 太史挈壺正, 隊正].

[第四十五科] 四十石[內謁者監].

[第四十六科] 十三石五斗[三司副使].

[第四十七科] 十石[國學學正·學錄, 都染·雜織·良醞·司儀·典使·守宮·都校·掌牲丞, 太史司辰·司曆·監候, 尙藥醫佐, 尙食食醫, 尙乘司庫·司廩, 秘書正字, 律學助敎, 司天卜正·博士, 書算博士, 呪噤博士, 諸王府錄事, 大醫助敎·醫正].

△權務官祿

[第一科] 六十石[五部·八關寶·內莊宅使].

[第二科] 四十石[都齋·奉先庫·景靈·含慶殿使, 玄德·延慶·明福宮使, 五部·八關寶·內莊宅副使].

[第三科] 二十六石十斗[延德·興慶等諸宮·東·西大悲院使, 玄德·延慶·明福宮副使].

[第四科] 十六石十斗[都齋·奉先庫·景靈·含慶殿·延德·興慶等諸宮·東·西大悲院·濟危寶副使].

[第五科] 十三石五斗[五部·都兵馬錄事, 八關寶·內莊宅·刪定·四面都監·勾覆院判官].

[第六科] 十石十斗[翰林院直院, 寶文閣直閣·校勘·直史館, 御書院, 留院官, 國子兼直學[國子監直學], 式目·迎送都監·典牧司錄事, 都齋·奉先庫·景靈·含慶殿·倉庫·行廊都監·內弓箭庫判官, 玄德·

延慶·明福宮幞頭, 聚仙·慶仙店錄事].

[第七科] 八石十斗[延德·興慶等諸宮·東·西大悲院·濟危寶·太常府·同文院·書籍店·都塩院·給田都監錄事, 祭器·鹵簿都監·東·西材場判官, 諸神廟直, 神堂·栗浦直, 諸窯直, 九曜堂直, 諸牧監直, 延祐·安昌宅·福昌·景昌院典, 諸殿守護員].[109)]

[第八科] 八石[諸壇直·宮直·殿直·陵直, 長源亭直, 順天館直, 三司重監].

[第九科] 七石[諸眞殿直].

[第十科] 六石[勾覆院重監].

△東宮官祿

[第一科] 三百石[賓客, 詹事].

[第二科] 二百石[少詹事].

[第三科] 四十六石十斗[詹事府丞].

[第四科] 四十石[詹事府司直, 春坊通事舍人].

[第五科] 三十六石十斗[詹事府主簿].

[第六科] 三十三石五斗[試詹事府司直, 春坊通事舍人].

[第七科] 二十三石十斗[太師, 太傅, 太保, 少師, 少傅, 少保].[110)]

[第八科] 二十三石[試詹事府主簿].

[第九科] 十六石十斗[左右庶子·左右諭德].

[第十科] 十三石五斗[侍讀學士, 家令, 中允, 中舍人, 率更令僕].

[第十一科] 十石[左·右贊善大夫, 洗馬, 典內, 詹事府錄事].

[第十二科] 六石十斗[司儀郞, 文學].

[第十三科] 四石[藥藏郞, 藥藏丞].

△西京官祿

[第一科] 二百四十六石十斗[兵·戶部尙書].

[第二科] 二百二十六石十斗[攝尙書].

---

109) 여기에서 福昌院과 景昌院은 1195년(명종25) 11월 27일(戊申) 廢位된 仁宗의 第2妃 李氏(李資謙의 第4女)가 福昌院主로서 逝去한 것, 神宗의 後孫 王諿가 福昌君에 책봉된 것을 통해 볼 때, 王室에 소속된 宮院으로 추측된다. 또 前者의 院直[院典]으로 추측되는 인물도 찾아지지만 職責의 表記에서 오류가 있는 것 같다.

· 『玉溪集』 권6, 玉溪先生盧禛世系, "九世祖諱俊, 尙書戶部□□同正, 配水原崔氏, 福昌寺副丞得淇之女".

110) 皇太子의 訓育을 담당하던 太子의 三師·三少는 宰相[宰臣]들에게 주어진 一種의 名譽職이지만, 이 직책에 해당하는 녹봉이 추가되는 특징을 지니고 있다(李鎭漢 1999년).

[第三科] 二百石[大府·司宰卿, 少府監].

[第四科] 一百八十六石十斗[攝卿·監].

[第五科] 一百七十五石五斗[兵·戶部侍郎].

[第六科] 一百四十六石十斗[攝侍郎, 軍器監].

[第七科] 一百三十三石五斗[大府·司宰少卿, 少府少監].

[第八科] 一百十三石五斗[攝少卿·少監].

[第九科] 九十三石五斗[兵·戶部郎中, 軍器少監].

[第十科] 八十石[試郎中·軍器少監].

[第十一科] 六十六石十斗[兵·戶部員外郎].

[第十二科] 五十三石五斗[試員外郎].

[第十三科] 四十石[大府·少府·司宰丞, 左·右營長史].

[第十四科] 三十三石五斗[軍器丞, 試大府·少府·司宰丞·左·右營長史].

[第十五科] 二十六石十斗[大府·少府·司宰主簿, 試軍器丞].

[第十六科] 二十石[大倉·大官令, 試主簿].

[第十七科] 十六石十斗[軍器主簿, 良醞·雜材令, 試大倉·大官令].

[第十八科] 十石[大倉·大官丞].

[第十九科] 八石[良醞·雜材丞].

[△權務官祿:追加]

[第一科] 四十石[五部·禮儀·營作·勾覆院·四面都監使].

[第二科] 二十六石十斗[五部·禮儀·營作·勾覆院·四面都監副使].

[第三科] 十六石十斗[正設·陳設院·刪定都監·藥店·雍和·迎仙·綾羅店副使].

[第四科] 十三石五斗[大悲院·諸學院·八關寶·貨泉務副使].[111]

[第五科] 十石十斗[五部·禮儀·營作·勾覆院·四面都監判官·錄事].

[第六科] 八石十斗[正設·陳設院·刪定都監·藥店·雍和·迎仙·綾羅店·大悲院·諸學院·八關寶·貨泉務判官, 醫學院博士].

△外官祿

[第一科] 二百七十石[知西京留守事].

[第二科] 二百二十三石[東京留守使].

---

111) 貨泉務는 西京에 설치된 商業과 관련된 官署로 추측된다(→숙종 7년 9월 某日 ; 명종 8년 4월 21일).

[第三科] 二百石[西京副留守, 南京留守, 八牧使, 安西大都護使]

[第七科~~第四科~~] □□~~一百~~六十六石十斗[東京副留守].[112)]

[第四科~~第五科~~] 一百二十石[南京副留守, 八牧副使, 安西大都護副使].

[第五科~~第六科~~] 一百石[蔚·禮·金·梁·豊等州防禦使].

[第六科~~第七科~~] 八十六石十斗[開城府使, 東·西·南京判官, 八牧判官, 安西大都護判官, 仁·水·原·公·洪·俠·春·東·交·平·谷等州使, 天安·南原·長興·京山·安東等府使, 古阜·靈光·靈岩·寶城·昇平等郡使].

[第八科~~第九科~~] 四十六石十斗[東·西·南京司錄·參軍事, 禮·金·豊等州防禦副使].

[第九科~~第十科~~] 四十石[開城府副使, 東·西·南京掌書記, 八牧·安西大都護司錄~~兼掌書記~~,[113)] 仁·水·原·公·洪·俠·春·東·交·平·谷等州副使, 天安·南原·京山·安東·長興等府副使, 古阜·靈光·靈岩·寶城·昇平等郡副使, 蔚·梁州防禦副使, 白嶺鎭將].

[第十科~~第十一科~~] 三十三石五斗[禮·金州防禦判官].

[第十一科~~第十二科~~] 三十石五斗[蔚·梁州防禦判官].

[第十二科~~第十三科~~] 三十石[開城府判官].

[第十三科~~第十四科~~] 二十六石十斗[仁·水·原·公·洪·俠·春·東·交·平·谷等州判官, 天安·南原·京山·安東~~等府判官~~, 古阜·靈光·靈岩·寶城·昇平~~等郡~~判官, 江東·江西·中和·順和·江華·固城·南海·巨濟·一善·管城·大丘·義城·順安·基陽·遂安·瓮津·臨陂·進禮·金堤·富城·嘉林·陵城綾城·耽津~~耽羅~~·海陽·金溝等縣令, 白嶺鎭副將].[114)]

[第十四科~~第十五科~~] 二十石[東·西京·八牧·安西大都護法曹, 江華·一善·管城·大丘·義城·順安·臨陂·進禮·金堤·富城·嘉林·陵城綾城·耽津·瓮津·海陽等縣尉].

[第十五科~~第十六科~~] 十六石十斗[固城縣尉].

[第十六科~~第十七科~~] 十三石五斗[開城法曹].

△**雜別賜**別賜祿

• 過年別賜, 米五十石[國大夫人], 十石[左·右番中禁都知行首], 八石[御殿侍女, 左·右番件班中禁], 七石[左右件都知], 六石十斗[三司計史], 四石五斗[試三司計史, 別駕], 四石[御殿侍婢, 老奴], 二石[進房燈燭小奴, 小親侍], 稻十三石[大府計史], 十石[同一科計史].

• 仕三百日以上別賜, 米十二石[內侍散職員, 茶房散職員, 內侍散職人吏, 省待詔], 十石

---

112) 여기에서 添字는 文宗, 仁宗 때의 外官祿을 참조하여 脫落된 글자일 것이다(濱中 昇 1979年 ; 尹京鎭 2010년c).

113) 添字는 仁宗朝의 外官祿에 의거하여 추가하였다.

114) 陵城은 綾城의 誤字일 것이고(『신증동국여지승람』 권40, 綾城縣), 耽津縣令은 第14科에 耽津縣尉가 있음을 보아 耽羅縣令의 오자일 것이다.

[中書門下省待詔, 翰林待詔, 御引駕], 八石[閒茶房南班員, 同飯色員, 衣房員], 七石[中書門下直省, 中樞院直省, 禮成江船頭行首校尉], 六石十斗[尙食局指諭南班員, 客省承旨·孔目·都衙, 女直·□契丹·渤海通事], 六石[御廚人吏, 御醬庫南班員, 茶房人吏, 宮闕都監枝色員, 及作上員], 五石五斗[臺一科知班, 閤門承旨], 五石[中書門下省·中樞院試直省], 四石十三斗三升[內庫南班員], 四石[臺二科知班, 臺試知班, 閤門試承旨, 閤門一科廳頭, 中書門下省·中樞院借直省], 二石十斗[臺二科試知班, 二科廳頭]

• 仕一百八十日以上別賜, 米, 一科十石, 二科八石[御茶房員吏, 內供膳, 殿前承旨], 一科六石, 二科四石[內承旨, 及供膳].

△諸衙門工匠別賜

並以役三百日以上者, 給之.

• 軍器監,[115] 米十石[皮甲匠指諭一, 牟匠指諭一, 和匠指諭一], 七石[皮甲匠行首指諭副承旨一, 牟匠行首宣節校尉一, 和匠行首校尉一, 白甲匠行首副尉一, 長刀匠行首陪戎副尉一, 角弓匠陪戎校尉二], 六石[漆匠左右行首校尉二, 鍊匠左右行首二], 稻十五石[白甲行首大匠一, 長刀行首副匠一, 弩筒副匠一, 旗畫業行首校尉一], 十二石[箭匠左右行首校尉二, 箭頭匠行首副尉一], 十石[皮匠指諭校尉·行首大匠各一].

• 中尙署, 米十五石[畫業指諭一], 十石[小木匠指諭承旨·行首校尉各一], 八石[韋匠指諭承旨一, 紅鞓匠行首校尉一, 朱紅匠指諭副尉一], 七石[雕刻匠指諭殿前一·行首校尉一, 螺鈿匠一], 六石[漆匠左右行首校尉二], 稻十二石[花匠校尉一, 紙匠行首副尉一], 十石[珠簾匠行首一, 竹篠匠行首校尉一, 御盖匠校尉一, 黃丹匠校尉一, 梳匠行首校尉一, 磨匠行首校尉一].

• 掌冶署, 米十石[銀匠指諭殿前一, 和匠指諭內殿前一], 七石[銀匠行首校尉二, 和匠行首校尉二], 六石[白銅匠行首副尉一, 赤銅匠副尉一, 鏡匠行首校尉一, 皮帶匠行首校尉二], 稻十二石[金箔匠行首校尉一, 行首大匠一, 生鐵匠左右行首大匠各一].

• 都校署, 米二十石[木業指諭一, 石業指諭一], 十石[木業行首校尉一], 稻十五石[雕刻匠指諭殿前一], 十石[石匠行首一, 粧覆匠行首校尉一, 泥匠行首一].

• 尙衣局, 米十石[繡匠指諭一, 幞頭匠殿直同正一], 八石[幞頭匠指諭承旨一], 六石[靴匠行首校尉一, 帶匠指諭承旨·行首校尉各一], 稻十二石[幞頭匠行首校尉·行首副尉各一, 花匠校尉一], 十石[靸鞋匠校尉一], 七石[笏袋大匠一].

---

115) 軍器監은 開城府의 荳峴(현 開城市 子男洞 子男山의 북쪽에 있는 고개)의 남쪽에 있었다고 한다(李貞信 2021년).
·『신증동국여지승람』 권4, 개성부상, 公廨, "軍器監, 在荳峴南".

• 雜織署, 米七石[闕匠指諭承旨同正一·行首校尉二], 六石[繡匠行首校尉一].

• 掖庭局, 米七石[錦匠指諭承旨一], 六石[羅匠行首校尉一], 稻十五石[錦匠行首大匠一], 十石[綾匠行首副正一].

• 尙乘局, 稻十石[大韂匠行首校尉一, 鞍轡匠指諭副尉一, 鞍褥匠行首校尉一, 鞍韉匠行首副尉一, 馬匠行首校尉一, 持馬匠校尉·副尉各一].

• 大僕寺太僕寺, 稻十石[大韂匠行首校尉一, 鞍褥匠行首校尉一], 七石[皮匠行首一].

• 內弓箭庫, 米七石[角弓匠行首校尉一], 稻十二石[箭匠行首校尉一, 箭頭匠行首副尉一, 弓袋匠行首校尉一].

• 大樂管絃房, 米, 一科十石[唐舞業兼唱詞業一, 笙業師一, 唐舞師校尉一], 八石[御前兩部都廳], 七石[琵琶業師·校尉, 閤門使同正], 二科八石[杖鼓業師二, 唐笛業師二, 鄕·唐琵琶業師各一, 方響業師·校尉一, 觱篥業師一, 歌舞拍業師一, 中笒業師一].

[○是時, 定全國站驛網驛站網: 兵2站驛轉載].[116]

○狻猊道掌十. 狻猊[開城],[117] 金谷[白州], 深洞[塩州], 淸端·嘉栗·望汀·金剛·楊溪[安西], 維安[靑松], 佐丘[永康].

○金郊道掌十六. 金郊[江陰], 興義[牛峯], 玉池[江陰], 安信·白原[牛峯], 金岩金巖·寶山·安城[平州], 龍泉[洞州], 班石·騏麟·溫泉[平州], 管山[俠溪], 今勿[谷州], 栍谷[俠溪], 泉頭[谷州].

○岊嶺道掌十一. 岊嶺[鳳州], 洞仙·丹林[黃州], 陶工[鳳州], 金洞[安州], 射岊[遂安], 迴郊·生陽·高原·神地·雲峯[西京].

○興郊道掌十二. 興郊[博州], 興材·雲岊[寧州], 通德[肅州], 迎德·深原[永淸], 安定·林原·玄岊[西京], 迎和[咸從], 連城[龍岡], 安壽[安戎].

○興化道掌二十九. 長寧[黃州], 安信[嘉州], 新安·雲興[郭州], 林畔·通陽[宣州], 豊陽[鐵州], 光池[寧州], 昌泰[寧德], 鴨綠[靜州], 會元[義州], 名駒[龍州], 靈騏[麟州],

116) 고려 전기의 驛站網(站驛網)이 정비된 始點은 분명히 할 수 없으나 上記의 記事는 興化道에 鴨綠驛[靜州], 會元驛[義州], 名駒驛[龍州] 등이 있음을 보아 西北面에 江東六鎭이 설치된 994년(성종13) 9월 이후의 사실을 반영한 것 같다(李丙燾 1961년 145面). 또 靑郊道에 1068년(문종22) 南京留守官이 설치되고 隣近의 人民들이 移住될 때 설치된 것으로 판단되는 南京驛[楊州]이 있음이 주목된다. 이를 통해 볼 때 이 驛站의 記事는 고려 초기 이래 그 이후 驛站의 확충, 정비에 따라 계속 追記되다가 문물제도의 재정비가 이루어진 1076년(文宗30年) 무렵의 사실을 정리한 것으로 추측된다.

117) 狻猊驛(산예역)은 開京의 西郊에 해당하며 羅城에서 20里 떨어진 곳에 위치해 있었던 것 같다. ·『신증동국여지승람』 권4, 開城府上, 驛院, "狻猊驛, 在城西二十里".

從化[威遠], 長興[泰州], 城陽·三妓·通義·大平[龜州], 寶峯·懷仁[安義], 花田·臨川[定戎], 銀嵒·榛田[寧朔], 嵒舍[龜州], 芳田·昌平[朔州], 安富·新驛[安戎].

○雲中道掌四十三. 長壽[西京], 通德·善田·金川[慈州], 長梨·長歡·豊歲[連州], 蘇民·新定·通路[鐵州], 圓林[延州], 永安[青塞], 石城·櫻谷·平寧[平蘆], 寬洞[成州], 密田·咸德[順州], 安德·安洞·德林[博州], 牽牛·淄潭·寬川[寧遠], 臨洞[樹德], 淸澗[陽嵓], 新豊[撫州], 雲谷·東山·泰來[孟州], 寬化·石牛[渭州], 葦溪·安泰[泰州], 問平·沙川·豊川[延州], 玉兒·雲畔[雲州], 玉關·梓田[昌州], 長林[成州], 興德[殷州].

○桃源道掌二十一. 桃源[松林], 白嶺[湍州], 玉溪[章州], 龍潭·楓川[東州], 臨湍[平康], 松間·丹林[嵐谷], 銀溪[交州], 臨江驛·田原[東州], 桃昌·南驛·丹嵒[金化], 洞陰驛·朔寧驛·烽谷[僧嶺], 通堰[交州], 梨嶺·直木[金城], 熊壤[歧城].

○朔方道掌四十二. 孤山[衛山], 嵐山[文州], 寶龍[瑞谷], 朔安[登州], 原深[菰川], 瑤池[鶴浦], 追風[霜陰], 鐵關·通達[高州], 知遠[和州], 德嶺[文州], 長春·通歧[長州], 長昌[定州], 茂林[長州], 歸厚[燿德], 安身[青邊[靜邊]],[118] 靜山[寧仁], 懷寧·宣德·巨川[元興], 朝東[鎭溟], 平元[永興], 通化[長平], 長豊[金壤], 同德[歙谷], 藤路[臨道], 超塵[雲嵒], 高岑[高城], 養麟[豢猳], 泰康[安昌], 竹苞·淸澗[杆城], 灌木·雲根[列山], 長富[龍津], 碧木·林雲·巨坊·溢守·長歧·富寧[雲嵒].

○青郊道掌十五. 青郊[開城],[119] 通波[臨津],[120] 馬山[峯城], 碧池[高峯], 迎曙[南

118) 青邊은 靜邊[靜邊鎭]의 오자일 것이다(尹京鎭 2010년d).

119) 青郊驛은 開京의 東郊에 해당하는 羅城의 東門인 保定門에서 5里 떨어진 곳에 위치해 있던 것 같다.

· 『신증동국여지승람』 권4, 開城府上, 驛院, "青郊驛, 在保定門外五里".

120) 通波驛은 조선시대에 東坡驛로 더 많이 불리어졌고, 이의 숙소를 東坡館이고 하였다. 또 通波驛[東坡驛]은 青郊驛에서 멀리 離隔되어 있었던 것 같다.

· 『세종실록』 권148, 지리지, 楊州都護府, 臨津縣, "驛一, 東坡[一云通坡. 牧場二, 一曰壼串, 一曰伯顏頭昆".

· 『문종실록』 권1, 즉위년 3월 己未[15日], "議政府啓, '東坡·青郊, 相去隔遠, 請兩驛間復立招賢小站, 從之".

· 『단종실록』 권5, 1년 3월, "辛未[14日], 議政府據兵曹呈啓, '東坡·青郊兩驛間, 本有招賢驛, 自革罷後相距隔遠, 人馬困弊. … 況招賢驛, 仍舊復立, 別無弊端, 請置小站, 只令遞傳進上, 及緊急使客', 從之".

· 『韶濩堂集』 詩集권2, 同林小山[時順], 乘舟觀臨津西石壁, 至東坡驛[注, 在臨津北, 屬長湍]. 여기에서 ~~添字~~는 人名이고, 小山은 字이다.

· 『臨淵齋集』 권4, 朝天錄, "萬曆十五年丁亥[宣祖20年], 三月十三日壬寅, 晴, [裵三益] 以大司成, 差陳謝使, 兼帶吏曹參判, 辭闕, 查對於慕華館, … 夕宿碧蹄館. 癸卯[14日], 晴, 午風, 宿坡州. 甲辰[15

京], 平理[德水], 橡林·丹棗[積城], 淸波[南京], 蘆原[南京], 幸州驛·從繩[守安], 金輪[樹州], 重林[仁州], 綠楊[見州].

○春州道掌二十四. 保安·員壤·富昌·仁嵐[春州], 甘井[嘉平], 川原·芳春·山梁·原貞[狼川], 遂仁[楊口~~楊溝~~],[121] 連同[朝宗], 甘泉·連峯[橫川], 橫川驛·瑪瑙[麟蹄], 嵐橋[瑞禾], 桑樹[豊壤], 雙谷·安遂[抱州], 南京驛·仇谷[南京], 臨川[沙川], 蒼峯·含春[橫川].[122]

○平丘道掌三十. 平丘[南京], 奉安[廣州], 娛賓[楊根], 田谷·伯冬[砥平], 幽原[原州], 楊化[川寧], 嘉興[忠州], 連原[忠州], 黃剛·壽山·安陰[淸風], 丹丘·安壤·神林[原州], 泉南[提州], 延平·溫山·正陽[寧越], 靈泉·長林[丹山], 義豊[永春], 樂壽[平昌], 新興·新津[黃利], 昌樂[興州], 平恩·昌保[剛州], 幽洞[甘泉], 道深[奉化].

○溟州道掌二十八. 大昌·橫溪·珍富·大化·芳林·雲橋[溟州], 安昌·烏原[橫川],[123] 木界·安仁·丘山·高坦[溟州], 樂豊[羽溪], 同德[連谷], 餘粮[旌善], 平陵·史直·橋柯·龍化·沃原[三陟], 壽山·德新·興府·祖召[蔚珍], 祥雲·翼令~~翼嶺~~?·降仙[襄州], 驎駒[洞山].

○慶州道~~廣州道~~掌十五. 德豊·慶安·長嘉·安業·南山[廣州], 良梓[果州], 金領[龍駒], 佐贊·分行[竹州], 五行·安利[利川], 無極[陰竹], 遙安[陰城], 丹月·安富[槐州].[124]

○忠淸州道掌三十四. 同和·長足·菁好[水州], 嘉川[陽城], 栗峯·雙樹·猪山·長池[淸州],[125] 長楊·堆粮[鎭州], 燕山驛·金沙[燕歧], 蒲谷[全義], 成歡[稷山], 新恩[天安],

---

日, 陰, 憩東坡館, 午雨, 拜穆淸殿, 謁鄭文忠公廟, …. 乙巳16日, 晴, 留太平館, 與留守令公李邁, 終日打話, …. 丙午17日, 晴, 過狻猊, 到金郊, 留宿平山".

121) 楊口는 고려시대에 楊溝로 불렸다.
- 『삼국사기』 권35, 지4, 楊麓郡, "本高句麗楊口郡, 景德王改名. 今陽溝縣~~楊溝縣~~. 領縣三". ~~添字~~와 같이 고쳐야 옳게 될 것이다.
- 지12, 지리3, 春州, 楊溝縣, 本高句麗楊口郡[一云要隱忽次', 新羅景德王, 改爲楊麓郡. 高麗, 更今名, 來屬. 睿宗元年, 置監務, 以狼川監務, 來兼"".
- 『세종실록』 권153, 지리지, 春川都護府, 楊口縣, "楊口, 縣監一人. 本高句麗楊口郡[一云要隱忽次], 新羅改楊麓郡, 高麗改楊溝縣, 爲春州任內. 睿宗元年, 始置監務".
- 『중종실록』 권15, 7년 5월 丁巳14日, "江原道觀察使高荊山上疏, 其略曰, … 臣意楊口縣, 高麗時號爲楊溝, 屬春州, 後改今名, 以狼川監務兼之, 此古之狼川屬縣, 而非使客往來要路也".

122) 여기에서 橫川驛과 南京驛은 行政區域의 名稱과 同一하였기에 驛字를 添附하였던 것 같다.

123) 조선시대의 橫溪驛은 大關嶺의 높은 곳(高處, 現 江原道 平昌郡 大關嶺面 橫溪里 大嶺院址)에 있었던 것 같다(『松潭集』 권2, 題橫溪驛卒家[注, 驛在大關嶺上).

124) 여러 판본의 『고려사』에서 慶州道로 되어 있으나 廣州道의 오자이다. 이의 管轄地域이 廣州隣近地域이고, 慶州道는 다음에 다시 나온다(東亞大學 2012년 19책 549面).

金蹄[豊歲], 長世[牙州], 昌德[新昌], 理興[溫水], 日興[禮山], 廣庭·日新[公州], 坦平[公州], 銀山[扶餘], 維鳩[新豊],[126] 楡楊[定山], 汲泉[伊山], 洪州驛·光世[大興], 金井[青陽], 得熊[余美], 夢熊[貞海], 靈楡[嘉林], 非熊[鴻山].

○全公州道掌二十一. 參禮[全州], 良材[厲陽], 鷰谷[伊城], 玉庖[雲梯], 材谷[咸悅], 彩平[金馬], 榛林·內材[金堤], 苽原[古阜], 新保·居山[泰山], 川原[井邑], 蘇安[臨坡[臨陂]],[127] 進賢[進禮], 珍化[珍同], 濟元[進禮], 敬天[公州], 平川[連山], 得延·利道[公州], 貞民[懷德].

○昇羅州道掌三十. 青巖[羅州], 仙巖·敬陽[光州], 德奇[潭陽], 慶新·淸淵·龍溪[務安], 廣里[南平], 仁物[綾城], 永新[珍原], 烏林[鐵冶], 嘉林[和順], 綠沙[靈光], 丹巖[長成[長城]], 青松[茂松], 街豊[咸豊], 德樹[牟平], 永保[靈嵓], 通谷[道康], 淥山[海南], 碧山[遠寧], 別珍[竹山], 南里[黃原], 軍知[福成], 嘉新[寶城], 波淸[兆陽], 樂新[樂安], 益新·蟾居[光陽], 栗陽[昇州].

○山南道掌二十八. 盤石[全州], 築山[高山], 丹嶺[鎭安], 平居·正樹·竈村·小男[晋州], 灌栗[泗州], 新安[江城], 栗原·橫浦[河東], 平沙[岳陽], 常寧[鎭海], 浣沙[昆明], 富多[班城], 知男[宜寧], 速陽·勸賓[陜州], 星奇[居昌], 茂村[居昌], 有隣[嘉樹], 沙斤[利安], 春原·排頓·望隣[固城], 德新[南海], 烏壤[巨濟], 獺溪[淸巨].

○南原道掌十二. 銀嶺·昌活·通道[南原], 烏原[任實], 鑽燧[求禮], 獒樹[居寧], 印月[雲峯], 葛覃[九皐], 大富[玉果], 知新[谷城], 高陽·樂水[富有].[128]

○慶州道掌二十三. 活里·牟良·阿弗[~~阿大~~]·知里·奴谷·仍巳·仇於旦[~~仇於馹~~][慶州],[129]

125) 長池는 長池馹[長池驛]로도 표기되었던 것 같은데, 馹은 驛과 並用되어 馹站·馹丞·馹夫 등도 사용되었다. 이는 淸州市 上黨區 山城洞의 上黨山城에서 출토된 기와의 銘文("屬長池馹, 池馹升達, 梁部屬, 梁部一尺, 主)"를 통해 알 수 있다(車勇杰 등 1997년 74面 ; 강봉원 2010년). 또 이 驛은 조선시대에 長命驛으로 불렸던 것 같다.
· 『세종실록』 권149, 淸州牧, "驛四, 栗峰·雙樹·猪山·長命[注, 本朝太祖五年丙子, 卽長池驛古基新置]").

126) 維鳩驛는 惟鳩驛로도 표기되기도 하였지만, 오자일 가능성이 있다(『세조실록』 권29, 8년 5월 丁卯[5日] ; 『月峯集』 권2, 惟鳩縣阻雨, 公州).

127) 臨坡는 임피[臨陂]의 오자일 것이다.

128) 樂水驛은 洛水驛의 다른 표기 또는 오자일 가능성이 있다(『세조실록』 권29, 8년 5월 丁卯[5日]).
· 『栢潭集』 續集 권2, "過樂水驛[注, 本洛水驛, 以馬卒之誤, 而題詩寄意, 可笑]".

129) 여기에서 阿弗[音讀]은 阿火[訓讀]의 다른 표기일 것이고(→우왕 5년 윤5월 14일, 8월 某日의 脚注, 韓禎訓 2002년), 仇於旦은 仇於馹[仇於驛]의 다른 표기로 추측된다. 後者는 慶州 佛國寺 境內에서 출토된 기와의 銘文에 仇於馹이 있음을 통해 알 수 있는데, 이 驛은 조선시대에

長守長水[新寧],[130] 清通·新驛·加火[永州], 凡於[壽城], 押梁[章山], 六吡[神光], 安康驛·松蘿[清河], 仁比[杞溪], 柄谷·赤冗[禮州], 阿吡達[平海], 酒峴·南驛[盈德], 琴田[英陽].

○金州道掌三十一. 德山·省仍·赤頂·金谷·大驛太山驛[金州],[131] 靈浦·昌仁[七元漆原],[132] 自如[義安], 繁谷[咸安], 近珠[合浦], 無乙伊·永安·用家[密城], 內也[昌寧], 省乙峴·楡川·西之·買田[淸道], 竝山[玄風], 一門[桂城], 溫井[靈山], 梁州驛·黃山·源浦·渭川[梁州], 蘇山[東萊], 阿等良·機長驛·屈火·肝谷[蔚州], 德川[彥陽].

○尙州道掌二十五. 幽谷[虎溪], 洛原·洛東[尙州], 靑路·鐵波[義城], 智保[龍宮], 通明[甫州], 德通[咸昌], 甕泉·安基[安東], 安郊[豊山], 聊城[聞慶], 守山[多仁], 雙溪[比屋], 安溪[安定], 琴曹·通山·松蹄[臨河], 連鄕·仇旂[善州], 牛谷[義興], 上林[海平], 曹溪[孝令], 文居·和目[安德].

○京山府道掌二十五. 安堰·踏溪[京山], 安林[高令高靈], 水鄕·緣情[八莒], 舌火[花園], 茂淇[加利], 金泉[金山], 屬溪[黃閒], 長谷[知禮], 順陽[陽山], 土峴[利山], 利仁[安邑], 增若[管城], 作乃[知禮], 洛陽·洛山[尙州], 會同[永同], 猿岩·舍林[報令], 秋風[御侮], 常平[中牟], 安谷[善州], 長寧[化令], 扶桑[開令開寧].[133]

○分各驛丁戶爲六科.

△以金郊·臨波·金嵓·寶山·安城·龍泉·岊嶺·洞仙·高原·生陽·懷蛟·林原爲一科.

△以安定·迎德·通寧·雲嵒·興林·興郊·長若·安信·新安·雲興·林畔·通陽·豊陽·興化鎭驛爲二科.

△以白嶺·玉雞·龍潭·嵐泉·林湍·松閒·丹林·銀漢·孤山·藍山·寶龍·鐵關·德嶺·

仇於驛(현 慶州市 外東邑 九魚里 推定)으로 改稱되었던 것 같다(『세조실록』 권19, 6년 2월 壬子5日 ; 권29, 8년 8월 丁卯5日, 강봉원 2010년).

130) 長守驛은 新寧縣(현 경상북도 永川市 新寧面 지역)에 위치한 長水驛(현 新寧面 廳舍의 西南方 600m에 위치)의 誤字 또는 옛 이름[前稱]일 것이다(『세조실록』 권29, 8년 8월 丁卯5日). 또 新寧縣廳과 長水驛舍는 新寧川을 마주하고 있었던 것 같으며, 현재 兩處에 옛 우물[古井]이 남겨져 있다.

131) 大驛은 太山驛 혹은 大山驛의 오자일 것이다. 金州管內 太山部曲에 큰 規模의 驛[大驛]이 설치되지 않았을 것이다.

·『신증동국여지승람』 권32, 김해도호부, 驛院, "太山驛, 在太山部曲".

132) 七元은 漆原[漆原縣]의 오자일 것이다.

133) 高令은 高靈[高靈縣], 開令은 開寧[開寧縣]의 오자일 것이다. 또 扶桑驛은 현재의 慶尙北道 漆谷郡 北三邑 崇烏里의 서쪽(金烏山의 남쪽)에 있었다.

通達·和遠·城陽·康樂·大平·長興·玉兒·葦溪·朔安爲三科.

△以通德·善田·金川·長利·長歡·風湍·通堰·熊壤·通蕃·長壽爲四科.

△以金谷·深洞·淸湍·望丁·金剛·丹林·沙溝·石牛·興泉·密田·桃攜·田原·臨江縣驛·利嶺·直木·保安·安撫·甘泉·山梁·高岑·竹苞·灌木·射喦·淸澗·安奇·桑樹·雙谷·大昌·橫深·珍富·大和·芳林·雲橋·安仁·壽山·新池·雲峯·驥驎·班石·陶工·金洞·管山·深源·德新·洞陰縣驛爲五科.

△以楊溪·嘉原·靑澗·長材·雲半·金化縣驛·僧嶺縣驛·朔寧縣驛·元貞·芳春·遂人·富昌·甘泉·連峯·仁嵐·蒼峯·嵐嶠·圓壤·瑪瑙·希嶠縣驛·臨川·同德·驎駒·樂豊·平陵·喬柯·史直·龍化·沃源·興富·召召·木界·烏原·慈山·降仙·玉地·白原·兎山縣驛·溫泉·往谷·泉頭·今勿·雲喦·長林爲六科.

○一科, 丁七十五, 二科, 丁六十, 三科, 丁四十五, 四科, 丁三十, 五科, 丁十二, 六科, 丁七. 狻猊雖在兩京閒, 比他驛, 役事不緊, 故仍定, 五十丁. 林原雖非兩京閒, 役事最緊, 故在一科. 朔安雖爲三科, 非沿路, 故定爲二十五丁. 桃源雖爲三科, 在東西要衝, 故定爲五十丁. 若有田, 而丁口不足, 以本驛白丁子枝自願者, 充立.

○懸鈴傳送[懸鈴, 謂皮俗盛文貼, 傳送], 三急三懸鈴, 二急二懸鈴, 一急一懸鈴, 隨事緩急, 行之.

○津驛皮角傳送, 自二月至七月, 三急六驛, 二急五驛, 一急四驛, 八月至正月, 三急五驛, 二急四驛, 一急三驛.

○**看守軍**[134)]

典廨庫, 將校二, 雜職將校二, 軍人五.

鹵簿都監, 將校二, 散職將相二, 軍人四.

征袍庫, 將校二, 軍人五.[135)]

仁恩館, 將校二.

---

134) 이하 看守軍에 대한 事項은 지37, 兵3, 看守軍을 전재하였다.

135) 征袍庫는 이 항목에서 또다시 찾아진다(重出→征袍庫, 散職將相二). 또 征袍庫는 이 자료, 곧 看守軍의 名單이 작성된 시기를 추측하는데, 어떤 실마리를 제공할 수 있다. 곧 征袍庫는 1064년(문종18) 12월 某日에 찾아지고, 1084년(선종1) 11월 某日에 征袍都監이 찾아진다. 그렇다면 征袍庫가 1064년 12월 이후의 어느 시기에서 1084년 11월 사이에 征袍都監으로 昇格되었던 것 같으므로, 이 看守軍의 名單도 1084년 11월 이전에 作成되었을 것으로 추측된다. 또 다음의 長源亭이 1057년(문종11)에 건립되었음을 감안하여, 이 자료를 고려의 문물제도가 정비된 문종 30년에 수록한다.

龍門倉, 將校二, 散職將相二, 軍人十五.

雲興倉, 將校二, 軍人五.

內莊宅, 將校二, 軍人八.

良醞署, 雜職將校四. 將作布庫, 將校九, 軍人三.

長興庫, 將相三, 將校二, 軍人五.

掌冶署, 將校二. 廣化門布庫, 軍人六.

順天館, 將校六, 散職將相四, 散職將校四.[136]

大明宮, 將校四, 軍人六.

諸殿器用造成色, 將校二.

中軍旗造色, 將校·軍人各二.

新興館, 將校二, 軍人五.

奉先庫, 將校·雜職將校各二, 軍人六.

松岳烽□, 將校二.

部烽□, 將校二, 軍人三十三.

泰定門庫, 將校二.

麗景門庫, 將校二.

大盈署, 將校二.

宣敎門庫, 將相一.

大府寺, 將相一, 將校三.

金銀新庫, 將校一.

玄武廊上庫, 將校一.

外右金剛庫, 將校一.

長平西廊兵仗庫, 將校一.

---

136) 1123년(인종1) 6월 宋의 使臣을 隨從하여 고려에 왔던 徐兢에 의하면 順天館의 中門에는 龍虎軍이 守圍하고 있었다고 하는데, 常置는 아니었을 것이다. 또 徐兢의『고려도경』은 그가 이 시기에 머문 짧은 기간에 견문한 것을 정리한 것만이 아니고 그 以前에 만들어진 여러 사신단의 見聞記를 底本으로 하여 기술된 책으로 판단된다(6월 19일 開京에 도착, 7월 10일 귀환 ; 張東翼 2000년 464~478面 宋人의 高麗 見聞記에 관한 記事).

·『고려도경』권27, 館舍, 順天館, "… 向北行一里, 卽至順天館也. 外門有榜, 中門靑繡衣龍虎軍守之. … 先是, 王徽[文宗]建此, 以爲別宮, 自元豊朝貢之後, 無以待中朝[宋]人使, 故改爲館, 而以順天名之".

油蜜庫, 將校一.

迎送庫, 將校一.

宣教樓上庫, 將校一.

新定西化布庫, 將校三.

大盈庫, 將校八.

鋪陳都監, 將校二, 雜職將校二.

開明宅大府, 將校二.

左牧監, 將校二.

羊欄牧監, 將校二, 軍人十七.

江陰牧監, 將校二.

國子監, 雜職將校二, 散職將相六.

都祭庫, 雜職將校二, 散職將相二.

太廟署, 散職將相二十四, 雜職將校二.

吏部, 雜職將校四, 散職將相四.

軍器監, 雜職將校二, 監門衛軍四.

三司, 雜職將相四.

尙食庫, 散職將相二.

都省庫, 散職將相二.

養賢庫, 散職將相二.

小府監, 雜職將校二.[137)]

都兵馬, 雜職將校二.

內都校, 雜職將校二.

外都校, 雜職將校二.

館都校, 雜職將校二.

梨房庫, 散職將相二.

福源天皇堂, 散職將相二.

司宰寺, 雜職將校二.

內園署, 雜職將校二.

---

137) 小府, 小府監은 少府, 少府監으로도 표기되었는데, 中原에서도 마찬가지였다.

太僕寺, 雜職將校二.

社稷壇, 散職將相二.

兵書藏, 散職將相二.

仁恩館, 散職將相二.

延恩館, 散職將相二.

中尙署, 雜職將校二.

長興庫, 雜職將校二.

刑部, 雜職將校二.

將作監, 雜職將校二.

尙舍局, 雜職將校二.

尙乘局, 雜職將校二.

內都塩院, 散職將相二.

司儀署, 散職將相二.

征袍庫, 散職將相二.

常平倉, 散職將相二, 雜職將校二.

左·右倉, 散職將相各二.

東·西大悲院, 散職將相各二.

園丘[圓丘], 散職將相二.[138)]

籍田, 散職將相二.

守宮署, 雜職將校二.

太醫監, 雜職將校二.

大官署, 雜職將校二.

惠民局, 雜職將校二.

長源亭, 散職將相四.[139)]

習射都監, 雜職將校二.

史館, 雜職將校二.

西京修理色, 散職將相四.

---

138) 여기에서 園丘는 圓丘(혹은 圜丘)의 오자일 것이다.

139) 長源亭은 1057년(문종11)에 건립되었으므로 이 자료의 작성 시기를 추측할 수 있는 하나의 단서가 된다.

供驛署, 雜職將校二.

太常府, 雜職將校二.

式目都監, 雜職將校二.

橋路都監, 雜職將校二.

九曜堂, 散職將相二, 監門衛軍二.

弓箭庫, 雜職將校二.

典廐署, 雜職將校二.

會同館, 雜職將校二.

諸陵署, 雜職將校二.

禮服造成都監, 雜職將校二.

幞頭店, 雜職將校二.

西郊亭, 雜職將校二.

朝宗館, 雜職將校二.

新塩店, 雜職將校二.

馬政色, 雜職將校二.

祭器都監, 雜職將校二.

○ **<u>撿點軍</u>** ~~檢點軍~~[140]

<u>市裏</u> ~~市里?~~ 檢點,[141] 將相一, 將校二, 軍人十一.

街衢監行, 將校二, 螺匠十一, 都典十一, 軍人四十.

左·右京裏檢點, 將相各二, 將校各二, 軍人各八.

五部檢點, 將相各二, 將校各二, 軍人各八.

四郊細作立, 將相各二, 將校各一, 軍人各七.

---

140) 檢點軍에 대한 事項은 지37, 兵3, 撿點軍을 전재하였다. 또 撿點軍은 檢點軍으로 고쳐야 옳게 되는데, 檢字를 行書로 쓸 때 撿과 같이 쓰기 때문이다. 그래서 以下에서 모두 檢字로 교체하였다.

141) 市裏라는 用語[漢語]가 普遍的이지 않음을 보아 市里[街市里巷]의 誤字일 가능성이 있다(孫曉 等編 2014年 2636面).

· 『한서』 권27中上, 五行志第7中上, "前漢 <u>成帝</u>鴻嘉·永始之間, 好爲微行出游, 選從期門郎有材力者及私奴客, 多至十餘, 少五六人, 皆白衣袒幘, 帶之刀劍, 或乘小車, 御者在茵上, 或皆騎, 出入市里郊埜, 遠至旁縣. …".

· 『三國志』 권13, 魏書13, 華歆, "<u>華歆</u>, 字自魚, 平原高唐人也, 衣冠無不游行市里, 歆爲吏, 休沐出府, 則歸家闔門, 議論持平, 終不毁傷人".

安和生木立, 將相一, 將校一, 軍人六.

宮北檢點, 將相一, 將校一, 軍人六.

選軍檢點, 將校二, 軍人三十二.

獄直檢點, 將校四, 軍人四十五.

地倉檢點, 將校二, 軍人二.

左倉檢點, 將校二, 軍人十五.

右倉檢點, 將校五, 軍人二十五.

金吾衛檢點, 將校二, 軍人四.

五正檢點, 將校一, 軍人三.

松岳左右樵人檢點, 將校各一, 散職將相各二, 軍人各二.

東郊炭峴·禿山·狄逾峴·小梓尾等生木立 將校各一, 散職將相各一, 軍人各六.

西郊藥師院·亏知岩·熊川·大峴·西普通亭之谷·馬川·高寺等生木立, 將校各一, 散職將相各二, 軍人各六.

爐谷生木立, 將相一, 將校一, 散職將相二, 軍人六.

惡迮生木立, 散職將相二.

太廟檢點 ,將校二, 軍人十.

○ **州縣軍**[142)]

□北界

△西京, 精勇一領內, 都領·別將一人, 左·右府別將各二人, 校尉十人, 隊正二十人, 旗頭·行軍, 幷九百七十人. 保昌雜軍十九隊內, 行首·行軍, 幷九百三十一人. 海軍一隊內, 行首一人, 行軍四十九人, 元定兩班軍·閑人·雜類, 都計九千五百七十二丁.[143)]

△安北府, 都領·中郎將一, 中郎將二, 郎將七, 別將十四, 校尉二十八, 隊正五十八, 行軍一千五百十五人. 抄軍十六隊內, 馬四隊. 右軍四隊內, 馬一隊. 左軍二十六隊內, 馬弩各二. 保昌七隊, 白丁二十七隊

---

142) 이하 州縣軍에 대한 事項은 지37, 兵3, 州縣軍을 전재하였다.

143) 都領은 그 성격을 분명히 알 수 없으나 都領·別將(정7품), 都領·郎將(정6품), 都領·中郎將(정5품), 巡檢都領, 別抄都領, 都房夜別抄都領 등이 찾아지고 있다. 唐代以來의 都頭(혹은 都將)과 유사하게 京·外軍의 都領이 띠고 있던 軍官職이 같은 部隊 내에 多數 존재하고 있음을 보아 有事時에 獨自的을 戰鬪를 추진할 수 있는 해당 부대의 指揮官을 指稱하는 것 같다(金甲童 1996년).

△龜州, 都領·中郞將一, 中郞將二, 郞將七, 別將十五, 校尉三十, 隊正六十, 行軍一千六百四十二. 抄軍二十四隊內, 馬四隊. 左軍二十隊內, 馬四, 弩二. 保昌八隊.

△宣州, 都領·中郞將一, 中郞將二, 郞將六, 別將十二, 校尉二十五, 隊正五十, 行軍一千三百三十七人. 抄軍二十六隊內, 馬四隊. 左軍二十隊內, 馬弩各二. 右軍四隊內, 馬一隊. 保昌六隊, 白丁七十六

△龍州, 都領·中郞將一, 中郞將二, 郞將八, 別將十九, 校尉二十三, 隊正六十, 行軍一千七百七十八人. 抄軍三十二隊. 左軍三十二隊內, 馬四, 弩二. 右軍四隊, 保昌六隊, 白丁七十四. 沙比江, 別將一, 校尉二, 隊正四, 行軍九十九人.

△靜州, 都領·中郞將一, 中郞將二, 郞將九, 別將十九, 校尉三十九, 隊正七十九, 行軍二千七十五人. 抄軍三十六隊內, 馬六隊. 左軍三十隊內, 馬·弩各四. 右軍四隊, 保昌六隊, 白丁二十八隊. 神騎一百八人.

△麟州, 中郞將二, 郞將九, 別將十八, 校尉三十六, 隊正七十二, 行軍一千八百九十三人. 抄精勇三十六隊內, 馬六隊. 左軍三十四隊內, 馬·弩各四. 右軍四隊, 保昌四隊, 白丁三十六隊.

△義州, 中郞將三, 郞將六, 別將十二, 校尉二十四, 隊正四十八, 行軍一千二百四十九人

△朔州, 中郞將一, 郞將五, 別將十, 校尉二十二, 隊正四十五, 行軍一千二百九人. 精勇十八隊內, 馬六隊. 左軍十八隊內, 馬二隊, 弩一隊. 右軍四隊內, 馬一隊. 保昌五隊, 神騎四十五人. 白丁四十八隊, 步班十二隊.

△昌州, 中郞將一, 郞將四, 別將九, 校尉十八, 隊正三十六, 行軍九百七十一人. 精勇十六隊內, 馬二隊. 左軍十隊內, 馬·弩各二隊. 右軍三隊內, 馬一隊. 保昌四隊, 神騎二十二人. 步班二十一隊, 白丁二十二隊.

△雲州, 中郞將一, 郞將三, 別將八, 校尉十六, 隊正三十一, 行軍九百二十六人. 精勇十二隊內, 馬·弩各二. 左軍十二隊內, 馬二, 弩一. 右軍四隊內, 馬一. 保昌四隊, 神騎三十三人, 白丁四十九隊.

△延州, 中郞將一, 郞將四, 別將九, 校尉十八, 隊正四十一, 行軍一千五十二人. 精勇十二隊內, 馬二隊. 左軍十隊內, 馬·弩各二. 右軍三隊, 保昌四隊. 白丁五十隊, 神騎二十六人.

△博州, 中郞將一, 郞將五, 別將九, 校尉十九, 隊正三十九, 行軍一千三百八十

七人. 精勇十四隊內, 馬二. 左軍十四隊內, 馬·弩各五. 右軍四隊內, 馬一隊. 保昌五隊, 白丁一百二十隊. 步班二十五人, 神騎四十九人.

△嘉州, 中郎將一, 郎將五, 別將十, 校尉二十一, 隊正四十三, 行軍一千一百十九人. 精勇十五隊. 左軍十三隊內, 弩一隊. 右軍二隊內, 馬一隊. 保昌四隊, 白丁百十三隊. 步班四十人, 神騎五十人.

△郭州, 中郎將一, 郎將四, 別將九, 校尉十八, 隊正三十六, 行軍九百六十六人. 精勇十三隊內, 馬三隊. 左軍十四隊內, 馬三, 弩一. 右軍二隊, 保昌四隊. 神騎五十三人, 步班四十二人, 白丁一百四十二隊.

△鐵州, 中郎將一, 郎將四, 別將八, 校尉十六, 隊正三十二, 行軍八百七十人. 精勇十二隊內, 馬二隊. 左軍十二隊內, 馬·弩各二. 右軍二隊, 保昌四隊. 神騎三十二人, 步班二十九人, 白丁六十二隊.

△靈州, 郎將四, 別將七, 校尉十四, 隊正二十八, 行軍七百二十九人. 精勇十隊內, 馬一隊. 左軍十隊內, 馬二, 弩一. 右軍二隊, 保昌四隊. 神騎十五人, 步班十七人, 白丁二十五隊.

△猛州[孟州], 郎將三, 別將五, 校尉十, 隊正二十, 行軍六百三十人. 精勇十隊內, 馬二隊. 左軍八隊內, 弩一隊. 右軍二隊內, 馬一隊. 保昌四隊, 神騎二十八人, 步班二十五人, 白丁九十六隊.

△德州, 郎將四, 別將七, 校尉十四, 隊正二十八, 行軍七百七十八人. 精勇十隊內, 馬二隊. 左軍十隊, 右軍二隊, 保昌四隊. 神騎二十六人, 步班二十三人, 白丁五十五隊.

△撫州, 郎將四, 別將七, 校尉十四, 隊正二十九, 行軍八百一人. 精勇十隊內, 馬·弩各一隊. 右軍三隊, 保昌三隊. 神騎三十五人, 白丁七十八隊.

△順州, 中郎將一, 郎將二, 別將七, 校尉十三, 隊正二十七, 行軍七百五十五人. 精勇十隊內, 馬二隊. 左軍十隊內, 馬·弩各一隊. 右軍二隊, 保昌三隊. 神騎四十人, 步班二十人, 白丁一百五十四隊.

△渭州, 郎將五, 別將八, 校尉十六, 隊正二十, 行軍九百十八人. 精勇十二隊內, 馬二隊. 左軍十二隊內, 馬·弩各一隊. 右軍三隊, 保昌五隊. 神騎·步班各三十二人, 白丁八十三隊.

△泰州, 郎將四, 別將七, 校尉十四, 隊正二十八, 行軍八百九十五人. 精勇十三

隊內, 馬三隊. 左軍十隊內, 馬一隊. 保昌三隊, 神騎二十二人, 步班三十九人, 白丁五十七隊.

△成州, 中郎將一, 郎將三, 別將七, 校尉十二, 隊正二十七, 行軍七百四十四人. 精勇十隊內, 馬·弩各一隊. 左軍九隊內, 馬·弩各一隊. 右軍三隊, 保昌五隊. 神騎十七人, 步班三十三人, 白丁二百一隊.[144)]

△殷州, 郎將五, 別將八, 校尉十八, 隊正三十三, 行軍九百十七人. 精勇二十二隊內, 馬·弩各一隊. 左軍十二隊, 右軍三隊, 保昌四隊. 神騎三十四人, 步班五十九人, 白丁八十五隊.

△肅州, 都領·郎將一, 郎將四, 別將八, 校尉十五, 隊正三十二, 行軍九十五人. 精勇十二隊內, 馬二隊. 左軍十二隊內, 馬·弩各二隊. 右軍三隊, 保昌四隊. 神騎三十九人, 步班五十人, 白丁三十七隊.

△寧德城, 中郎將一, 郎將四, 別將八, 校尉十六, 隊正三十二, 行軍八百三十二人. 精勇十五隊內, 馬三隊. 左軍十隊內, 馬·弩各二隊. 右軍二隊, 保昌三隊. 神騎四十九人, 白丁五十一隊.

△威遠鎭, 郎將四, 別將六, 校尉十二, 隊正二十五, 行軍六百八十九人. 精勇十二隊. 左軍七隊內, 馬·弩各二隊. 右軍二隊, 保昌四隊. 神騎二十七人, 步班二十四人, 白丁五十二隊.

△定戎鎭, 中郎將一, 郎將三, 別將七, 校尉十四, 隊正二十八, 行軍七百十三人. 精勇十隊內, 馬四隊. 左軍八隊內, 馬·弩各一隊. 右軍四隊內, 馬一隊. 保昌五隊, 神騎三十三人. 步班十人, 白丁五十六隊.

△寧朔鎭, 郎將五, 別將八, 校尉十, 隊正三十二, 行軍八百五十一人. 精勇十三隊內, 馬四隊. 左軍十三隊內, 馬二隊, 弩一隊. 保昌四隊. 神騎二十九人. 步班二十三人, 白丁十五隊.

△安義鎭, 郎將四, 別將七, 校尉十四, 隊正二十八, 行軍七百十一人. 精勇九隊內, 馬二隊. 左軍六隊, 保昌七隊. 神騎三十人, 步班十七人, 白丁五十四隊.

---

144) 1474년(성종5) 7월 7일 南原君 梁誠之가 올린 上疏에도 成州의 軍額이 위의 자료와 一致하고 있는데, 전체의 軍人은 馬·步兵이 모두 6,500餘人이었다고 한다.
· 『訥齋集』 권4, 軍政四事, "臣按兵制, 北界成州, 中郎將一, 郎將三, 別將七, 校尉十二, 隊正二十七, 行軍七百四十四人. 精勇十隊內, 馬·弩各一隊. 左軍九隊內, 馬·弩各一隊. 右軍三隊, 保昌五隊. 神騎十七人, 步班三十三人, 白丁二百一隊. 成州卽今成川也, 馬·步兵, 凡六千五百餘人, 其兵甲之盛, 擧一邑加知也".

△清塞鎭, 中郎將一, 郎將三, 別將七, 校尉十五, 隊正三十一, 行軍八百三十人. 精勇十二隊內, 馬二隊. 左軍十隊內, 弩一隊. 右軍三隊, 保昌五隊. 神騎五十人, 步班三十六人, 白丁六十二隊.

△平虜鎭, 中郎將一, 郎將三, 別將七, 校尉十五, 隊正二十一, 行軍八百四十七人. 精勇十三隊內, 馬三隊. 左軍十隊內, 馬二隊. 右軍三隊, 保昌四隊. 神騎二十八人, 步班四十二人, 白丁四十二隊.

△寧遠鎭, 郎將四, 別將七, 校尉十三, 隊正二十八, 行軍七百八十三人. 精勇十隊. 左軍十隊內, 馬·弩各一隊. 右軍一隊, 保昌五隊. 神騎二十三人, 步班五十一人, 白丁三十隊.

△朝陽鎭, 將一, 副將一, 中郎將一, 郎將五, 別將八, 校尉二十, 隊正四十一, 行軍一千一百四十三人. 精勇十五隊內, 馬二隊. 左軍十五隊內, 馬·弩各二. 右軍三隊, 保昌五隊. 神騎四十二人, 步班四十四人, 白丁六十七隊

△陽嵒鎭, 將一, 中郎將一, 郎將三, 校尉七, 隊正十四, 行軍四百二十二人. 精勇五隊內, 馬一隊. 左軍五隊內, 馬·弩各一隊. 右軍一隊, 保昌三隊. 神騎十一人, 步班十二人, 白丁三十隊.

△樹德鎭, 將一, 別將一, 校尉二, 隊正五, 行軍一百五十三人. 精勇二隊內, 馬一隊. 左軍二隊, 保昌一隊. 神騎十人, 白丁二十二隊.

△安戎鎭, 將一, 郎將一, 別將二, 校尉四, 隊正八, 行軍二百六人. 精勇二隊, 左軍三隊, 保昌一隊. 神騎十一人, 步班二十七人, 白丁三十三隊.

△通海縣, 郎將一, 別將二, 校尉五, 隊正十, 行軍二百七十四人. 精勇四隊, 左軍三隊, 右軍一隊, 保昌一隊. 神騎五人, 步班十四人. 通海江校尉一, 隊正二, 行軍四十三人.

△永淸縣, 郎將三, 別將四, 校尉八, 隊正十六, 行軍四百三十二人. 精勇六隊, 左軍五隊, 右軍·保昌各二隊. 神騎二十八人, 步班九人, 白丁一百隊.

△咸從縣, 郎將一, 假郎將三, 別將六, 校尉十三, 隊正二十六, 行軍七百二十九人. 精勇八隊, 左軍十隊, 右軍二隊, 保昌四隊. 神騎二十人, 步班三十一人, 白丁四十九隊.

△龍岡縣, 郎將三, 別將六, 校尉十二, 隊正二十四, 行軍六百五十六人. 精勇八隊, 左軍八隊, 右軍二隊, 保昌四隊. 神騎三十五人, 步班四十人, 白丁五十九隊

△三和縣, 別將一, 校尉二, 隊正五, 行軍一百三十五人.

△三登縣, 假別將一, 校尉二, 隊正五, 行軍一百二十一人.

□東界

△安邊府, 都領·□□郎將一, 郎將二, 別將四, 校尉十二, 隊正二十七. 抄軍·左右軍各八隊, 寧塞軍三隊五人, 計百五十, 工匠一梗, 計三十三人.[145]

△瑞谷縣, 別將一, 校尉二, 隊正三. 左軍一隊, 右軍二隊. 寧塞一隊三十一人, 工匠一梗.

△汶山縣, 右軍一隊, 工匠一梗.

△衛山縣, 校尉一. 左軍二隊, 右軍一隊. 寧塞一隊, 工匠一梗.

△翼谷縣, 校尉一. 左軍一隊, 寧塞一隊. 鐵垣戍, 右軍·寧塞各一隊. 凝川貢所, 左軍·寧塞各一隊, 行軍四十六.[146]

△孤山縣, 別將一, 校尉三, 隊正七. 抄軍·左右軍各二隊, 寧塞一隊.

△鶴浦縣, 別將一, 校尉二, 隊正四. 抄軍二隊, 左右軍各一隊, 寧塞一隊. 壓戎戍, 校尉一, 隊正二. 左右軍各一隊, 寧塞七人.

△霜陰縣, 校尉一, 隊正二. 左右軍各一隊, 寧塞一隊. 禾登戍, 左右軍各一隊, 寧塞五人. 福寧鄉, 校尉一, 隊正二. 左右軍·寧塞各一隊.

△和州, 都領·□□郎將一, 郎將三, 別將七, 校尉十三, 隊正三十二. 抄軍·左軍各十隊, 右軍八隊. 寧塞四隊, 工匠一梗.

△高州, 都領·□□郎將一, 郎將三, 別將七, 校尉十五, 隊正三十二. 抄軍·左軍各一隊, 右軍八隊. 寧塞二隊, 投化·田匠各一梗.

△宜州, 都領·□□別將一, 別將三, 校尉七, 隊正十六. 抄軍·左軍各五隊, 右軍四隊. 寧塞二隊, 工匠一梗.

△文州, 都領·□□郎將一, 郎將二, 別將四, 校尉九, 隊正二十二. 抄軍六隊, 左軍八隊, 右軍五隊. 寧塞一隊, 工匠一梗.

△長州, 都領·□□郎將一, 郎將二, 別將四, 校尉九, 隊正三十三. 抄軍六隊, 左軍八隊, 右軍六隊. 寧塞三隊, 銈川軍四隊.

△定州, 都領·□□郎將一, 郎將四, 別將八, 校尉十六, 隊正三十七. 抄軍十四隊,

---

145) 이 기사에서 郎將이 탈락되었을 것이다.

146) 鐵垣戍(戍城)는 고려 말에는 安邊都護府 東北部의 歙谷縣 境內인 派川社의 海口에 위치한 小石城이었던 것 같다(『신증동국여지승람』 권49, 안변도호부, 고적, 鐵垣戍, 宋容德 2005년).

左軍十三隊, 右軍六隊, 寧塞四隊.

△德州, 都領·□□郎將一, 郎將二, 別將四, 校尉八, 隊正二十. 抄軍·左軍各九隊, 右軍四隊, 寧塞六十六人.

△元興鎭, 都領·□□郎將一, 郎將二, 別將五, 校尉十三, 隊正二十九. 抄軍·左軍各九隊, 右軍四隊, 寧塞四隊, 沙工四隊

△寧仁鎭, 都領·郞將各一, 別將三, 校尉七, 隊正十六. 抄軍四隊, 左軍六隊, 右軍四隊, 寧塞二隊.

△耀德鎭, 都領·郞將各一, 別將八, 校尉九, 隊正二十. 抄軍八隊, 左軍四隊, 右軍六隊, 寧塞二隊, 工匠一梗.

△鎭溟縣, 都領·□□別將一, 別將二, 校尉六, 隊正十一. 抄軍五隊, 右軍二隊, 寧塞一隊, 田匠一梗.

△長平鎭, 都領·□□別將一, 別將二, 校尉六, 隊正十三. 抄軍·左軍各五隊, 右軍二隊, 寧塞一隊.

△龍津鎭, 都領·□□別將一, 別將二, 校尉四, 隊正十. 抄軍·右軍各二隊, 左軍四隊. 寧塞二隊, 工匠一梗.

△永興鎭, 都領·□□別將一, 別將二, 校尉五, 隊正十一. 抄軍·左軍各四隊, 右軍三隊, 寧塞二隊.

△靜邊鎭, 都領·□□別將一, 校尉五, 隊正十一. 抄軍四隊, 左軍三隊, 右軍四隊, 寧塞四十人.

△雲林鎭, 校尉一, 隊正三. 左軍二隊, 右軍一隊, 寧塞一隊.

△永豊鎭, 別將一, 校尉二, 隊正五. 左右軍各二隊, 寧塞一隊.

△隘守鎭, 別將一, 校尉二, 隊正六. 左軍三隊, 右軍二隊. 寧塞一隊, 工匠一梗.

△金壤縣, 別將二, 校尉四, 隊正十. 抄軍四隊, 左右軍各三隊, 寧塞一隊.

△高城縣, 別將一, 校尉四, 隊正九. 抄軍一隊, 左軍一隊, 右軍三隊, 寧塞二隊.

△杆城縣, 別將一, 校尉五, 隊正十. 抄軍·左軍各四隊, 右軍二隊, 寧塞一隊.

△翼令縣, 別將三, 校尉三, 隊正九. 抄軍·右軍各四隊, 左軍二隊, 寧塞一隊.

△溟州, 別將五, 校尉十, 隊正二十三. 抄軍·左右軍各八隊, 寧塞四隊, 工匠一梗.

△三陟縣, 別將一, 校尉八, 隊正十六. 抄軍·左軍各四隊, 右軍九隊, 寧塞一隊, 工匠一梗.

△蔚珍縣, 別將一, 校尉三, 隊正八. 抄軍·左軍各二隊, 右軍三隊, 寧塞一隊.

□ **交州道**

△春州道內, 合保勝一百三十三人, 精勇七百七十六人, 一品五百七十二人.

△東州道內, 合精勇九百七十一人, 一品六百五十人.

△交州道內, 精勇四百七十七人, 一品三百五人.

□ **楊廣道**

△廣州道內, 保勝二百五十八人, 精勇五百四十六人, 一品五百三十六人.

△南京道內, 保勝一百三十三人, 精勇八百六十四人, 一品五百二十九人.

△安南道內, 保勝一百五十九人, 精勇二百九十二人, 一品二百八十二人.

△仁州道內, 保勝一百九十四人, 精勇一百八十七人, 一品二百二十七人.

△水州道內, 保勝一百七十五人, 精勇二百九十一人, 一品三百七十二人.

△忠州牧道內, 保勝二百四十一人, 精勇三百五十七人, 一品五百二十人.

△原州道內, 保勝一百二十二人, 精勇二百三人, 一品二百四十八人.

△淸州牧道內, 保勝五百三十八人, 精勇七百八人, 一品八百五十人.

△公州道內, 保勝三百二十六人, 精勇五百五十三人, 一品五百二十七人.

△洪州道內, 保勝三百三十八人, 精勇四百九十七人, 一品七百十三人.

△嘉林道內, 保勝九十八人, 精勇二百五十一人, 一品二百一人.

□ **慶尙道**

△蔚州道內, 保勝一百三十四人, 精勇一百四十五人, 一品一百八十一人.

△梁州道內, 保勝五十七人, 精勇一百四十七人, 一品一百七十三人.

△金州道內, 保勝一百八十八人, 精勇二百七十八人, 一品四百三十一人.

△密城道內, 保勝二百四十五人, 精勇四百二十七人, 一品五百三十二人.

△尙州牧道內, 保勝六百六十五人, 精勇一千三百七人, 一品一千二百四十一人.

△安東大都護道內, 保勝五百九十一人, 精勇九百五十三人, 一品一千十八人.

△京山府道內, 保勝五十四人, 精勇八百一人, 一品六百四十七人.

△晋州牧道內, 保勝二百七十七人, 精勇四百四人, 一品七百三十人.

△陜州道內, 保勝三百七十三人, 精勇二百二十九人, 一品四百四十八人.

△巨濟道內, 精勇五十人, 一品一百二十八人.

△固城道內, 保勝二十六人, 精勇五十三人, 一品一百九人.

△南海道內, 保勝·行首幷十七人, 精勇十七人, 一品六十四人.

□ **全羅道**

△全州牧道內, 保勝一百五十人, 精勇一千二百十四人, 一品八百六十七人.

△南原道內, 保勝二百五人, 精勇八百人, 一品六百三十六人.

△古阜道內, 保勝五十四人, 精勇六百十人, 一品五百四十五人.

△臨陂道內, 精勇三百四十一人, 一品二百人.

△進禮道內, 精勇二百十一人, 一品一百五十二人.

△羅州牧道內, 保勝四百五十四人, 精勇八百四十八人, 一品九百二十二人.

△靈光道內, 精勇四百一人, 一品三百六十八人.

△寶城道內, 保勝三百二十二人, 精勇四百十二人, 一品五百十三人.

△昇平道內, 保勝二百四十人, 精勇一百八十四人, 一品四百十五人

□ **西海道**

△黃州道內, 保勝二百十四人, 精勇三百二十人, 一品二百七十七人.

△谷州道內, 保勝二百九十五人, 精勇二百九十三人, 一品二百九十一人.

△安西大都護道內, 保勝四百五十人, 精勇八百七十四人, 一品八百三十八人.

△豊州道內, 保勝三百三十三人, 精勇四百五十五人, 一品二百三十五人.

△甕津道內, 精勇二百十人, 保勝一百七人, 一品六百十二人

□ **京畿**

△開城府道內, 保勝五十二人, 精勇二百四十人, 一品一百九十人.

△承天府道昇天府道內, 保勝五十人, 精勇一百六十人, 一品一百十三人.[147]

△江華道內, 保勝一百九十九人, 精勇五十四人, 一品一百七十一人.

△長湍道內, 保勝一百三十四人, 精勇三百四十三人, 一品三百三人.

丁巳[文宗]三十一年, 契丹大康三年 : 宋熙寧十年,[148] [西曆1077年]

1077년 1월 27일(Gre2월 2일)에서 1077년 1월 16일(Gre1월 22일)까지, 355일

春正月壬子朔大盡,壬寅, 放朝賀.

147) 承天府道는 昇天府道의 誤字일 것이고, 이는 『고려사』를 처음 乙亥字로 組版할 때 集字(혹은 採字)의 잘못이 있었을 것이다.

148) 이해에 거란의 大康 3년과 熙寧 10년을 함께 사용한 事例가 찾아진다(李頲墓誌銘).

壬戌[11日], 以李石爲工部尙書.

[丙寅[15日], 月食:天文1轉載].[149]

二月[壬午朔小盡,癸卯], 乙未[14日], 燃燈, 御重光殿, 觀樂. [敎坊女弟子楚英, 奏王母隊歌舞. 一隊五十五人, 舞成四字, 或君王萬歲, 或天下太平:樂志2轉載].[150]

壬寅[21日], 王子國原公祁納妃, 賜匹叚[段]·布貨·金器·鞍馬等物.

癸卯[22日], 特設燃燈會於重光殿三日.

丙午[25日], 東女眞懷化將軍方鎭等二十人來, 獻駿馬.

[丁未[26日], 中書侍郎平章事李頲妻上黨縣君王氏卒:追加].[151]

[增補].[152]

三月[辛亥朔小盡,甲辰], 甲寅[4日], 幸興王寺, 轉新成'金字華嚴經'.

乙卯[5日], 以子朝鮮侯燾·雞林侯熙, 進爵爲公, 丕△[爲][特進·:節要轉載]檢校司空·金官侯, 愔△[爲][特進:節要轉載]·檢校司空·卞韓侯.[153]

[→授□□□[子丕爲]特進·檢校司空·上柱國·金官侯·食邑一千戶, □□□[子愔爲]特進·檢校司空·上柱國·卞韓侯·食邑八白戶:列傳3文宗王子金官侯丕·卞韓侯愔轉載].

辛未[21日], [穀雨]. 王巡京城西北, 察修築之狀, 置酒日月寺西山.

丁丑[27日], 又巡東南, 置酒望海山.

---

149) 이날 宋에서도 월식이 있었다(『송사』 권52, 지5, 천문5, 月食). 이날은 율리우스曆의 1077년 2월 10일이고, 月食의 現象이 심했던 때의 世界時는 19시 38분, 食分은 0.80이었다(渡邊敏夫 1979年 473面).

150) 이는 다음의 기사를 전재하였다.
· 지25, 樂2, 用俗樂節度, "[文宗]三十一年二月乙未, 燃燈, 御重光殿, 觀樂. 敎坊女弟子楚英, 奏王母隊歌舞. 一隊五十五人, 舞成四字. 或君王萬歲, 或天下太平".

151) 王氏는 王可道의 3女로서 5월 13일에 逝去한 李頲보다 76日 앞서 세상을 떠났다고 한다(李頲墓誌銘). 이날은 율리우스曆으로 1077년 3월 23일(그레고리曆 3월 29일)에 해당한다.

152) 이달에 宋에 도착한 고려 사신단의 형편은 다음과 같다.
· 2월 13일(甲午), 봄철[春候]이 깊었고 寒凍이 심하지 않으므로 高麗使臣의 출발을 위해 都水監으로 하여금 곧 汴口를 開放하도록 命하였다(『속자치통감장편』 권280).

153) 朝鮮侯 燾의 朝鮮公으로의 昇級은 열전3, 文宗王子, 朝鮮公 燾에도 수록되어 있다. 또 이 시기 이후에 谷州人 拓俊京이 雞林公 熙의 府吏[從者]가 되었다고 한다.
· 열전40, 叛逆1, 拓俊京, "拓俊京, 谷州人, 其先本州吏. 家貧不能學問, 與無賴輩遊, 求爲胥吏, 不得. 肅宗爲雞林公, 就其府, 爲從者".

[夏四月庚辰朔大盡,乙巳:追加].

夏五月庚戌朔小盡,丙午, 壬戌13日, 以中書侍郞同中書門下平章事李頲△爲守太師兼門下侍中, 是日卒.[154) [年五十三. 輟朝三日, 諡貞憲:追加].[155)

甲戌25日, 王以顯考忌, 服素襴, 避正殿, 令中外斷音樂, 禁弋獵, 終月.[156)

六月己卯朔大盡,丁未, 丁未29日, 以母后忌, 宰臣奉表陳慰, 中外斷音樂.[157)

秋七月己酉朔小盡,戊申, 宋商林慶等二十八人來, 獻土物.

八月戊寅朔大盡,己酉, 辛卯14日, 祈晴于川上.

○羅州道祭告使·大府少卿~~太府少卿~~李唐鑑奏,[158) "中朝使命往來, 高巒島亭, 稍隔水路, 船泊不便. 請於洪州管下貞海縣地, 創置一亭, 以爲迎送之所". 制從之~~制可~~, 名亭爲安興.[159)

九月戊申朔大盡,庚戌, 辛亥4日, 宋商楊從盛等四十九人來, 獻土物.

[冬十月戊寅朔大盡,辛亥:追加].

---

154) 이날은 율리우스曆으로 1077년 6월 6일(그레고리曆 6월 12일)에 해당한다.

155) 李頲의 묘지명에 의하면 이날보다 먼저 大中大夫·守太傅兼門下侍中에 임명[宣麻]되었다고 한다(李頲墓誌銘).

156) 이 기사는 지18, 禮6, 先王諱辰眞殿酌獻儀에도 수록되어 있다. 또 이날(25일)은 顯宗의 忌日이다.

157) 顯宗妃 元惠太后 金氏의 忌日은 明日인 6월 30일이다(→현종 13년 6월 30일).

158) 여기에서 羅州道祭告使는 春秋로 名山大川[五嶽]에 파견되는 祭告使로 추측되므로 李唐鑑(徐鈞의 丈人, 徐恭의 外祖)은 錦城山神祠에 파견되었을 것이다(→문종 18년 2월 7일, 金甲童 2001년).

159) 여기에서 制從之는 원래 制可였을 것이고, 이것이 從之로 改書되었다가 환원되는 과정에서 철저하지 못해 현재의 상태로 남겨진 것 같다.
또 高巒島는 安眠島의 남쪽에 있는 松島(혹은 松鶴島, 忠淸南道 保寧市 舟橋面의 海岸에 위치)로서 육지에서 서쪽으로 돌출되어 있다고 한다. 그리고 安興亭은 현재의 瑞山郡 海美面 山水里 神仙峰의 稜線에 있었다는 견해, 泰安郡 近興面 馬島에 있었다는 견해가 있다(尹龍爀 2015년 97面 ; 森平雅彦 2013年).

冬十一月戊申朔小盡,壬子, 丙辰9日, 以門下侍郞平章事鄭惟產△爲判尙書禮部事, 中書侍郞平章事金行瓊△爲判尙書兵部事, 文正△爲參知政事兼西京留守使, 崔惟吉△爲守司空·判三司事, 金悌爲左散騎常侍·知中樞院事, 金良鑑△爲同知中樞院事, 盧寅爲禮部尙書.[160)]

乙丑18日, 東女眞歸德將軍康守等五十八來, 獻名馬.

十二月丁丑朔大盡,癸丑, 遼遣檢校太傅楊祥吉來, 賀生辰.

○耽羅國獻方物.

乙巳29日, [大寒]. 以參知政事?金若珍爲太子太保, 參知政事文正爲太子少保, 盧旦△爲直門下省□事,[161)] 崔奭爲左諫議大夫, 吳英霸爲御史雜端, 金爲鉉爲侍御史, 洪器爲右補闕, 楊信麟爲右拾遺.

[是年, 判冊, "凡其人. 千丁以上州則足丁, 年四十以下三十以上者, 許選上, 以下州則半足丁, 勿論兵·倉正以下副兵·倉正以上, 富强正直者, 選上. 其足丁, 限十五年, 半丁, 限十年立役, 半丁至七年, 足丁至十年, 許同正職, 役滿加職": 選擧3其人轉載].

[○判冊, "三伏內, 禁工作": 刑法2禁令轉載].

戊午[文宗]三十二年, 契丹大康四年, [宋元豊元年], [西曆1078年]

1078년 1월 17일(Gre1월 23일)에서 1079년 2월 4일(Gre2월 10일)까지, 13개월 384일

[春正月丁未朔小盡,甲寅, 庚申14日, 立春. 月食: 天文1轉載].[162)]

---

160) 이때 鄭惟產은 門下侍郞同中書門下平章事로서 이 職責을 兼職한 것 같다(原州法泉寺智光國師玄妙塔碑).

161) 이 시기의 이후에 盧旦은 朝散大夫·司宰卿·直門下省事·翰林學士·知制誥兼東宮侍講學士에 재직하고 있었다(『동문선』 권23, 尙書令·鷄林公吉禮敎書詔書).

162) 이날 宋에서도 월식이 예측되었으나 구름으로 인해 관측이 이루어지지 못했다고 한다(『송사』 권52, 지5, 천문5, 月食). 일본의 교토[京都]에서 개기월식이었다고 한다. 이날은 율리우스력의 1078년 1월 30일이고, 월식 현상이 심했던 때의 世界時는 20시 18분, 食分은 1.57이었다(渡邊敏夫 1979年 473面).
· 『水左記』, 承曆 4년 윤12월, "十四日庚申望, 月蝕, 皆既, 虧初丑二刻十分, 加時寅三刻七分, 復末卯四刻八分. … 今夜月蝕, 臨刻限如指掌正見, 但復末以前, 月沒西方云々, 予依當月曜不

[某日, 以李齊元爲東南海都部署使:慶尙道營主題名記].[163)]

[是月丁未朔, 宋改元元豊:追加].

[增補].[164)]

[閏正月丙子朔[大盡,甲寅]:追加].

[增補].[165)]

春二月[丙午朔小盡,乙卯], 丙辰[11日], 燃燈, 以寒食故, 先三日而行.

[三月[乙亥朔小盡,丙辰], 某日, 參知政事文正知貢擧, 取進士, 命太子覆試:選擧1選場轉載].[166)]

[是月頃, 遣使如契丹, 請賜鴨綠江以東地, 帝不許:追加].[167)]

當其影".

163) 고려시대의 兵馬使와 按察使(후일의 按廉使, 提察使)는 6個月의 임기로 春夏番, 秋冬番의 2회에 걸쳐 파견되는데, 일반적으로 前者는 1월 또는 2월에, 後者는 7월~8월에 임명되어 파견되었다. 이에 의거하여 按察使의 前身에 比見되는 都部署使의 派遣時期도 同一하게 유추하였는데, 兵馬使의 임명과 같은 날짜에 임명되었을 가능성이 높다(→고종 12년 7월 9일).

164) 이해의 6월 12일 禮成江에 도착한 宋 使臣團의 1월의 형편은 다음과 같다.

- 25일(辛未), 度支員外郞·秘閣校理·同修起居注·檢正中書戶房公事 安燾를 左諫議大夫·史館修撰으로 假受하여 高麗國信使로 삼고, 著作佐郞·集賢校理·同知太常禮院 林希를 右正言·直昭文館로 假受하여 副使로 삼았다. 이보다 먼저 權知高麗國王 王徽(文宗)가 해마다 遣使朝貢하였기에 이를 가상히 여겨 安燾 등을 파견하였다(『속자치통감장편』 권287 ; 『송사』 권328安燾·487高麗 ; 『옥해』 권154, 朝貢, 錫予外夷 ; 『東都事略』 권96, 列傳79安燾 ; 『淸波雜志』 권7 ; 『元豊類藁』 권8, 厚卿子中使高麗 ; 『欒城集』 권8, 送林子中安厚卿二學士奉使高麗二首 ; 『淸獻集』 권4, 次程給事贈奉使高麗安燾密學 ; 『皇宋通鑑長編紀事本末』 권89, 通使高麗 ; 『皇宋十朝綱要』 권10上 ; 『皇朝編年綱目備要20 ; 『문헌통고』 권325, 四裔考2, 高句麗).
- 26일(壬申), 樞密院 副都承旨 張誠一로 하여금 高麗國信使·副使와 함께 一行의 儀物을 詳定하게 하였다(『속자치통감장편』 권287).

165) 宋에서 이루어진 사신단의 윤1월의 형편은 다음과 같다.

- 19일(甲午), 兩浙轉運使 蘇澥로 하여금 知明州 李定과 함께 高麗國信使의 過海船을 建造하게 하였다(『속자치통감장편』 권287).
- 21일(丙申), 安燾 등이 校書郞 豊稷을 書狀官으로 임명하기를 청하자 허락하였다(『속자치통감장편』 권287 ; 『송사』 권321豊稷 ; 『寶慶四明志』 권8, 敍人上, 豊稷 ; 『豊淸敏公遺書』 권3, 豊淸敏公遺事).

166) 이는 지27, 선거1, 科目1, 選場에서 전재하였다.

167) 이는 다음의 자료에 의거하였다.

[增補].[168]

夏四月[甲辰朔大盡,丁巳], 乙巳[2日], 賜禹元齡等及第.[169]

甲子[21日], 以宋帝[神宗]節日, 設祝壽齋于[開城府]東林·大雲二寺.[170]

辛未[28日], 宋明州敎練使顧允恭賫牒來, 報帝遣使通信之意. 王曰, “敢期大朝, 降使外域, 寡人一喜一驚. 凡百執事, 各揚爾職, 館待之事, 罔有闕遺. 勤謹著能者, 當行超擢, 怠劣有過者, 別論貶黜”.

五月[甲戌朔小盡,戊午], 庚子[27日], 遣工部尙書文晃·戶部侍郞崔思訓[崔思諒?],[171] 迎宋使于安興□~~亭~~.[172]

· 『요사』 권23, 본기23, 道宗3, 大康 4년, “夏四月辛亥[8日], 高麗遣使乞賜鴨淥江以東地, 不許”.

· 『요사』 권115, 열전45, 二國外記, 高麗, “[大康]四年, 王徽乞賜鴨淥江以東地, 不許”.

168) 宋에서 이루어진 사신단의 3월의 형편은 다음과 같다.

· 1일(乙亥), 奉使高麗使·副使가 行次하는 州郡의 迎勞를 遼에 파견되는 사신의 例와 같이 하도록 명하였다(『속자치통감장편』 권288).

· 5일(己卯), 고려에 파견되는 安燾 등에게 永寧院에서 賜宴하였다(『속자치통감장편』 권288 ; 『송회요집고』 35책, 禮45, 元豊 1년 3월 5일).

· 7일(辛巳), 太常博士·秘閣校理 陳睦에게 起居舍人·直昭文館으로 假受하여 高麗國信副使로 삼아 林希를 대신하게 하고, 고려에 파견되기를 겁낸 林希를 監杭州樓店務로 貶職[左遷]시켰다(『續資治通鑑長編』 권288, 同日條·304元豊3.5.21條 ; 『宋史』 권343林希·487高麗 ; 『東都事略』 권97, 列傳80, 林希 ; 『中吳紀聞』 권2, 陳龍圖使高麗 ; 『永樂大典』 권3141, 陳(字), 陳睦 ; 『欒城集』 권14, 次韻子瞻送陳睦龍圖出守潭州 ; 『補筆談』 권上 ; 『珍席放談』 권上 ; 『後村集』 권22, 韓幹三馬 ; 『皇宋通鑑長編紀事本末』 권89, 通使高麗).

· 13일(丁亥), 고려에 파견되는 사신을 위해 明州(현 浙江省 寧波市)에서 만든 船舶 2艘의 이름을 凌虛致遠安濟神舟, 靈飛順濟神舟로 각각 하사하였다(『속자치통감장편』 권288 ; 『송사』 권487高麗 ; 『熙豊日歷』 : 『說郛』 권42 ; 『고려도경』 권34, 神舟 ; 『송회요집고』 145책, 食貨5, 船).

169) 이와 관련된 기사로 다음이 있다. 이때 [進士]禹元齡·趙仲璋 등이 급제하였다(『등과록』, 朴龍雲 1990년 ; 許興植 2005년).

· 지27, 선거1, 科目1, 選場, “[文宗]三十二年三月, 參知政事文正知貢擧, 取進士, 命太子覆試, □□□□[四月乙巳], 下詔賜乙科禹元齡·丙科七人·同進士十二人·明經三人及第”.

170) 宋 神宗의 生辰인 同春節은 4월 10일이므로, 祝壽齋를 늦게 設行한 셈이다.

171) 崔思諒이 1076년(문종30) 송에 사신으로 파견되었을 때 중국 측의 자료에는 崔思訓으로 기록되어 있다(→문종 30년 8월 4일). 또 『고려사』 세가편에서 崔思訓은 1078년(문종32) 5월 27일(庚子, 戶部侍郞)과 1081년(문종35) 12월 28일(庚辰, 中樞院知奏事)의 2回만 찾아지는데, 그 사이에 崔思諒은 나타나지 않고, 이때 崔思訓의 官職이 崔思諒의 그것으로 比定하여도 문제가 없다. 그렇다면 이 시기에 崔思諒이 崔思訓으로 일시 改名하였던 것으로 이해할 수 있을 것 같다.

[增補].[173]

六月[癸卯朔大盡,己未], 甲寅[12日], 宋國信使·左諫議大夫安燾, 起居舍人陳睦等到禮成江. 命兵部尙書盧旦爲筵伴, 至西郊亭, 又遣中樞院使·刑部尙書金悌爲筵伴, 入順天館, 以知中樞院事·戶部尙書金良鑑, 禮部侍郞李梁臣爲館伴.

[甲寅[戊午16日], 月食, 宋使救之, 國人不之覺. 以日官·挈壺正崔士謙撰曆, 失於推步, 不以聞奏. 有司請論如法, 宥之:天文1轉載].[174]

丁卯[25日], 命太子, 詣順天館, 導宋使. 至閶闔門下馬, 入會慶殿庭, 王適不豫, 使左右扶出受詔. 其詔曰, "卿世荷百祿, 撫有三韓, 慕義向風, 一意朝廷之重, 方舟入貢, 屢浮江海之淵. 載修恭順之誠, 宜被褒嘉之錫, 特馳使指, 往諭朕懷, 緬惟俊明, 當體眷遇. 今差左諫議大夫安燾·起居舍人陳睦, 賜卿國信物等, 具如別錄, 至可領也.

賜國王衣二對, 各金銀葉裝柒[漆]匣盛一對.[175]

紫花羅夾公服一領.

淺色花羅汗衫一領.

---

172) 安興은 地名이 아니고 貞海縣의 安興亭이기에 添字가 추가되어야 할 것이다(→문종 32년 8월 14일).

173) 宋에서 이루어진 사신단의 5월의 형편은 다음과 같다.

· 11일(甲申), 神宗이 福建·兩浙의 海商[高麗海商]들이 사신단의 파견을 틈타 賂物을 주고 고려에 가려고 한다는 것을 듣고 編勅私販新羅法에 의거하여 처벌하게 하였다(『속자치통감장편』 권289). 以後 使臣團은 明州 定海에서 發船하여 定海縣(現 浙江省 寧波市 鎭海區)을 거쳐 高麗로 갔다(『고려도경』 권2, 王氏 ; 『寶慶四明志』 권19, 定海縣志2, 敍祠神廟, 東海助順孚聖廣德威濟王廟 ; 『延祐四明志』 권15, 祠祀攷, 定海縣東海助順孚聖廣德威濟王廟 ; 『春渚紀聞』 권2, 龍神需舍利經文).

이때 使臣團은 大海의 海水의 색깔과 긴 끈[長繩]에 단 납타(鐵碣 : 쇠로 만든 맷돌)를 통해 水深을 파악하여 30托 이상이 되어야 선박의 항행이 가능하다고 하였다고 하였다(『文昌雜錄』 권3, 元豊 6년 1월 10일).

174) 지1, 天文1에는 甲寅(12일)으로 되어 있으나 월식은 대체로 15일에 행해지고, 달[月]의 軌度가 太陽이 움직이는 黃道(ecliptic)에 대해 평균 5度 9分[5°9′] 정도 기우러져 있으므로 14일, 16일에도 행해질 수 있다. 이때 宋에서 月食이 戊午(16일)에 있었고(『송사』 권52, 지5, 천문5, 月食), 일본에서는 이날(戊午) 개기월식이었다고 한다(『扶桑略記』 권30, 承曆 2년 6월, "十六日戊午, 月蝕皆既").

그러므로 甲寅은 戊午의 오류임을 알 수 있는데, 이는 『고려사』의 편찬자가 날짜를 잘못 정리한 결과일 것이다[繫年錯誤]. 또 이날(戊午, 16일)은 율리우스력의 1078년 7월 27일이고, 월식 현상이 심했던 때의 世界時는 12시 22분, 食分은 1.36이었다(渡邊敏夫 1979年 473面).

175) 柒은 漆의 오자일 것이다(池田 溫 1979年).

紅花羅繡夾三襜一條.

紅花羅繡夾包肚一條.

紅花羅繡勒帛一條.

白緜綾夾袴一腰.

靴一緉, 紅透背袋盛, 紅羅繡夾複二條.

腰帶二條, 各紅透背袋盛, 羅繡複一條, 金鍍銀匣盛,

一條, 玉一十六稲, 鏤塵百戲孩兒頭尾共一十事, 玳瑁襯金鑻紅鞓成釘.

一條, 透犀一十七稲, 頭尾共一十事, 玳瑁襯金鑻紅鞓成釘.

馬四匹,

一匹, 鬧裝金鏤銀起突鈒蔓陀羅花鉸具, 紫羅繡鞍韀纓袋複仝.

一匹, 鬧裝金鍍銀起突鈒寶相花鉸具, 艾碧繡鞍韀纓袋複仝.

一匹, 散促結金鍍銀起突鈒蔓陀羅花鉸具, 纓轡紫羅屜事件□[仝?].

一匹, 散促結金鍍銀起突鈒寶相花鉸具, 纓轡艾碧羅屜事件仝.

鞭二條, 各紫羅繡袋盛,

一條, 玳瑁.

一條, 碌牙.

金花銀器二千兩.

盆一十面.

盖椀一 十副, 每副二件.

雜色川錦一百匹, 列仙細五匹, 天下樂暈文五匹, 雜花暈文五匹, 合羅雲鴈細五匹, 盤毬雲鴈細一十匹, 欑鴈雲地細一十匹, 簇四金鵰大一十匹, 翠毛獅子大一十匹, 黃獅子大二十匹, 寶昭大二十匹.

色花羅一百匹, 明黃一十匹, 藍黃一十匹, 淺粉紅一十匹, 深粉紅一十匹, 杏黃一十匹, 梔黃一十匹, 淺色一十匹, 梅紅一十匹, 紫一十匹, 雲碧一十匹.

色大綾一百匹, 明黃一十匹, 藍黃一十匹, 淺粉紅一十匹, 深粉紅一十匹, 杏黃一十匹, 梔黃一十匹, 淺色一十匹, 梅紅一十匹, 紫一十匹, 雲碧一十匹.[176]

色小綾二百匹, 明黃二十匹, 藍黃二十匹, 淺粉紅二十匹, 深粉紅二十匹, 杏黃二

176) 延世大學本과 東亞大學本에는 藍黃과 梅紅이 각각 二十疋[匹]])로 되어 있으나 一十疋[匹]의 오자일 것이다.

十匹, 梔黃二十匹, 淺色二十匹, 梅紅二十匹, 紫二十匹, 雲碧二十匹.

色花紗五百匹, 明黃五十匹, 藍黃五十匹, 淺粉紅五十匹, 深粉紅五十匹, 杏黃五十匹, 梔黃五十匹, 淺色五十匹, 梅紅五十匹, 紫五十匹, 雲碧五十匹.

白綃二千匹.

別賜, 龍鳳茶一十斤,[177] 每斤用金鍍銀竹節合子, 明金五綵裝腰花板朱漆匣盛, 紅花羅夾帕複, 龍五斤, 鳳五斤.

供御杏仁煮法酒一十瓶, 各用金鍍銀鈒花瓶, 明金五綵裝腰花板朱漆盝子盛, 紅花羅夾帕複.

鏤金紅黃碌牙拍板一十串, 各梅紅茸條結金鍍銀鐸子, 生色銷金袋, 明金五綵裝腰花板朱漆匣二具盛.

紅黃牙笛一十管, 各金鍍銀絲札纏, 生色銷金袋, 明金五綵裝腰花板朱漆匣二具盛.

紅黃牙篳篥一十管, 各金鍍銀絲札纏, 生色銷金袋, 明金五綵裝腰花板朱漆匣二具盛.[178]

龍鳳燭二十對, 龍一十對, 鳳一十對, 已上各用紅錦袋, 明金五彩[綵]裝腰花板朱漆匣四具盛".[179]

○王迎詔, 禮畢謂左右曰, "豈謂皇帝陛下, 不遺小國, 遠遣大臣, 特示優賜. 榮感

---

177) 龍鳳茶는 龍茶, 龍鳳團茶, 龍團鳳餠茶로도 불리며 福建 建州(現 福建省 建甌市) 龍山과 鳳凰山에 위치한 茶栽培地[貢茶院]인 北苑에서 만든 것으로 일종의 떡차[餠狀茶團]로 추측된다. 송대의 製茶法은 觕茶, 散茶, 末茶, 餠茶의 네 종류가 있었던 것 같고, 龍鳳茶는 餠茶에 해당하는 것 같다(『茶經』 六之飮, 熊倉功夫 等編 2012年 239面).

· 『事物紀原』 권9. 農業陶漁部, 龍茶, "談苑曰, 龍鳳石乳茶, 本朝太宗皇帝令造左, 乃有硏膏茶供御, 即龍茶之品也. '北苑茶錄'曰, 太宗太平興國二年, 遣使造之規, 聚像類, 以別庶飮也".

· 『負暄雜錄』, 建茶品第, "本朝開寶末下南唐, 太平興國初, 時置龍鳳模, 遣使即北苑, 造團茶, 以別庶飮, 龍鳳茶, 盖始于此".

· 『苕溪漁隱叢話』, "建安北苑茶, 始于太宗朝, 太平興國二年, 遣使造之, 取像于龍鳳, 以別庶飮, 由此入貢".

· 『大觀茶論』, "本朝之興, 歲修建溪之貢, 龍團鳳餠, 名冠天下".

178) 亞細亞文化社本의 影印本에는 紅黃牙篳篥이 二十管처럼 보이는데, 二字가 餘他의 二字와는 달리 보인다. 이는 오자가 아니라 인쇄할 때 어떤 오류가 발생한 것 같다.

179) 이를 축약한 기사로 다음이 있다.

· 지26, 輿服, 王冠服, "[文宗]三十二年六月, 宋神宗賜衣二對, 各金銀葉裝柒[漆]匣盛一對. 紫花羅夾公服一領, 淺色花羅汗衫一領, 紅花羅繡夾三襜一條, 紅花羅繡夾包肚一條, 紅花羅繡勒帛一條, 白緜綾夾袴一腰. 靴一緉, 紅透背袋盛. 紅羅繡夾複二條, 腰帶二條, 各紅透背袋盛. 羅繡複一條, 金鍍銀匣盛. 一條玉一十六稻, 鏤塵百戲孩兒頭尾共一十事, 玳瑁襯金襻紅鞓成釘. 一條透犀一十七稻, 頭尾共一十事, 玳瑁襯金襻紅鞓成釘".

雖極, 兢慚實多". 太子率群臣陳賀, 東西二京·東北兩界兵馬使·八牧·四都護府, 亦表賀. 命太子, 宴客使于乹德殿.

己巳[27日], 又命知中樞院事·吏部尙書柳洪詣館, 設拂塵宴.

秋七月[癸酉朔小盡,庚申], 乙未[23日], <u>安燾</u>等還.[180] 王附表謝之, 且自陳風痺, 請醫官藥材. 時與宋絶久, 燾等初至, 王及國人欣慶. 除例贈衣帶·鞍馬外, 所贈金銀·寶貨, 米穀·雜物無筭. 將還, 舟不勝載, 請以所得物件貿銀, 王命有司從其請. 燾·睦性貪嗇, 日減供億之饌, 折價貿銀甚多. 時人云, "自呂侍郎端使還之後, <u>不見中華使久矣</u>. 今聞其來, 瞻仰峻節, 不圖所爲, 如是".[181]

是月, 興王寺金塔成, 以銀爲裏, 金爲表, 銀四百二十七斤, 金一百四十四斤.

[八月壬寅朔[大盡,辛酉]:追加].

[增補].[182]

九月<u>癸酉朔</u>[~~壬申朔~~大盡,壬戌],[183] 日本國歸耽羅飃風民高礪等十八人.

[○熒惑犯鬼:天文1轉載].

<u>甲午</u>[23日],[184] [立冬]. 都兵馬使奏, "[東京管內]<u>八助音部曲</u>城, 在海濱平地, 屢被東路海賊來侵, 民不安居, 請徙其城". 制從之.[185]

---

180) 安燾·陳睦 등은 바다를 건너 9월 4일(乙亥) 明州 定海縣, 20일(辛卯) 明州에 到着하였다고 한다(『속자치통감장편』 권287, 元豊 1년 1월 25일, 권292, 원풍 1년 9월 壬辰[21日]).

181) 이 구절에서 以前時期에 宋의 使臣이 마지막으로 고려에 온 것은 988년(성종7) 10월에 온 呂端이라고 하였으나, 실제는 993년(성종12) 6월 7일(甲子)의 劉式과 陳靖이다(→성종 12년 6월 7일).

182) 宋에 귀환하던 사신단의 8월의 형편은 다음과 같다.

- 8일(己酉), 假左諫議大夫·史館修撰 高麗國信使 安燾 및 假起居舍人·直昭文館 副使 陳睦이 돌아오면 假官을 實職으로 승격시켜 주게 하였다(『속자치통감장편』 권291).
- 18일(己未), 左諫議大夫·史館修撰 安燾가 高麗에서 돌아왔을 때 判將作監을 任命하게 하였다(『속자치통감장편』 권291).
- 21일(壬辰), 安燾·陳睦이 高麗國을 출발하여 바다를 건너 9월 4일(乙亥) 明州 定海縣에 도착한다고 보고하자 곧 赴闕하게 하였다(『속자치통감장편』 권292).

183) 9월의 朔日은 宋曆·日本曆에서는 壬申으로 癸酉는 2日에 해당한다. 또 8월이 大盡이므로 癸酉가 朔日이 될 수 없어 『고려사』의 편찬과정에서 어떤 착오가 있었을 가능성이 있다.

184) 이날의 계산은 宋曆·日本曆과 같이 校正된 壬申朔에 의거하였다.

○女眞高麻秀等十四人來投, 處之南界州縣.

冬十月壬寅朔小盡,癸亥, 甲辰3日, 東女眞麻里害等二十三人來朝. [名有司:節要轉載], 改名賜職.

[壬子11日, 流星出大陵, 入天苑, 大如木瓜:天文1轉載].

[某日, 都兵馬使奏, "靜州等五城, 城大民少, 請徙內州縣民, 各百戶, 實之", 從之:節要轉載].[186)]

[某日, 禁臣民着梔黃·淡黃色衣:節要轉載].[187)]

[→中書門下省請, "依宋制, 禁臣民, 着梔黃·淡黃色衣", 從之:刑法2禁令轉載].

[增補].[188)]

十一月辛未朔大盡,甲子, 丁酉27日, 遼宣賜使益州管內觀察使耶律溫來.

[增補].[189)]

---

185) 八助音部曲은 東京(現 慶尙北道 慶州市) 管內의 八助部曲으로 추측된다(『신증동국여지승람』 권21, 慶州府 古跡, 八助部曲).

186) 이와 관련된 기사로 다음이 있다.
- 지12, 지리3, 靜州, "文宗三十二年, 又以靜州等五城, 城大民小, 徙內地民, 各百戶, 實之".

187) 梔黃·淡黃色은 梔子로 물들인 色인 것 같다.
- 『訥齋集』 권4, 便宜三十二事, "進獻蔘布, … 又所謂黑細麻布者, 前日則染以朱土, 卽淡紅布也, 近日則染以梔子, 卽淡黃布也, 名色相殊, 深爲不可, 今後或染淺黑色, 或稱淡黃布, 使之名實相稱".

188) 宋에 귀국한 使臣團의 10월의 사정은 다음과 같다.
- 11일(壬子), 사신으로 파견되었던 都轄 西頭供奉官·閤門看班祗候 宋球를 1資를 승급시켜 閤門祗候로 임명하고, 書狀官 前襄州穀城縣令 豊稷·前衢州開化縣令 鄭晞韓을 위시한 여러 官員들에게 職賞을 加하게 하였다(『속자치통감장편』 권293).
- 17일(戊午), 사신단의 管勾舟船巡檢으로 고려에서 죽은 左班殿直 宋密의 아들을 錄用하여 三班借差로 임명하였다(『속자치통감장편』 권293).
- 22일(癸亥), 安燾가 歸國하는 편에 올린 表에 의거하여 高麗國王 王徽(文宗)의 風痺를 치료하기 위해 翰林醫官 邢慥·郚化·秦玠을 파견하고, 內殿承制 王舜封으로 하여금 이들을 데리고 가게 하였다. 또 王舜封에게 王徽(文宗)가 능히 조서를 받을 수 없으면 世子 勳에게 전달하게 하였다(『속자치통감장편』 권293 ; 『문헌통고』 권325, 四裔考2, 高句麗).

189) 宋에 귀국한 使臣團의 11월의 사정은 다음과 같다.
- 18일(戊子), 左諫議大夫·史館修撰 安燾가 東海之神을 祭享하는 廟宇를 明州의 定海·昌國 兩縣(現 浙江省 鎭海) 사이의 해변에 설치하자고 건의하자 허락하였다(『속자치통감장편』 권294 ; 『송회요집고』 20책, 禮20, 東海神祠 ; 『寶慶四明志』 권19, 定海縣志2, 敍祠, 東海助順孚聖廣德威濟王廟 ; 『延祐四明志』 권15, 祠祀攷, 定海縣東海助順孚聖廣德威濟王廟).

十二月辛丑朔大盡,乙丑, 遼遣衛尉卿呂士安來, 賀生辰.

[是年, 置東南海都部署使本營於金州:追加].[190)]

己未[文宗]三十三年, 契丹大康五年, [宋元豊二年], [西曆1079年]

1079년 2월 5일(Gre2월 11일)에서 1080년 1월 24일(Gre1월 30일)까지, 354일

春正月辛未朔小盡,丙寅, 放朝賀.

[某日, 判制, "公私漕運穀米, 梢工·水手等, 托爲敗船溺水, 私自分用者, 並令徵之":食貨2漕運轉載].

[增補].[191)]

二月庚子朔大盡,丁卯, 庚戌11日, 御乾德殿, 集百官宣麻, 以金悌爲吏部尙書·參知政事兼太子少保.

癸亥24日, 東女眞酋長屢羅等來, 獻駿馬.[192)]

[某日, 以盧師像盧師象爲東南海都部署使:慶尙道營主題名記].

[增補].[193)]

· 19일(己丑), 直學士院 錢藻가 遣押醫官賜高麗國王王徽詔를 지어서 바쳤다. 神宗이 孫洙로 하여금 다시 1本을 지어 올리게 하고 孫洙를 翰林學士로 삼았다. 御史 何正臣이 安燾·陳睦이 高麗에서 얻은 布·馬를 銀으로 바꾸고, 교통비[驛料]의 名目으로 銀을 求索한 것을 탄핵하여 治罪할 것을 청하였다. 神宗이 高麗에 詔書를 보내 사신단의 잘못을 변명하게 하고, 이를 安燾·陳睦에게도 알리게 하였다(『속자치통감장편』 권294 ; 『皇宋通鑑長編紀事本末』 권89, 通使高麗).

190) 이는 다음의 두 자료에 의거하였다.

· 『경상도지리지』, 晋州道, 金海都護府, a "文宗大康戊午, 爲東南海都部署使本營". b "高麗文宗時, 以地理相應, 金海爲東南海道都部署使本營".
이 자료의 明年(文宗33, 戊午)부터 『慶尙道營主題名記』에 歷代의 都部署使(睿宗 3년까지), 按察使(예종 7년부터)의 名單이 수록되어 있다.

191) 이해에 宋은 고려사신을 迎接하기 위해 여러 가지의 준비를 하였는데, 그 중에서 1월에 이루어진 일은 다음과 같다.

· 6일(丙子), 高麗와 國交를 再開하였음으로 明州(현 浙江省 寧波市)로 하여금 새로운 交易法을 實施하라고 命하였다(『송사』 권15·186互市舶法 ; 『속자치통감장편』 권296).

192) 屢羅는 『고려사절요』 권5에는 婁羅로 되어 있다(盧明鎬 等編 2016년 157面).

[三月庚午朔[小盡,戊辰]:追加].

夏四月[己亥朔小盡,己巳], 甲辰[6日], 國內名山·大川神祇, 加知幾二字號.

己酉[11日], 東北面兵馬使奏, "女眞耶邑幹, 自定州弘化戍來欵云, 父阿羅弗, 母吳囉, 兄齊主那等六人, 曾於丁巳年[文宗31年], 向化來投, 願隨居之". 王曰, "夷狄雖同禽獸, 尙有孝心, 宜令隨父母親屬, 徙置嶺南".

○西女眞湏~~于那~~[~~須于那~~]等七人來朝,[194] 納北朝所授職牒. 有司請改授元甫職, 從之, 賜金帛.

五月戊辰□[~~朔~~小盡,庚午], 北蕃賊寇平虜關, 隊正康金·從甫等潛伏草莽, 伺賊至, 射前鋒二人, 賊犇潰.[195]

○兵馬使請加論賞, 從之.

[增補].[196]

六月丁酉朔[大盡,辛未],[197] 日食.[198]

癸亥[27日], 西女眞歸德將軍高亂等二十人來, 獻駱駝.

[是月, 判[刪], "三禮·何論·政要業監試, 於諸業畢試後, 國子監與本業員, 試取": 選擧1科目轉載].

[增補].[199]

---

193) 2월에 이루어진 宋의 고려사신을 迎接하기 위한 준비는 다음과 같다.
· 12일(辛亥), 京東·淮南·兩浙路에 명하여 高麗貢使를 위한 什物을 준비하게 하였다(『속자치통감장편』 권296).

194) 七人은 『고려사절요』 권5에는 六人으로 되어 있다(盧明鎬 等編 2016년 158面).

195) 戊辰에 朔이 탈락되었다.

196) 5월에 이루어진 宋의 고려사신을 迎接하기 위한 준비는 다음과 같다.
· 25일(壬辰), 明州 및 定海縣의 高麗貢使館의 이름을 樂賓으로, 亭의 이름을 航濟로 下賜하였다(『속자치통감장편』 권298 ; 『옥해』 권172, 宮室邸驛元豊樂賓館 ; 『皇宋通鑑長編紀事本末』 권89, 通使高麗).

197) 宋曆·日本曆에서는 戊戌이 朔이고, 丁酉는 5월 30일이다.

198) 이날은 율리우스력의 1079년 6월 1일인데, 이때의 일식은 북동아시아 3국이 中心食帶에서 벗어나 있었기에 관측될 수 없었다(渡邊敏夫 1979年 305面).

199) 6월에 이루어진 宋의 고려사신단을 迎接하기 위한 준비는 다음과 같다.
· 3일(庚子), 兩浙路에 度僧牒 150을 下賜하여 高麗使를 위한 亭館을 修理하게 하였다(『속자치

秋七月[丁卯朔小盡,壬申], 辛未[5日], 宋遣[閤門通事舍人]王舜封·[翰林醫官]邢慥·朱道能·沈紳·邵化及等八十八人來.[200] 詔曰, "省所上表, 臣年衰所自, 風痺忽嬰, 當國醫寡術而功遲, 藥不靈而力薄. 伏望聽卑在念, 拯弱推仁, 選周室之十全, 就加診視, 分神農之百品, 許及餌嘗. 所敷悃悰, 恭俟兪允事. 具悉. 卿有土東蕃, 乃心中夏, 述奕世嚮風之志, 修頻年底貢之儀. 因敕使人, 往頒詔幣, 迨玆復命, 載閱露章, 申繹忱辭, 有嘉亮節. 且聞疹痗之久, 未遘醫劑之良, 念來諗之勤惓, 軫永懷於惻怛. 特馳信介, 參挾善工, 博求百藥之珍, 再越重溟之阻, 俾加攻治, 行即夷瘳. 況忠義之所存, 宜神明之來相, 更維愼嗇, 庸副遐思. 今差閤門通事舍人王舜封·翰林醫官邢慥等, 往彼看醫, 兼賜藥一百品, 具如別錄, 至可領也. ○瓊州沈香·廣州木香·康寧府鐵粉·廣州丁香·東京鉛霜·邕州自然銅·廣州血竭·階州雄黃·西戎天竺黃·幷州石膏·鄆州天麻·西戎安息香·壽州石斛·懷州牛膝·齊州天南星·鄆州阿膠·益州芎藭·廣州肉荳蔲·齊州半夏·銀州柴胡·夏州肉蓯蓉·蜀州大黃·廣州沒藥·代州鹿角膠·原州甘草·鄆州赤箭·眞定府薏苡仁[201]·台州烏藥·廣州檳榔·蘇州麥門冬·定州枸杞·商州枳殼·廣州餘甘子·北

통감장편』 권298 ;『송회요집고』 191책, 方域10 ;『驛傳雜錄』, 元豊 2년 6월 3일).

· 18일(乙卯), 9월경에 高麗貢使가 도착할 것을 대비하여 引伴官 2員을 뽑아두게 하고, 明州(현 浙江省 寧波市)에 명하여 그들의 도착을 기다리게 하였다. 內殿崇班·閤門祗候 宋球를 假通事舍人으로, 左班殿直·閤門看班祗候 焦顔叔을 假內殿崇班으로 삼았다. 또 貢使가 王子이면 衢州通判 胡援으로 焦顔叔을 대신하여 引伴으로 하고 入內省使臣 1員을 차출하여 諸司를 管勾하게 하였다(『속자치통감장편』 권298 ;『송회요집고』 199책, 蕃夷7, 歷代朝貢).

· 22일(己未), 「高麗入貢儀式」을 編修한 樞密直學士·工部郎中 錢藻 및 樞密副都承旨·四方館使·舒州團練使 張誠一에게 銀絹 各50을 하사하였다(『속자치통감장편』 권298 ;『송사』 권98, 禮吉禮 ;『옥해』 권154, 朝貢, 錫予外夷).

200) 王舜封 등은 前年 10월 22일(癸亥) 命을 받았으나(『속자치통감장편』 권293, 元豊 1년 10월 癸亥 ;『문헌통고』 권325, 四裔考2, 高句麗) 宋에서 출발한 時点은 확인되지 아니하고, 이해(元豊2)라는 자료만 많이 찾아진다(『송사』 권487, 열전246, 外國3, 高麗 ;『雲麓漫鈔』 권2, 寶陀落迦山 ;『寶陀洛迦山傳』, 興建沿革品第4 ;『寶慶四明志』 권20, 昌國縣志, 神廟寺院, 梅岺山觀音寶陀寺 ;『大德昌國州圖志』 권7, 敍祠寺院, 寶陀寺 ;『延祐四明志』 권16, 釋道攷上, 昌國州, 寺院, 寶陀寺 ;『釋氏稽古略』 권3, 宋神宗庚午 ;『佛祖歷代通載』 권19, 宋神宗庚午 ;『문헌통고』 권325, 四裔考2, 高句麗).

또 이들은 이해의 가을[秋]에 귀국하였는데, 이때 文宗이 三重大師 韶顯을 불러 內殿에서 法席을 開催하여 무사한 航海를 祈願하였다고 한다(金堤金山寺慧德王師眞應塔碑). 그리고 이때 邵化及이 문종을 치료하기 위해 人蔘을 사용하였다고 하는데, 이는 明代 周嘉冑, 『香乘』 권9, 香事分類 人蔘香에도 수록되어 있다.

· 『談苑』 권2, "[~~翰林醫官~~]邵化及爲高麗王治藥云, 人蔘極堅, 用斧斷之, 香馥一殿". 여기에서 ~~添字~~는 필자가 追加하였다.

201) 薏苡[율무]에 대한 설명으로 다음이 있다.

京山芋·廣州華發·東京郁李仁·柳州桂心[202]·西京菖蒲·廣州蓬莪茂蔡州丹蔘·西京槐膠·海州海桐皮·東京遠志·漢州蜀椒·威勝軍黃耆·益州升麻·齊州防風·鄆州天門冬·漢州防己·益州獨活·同州熟乾地黃·蜀州附子·定州續斷·陳州白殭蠶·益州羌活·蜀州天雄·滁州山茱萸·蜀州烏頭·定州狗脊·蘇州吳茱萸·蜀州側子·廣州藿香·眞定府車前子·西京躑躅·鄭州麻黃·西京赤芍藥·汝州澤瀉·潞州杜仲[203]·西京生乾地黃·廬州秦皮·蔡州白芷·西京旋覆花·德州白薇·澤州地母·幷州酸棗仁·東京牽牛·涇州秦艽·東京蒺藜子·宕州膏本·蜀州當歸·東京蔓荊子·益州乾漆·潞州前胡·東京兎絲子·泗州葛根·澤州茵芋·潞州胡麻子[204]·澤州黃芩·蔡州地楡·定州五靈脂·西京莽草·定州大戟·漢州五茄皮·梓州厚朴[205]·定州茜根·西京仙寧脾·定州地骨皮·西京何首烏·商州威靈仙·西京牧丹皮,[206] 別賜牛黃五十兩·龍腦八十兩·朱砂三百兩·麝香

· 『아언각비』 권1, 薏苡, "薏苡者, 草珠也[注, 方言云栗毋], 一名薏珠, 一名簳珠, 一名解蠡, 一名芑實, 一名贛米[雷氏作贛米], 一名屋菼[苗之名], 一名回回米. 其性甚黏, 屑之爲粉, 可作糜飮, 東人忽以薏苡爲糜飮之名, 凡粉屑之可飮者, 皆稱薏苡. 於是蜀黍薏苡·葛粉薏苡·蓡末薏苡·蕎麥薏苡, 習爲恒言, 不以爲非?".

202) 桂[계수나무]에 대한 설명으로 다음이 있다.

· 『아언각비』 권1, 桂, "桂者, 南方之木. 亦有菌桂·牡桂, 總可入藥, 中國亦唯江南有之, 吾東之所無也".

203) 杜仲[두충]에 대한 설명으로 다음이 있다.

· 『아언각비』 권1, 杜仲, "杜仲者, 香木也. 一名思仲, 一名木綿[注, 皮中有銀絲如綿], 昔杜仲服此得道, 故名曰杜仲['本草'云 東人誤以杜棣子爲杜仲, 又訛爲杜沖[方言曰杜乙粥, 藥鋪牙郎皆呼杜沖誤矣], 杜棣蔓生, 其實如五味子, 食之甘酸. 漢·淸'文鑑', 謂之杜棣".

204) 胡麻[깨]와 白蘇[냉이]에 대한 설명으로 다음이 있다.

· 『아언각비』 권1, 胡麻·白蘇, "胡麻者, 苣藤也. 東人名之曰眞荏[注, 其油曰眞油]. 白蘇者, 薺薴也. 東人名之曰水荏, 其油曰法油, 不知何故. 按'爾雅'蘇曰桂荏, 楊子方言云關之東西, 或謂之蘇, 或謂之荏. '本草'云荏子可壓油[桂荏者, 赤蘇, 卽紫蘇也]. 東人本執白蘇, 壓取其油, 遂名爲荏[白蘇油先出], 後得胡麻, 其油更佳, 於是喜之曰此眞是荏, 此眞荏之所以名也. 然白蘇本非桂荏, 胡麻尤非荏類. 俗成名立, 無以改正, 皆此類也. 今按胡麻一名油麻, 一名脂麻, 一名芝麻, 方莖短葉, 其子有黑白二種, 油皆極香, 滋味之最佳者也. 白蘇一名靑蘇, 一名臭蔬, 一名野蘇[方言云들깨], 其油味劣, 不足以充食品也. 膩紙爲薦, 堅滑耐久, 以之點燈, 煙煤塞鼻. 海州之人, 取煤爲墨, 亦非佳品".

205) 厚朴에 대한 설명으로 다음이 있다.

· 『아언각비』 권1, 厚朴, "雜樹以爲厚朴, 蔓草以爲牧丹可乎? 許浚撰'東醫寶鑑'湯液本草, 厚朴標唐字, 此時猶唐貿也. 近歲濟州裨將有粗知醫藥者, 見冬靑雜樹[注, 不知爲何木], 妄指爲厚朴, 遂廢唐貿[康津·海南, 亦有此樹, 柯葉如山茶]. 余昔貿之於燕市, 其味微辣峻烈, 通中下氣. 而濟州來者味廢, 嚼之有沫如牛涎[嘉慶丁丑[純祖17年]冬, 燕人求厚朴於東商, 東商以錢千兩貿厚朴以赴, 燕主顧□[氏]大喜, 俄而開苞點視, 愕曰此非厚朴, 客人狼狽矣, 遂以全苞還, 益驗余[丁若鏞]見不誤]".

206) 牧丹[모란]에 대한 설명으로 다음이 있다.

五十臍，已上各用間金鍍銀鈒花合一具盛，共重四百兩，朱漆外匣全．下藥供御，杏仁煮法酒一十瓶，用間金鍍銀鈒花瓶十一隻盛，重一千兩，朱紅漆明金雕花外匣全”．

［某日，以金壽爲東南海都部署使：慶尙道營主題名記］．

八月[丙申朔大盡,癸酉]，［壬寅[7日]，月犯心星：天文1轉載］．

丁巳[22日]，宋商林慶等二十九人來，獻土物．

［某日，制，“外任官大祥祭給暇，外方立魂堂者，許於魂堂在處行禮，仍留行禫，以吉服正角還任”：禮6五服制度轉載］．

九月[丙寅朔大盡,甲戌]，［某日］，日本國歸我飄風商人安光等四十四人．

［某日，制，“奉使入朝官吏，父母身死，迴還後，雖已過百日，自聞喪日，給暇百日”：禮6五服制度轉載］．

［冬十月丙申朔[小盡,乙亥]：追加］．

冬十一月[乙丑朔大盡,丙子]，己巳[5日]，日本商客藤原□□[某某]等來，以法螺三十枚，海藻三百束，施興王寺，爲王祝壽．

壬申[8日]，耽羅勾當使尹應均獻大眞珠二枚，光曜如星，時人謂夜明珠．

［○遣[知中樞院事·]戶部尙書柳洪·禮部侍郞朴寅亮如宋， 謝賜藥材， 仍獻方物←文宗34四年3月壬申에서 옮겨옴］.[207)]

· 『아언각비』 권1, 厚朴, “余[丁若鏞]昔在谷山府, 作池亭列植花木, 召藥奴令種牧丹, 奴曰‘將種花牧丹乎? 抑種藥牧丹乎?’ 余曰‘有以異乎?’ 奴曰花牧丹樹高尺許, 春生嫩梢, 三月發紫花, 大如芍藥者是也’, 藥牧丹蔓生小艸, 至秋發黃花, 細如薺花者是也, 其根酷肖, 圓厚銜骨, 而藥牧丹尤肥厚潔白, 故京城所用, 皆西路之藥牧丹也”.

207) 이 기사는 문종 34년 3월 壬申(9일)에 수록되어 있는데, 이날 柳洪·朴寅亮을 宋에 파견하였다면 중국 측의 자료와 부합되지 않는 점이 많다. 이들 사신단은 1080년(元豐3, 문종34) 1월 이래 宋에서 活動을 하고 있으며, 宋이 고려에 보낸 칙서에 의하면 貢物은 己未年(1079)에 漂失하였다고 되어 있다(『송대조령집』 권237, 政事90, 四裔10, 高麗, 爲己未年漂失貢物,令來進奏乞更不回賜勅書). 그러므로 이들은 1079년(元豐2) 후반기에 고려에서 출발했을 것으로 보는 것이 옳을 것이다. 그렇다면 이 기사는 壬申이 있는 前年(문종33) 11월 壬申(8일)으로 옮기는 것이 좋을 것이다[校正事由].

또 11월에 이루어진 宋의 고려사신단을 迎接하기 위한 준비는 다음과 같다.

· 27일(辛卯), 明州가 高麗貢使가 乘船할 船舶[坐船]을 구매하려고 한다고 보고하자, 靈飛順濟

戊寅[14日], 設八關會, 御毬庭觀樂, 命太子詣法王寺.
[是月, 禮賓省移牒日本大宰府, 求名醫:追加].[208)]

十二月乙未朔[大盡,丁丑], 遼遣起居郞馬高俊[起居郞·知制誥~~馬堯俊~~]來, 賀生辰.[209)]
[增補].[210)]

神舟를 빌려주게 하였다(『속자치통감장편』 권301 ; 『황송통감장편기사본말』 권89, 通使高麗).

208) 이는 다음의 자료에 의거하였다.

· 『朝野群載』 권20, 異國, 高麗國禮賓省牒大日本國大宰府, "當省, 伏奉 聖旨訪聞, 貴國有能理療風疾醫人, 今因商客王則貞廻皈次仰[故鄕], 因便通牒, 及於王則貞處, 說示風疾緣由, 請彼處, 選擇上等醫人, 於來年早春, 發送到來, 理療風疾, 若見功效, 定不輕酬者. 今先送花錦及大綾·中綾各一十段·麝香一十臍, 分附王則貞, 賫持將去知大宰府官員處, 且充信儀, 到可收領者. 牒具如前, 當省所奉 聖旨, 備錄在前, 請 貴府若有端的能療風疾好醫人, 許容發送前來, 仍收領疋段麝香者, 謹牒』. 己未年 十一月 日牒』. 少卿林槩·」生」, 卿崔·」卿鄭」".

이 牒은 原形을 그대로 유지한 것이 아니라 後世에 筆寫하는 과정에서 약간의 變形이 이루어지고, 글자의 判讀이 제대로 되지 못했던 것 같다. 여기에서 禮賓省의 卿(종3품)과 少卿(종4품)이 각각 2人으로 되어 있는데, 당시의 職制에서 1인으로 되어 있는 것과 차이를 보이고 있다(지30, 백관1, 禮賓寺). 또 이 牒의 末尾인 禮賓省官僚의 署名에 대한 검토가 있었는데(近藤 康 2011年b), 이 牒에 대한 일본 조정의 논의 과정과 답서의 작성은 明年(문종34) 11월 3일까지 계속 되었다. 이를 月次別로 나누어 增補에 수록한다.

209) 起居郞 馬高俊은 起居郞·知制誥 馬堯俊인데, 『고려사』에서 馬高俊으로 표기된 것은 2代 定宗의 避諱를 위해 글자를 바꾼 결과일 것이다. 그는 契丹에서 彰武軍節度使에 이르렀고, 後日 그의 아들 馬欽이 宋에 귀부하게 됨에 따라 1135년(紹興5) 右武夫大夫·貴州團練使에 추증되었다(『建炎以來繫年要錄』 권89, 紹興 5년 5월 丙子). 그의 詩文 能力을 보아 거란에 仕宦한 燕人出身으로 추측되는데, 宋의 使臣 王舜封(生沒年不詳)의 傳言에 의하면, 고려의 仙賓館에 머물면서 文宗에게 獻詩하여 비단 800匹을 下賜받았다고 한다(지나친 誇張이 있을 것이다).

그리고 仙賓館은 迎恩館과 함께 거란 사신단의 숙소였는데, 후일 仁恩館으로 이름을 바꾸었다고 한다(『고려도경』 권27, 館舍, 客館).

· 『文昌雜錄』 권4, 元豊 6년 5월 1일, "元豊三年, 高麗國王王徽, 以疾表乞太醫, 朝廷遣閤門通事舍人王舜封, 押至彼國. 舜封上言, 十二月一日, 徽生辰, 北遼, 遣起居郞·知制誥馬堯俊充使, 留仙賓館. 堯俊獻徽詩云, 始從鉤裂海東天, 世世英雄稟自然, 掌上寶符鈐造化, 胸中神劍畫山川, 太宗莫取龍州道, 煬帝難乘鴨綠船, 眞是金輪長理國, 豈論八萬四千年, 徽以錦紬八百匹爲謝云".

210) 12월에 이루어진 宋의 고려사신을 迎接하기 위한 준비는 다음과 같은데, 緡은 物件을 꿰어 메는 끈[繩子], 銅錢을 꿰는 끈을 가리키고, 1緡=錢 100個[枚]이다.

· 19일(癸丑), 明州의 辦公費(公使錢, 宋代의 路·州·軍의 刺史가 사용할 수 있던 特別費用)를 증액시켜 2,600緡으로 하였는데, 高麗貢使가 출입하기 때문이었다(『속자치통감장편』 권301).

또 이때 고려 사신의 書狀官은 金覲(金富軾의 父)으로 추측되며, 後代에 남겨진 朴寅亮의 詩文에 의해 사신단이 金山寺(現 江蘇省 鎭江縣 位置), 越州(現 浙江省 紹興市 越城區) 等地를 경유하여 浙江(現 浙江省 錢塘江)을 渡江하였음을 알 수 있다(『보한집』 권상).

· 열전8, 朴寅亮, "[文宗]三十四年[三十三年], 與戶部尙書柳洪, 奉使如宋, 至浙江, 遇颶風, 幾覆舟. 及至

[是年, [開城府管內]江陰縣, 有一盲, 謀奸人妻, 因殺人當死. 依律文八十以上, 十歲以下, 及篤疾例論, 減死配島:刑法2恤刑轉載].[211]

[○下詔海安寺住持·三重大師韶顯, 移住全州金山寺:追加].[212]

庚申[文宗]三十四年, 契丹大康六年, [宋元豊三年], [西曆1080年]

1080년 1월 25일(Gre1월 31일)에서 1081년 2월 11일(Gre2월 17일)까지, 13개월 384일

[春正月[乙丑朔大盡,戊寅], 丙子[12日], 夜, 有白氣, 自昴貫於翼·軫:五行2轉載].

[丙戌[22日], 雨水. 月犯心前星:天文1轉載].

[某日, 以金義仲爲東南海都部署使:慶尙道營主題名記].

[增補].[213]

宋, 計所貢方物, 失亡殆半, 帝勑王勿問, 王乃釋洪等. 有金覲者, 亦在是行, 宋人見寅亮及覲所著尺牘·表狀·題詠, 稱嘆不置, 至刊二人詩文, 號小華集". 여기에서 三十四年은 三十三年으로 고쳐야 옳게 될 것이다. 원래 『문종실록』에서는 前者로 되어 있었을 것인데, 『고려사』의 편찬자가 후자로 고치지 못한 것 같다. 또 이들 고려 사신단의 宋에서의 行蹟은 明年(문종34)의 每月次의 끝에 增補로 첨부하였다.

211) 여기에서 減死配島는 減死罪一等[減死一等]에 해당하였던 것 같다.

· 『자치통감』 권34, 漢紀26, 哀帝建平 2년(BC5) 8월, "… [騎都尉李]尋及[司隷校尉]解光減死一等, 徙敦煌郡[胡三省注, 此漢法所謂減死徙邊也. 減死者, 罪至死而特爲末減也. 減死罪一等, 爲城旦·舂], … 上[哀帝]減[御史大夫趙]玄死罪三等, 削晏戶四分之一[胡三省注, 減死罪三等, 爲隷臣妾. 晏封五千戶, 削其千二百戶], …".

212) 이는 「金堤金山寺慧德王師眞應塔碑」, "是年, 詔住全州金山寺"에 의거하였다(金石總覽 296面 ; 李智冠 2004년 3册 36面).

213) 宋에 도착한 고려 사신단의 行蹟은 다음과 같다.

· 17일(辛巳), 高麗國王이 朝貢할 때 回賜로서 浙江의 絹 萬匹을 下賜하게 하였다. 有司가 貢物의 價値에 준하여 回賜品을 내리는데 이는 中國의 체면[體宜]을 損傷시키는 것임으로 지금부터 貢物의 가치에 관계없이 回賜를 하게 하였다(『속자치통감장편』 권302 ; 『송회요집고』 199책, 蕃夷7, 歷代朝貢 ; 『송사』 권487, 高麗 ; 『玉海』 권154, 朝貢, 獻方物建隆高麗來貢 ; 『文獻通考』 권325, 四裔考2, 高句麗).

· 18일(壬午), 左諫議大夫·知陳州 安燾를 불러 高麗進奉使를 안내하게 하고 이어서 借給事中으로 임명하였다(『속자치통감장편』 권302).

· 21일(乙酉), 高麗進奉使 柳洪·朴寅亮 등이 航海 중에 바람을 만나 貢物을 流失하여 表를 올려 스스로를 彈劾하자 敕書를 내려 타일렀다. 高麗 使臣團의 館伴이 使臣이 大行太皇太后의 殯所를 入見하는 날 黑帶를 착용하려고 하자 神宗이 이미 吉服으로 바꾸었음으로 중지하게 하였다(『속자치통감장편』 권302 ; 『송회요집고』 34책, 禮43, 外夷入弔之儀 : 『영락대전』 권3,994

春二月乙未朔小盡,己卯, 丙申2日, 制曰, "故門下侍中王寵之, 禮部尙書·中樞使鄭倍傑, 皆忠謇不群, 才猷出類. 去世雖遠, 吾豈忘哉. 宜錫珠恩殊恩,214) 以昭寡人思賢之意. 可贈寵之守太師·中書令, 倍傑弘文·廣學·推誠·贊化功臣·開府儀同三司·守太尉·門下侍中·上柱國·光儒侯".

壬寅8日, 太白晝見.

[增補].215)

三月甲子朔大盡,庚辰, 丙寅3日, 册子烝爲檢校司空·守尙書令·扶餘侯.

; 열전8, 朴寅亮).

· 23일(丁亥), 兩浙轉運司가 溫州民이 海中에서 高麗貢布 등을 收去하여 隱匿하였다고 보고하였다. 神宗이 적절히 처리하라고 하였고, 蘇澥가 沿海州縣에게 高麗貢物을 획득하였을 경우 10日이내에 告한 者에게 3/10을 賞으로 주고, 隱匿한 者는 處罰하게 하였다(『속자치통감장편』 권302).

· 25일(己丑), 高麗國 謝恩兼進奉使 柳洪·副使 朴寅亮 등 121人을 垂拱殿에서 接見하고 物品을 差等이 있게 지급하였다(『속자치통감장편』 권302 ; 『송사』 권16).

214) 여러 판본의 『고려사』에서 珠로 되어 있으나 『고려사절요』 권5에는 殊로 되어 있는데, 後者가 옳을 것이다(東亞大學 2008년 3책 467面).

215) 2월에 이루어진 宋에 체재하고 있던 고려 사신단의 行蹟, 일본에 보낸 牒에 대한 일본 조정의 對應은 다음과 같다.

[宋] · 2일(丙申), 大行太皇太后의 靈駕發引日에 高麗使臣도 참가하게 하였다. 館伴所가 高麗使 柳洪 등이 寺觀에서의 燒香을 관람하려 하여 群臣과 마찬가지로 黑帶를 하게 할 것을 청하자 이를 허락하고 黑帶를 하사하였다(『속자치통감장편』 권302 ; 『皇宋通鑑長編紀事本末』 권89, 神宗, 通使高麗).

· 8일(壬寅) 高麗進奉使에게 명하여 5日에 한번씩 崇政殿에 나와 問安[起居]하게 하였다(『속자치통감장편』 권302).

· 14일(戊申), 高麗使臣 柳洪이 國王의 命으로 日本國에서 만들어진 수레[車]를 바치자 詔書를 내려 답하였다(『속자치통감장편』 권302 ; 『황송통감장편기사본말』 권89, 神宗, 通使高麗 ; 『송회요집고』 199책, 蕃夷7, 歷代朝貢 ; 『宋史』 권487, 高麗 ; 『옥해』 권154, 朝貢, 獻方物建隆高麗來貢 ; 『文昌雜錄』 권4, 元豊 6년 4월 6일 ; 『石林燕語』 권2 ; 『靈巖集』 권6, 高麗貢日本車銘 ; 『문헌통고』 권325, 四裔考2, 高句麗 ; 說郛』 권47下).

· 20일(甲寅), 고려사신단이 喪輿 行列에 참여하여 神宗의 슬퍼함에 따라 눈물을 흘렸다고 한다(『속자치통감장편』 권302).

[日本] · 5일(己亥, 高麗曆과 同一), 이보다 먼저 일본의 商人 王則貞이 고려로부터 귀국하여 醫師 派遣을 요청하는 高麗 禮賓省의 牒을 가져왔다. 이날 大宰府가 고려 禮賓省의 牒을 報告書[解狀]와 함께 太政官에게 보냈다(『朝野群載』 20, 太宰府解, 여기에는 3월 5일로 되어 있는데, 2월 5일일 가능성이 있다. 南基鶴 2000년).

· 16일(庚戌), 右中辨 藤原通俊이 權大納言 源俊房에게 大宰帥 藤原資仲으로부터 高麗國皇帝의 牒이 보내져 온 것과 이것이 오늘이나 내일 사이에 大宰府의 報告書[解]와 함께 일본국왕에게 보고될 예정이라고 말하였다(『水左記』).

[→册□□子𢾺爲扶餘侯, 册曰, "周樹維藩, 所以保緜興之運, 漢崇盤石, 所以臻炎盛之期. 將圖社稷之寧, 必賴本支之固, 盍涓景範, 用擧寵章. 咨爾王子𢾺, 克嶷挺姿, 至龢稟粹. 讀書俱下於十行, 摛藻敏成於七步. 聲華旣洽, 奬賁可稽? 是用, 廸陟五侯之列, 擢陞八座之榮, 疏以土茅, 賜之戶食. 今遣使某官某等, 持節備禮, 册命汝爲開府儀同三司·檢校司空·守尙書令·上柱國·扶餘侯, 食邑一千戶. 於戲, 恩雖立愛, 義亦在公, 論德授官, 朕罔踰於制度. 出忠入孝, 汝祗率於典彝, 恒守貴以勿驕, 益礪誠而匪懈. 敬佩嘉訓, 不其韙歟":列傳3文宗王子扶餘侯𢾺轉載].

壬申9日, 刑部奏, "戶部, 擅以興王寺田, 給萬齡殿, 請罪之". 制削戶部官吏職, 放還田里.

○東女眞懷化將軍劉信等來朝.

[○遣戶部尙書柳洪·禮部侍郎朴寅亮如宋,謝賜藥材,仍獻方物→文宗33年11月壬申으로 옮겨감].

[是月, 判制, "諸畏死降敵軍將田, 勿許親子連立. 擇給親戚堪役者, 諸衛軍充補":食貨1田柴科轉載].

[增補].216)

[夏四月甲午朔小盡,辛巳, 丙申3日, 將作監火:五行1火災轉載].

[增補].217)

---

216) 3월에 이루어진 고려 사신단의 行蹟은 다음과 같다.

· 2일(乙丑), 高麗의 佛法僧[學法僧] 覺眞에게 法照大師, 曇眞에게 法遠大師, 麗賢에게 明悟大師의 法號를 하사하면서 紫方袍를 지급하고 고려 사신단[貢使]을 따라 귀국하게 하였다(『속자치통감장편』 권303).

· 11일(甲戌), 權知高麗國王事 王徽(文宗)에게 回降詔書 외에 따로 조서를 내려 貢船이 海上에서 風波를 만난 것은 沙工[操舟]의 잘못이지 使臣의 죄가 아니니 크게 나무라지 말라고 하였다[宜從矜釋之意](『속자치통감장편』 권303).

· 14일(丁丑), 高麗國王 徽에게 조서를 내려 그의 疾病[疾苦]을 물었는데, 이는 王徽가 스스로 下賜받은 藥藥을 먹었다고 하였기 때문이다(『속자치통감장편』 권303).

· 30일(癸巳), 高麗國王 王徽(文宗)에게 勅書 4通을 내렸다(『宋大詔令集』 권237, 政事90, 四裔10, 高麗賜高麗國王詔 元豊三年三月三十日).

217) 4월에 이루어진 고려 사신단의 행적과 고려의 첩에 대한 일본 조정의 대응은 다음과 같다.

[宋] 7일(庚子), 明州 象山縣尉 張中이 표류한 고려 사신의 船舶을 救濟함에 있어 공이 있으므로 貶職[衝替]된 것을 풀어 주었다. 처음 高麗船이 바람을 만났을 때 張中이 가서 구호하면서 사신과 더불어 私的으로 詩文을 唱和하다가 좌천되었으나 이때 고려 사신이 館伴官에게 그 사실을 전하였음으로 罪를 풀어 주었다(『속자치통감장편』 권303 ; 『澠水燕談錄』 권10, 雜錄 ;

夏五月[癸亥朔小盡,壬午], 丁卯[5日], 賜金尙磾等及第.[218)]

六月[壬辰朔大盡,癸未], [某日], 興王寺[金塔·外護:節要轉載]石塔成, 赦.

秋七月[壬戌朔小盡,甲申], 癸亥[2日], [知中樞院事]柳洪等還自宋, 帝附勅八道. 其一曰, "卿宅彼遼左, 式是海東, 若昔撫封, 維躬保享. 迪德不爽, 修職有嚴, 載披忱辭, 灼見勤款. 庸加褒顯, 以厚眷私".

其二曰, "省所進謝恩, 御衣二領·金腰帶二條·金鏁鑼一面·金花銀器二千兩·色羅一百匹·色綾一百匹·生羅三百匹·生綾三百匹·幞頭紗四十枚·帽子紗二十枚·罽屛一合·畫龍帳二對·大紙二千幅·墨四百挺·金鍍銀粧皮器仗二副·細弓四張·哮子箭二十四隻·細箭八十隻·鞍轡二副·細馬二匹·散馬六匹事, 具悉. 比飭信臣, 彼頒禮幣, 用將至意, 庶苔[答]寅衷, 具使貢辭, 旅庭修報, 載惟忱順, 良用嘆嘉".

其三曰, "卿守邦有截, 効職匪紓, 厥惟勤修, 玆用領識. 誕申賜好, 式厚寵光, 益務肅心, 以永終譽. 今柳洪等迴, 賜卿國信物色, 并別賜衣對[衣襨]·錦綺".

其四曰, "卿祗愼一德, 拊循三韓, 積勤勞於歲年, 客疢癘於支末. 頃者聞問, 恒爲置懷, 術求倉令之餘師, 藥按桐君之舊錄. 冀善服食, 俾躬有瘳, 迨踰寒暄, 何恙未已. 遐念所苦, 曰紆朕憂, 奮想海邦, 綏音驛使. 卿其專和致福, 虞意持神, 毋忘養順, 用介壽祺".

其五曰, "省所上進, 金合二副·盤盞二副·注子一副·紅罽倚背一十隻·紅罽褥二隻·長刀二十隻·生中布二千匹·蔘一千斤·松子二千二百斤·香油二百二十斤·鞍轡二部·細馬二匹·螺鈿裝車一兩事, 具悉. 卿世濟令德, 物修多儀. 若時伻來, 玆用厚往, 具敷禮錫, 式顯命寧, 膔福所同, 申好彌永. 今迴賜卿衣著[衣着]·銀器".

其六曰, "省所進太皇太后方物, 具悉. 卿遠因膚使, 欽問東朝, 已屬僊游, 遂虛方

『家世舊聞』).

[日本] 19일(壬子, 高麗曆과 同一) 政務의 評議[陣定]가 이루어져 고려의 첩에 대해 의논하였다. 春宮大夫 藤原能長이 高麗國은 일본에 대해 信義를 다하고 있으므로 醫師를 파견하지 않음은 信義를 저버리는 것이기에 의사를 파견하는 것이 옳다는 의견을 제시하여 파견하는 것으로 의견이 모아졌다(『水左記』).

218) 이와 관련된 기사로 다음이 있다.

· 지27, 선거1, 科目1, 選場, "[文宗]三十四年五月, 禮部尙書盧旦知貢擧, 取進士, 賜乙科金尙磾等二人·丙科九人·同進士七人·明經三人及第".

物. 顧閔艱之在疾, 閱豊腆以增哀. 特有匪頒, 往旌勤順, 今賜卿衣著[衣着]·銀器".

其七日, "省所進皇太后方物事, 具悉. 卿以朕誕膺寶曆, 祇養慈闈, 發贄東蕃, 貢書長樂. 禮豊物腆, 志厚事勤, 宜有恩頒, 用將眷渥. 今迴賜卿衣著[衣着]·銀器".

其八日, "遠飭使旌, 恪修邦篚, 横絶巨浸, 震驚烈風, 人方遘危, 物或傾載. 諒操舟之未善, 匪將命之不虔. 矧卿致恭有先, 申好維永, 已亮忠誠之厚, 詎專庭實之多. 宜体諭言, 務從矜釋".

○初, 洪等放洋,[219] 颶風忽起, 幾覆舟, 及至宋, 計所貢方物, 失亡殆半. 王依勅釋洪等罪.

丁卯[6日], 宋遣醫官馬世安來.

[某日, 以白居靖爲東南海都部署使:慶尙道營主題名記].

[八月[辛卯朔小盡,乙酉], 戊午[28日], 太白犯軒轅:天文1轉載].

[是月, 某等造成東京管內岬山寺:追加].[220]

[增補].[221]

九月[庚申朔大盡,丙戌], 辛酉[2日], 宰相[門下侍郎同中書門下平章事]鄭惟產三上章, 請老. 賜几杖, 令視事, 未幾固辭, 許之.[222]

丙戌[27日], 幸西京.

[增補].[223]

---

219) 이는 「岬山寺瓦銘」, "太康六年庚申八月日岬山寺屬造"에 의거하였다(柳煥星 2010년).

220) 放洋에 대한 注釋으로 다음이 있다.

· 『增定吏文輯覽』 권2, 放洋, "謂放船於海洋也]"(10面左9行).

221) 8월에 이루어진 고려 측의 牒에 대한 일본 조정의 대응은 다음과 같다.

· 8월 7일(丁酉, 高麗曆과 同一), 藏人辨[右少辨] 藤原伊家가 醫師를 요청하는 禮賓省의 牒에 대해 王則貞의 보고서[陳狀]를 참고하여 심의하도록 명한 宣旨를 大納言 源俊房에게 전하였다(『水左記』).

· 某日, 이 시기에 일본에 머물고 있던 宋商 孫忠의 部下인 水手 黃逢이 明州의 牒[大宋國明州牒日本國]을 가지고 大宰府에 도착하였다(『扶桑略記』, 閏8월 30일 ; 『善隣國寶記』 上, 鳥羽院元永1年條, 이후 明州의 牒은 高麗 禮賓省의 牒과 함께 審議되었다).

222) 이때 鄭惟產은 門下侍郎同中書門下平章事였던 것 같다(原州法泉寺智光國師玄妙塔碑).

223) 고려 측의 첩에 대한 일본 조정의 9월(日本曆의 윤8월)의 대응은 다음과 같다.

· 閏8월 5일(甲子), 政務의 評議[陣定]가 이루어져 고려의 첩에 대해 의논하고 의사의 파견 여부, 파견한다면 누구로 할 것인가, 答書는 어떻게 할 것인가 등에 대해 논의하였다(『水左記』 ;

閏[九]月庚寅朔小盡,丙戌, 庚子11日, 日本國薩摩州遣使, 獻方物.

[是月, 判冊, "選軍別監奏定, 凡臨戰陷敵逃還人職田, 勿奪仍給":食貨1田柴科轉載].

[增補:追加].[224]

『帥記』;『百練抄』5).

· 閏8월 8일(丁卯), 大納言 源俊房이 고려가 의사를 요청한 것에 대한 公卿들의 評議의 결과[陣定文]를 藏人辨 藤原伊家에게 넘겨주었다(『水左記』).

· 閏8월 11일(庚午), 藤原伊家가 源俊房에게 8일에 넘겨받은 公卿들의 평의의 결과[陣定文]를 가져와 의사의 所在에 대한 정보의 의문점을 王則貞을 통해 조사할 것을 요청하였다(『水左記』).

· 閏8월 13일(壬申), 藤原伊家가 源俊房에게 王則貞을 尋問했던 기록을 전하였다. 이어서 이것을 국왕에게 보고하였다(『水左記』).

· 閏8월 14일(癸酉), 政務의 評議[陣定]가 이루어져 宋 皇帝가 보낸 禮物에 대한 대처 및 고려의 의사 요청에 대해 의논하였다. 後者의 경우 丹波雅忠과 의논하는 것이 어떨까 하는 의견이 제시되었다(『水左記』;『帥記』).

· 閏8월 22일(辛巳), 14일의 政務의 評議[陣定]에서 결정된 것에 따라 丹波雅忠을 불렀으나 不參하였다. 이에 關白 藤原師實이 사람을 보내어 丹波雅忠에게 자문을 구하니, 雅忠이 의사를 파견한다면 惟宗俊通이 적합할 것이라고 회답하였다(『帥記』;『水左記』, 閏8월 23日條).

· 閏8월 23일(壬午), 關白 藤原師實의 꿈에 藤原賴通이 나타나 고려에 의사를 파견하지 않는 것이 좋겠다고 하였다고 하였다(『水左記』;『帥記』, 閏8월 25日條).

· 閏8월 24일(癸未), 關白 藤原師實이 의사를 파견하지 않기로 결정하고, 이에 대한 답서[返牒]를 大江匡房으로 하여금 기초하게 하였다(『水左記』;『帥記』, 閏8월 25日條).

· 閏8월 25일(甲申), 藤原師實이 源經信에게 고려에 의사를 파견하지 않는 것은 藤原賴通의 現夢에 의한 것인을 말하고, 大江匡房에게 命한 답서[返牒]의 내용을 어떤 것으로 할 것인가를 물었다. 源經信은 政務의 評議[陣定]에서 派遣에 반대한 인물들의 의견을 전하는 것이 좋을 것이라고 답하였다. 또 從來에도 高麗로부터의 要請에 대해 모든 것을 허락하지 않았음을 말하였다. 藤原師實이 이에 대한 記錄의 存否를 묻자, 源經信은 天慶年間(938~ 947)·永承 6년(1051) 등의 牒을 보여주었다. 저녁 무렵에 源經信이 藤原師實의 명령에 의한 답변서[仰詞]를 써서[淸書] 보냈다(『帥記』).

· 閏8월 27일(丙戌) 源經信이 25日 지은 답변서[仰詞]를 關白 藤原師實에게 바쳤다(『帥記』).

224) 윤9월(日本曆의 9월)에 이루어진 고려 측의 첩에 대한 일본 조정의 대응은 다음과 같다.

· 9월 2일(辛卯, 高麗曆의 閏9월, 日辰은 同一) 藤原師實이 源經信을 불러 大江匡房이 지은 답서[返牒]에 수록되어 있는 文章을 보여주었다. 長德·承平·天慶·永承 年間의 답서[返牒]를 인용하여 수록하고 있었다(『帥記』).

· 9월 3일(壬辰), 藤原師實이 源經信·大江匡房을 불러 답서를 검토하였다. 다음날 公卿을 불러 審議하기로 하였다(『水左記』;『帥記』).

· 9월 4일(癸巳), 公卿들이 藤原師實의 집에 모여 답서에 대해 논의하였다. 먼저 大江匡房이 이번의 高麗牒이 과거의 사례에 어긋난 6個條를 정리하여 제시하였고, 外記 淸原定俊도 先例를 조사하여 보고하였다(勘申). 이어서 審議에 들어가서 ①과거의 事例에 어긋난 점을 指摘하는 것으로 충분하니 醫師를 파견하지 않는 사실은 기록할 필요가 없음, ②王則貞 이외의 人物에게 부탁하여 답서[返牒]를 보낼 것, ③이후 王則貞을 高麗에 渡航시키지 말 것 등을 결정하였다(『水左記』;『帥記』).

· 9월 6일(乙未), 大江匡房이 源俊房에게 高麗牒의 前例와 다른 점을 기록하여 전하였다(『水左記』).

[冬十月己未朔大盡,丁亥:追加].

[增補:追加].[225]

冬十一月己丑朔大盡,戊子, 日食.[226]

己亥11日, 王至自西京, 赦.

[丁巳29日, 歲星入氐:天文1轉載].

[增補:追加].[227]

十二月己未朔大盡,己丑, 遼遣永州管內觀察使高嗣來, 賀生辰.

· 9월 12일(辛丑), 大江匡房이 源俊房에게 답서의 草案을 보고하고, 源俊房의 指摘에 따라 내용 중의 殊俗을 蕃王으로 고쳤다(『水左記』).

· 9월 17일(丙午), 藤原師實이 源俊房을 위시한 公卿들을 自身의 집에 불러 大江匡房이 지은 답서의 草案[返牒案]을 보여주고 大江匡房으로 하여금 보고하게 하였다(『水左記』).

· 9월 18일(丁未), 大江匡房이 源俊房에게 답서의 草案을 전하였다. 이후 源俊房은 前筑後守 俊光에게 명하여 淸書하게 하였다는 소식을 들었다(『水左記』).

· 9월 24일(癸丑), 大江匡房이 過去에 보내져 왔던 高麗 廣評省의 牒을 源俊房에게 전하였다(『水左記』).

225) 10월에 이루어진 고려 측의 첩에 대한 일본 조정의 대응은 다음과 같다.

· 2일(庚申, 高麗曆과 同一), 太政官의 명령서[官符]를 大宰府에 내려서 ①고려가 요청한 의사를 파견하지 않는 것, ②고려의 예물을 돌려보내는 것, ③大宰府의 답서[返牒]는 使者를 선발하여 보낼 것, ④王則貞을 법에 회부하여 처벌하는 것 등을 전하였다(『師守記』, 貞治 6년 5월 9日條).

· 10일(戊辰), 大江匡房이 답서의 草案을 源俊房에게 가져오자, 약간의 字句를 수정하였다(『水左記』).

· 11일(己巳), 大江匡房이 답서의 초안을 源俊房에게 가져오자, 源俊房이 이를 살펴 본 후 關白 藤原師實에게 가져갔다(『水左記』).

226) 이날 宋·契丹에서도 일식이 있었으나 송에서는 구름으로 인해 관측이 되지 않았다고 한다(『송사』 권16, 본기16, 神宗3, 元豊 3년 11월 己丑·권52, 지5, 천문5, 日食 ; 『요사』 권24, 본기24, 道宗4, 大康 6년 11월 己丑朔). 또 일본의 京都에서도 구름이 많아[曖靆, 애체] 월식은 짧은 시간동안 관측할 수 있었던 것 같다. 그리고 이날은 율리우스력의 1080년 12월 14일이고, 개경에서 일식 현상이 심했던 시간은 11시 12분, 食分은 0.87이었다(渡邊敏夫 1979年 305面).

· 『水左記』, 承暦 4년 11월, "一日己丑, 日蝕十五分之十一半强, 虧初巳一刻□分, 加時巳四刻六分, 復末午三刻五分. 陰晴不定, 巳剋許行雲曖靆, 蝕暫不現, 午剋雲□□□, 間斷蝕體已現".

227) 10월에 이루어진 고려 측의 첩에 대한 일본 조정의 대응은 다음과 같다.

· 11월 2일(庚寅, 高麗曆과 同一), 源俊房이 藤原師實에게 나아가 답서의 초안을 살펴보고, 약간의 자구를 교체하여야 하겠다는 뜻을 전하였다(『水左記』).

· 11월 3일(辛卯), 大江匡房이 源俊房에게 나아가 답서의 자구를 수정하고 關白 藤原師實에게 전하였다. 이후 最終本을 완성한 후 이것을 大宰府에 보냈다(『水左記』 ; 『朝野群載』 권20, 太宰府牒 ; 『本朝續文粹』 권11, 太宰府牒).

○東蕃作亂, 以中書侍郞平章事文正△[爲]判行營兵馬事, 同知中樞院事崔奭·兵部尙書廉漢爲兵馬使, 左承宣李顗爲兵馬副使, 將步騎三萬, 分道往擊之, 擒斬四百三十一級.

[→將步騎三萬, 出屯定州. 夜, 三軍各將一萬, 分道, 直趨賊巢穴, 遲明奄至, 鼓譟震地. 賊大懼, 遂麾兵奮擊, 斬首三百九十二級, 擒渠帥三十九人, 獲牛馬百餘, 委棄器械塡積, 凡攻破廬落十餘所. 晡後, 凱還奏捷. 王□[喜]遣左司員外郞裴緯, 勑文正等曰, "近緣邊事未息, 宵旰軫慮, 今省所奏, 婉畫降戎, 掃除民害, 使朕, 無東顧之憂, 惟乃之功. 特賜文正, 銀合一副, 重一百兩, 崔奭·廉漢·李顗, 銀合各一副, 重各五十兩, 並盛丁香":節要·列傳9文正轉載].

[是年末, 日本大宰府移牒我國禮賓省:追加].[228]

228) 이는 다음의 자료에 의거하였는데, 前年 11월 禮賓省이 다자이후(大宰府, 太宰府)에 보낸 牒에 대한 答書이다.

·『朝野群載』 권20, 異國, 太宰府解, 申請官裁事, "言上高麗國牒壹通狀』 右商人, 往反高麗國, 古今之例也, 因兹去年當朝商人王則貞, 爲交關罷向彼州[高麗國]之間, 禮賓省牒壹通, 相副綿綾麝香等所送也, 是則聞醫師經廻鎭西之由, 牒送旨, 件則貞所申也者, 異國之事, 爲蒙 裁定, 未撿知件錦綾麝香等, 何況不請取, 先相副件牒狀, 言上如件, 謹解」 承曆四年三月[二月?]五日 正』".

·『朝野群載』 권20, 異國, 日本國太宰府牒 高麗國禮賓省, "却廻方物等事」 牒, 得彼省牒偁, 當省伏奉, 聖旨云々, 仍收領疋段麝香者, 如牒者, 貴國犯霧露於燕寢之中, 求醫療於鼇波之外, 望風想德, 能不依々, 仰牒狀之詞, 頗睽故事, 改處分而曰聖旨, 非蕃王可稱, 宅遐陬而誇上邦, 誠彝倫攸斁, 況亦託商人之旅艇, 寄殊俗之單書, 執圭之使不至, 封函之禮既虧, 雙魚猶難達鳳池之月, 扁鵲何得入鷄林之雲, 凡厥方物, 皆從却廻, 今以狀牒, 々到准狀, 故牒』 承曆四年 月 日』".

·『本朝續文粹』 권11, 牒, 日本國太宰府牒 高麗國禮賓省, "却廻方物等事」 牒, 得彼省牒偁, 當省伏奉, 聖旨, 訪聞貴國有能理療風疾醫人, 今因商客王則貞廻歸次仰[故鄕], 因便通牒, 及於王則貞處, 說示風疾緣由, 請彼處, 選擇上等醫人, 於來年早春, 發送到來, 理療風疾, 若見功效, 定不輕酬者, 今先送華綿及大綾·中綾各一十段·麝香一十臍, 分附王則貞, 賫持將去, 知太宰府官員處, 且充信儀, 到可收領者, 牒具如前, 當省所奉聖旨, 備錄在前, 請貴府有端的能療風疾好醫人, 許容發送前來, 仍收領疋段麝香者, 如牒者, 貴國懽盟之後, 數逾千祀 和親之義, 長垂百王, 方今犯霧露於燕寢之中, 求醫療於鼇波之外, 望風懷想, 能不依々, 仰牒狀之詞, 頗睽故事, 改處分而曰聖旨, 非蕃王可稱, 宅遐陬而誇上邦, 誠彝倫逌斁, 況亦託商人之旅艇, 寄殊俗之單書, 執圭之使不到, 封函之禮既虧, 雙魚猶難達鳳池之月, 扁鵲何得入鷄林之雲, 凡厥方物, 皆從却廻, 今以狀牒, 々到准狀 故牒」 承曆四年 月 日』".

辛酉[文宗]三十五年, 契丹大康七年, [宋元豊四年], [西曆1081年]

1081년 2월 12일(Gre2월 18일)에서 1082년 1월 31일(Gre2월 6일)까지, 354일

春正月[己丑朔小盡,庚寅], 乙未[7日], 以廉漢爲兵部尙書.

丁酉[9日], 以[中書侍郞平章事]文正爲[推忠贊化蕩寇靜塞功臣·特進·上柱國·:節要轉載]長淵縣開國伯[·食邑一千戶·食實封二百戶:節要轉載],[229)] [樞密]崔奭爲[檢校司空·:節要轉載]吏部尙書·參知政事[·判三司事·柱國:節要轉載], 金良鑑△[爲]參知政事·判尙書兵部事[兼西京留守使·柱國:節要轉載], 王錫爲戶部尙書·知史部事[~~知吏部事~~].

[→尋賜□[关]正, 推忠贊化蕩寇靜塞功臣號, 加特進·檢校司徒·門下侍郞平章事·判尙書禮·刑部事兼太子太傅·上柱國·長淵縣開國伯·食邑一千戶·食實封二百戶:列傳8文正轉載].

丁未[19日], 知西北面兵馬事王佇奏, "西蕃酋長阿夫渙等九人, 專心保塞, 宜加爵賞". 命以阿夫渙等三人爲柔遠將軍, 山豆等六人爲懷化將軍, 賜物有差.

[某日, 以任延邵爲東南海都部署使:慶尙道營主題名記].

---

229) 文正의 官爵에서 食實封二百戶는 『고려사』에서 高麗人에게 수여된 첫 事例의 記錄이다[初見]이다. 食邑은 中原에서 官僚가 服務의 代價로 받은 采邑·采地·湯沐邑 등으로도 불린 領地로서 統治와 世襲이 가능한 領域[領地]였다. 이 토지는 租稅를 收取하는 권리, 곧 田租와 賦役을 동시에 징수할 수 있었다. 隋·唐代이래 관료들에게 職田인 官僚田이 지급되어, 食邑은 宗室·功臣·高官 등과 같은 有功者라고 불린 극히 小數의 人物들에게 주어진 勳田과 같이 變貌되었다. 또 이와 함께 食邑 그 자체가 定額대로 下賜된 것이 아니고, 명예적인 加銜으로 변질되었고, 食實封에 의해 극히 작은 규모의 토지 또는 民戶를 하사한 것으로 바뀌었다(劉思怡 2012年).

唐制를 典範으로 삼았던 고려의 食邑도 이와 대체로 유사하였을 것으로 추측되며, 이의 지배내역은 부여받은 封邑者가 해당 지역[食實封]의 民戶[眞戶]에 대한 租·庸·調였을 것이다(張東翼 2014년 116面).

· 『大唐六典』 권2, 尙書吏部, "… 司封郞中·員外郞, 掌邦之封爵, 凡有九等, 一曰王, 正一品, 食邑一萬戶, … 九曰縣男, 從五品, 食邑三百戶[注, … 然戶·邑, 率多虛名, 其言食實封者, 乃得眞戶. 舊制, 戶皆三丁已上, 一分入國. 開元中, 定制, 以三丁爲限, 租賦全入封家]".

· 『자치통감』 권197, 唐紀13, 太宗貞觀 17년(643) 11월 己卯, "… 詔黜其贈官, 改諡曰繆, 削所食實封[胡三省注, '六典'曰, 魏氏五等, 皆以鄕亭, 多假空名, 不食本邑. 隋氏始立王公侯以下制度, 至唐因之, 率多虛名, 其言食實封者, 乃得眞戶. 舊制, 戶皆三丁已上, 一分入國. 開元中, 定以三丁爲限, 租賦全入封家]".

· 『자치통감』 권209, 唐紀25, 中宗 景龍 3년(709) 9월 乙亥, "河南道巡察使·監察御史宋務光, 以於時食實封者, 凡一百四十餘家[胡三省注, 唐制, 食實封者, 得眞戶, 戶皆三丁以上, 一分入國. 開元定制, 以三丁爲限, 租賦全入封家], 應出封戶者, 凡五十四州, …".

[○安某造成奉業寺青銅香垸:追加].230)

二月辛酉朔~~戊午朔~~大盡,辛卯 231), 西女眞酋長遮亶等六人來, 獻鐵甲兵仗, 賜衣帶·綵帛, 有差. 制曰, "凡東西酋長欲來見者, 兵馬使申報, 取旨後, 方許赴闕, 以爲永制".

丙寅~~9日~~, 以金悌爲太子太保, 知中樞院事柳洪·李顗並爲太子賓客, 李日禎爲禮部郎中·御史雜端.

甲戌~~17日~~, 宋商林慶等三十人來, 獻土物.

丙子~~19日~~, 制曰, "去冬十二月, 東北路戎醜, 一朝掃滅, 邊祲廓淸, 是皆上賴宗廟之威靈, 下仗群帥之雄略. 今已凱還, 宜告大廟~~太廟~~及六陵, 可擇日行事".

[某日, 制, "諸州縣長吏, 受武散階者, 小喪, 依制給暇, 以下, 以導信義, 葬時給暇":禮6五服制度轉載].

三月戊子朔大盡,壬辰, 甲午7日, 幸長源亭.

辛丑14日, 以參知政事金良鑑△爲權判中樞院事.

[某日, 詔, 定父母年七十以上, 八十以下, 侍丁一人, 九十侍丁二人, 百歲侍丁五人:節要·刑法1官吏給暇轉載].232)

己未~~某日~~, 以宋帝節日, 賜宴于醫官馬世安所館, 兼致禮幣.233)

夏四月戊午朔小盡,癸巳, [某日, 門下侍郎平章事文正奏, "今方農月, 雨澤旣洽, 百姓耘耔, 惟日不足, 願上體天養民, 宜罷興王寺土木之役及十二所監倉巡察使, 以除民弊", 從之:節要轉載].

---

230) 이는 京畿道 安城市 竹山面 竹山里 145-2番地 奉業寺址(京畿道記念物 第189號)에서 출토된 香垸의 刻字에 의거하였다(安城市 2009년).
· 銘文, "大康七年辛酉正月日奉業寺□□香垸?,安小待父母長命".

231) 2월의 朔日은 宋曆·日本曆에서는 戊午이고, 辛酉는 4일에 해당하므로,『고려사』의 '二月辛酉朔'은 戊午朔과 3日의 차이가 있다. 고려력·송력·일본력 등에서 月次의 大小[大盡·小盡]에 의해 1~2일의 차이는 인정되지만, 3일의 차이를 보이는 것은 설명하기에 어려움이 있다. 이 역시『고려사』의 편찬과정에서 어떤 착오가 있었던 것으로 추측되므로, 이달의 계산은 宋曆의 戊午朔에 依據하였다.

232) 지38, 刑法1, 官吏給暇에는 侍丁이 省略되어 있다(東亞大學 2012년 19책 609面).

233) 이달에는 己未가 없고, 宋 神宗의 生辰(同春節)은 4월 10일(丁卯)이므로 이 기사는 날짜[日辰]의 정리에 문제가 있다.

[→門下侍郞平章事文正奏曰, "今時雨既洽, 農務方殷. 願上體天養民, 罷興王寺土木之役及十二所監倉巡察使, 以除民弊", 從之:列傳8文正轉載].

[辛未14日, 月食:天文1轉載].[234)]

丙子19日, 雩.

庚辰23日, 遣禮部尙書崔思齊·吏部侍郞李子威如宋, 獻方物, 兼謝賜醫藥.[235)]

壬午25日, 禮賓省奏, "宋人楊震隨商船而來, 自稱擧子, 屢試不中, 請依所告, 遣還本國", 從之.

五月丁亥朔小盡,甲午, 己丑3日, 東女眞酋長陳順等二十三人來, 獻馬. 制曰, "凡蕃人來朝者, 留京毋過十五日, 並令起館, 以爲永式".

辛卯5日, 以朴寅亮·吳英淑爲左·右承宣, 崔思玄爲右副承宣.

戊戌12日, 遣閤門引進使高夢臣如遼, 賀天安節. 右補闕魏絳, 謝宣賜生辰, 戶部郞中河忠濟, 進方物, 閤門祗候崔周砥, 賀正.

[六月丙辰朔大盡,乙未, 某日, 參知政事·吏部尙書崔奭等奏, "前年進士魯準, 其父犯律, 娶大功親, 所生, 請禁錮終身". 王曰, "選擧任用, 不拘常例, 可與諸進士, 並授官秩, 以通朝籍". 宰相門下侍郞平章事文正等議曰, "家齊然後, 國治, 準父, 不能正婚, 瀆亂人倫, 然, 今崇尙儒雅, 用士是急, 請降授階職", 從之:節要轉載].[236)]

[是月, 金山寺住持成元寫成'紺紙金字妙法蓮華經':追加].[237)]

秋七月丙戌朔小盡,丙申, 丁酉12日, 制曰, "霪雨不時, 恐傷禾稼, 有同有司, 其擇日祈晴".[238)]

---

234) 이날 宋에서는 皆既月蝕이었다고 한다(『송사』 권52, 지5, 천문5, 月食). 이날은 율리우스력의 1081년 5월 25일이고, 월식 현상이 심했던 때의 世界時는 11시 0분, 食分은 1.52이었다(渡邊敏夫 1979年 473面).

235) 이때 崔思齊와 관련된 기록으로 다음이 잇다.
· 『보한집』 권상, "文宗大康七年辛酉文宗35年, 崔良平公思齊, 使入宋, 船上云, 天地何疆界, 山河自異同. 君毋謂宋遠, 回首一帆風".

236) 이와 같은 기사가 열전8, 文正에도 수록되어 있으나 자구에 출입이 있다.

237) 이는 『紺紙金泥妙法蓮華經』 권1. 권8의 末尾 題記에 의거하였다(和歌山縣 高野町 高野山 金剛峰寺 所藏, 張忠植 2007년 104面).
· 題記, "太康七年辛酉六月 日,高麗國金山寺重職 成元,廣利天人,願成此典也』".

238) 여러 판본의 『고려사』에서 有同으로 되어 있으나 有司의 오자이다(東亞大學 2008년 3책 471面).

己亥[14日], 參知政事致仕李徵望卒.[239)] 謚[諡]匡靖, 命百官會葬, 輟朝一日.[240)]

[某日, 以王承命爲東南海都部署使:慶尙道營主題名記].

八月[乙卯朔小盡,丁酉], 己未[5日], 西女眞漫豆等十七人挈家, 來投. 禮賓省奏曰, "舊制, 本國邊民, 曾被蕃賊所掠, 懷王自來者, 與宋人有才藝者外, 若黑水女眞, 並不許入. 今漫豆, 亦依舊制遣還". 禮部尙書盧旦奏曰, "漫豆等, 雖無知之俗, 慕義而來, 不可拒也. 宜處之山南州縣, 以爲編戶", 從之.

辛酉[7日], 制, "西京宮闕[長樂宮], 年久, 頹毁頗多, 宜募工修葺. 且去京東西各十餘里, 更卜地, 構左右宮闕, 以爲省方巡御之所".[241)]

戊辰[14日], 宋商李元績等六十八人來, 獻土物.

己巳[15日], 雨雹, 傷禾.[242)]

壬申[18日], 東女眞歸德將軍胡幹來, 獻馬.

九月[甲申朔大盡,戊戌], 丁酉[14日], 東北蕃賊首阿亥, 遣子弟徐害等來朝.

[庚子[17日], 太白食南斗第四星:天文1轉載].

[壬寅[19日], □□[太白]又入南斗魁中:天文1轉載].

冬十月[甲寅朔小盡,己亥], 甲子[11日], 幸平州溫泉.

癸酉[20日], 還宮.

丙子[23日], 赦.

[某日, 命[删], "凡內外軍丁, 親年七十以上, 無他兄弟者, 竝令侍養, 親歿, 許令充軍":節要·兵1五軍轉載].[243)]

---

239) 이날은 율리우스曆으로 1081년 8월 21일(그레고리曆 8월 27일)에 해당한다.

240) 亞細亞文化社本에는 一日로, 延世大學本과 東亞大學本에는 十日로 되어 있으나, 後者가 잘못일 것이다(東亞大學 2008년 3책 471面).

241) 이때 營造된 것으로 추측되는 西宮은 현재의 平壤市 萬景臺區域(옛 大同郡 龍山面 鳳岫里)의 珠宮址에 있던 것 같고, 右宮은 분명치 않지만 綾羅島의 對岸인 野山의 興盃라는 곳이라고 추측된다고 한다(李丙燾 1961년 260面).

·『신증동국여지승람』 권51, 平壤府, 古跡, "珠宮舊址, 在府西十里".

242) 이와 같은 기사가 지7, 五行1, 水, 雨雹에도 수록되어 있다. 이날 일본의 京都에서는 흐리고 오전 9시 이후에 비가 조금 내렸다고 한다(『水左記』, 承曆 5년 8월, "十五日己巳, 陰, 巳時以後小雨").

243) 添字는 지35, 兵1, 五軍에서 달리 표기된 것인데, 原文에서 刪으로 되어 있으나 『문종실록』에서

[某日, 判[冊], "發鎭將相將校鞋脚米, 將軍以下郎將以上, 十五石, 攝郎將以下, 散員以上十石, 校尉隊正八石, 借隊正更米[~~粳米~~]三石二斗四升四合造米[~~糙米~~]三石七斗五升六合":兵1五軍轉載].

[是月頃, 遣使如契丹, 獻方物:追加].[244)]

十一月[癸未朔大盡,庚子], 丁亥[5日], 以[樞密?]李靖恭△[爲]參知政事·修國史.

壬寅[20日], 遼遣橫宣使·利州管內觀察使耶律德讓來.

丁未[25日], 兵部尙書廉漢上章, 請老, 賜詔不允.

十二月癸丑朔[大盡,辛丑], 遼遣崇祿卿楊移孝來, 賀生辰.

癸亥[11日], 知太史局事梁冠公奏, "奉宣勘進來壬戌年[明年]曆日, 並無疑誤. 惟臘日, 自己未年[文宗33年]以來, 依大宋曆法, 用戌日, 臣未詳可否. 臣按陰陽書云, 近大寒前後, 先得辰爲臘, 我國用此日久矣.[245)] 況古史曰, 夏曰嘉平, 殷曰淸祀, 周曰大蜡, 漢曰臘.[246)] 其稱各異, 皆以卒歲之功, 因臘取獸, 合聚萬物, 以報百神, 可不重歟.

는 制였을 것이다.

244) 이는 다음의 자료에 의거하였다.

· 『요사』 권24, 본기24, 道宗4, 大康 7년 11월, "己亥[17日], 高麗遣使來貢".

· 『요사』 권70, 표8, 屬國表, 大康 7년 11월, "高麗遣使來貢".

245) 이 구절에 의하면 臘日은 漢代 이래 大寒 前後의 辰日에 설행되었으나 宋代에 冬至 以後 3回의 戌日[三戌] 중에 擇日하였던 것 같다(혹은 12월 8일). 고려시대에도 上記의 기사와 같이 辰日을 택일하다가 1079년(문종33) 이래 戌日 중에서 택일하는 것으로 변경되었던 것 같다. 그런데 1369년(공민왕) 12월 10일(辛未)이 臘祭日이었으나 王陵에서는 祭禮가 거행되지 않았던 것 같고, 1391년(태조1)은 12월 25일(辛未)에, 1450년(문종 즉위년)은 12월 13일(癸未)에, 1469년(성종 즉위년)에는 12월 10일(己未)에 각각 설행되었다고 한다(『태조실록』 권2, 『문종실록』 권5, 『성종실록』 권1). 이를 통해 볼 때 아래의 d와 같은 사유로 인해 고려후기에 戌日에서 다시 未日로 변경되었고, 이것이 조선시대로 이어졌던 것 같다.

· a 『說文解字』 권4하, "臘, 冬至後三戌, 臘祭百神".

· b 『荊楚歲時記』, "十二月初八日爲臘日".

· c 『夢梁錄』 권6, 十二月, "季冬之月, 正居小寒·大寒, … 冬至後戌日, 數至第三戌, 便是臘日, 謂之君王臘, 臘月內可塩猪羊等肉, … 此月八日, 寺院謂之臘八, 大刹等寺, 俱設五味粥, 名曰臘八粥".

· d 『선조실록』 권121, 33년 1월 丙辰[13日], "[左承旨]李尙毅啓曰, '曆書事, 更招日官, 考出曆法, 則臘日, 中國以戌日爲之, 而我國則以未日爲之, 必有深意於其間. 如日出入晝夜刻數等事, 地偏東方, 有不得不然者. 要之不害於敬授人時, 而臘法不同, 則恐乖大一統之義. 伏見唐曆, 無寒食, 臘日, 竝刻書頭之例, 就我國曆, 去此二段以送之何如? 彼雖私見於閭閻, 自此送之, 似不可不審. 敢稟'. 傳曰. 依啓".

不宜擅變其法, 請委有司詳定, 然後施行", 制可.

戊辰16日, 雷震寧州靈化寺佛殿天王塑像.[247)]

壬申20日, 工部尙書洪德成再上章, 請老, 賜詔不允.[248)]

庚辰28日, 以柳洪爲中樞院使, 李顗爲左散騎常侍·知中樞院事, 盧旦爲右僕射·翰林學士承旨, 崔思齊爲右散騎常侍, 崔思訓崔思諒?爲中樞院知奏事, 林槩爲衛尉卿·知御史臺事, 崔思玄爲吏部郎中·御史雜端, 李資仁爲侍御史.[249)]

壬戌[文宗]三十六年, 契丹大康八年, [宋元豊五年], [西曆1082年]

1082년 2월 1일(Gre2월 7일)에서 1083년 1월 20일(Gre1월 26일)까지, 354일

[春正月癸未朔大盡,壬寅, 某日, 封壽寧宮主李氏故侍中李子淵之二女爲淑妃:列傳1文宗妃仁敬賢妃李氏轉載].

[某日, 以康白之爲東南海都部署使:慶尙道營主題名記].

春二月癸丑□朔小盡,癸卯, 以國子祭酒宋德延△爲知西北面兵馬事, 衛尉少卿金義忠爲東北面兵馬副使.[250)]

甲子12日, 東女眞褭於古等來朝.

[是月頃, 國子祭酒金覲, 掌國子監試, 取金義元·尹諧等□□人:追加].[251)]

---

246) 이 구절은 다음의 자료에서 따온 것이다.
 ·『風俗通義』祀典第8, 臘, "謹案禮典, 夏曰嘉平, 殷曰淸祀, 周用大蜡, 漢改爲臘. 臘者, 獵也. 言田獵取禽獸. 以祭祀其先祖也".

247) 이때 일본의 京都에서는 16일은 밝았으나 17일은 흐리고 비가 내렸다고 한다(『水左記』, 承曆 5년 12월, "十六日戊辰望, 晴, … 十七日己巳, 陰雨").

248) 洪德成의 최종 관직이 그의 孫壻인 閔瑛의 묘지명에 이때의 관직인 工部尙書로 되어 있음을 볼 때, 이후에 곧 退職하였던 것 같다.

249) 崔思訓은 崔思諒이 일시 改名한 이름일 가능성이 높다(→문종 30년 8월 4일, 32년 5월 27일).

250) 癸丑에 朔이 탈락되었다.

251) 이는 다음의 자료에 의거하였다.
 ·「金義元墓誌銘」, "少好讀書. 祭酒金公覲掌成均試, 公年十七, 中之". 金義元(1066~1148)이 17세일 때는 1082년(문종36, 壬戌)이다.
 ·「尹誧墓誌銘」, "文宗大康十年甲子八年壬戌國子祭酒金公覲門下, 中南宮試, 是時, 宋元豊五年也". 여기에서 文宗은 大康 9년(문종37, 1083, 癸亥)에 崩御하였기에 金의 연호로 표기된 大康十

三月[壬午朔大盡,甲辰], 庚子[19日], 命有司禱雨于山川·社稷.[252)]

[某日, [參知政事·]吏部尙書崔奭知貢擧, 取進士崔淵等十九人. 放榜時, 有大學生田德祖等, 於論場, 私坼官封詩·賦名紙, 事覺, 命來春改試:選擧1選場轉載].[253)]

夏四月[壬子朔小盡,乙巳], [丙寅[15日], 月食, 密雲不見:天文1轉載].[254)]

己卯[28日], 醮太一九宮于會慶殿.[255)]

○羅州牧管下洪原縣[珍原縣]民,[256)] 掘地得黃金一百兩·白銀一百五十兩以獻, 王曰, "天賜也", 遂還之.

五月[辛巳朔大盡,丙午], 癸未[3日], [芒種]. 慮囚.

癸巳[13日], 醮九曜堂, 禱雨.

庚子[20日], 又禱于興國寺.

丁未[27日], 大雨.

六月[辛亥朔小盡,丁未], 辛酉[11日], 赦, 加兩京百官職一級.

丙寅[16日], 守司空·尙書左僕射金德符卒.[257)]

年甲子는 적절하지 않고, 宋의 연호인 元豊五年壬戌(문종36, 1082)이 더 정확할 것이다. 또 이 시기에 사용된 尹誧의 初名은 尹諧이다.

252) 일본에서는 4월부터 7월에 걸쳐 全國에서 旱魃이 있었다고 한다(中央氣象臺 1941年 2冊 530面).
· 『扶桑略記』 30, 永保 2년, "七月十六日乙未, 自今日於神泉苑, 令阿闍梨範俊, 修請雨經法, 去四月以還, 雨澤難降, 苗稼有枯旱之愁, 仍被始修也, … 五畿七道田畠, 天下饑饉, 古今无雙".

253) 이는 지27, 선거1, 科目1, 選場에서 전재하였다.

254) 이날은 율리우스력의 1082년 5월 15일이고, 월식 현상이 심했던 때인 前日(14日乙丑)의 世界時는 22시 30분, 食分은 0.81이었다(渡邊敏夫 1979年 473面).

255) 太一九宮은 太一·天一·軒轅[權主?]·咸池·靑龍·太陰·天符·攝提 등의 諸神 또는 별[星辰]을 가리킨다.
· 『자치통감』 권221, 唐紀37, 肅宗乾元 2년(759) 1월, "戊寅[11日], 上祀九宮貴臣[胡三省注, 李心傳曰, 九宮貴臣者, 太一·攝提·權主[軒轅]·招搖·天符·靑龍·咸池·太陰·天一. 宋白曰, 九宮貴臣, 其說本之'黃帝九宮經', 蕭吉'五行大義'], 用王璵之言也".
· 『구당서』 권24, 지4, 禮儀4, "[文宗]太和二年八月, 監察御史舒元輿奏, '七月十八日, 祀九宮貴神, 臣次合監察, … 臣又觀其名號, 乃太一·天一·招搖·軒轅[權主]·咸池·靑龍·太陰·天符·攝提也. 此九神, 於天地猶子男也, 於一月猶侯伯也. …".

256) 洪原縣은 羅州牧의 管內에 위치하지 않으므로 珍原縣의 오자로 추측된다(지11, 지리2, 羅州牧).

257) 이날은 율리우스曆으로 1082년 7월 14일(그레고리曆 7월 20일)에 해당한다.

秋七月庚辰朔大盡,戊申, [丁亥8日, 有星出紫微, 犯北辰:天文1轉載].

戊申29日, 崇慶宮主李氏故侍中李子淵之三女卒.[258] [謚仁節:列傳1文宗妃仁節賢妃李氏轉載].[259]

[某日, 以金忠訥爲東南海都部署使:慶尙道營主題名記].

八月庚戌朔小盡,己酉, 甲寅5日, [白露]. 以李子威爲右副承宣, 宋德延△爲知御史臺事, 高景爲侍御史, 楊信鱗爲殿中侍御史.

戊午9日, 御文德殿, 斷死刑, 命門下侍郎平章事文正, 參知政事·左僕射李靖恭參詳.

乙亥26日, 宋商陳儀等來, 獻珍寶.

是月, 配東蕃賊首張向等十四人, 於山南遠地.

九月己卯朔小盡,庚戌, 癸未5日, 王南巡.

丁亥9日, 次峯城縣, 設重陽宴, 令兩府及侍臣, 賦途中遇重陽詩.

癸卯25日, 次天安府. [○大風拔木:五行3轉載].

乙巳27日, 至溫水郡.[260]

冬十月戊申朔大盡,辛亥, 宣示御製暮秋南幸次天安府詩, 命近臣依韻和進, 第其甲乙. 左散騎常侍·知中樞院事李顗詩, 最警絶. 王嘉歎, 賜廐馬一匹, 其餘賜絹, 有差.

辛亥4日, 宰臣以幸溫泉表賀.

庚申13日, 發溫泉.

癸亥16日, 次天安府.

[庚申~~癸亥~~16日, 月食:天文1轉載].[261]

---

258) 이날은 율리우스曆으로 1082년 8월 25일(그레고리曆 8월 31일)에 해당한다.

259) 崇慶宮主는 后妃列傳에는 崇敬宮主로 되어 있는데(열전1, 后妃1, 文宗 仁節賢妃李氏), 당시에 崇慶宮이 있었음을 보아 전자가 옳을 것이다. 또 그녀의 父親인 李子淵의 墓誌銘에도 崇慶宮主로 되어 있다.

260) 이와 관련된 기사로 다음이 있다.
· 지34, 食貨3, 恩免之制, "文宗三十六年九月, 王南巡, 至溫泉".

261) 지1, 天文1에는 庚申(13일)로 되어 있으나 월식은 15일(혹은 정밀하지 못한 曆日로 인해 14일, 16일)에 행해지므로 癸亥(16일)의 오류로 추측된다[繫年錯誤]. 宋에서 癸亥(16일)에 월식이 있었다(『송사』 권52, 지5, 천문5, 月食). 또 이날(16日癸亥)은 율리우스력의 1082년 11월 8일이고, 월식 현상이 심했던 때의 世界時는 10시 52분, 食分은 0.27이었다(渡邊敏夫 1979年 473面).

十一月戊寅朔[小盡,壬子], 王太子上表行在, 賀朔, 王特迴詔荅之[~~答之~~].

甲申[7日], 還京, 制, "加所過山川神號, 侍從臣僚, 亦加職賞, 其餘吏卒, 賜物有差".[262)]

丙戌[9日], 日本國對馬島遣使, 獻方物.

十二月丁未朔[大盡,癸丑], 遼遣永州管內觀察使李可遂來, 賀生辰.

丁巳[11日], 中書侍郎平章事金若珍卒, 輟朝三日.[263)]

[是年, 以國原公府典籤任懿爲忠州牧掌書記:追加].[264)]

癸亥[文宗]三十七年:順宗 **卽位年, 契丹大康九年**, [宋元豊六年], [西曆1083年]

1083년 1월 21일(Gre1월 27일)에서 1084년 2월 8일(Gre2월 14일)까지, 13개월 384일

春正月丁丑朔[大盡,甲寅], 放朝賀.

丁亥[11日], 饗老人於毬庭, 賜物有差.

戊子[12日], 以[參知政事]李靖恭·[參知政事]崔奭並爲中書侍郎同中書門下平章事, 金良鑑·王錫爲左·右僕射.

[某日, 以梁榮冲爲東南海都部署使:慶尙道營主題名記].

二月丁未朔[小盡,乙卯], 賜群臣祿牌.

辛未[25日], 東女眞歸德將軍姚彬·寧遠將軍方鎭等來, 獻馬, 各賜職賞.

三月[丙子朔大盡,丙辰], 丁丑[2日], 賜陰鼎等及第.

[→賜陰鼎等十四人·明經三人·恩賜一人及第. 舊制, 止置知貢擧一人掌試, 至是, 又置同知貢擧, 遂以爲常:節要轉載].[265)]

---

262) 이와 관련된 기사로 다음이 있는데, 여기에서 十月은 十一月의 오류일 것이다.

· 지34, 食貨3, 恩免之制, "十月[~~十一月~~]還京, 緣路州縣程驛, 放今年租稅之半".

263) 이날은 율리우스曆으로 1083년 1월 1일(그레고리曆 1월 7일)에 해당한다.

264) 이는 「任懿墓誌銘」에 의거하였다.

265) 이와 관련된 기사로 다음이 있다. 이때 陰鼎·李資玄·郭輿 등이 급제하였다(『登科錄』, 朴龍雲

己丑[14日], 命太子, 迎宋朝大藏經, 置于開國寺, 仍設道場.

[庚寅[15日], 月犯左角:天文1轉載].

辛卯[16日], 幸開國寺.

夏四月[丙午朔大盡,丁巳], 乙丑[20日], 王子忱卒.[266] [追封樂浪侯:列傳3文宗王子樂浪侯忱轉載].

癸酉[28日], [小滿]. 制曰, "自春而夏, 農事方興, 霜雹爲災. 言念獄囚, 慮有寃滯, 內外罪囚, 宜從寬典, 凡內外土木之役, 悉令停罷".[267]

五月丙子□[朔小盡,戊午], 王不豫.[268]

[○無雲而雷:五行1雷震轉載].

癸卯[28日], [夏至]. 太白晝見.

六月[乙巳朔大盡,己未], 丁卯[23日], 禱雨于宗廟·社稷.[269]

[閏六月[乙亥朔小盡,己未], 某日, 判[制], "三韓功臣承蔭者, 其功臣職牒, 雖或遺失, 的是功臣子孫, 許初入仕":選擧3功臣子孫轉載:選擧3功臣子孫轉載].

秋七月[甲辰朔大盡,庚申], 癸丑[10日], 百官設華嚴經道場于興國寺五日, 以祈風雨調順.

1990년 ; 許興植 2005년).

· 지27, 선거1, 科目1, 選場, "[文宗]三十七年三月, 中書侍郎[平章事]崔奭知貢擧, [翰林]侍講學士朴寅亮△[爲]同知貢擧, 取進士, 賜乙科陰鼎等二人·丙科六人·同進士六人·明經三人·恩賜一人及第".

· 지28, 選擧2, 科目, "文宗三十七年, 復增置同知貢擧一人, 遂以爲常".

·『보한집』 권상, "… 大康九年癸亥[文宗37年], 同牓, 無達官, 李資玄·郭輿, 皆棄官爲處士, 時號處士牓".

·『동문선』 권64, 淸平山文殊院記(金富轍 作), "… [李資玄,]元豊六年, 登進士第"(이와 같은 내용이 「文殊院重修碑」에도 수록되어 있다).

266) 이날은 율리우스曆으로 1083년 5월 9일(그레고리曆 5월 15일)에 해당한다.

267) 거란에서는 이달 초하루에 大雪이 내려 平地의 積雪이 1丈정도 되어 馬의 60~70%가 죽었다고 한다.

·『요사』 권24, 본기24, 道宗4, 大康 9년 4월, "丙午朔, 大雪, 平地丈餘, 馬死者十六七".

268) 丙子에 朔이 탈락되었다. 곧 지7, 五行1, 水, 雷電에는 朔이 있고,『고려사절요』 권5에는 옳게 되어 있다.

269) 宋에서도 이해의 여름에 畿內에서 旱魃이 있었다고 한다(『송사』 권66, 지19, 오행4).

辛酉[18日], 王疾篤, 遺詔曰, "朕以眇躬, 纘守祖業, 天命有數, 寢疾彌留, 閔予不祐, 已及大期. 一日萬機, 不可乍曠, 今以軍國政事, 一以委太子勳, 用傳寶位. 卿等, 宜體懇言, 勉盡忠孝". 遂薨于重光殿, 殯于宣德殿之西.[270] 壽六十五, 在位三十七年. 王幼聰哲, 及長, 好學善射. 志略宏遠, 寬仁容衆, 凡所聽斷, 不復遺忘. [八月癸未[10日], 上:節要轉載]謚[諡]曰仁孝, 廟號文宗, [甲申[11日]:節要轉載], 葬于佛日寺南麓,[271] 陵曰景陵.[272] 仁宗十八年加謚[諡]剛正, 高宗四十年加明戴.

李齊賢贊曰, "顯·德·靖·文, 父作子述, 兄終弟及,[273] 首尾幾八十年, 可謂盛矣. 而文宗[文王]躬勤節儉,[274] 進用[盡用]賢才,[275] 愛民恤刑, 崇學敬老. 名器不假於匪人, 威權不移於近昵. 雖戚里之親, 無功不賞, 左右之愛, 有罪必罰. 宦官·給使, 不過十數輩, 內侍必選有功能者, 充之, 亦不過二十餘人. 冗官省而事簡, 費用節而國富. 大倉之粟, 陳陳相因, 家給人足, 時號大平. 宋朝每錫褒賞[褒賢]之命,[276] 遼氏歲講慶壽之禮. 東倭浮海而獻琛, 北貊扣關而受廛. 故林完以爲我朝賢聖之君也. 獨其徙一畿縣, 作一僧寺. 侈峻宇於宮闕, 侔崇墉於國都, 黃金爲塔, 百物稱是. 殆將比擬蕭梁[梁武帝]. 而不知, 欲成人之美者, 歎息[嘆息]於斯焉耳".[277]

---

270) 이날은 율리우스曆으로 1083년 9월 2일(그레고리曆 9월 8일)에 해당한다.

271) 景陵(文宗의 墳墓)이 開城의 동쪽[城東]에 있다고 한 점을 보아 佛日寺는 開京의 東部地域에 위치하였던 것 같다(『동문선』 권28, 文王哀册).

272) 景陵은 開城市 板門郡 仙跡里에 있다(보존급유적 570호, 張慶姬 2013년 ; 洪榮義 2018년).

273) 여기에서 '父作子述, 兄終弟及'은 '아들이 繼承하고, 弟가 襲職하여[子繼弟及]'와 같은 의미인 것 같다.

· 『자치통감』 권31, 漢紀23, 成帝永始 1년(BC16) 7월, "… 先是, 上詔有司訪求漢初功臣之後, 久未省錄. 杜業說上曰, '唐·虞·三代皆封建諸侯, 以成太平之美, 是以燕·齊之祀與周並傳, 子繼弟及, 歷載不墮[注, 師古曰, 弟繼兄位謂之及]. 豈無刑辟, 繇祖之竭力, 故支庶賴焉".

· 『자치통감』 권32, 漢紀24, 成帝綏和 1년(BC8) 1월, "上召丞相翟方進·御史大夫孔光·右將軍廉褒·後將軍朱博入禁中, 議'中山·定陶王誰宜爲嗣者?', 方進·[票騎將軍王]根·褒·博皆以爲, '定陶王, 帝之子. 禮曰, 昆弟之子, 猶子也. 爲其後者, 爲之子也. 定陶王宜爲嗣'. 光獨以爲, '禮, 立嗣以親, 以'尙書'盤庚殷之及王爲比, 兄終弟及[胡三省注, 兄終弟及, 殷法也. 殷自外丙·仲壬至于盤庚, 率多兄弟代立, 而'尙書'無文, 光所引蓋今文尙書也]. 中山王, 先帝之子, 帝親弟, 宜爲嗣'. 上以'中山王不材, 又禮, 兄弟不得相入廟'[注, 父爲昭, 子爲穆, 則兄弟不得相入廟也], 不從光議".

274) 文宗은 『익재난고』 권9하, 史贊, 文王에는 文王으로 되어 있다.

275) 進用은 『익재난고』에는 盡用으로 되어 있다.

276) 褒賞은 『익재난고』에는 褒賢으로 되어 있다.

277) 歎息은 『익재난고』에는 嘆息으로 되어 있다.

[文宗在位年間]

[○文宗朝, 契丹大康年間, 知金州事某官撰'駕洛國記'一卷:追加].[278)]

278) 이는 다음의 자료에 의거하였는데, 大康年間은 1075년(문종29) 1월에서 1084년(선종1) 12월까지 滿9年間이다.

· 『삼국유사』 권2, 紀異2, 駕洛國記[注, 文廟朝大康年間, 金官知州事文人所撰也, 今略而載之].

順宗

順宗·宣惠·□□[~~英明~~]·□□[~~靖憲~~]大王,[1] 諱勳, 字義恭, 古諱烋. 文宗長子, 母曰仁睿太后李氏, 文宗元年十二月己酉[9日]生, 八年二月, 册爲王太子.

三十七年七月辛酉[18日], 文宗薨, 奉遺詔卽位.[2]

○遣左拾遺·知制誥吳仁俊如遼, 告哀.[3]

[某日, 以趙蘭冲爲東南海都部署使:慶尙道營主題名記].

八月[甲戌朔小盡,辛酉], [癸未[10日], 上:節要轉載]諡[謚]曰仁孝, 廟號文宗].

甲申[11日], 葬文宗于景陵.[4]

庚子[27日], 御神鳳樓, 赦.

[是月頃, 納戶部郞中李顒之女爲妃:列傳1順宗妃長慶宮主李氏轉載].

[九月[癸卯朔大盡,壬戌], 己巳[27日], 契丹, 以王權知高麗國事:追加].[5]

冬十月癸酉朔[小盡,癸亥], 設道場于會慶殿三日, 飯僧三萬.

甲申[12日], 制, 加王弟運守太師兼中書令, 食實封一千戶.

○王小有疾, 居廬哀毁, 疾益篤.

乙未[23日], 命母弟國原公運, 權摠國事, 遺詔曰, "朕比承君父之遺言, 獲主邦家之

---

1) 이에서 順宗은 廟號이고, 宣惠大王은 謚號인데, 이는 1083년(선종 즉위년) 11월에 順宗의 陵[成陵]이 마련될 때 붙여진 것이다. 그런데 순종은 1140년(인종18) 4월에 英明이, 1253년(고종40) 10월 3일(戊申) 靖憲이 각각 덧붙여졌으나, 이 기사에 반영되어 있지 않다.

2) 이와 같은 기사로 다음이 있다.
· 지18, 禮6, 國恤, "辛酉, 王疾篤, 薨于重光殿, 殯于宣德殿, 是日, 順宗卽位".

3) 吳仁俊은 8월 某日 거란에 도착하여 告哀하였던 것 같다.
·『요사』 권24, 본기24, 道宗4, 大康 9년 8월, "□□[某日], 高麗王徽薨".

4) 이 기사는 지18, 禮6, 國恤에도 수록되어 있고, 景陵은 開城市 板門郡 仙跡里에 있다(보존급 유적 570호, 張慶姬 2013년).

5) 이는 다음의 자료에 의거하였다.
·『요사』 권24, 본기24, 道宗4, 大康 9년 9월, "己巳, 以高麗王徽子三韓國公勳權知國事".

重器, 每思眇質, 謬膺顧托之權. 樂與群公, 共講長久之策, 冀保祖宗之慶, 永光堂構之功. 不謂居喪過哀, 積憂成患, 經時累朔, 有加無瘳, 爰及冬初, 遂至大漸. 念明滅風燈之體, 寧免幻期? 而纂承社稷之圖, 合憑預屬. 今母弟守太師·中書令·國原公運, 多能天縱, 盛德日躋, 稼穡艱難, 備明乃事, 刑政利病, 悉究于心. 如其升九五之尊, 足以安億兆之望, 可於柩所, 便卽君權. 凡於國朝賞罰大事, 一稟嗣君處分, 在外州鎭官員, 只於本郡擧哀, 輒不得擅離理所. 喪服之制, 以日易月, 山陵制度, 務從儉約. 於戱, 生也有涯, 難逭者始終大義, 人誰不沒, 所傷者脩短異途. 惟憑一二股肱, 中外文武, 同輸忠力, 輔我親王. 庶延寶曆之無窮, 長使環區之有寄, 朕之瞑目, 復何憾哉?". 是日, 薨于喪次, 移殯于宣德殿.[6] 壽三十七, 諡[謚]曰宣惠, 廟號順宗, 葬于城南, 陵曰成陵. 仁宗十八年加諡[謚]英明, 高宗四十年加靖憲.[7]

李齊賢贊曰, "三年之喪, 自天子達于庶人. 然其所謂[然而國君能爲]齊衰之服,[8] 饘粥之食, 顏色之戚, 哭泣之哀, 使四方來觀而悅者, 自滕文公之後, 未之聞也[鮮矣].[9] 順宗[順王]遭文考之喪,[10] 哀毁成疾,[11] 四月而逝, 雖於[過]聖人之制,[12] 有所過焉, 其親愛之誠, 則至矣".[13]

[仁同人 張東翼 校注, 增補].

6) 이 기사는 관련된 기사로 다음이 있다. 또 이날은 율리우스曆으로 1083년 12월 4일(그레고리曆 12월 10일)에 해당한다.

· 지18, 禮6, 國恤, "乙未, 王疾篤, 遺詔, 在外州鎭官吏, 止於本處, 擧哀, 喪服以日易月, 薨于喪次. 是日, 殯于宣德殿".

7) 成陵은 開城市 板門郡 進鳳里에 있다(보존급유적 568호, 張慶姬 2013년 ; 洪榮義 2018년).

8) 然其所謂는 『익재난고』 권9하, 史贊, 順王에는 然而國君能爲로 되어 있다.

9) 自滕文公之後, 未之聞也는 『익재난고』에는 鮮矣로 되어 있다.

10) 順宗은 『익재난고』에는 順王으로 되어 있다.

11) 『익재난고』에는 遭文考之喪이 없고, 哀毁成疾은 毁性成疾로 되어 있다.

12) 於는 『익재난고』에는 過로 되어 있다.

13) 有所過焉, 其親愛之誠, 則至矣는 『익재난고』에는 其愛親則天至矣, 悲夫로 되어 있다. 이 論贊도 『고려사』의 편찬자가 改書하면서 세련된 문장을 만들지 못한 사례의 하나이다.

新編高麗史全文

세가2책 현종-순종

초판 1쇄 인쇄 | 2023년 05월 23일
초판 1쇄 발행 | 2023년 05월 30일

지은이 | 張東翼
발행인 | 한정희
발행처 | 경인문화사
편집부 | 김지선 유지혜 한주연 이다빈 김윤진
마케팅 | 전병관 하재일 유인순
출판번호 | 제406-1973-000003호
주소 | 경기도 파주시 회동길 445-1 경인빌딩 B동 4층
전화 | 031-955-9300 팩스 | 031-955-9310
홈페이지 | http://www.kyunginp.co.kr
이메일 | kyungin@kyunginp.co.kr

ISBN 978-89-499-6707-3 94910
978-89-499-6754-7 (세트)
값 36,000원